I Marc,

Pôb lwc a phob

hwyl ar gyfer y dyfodol.

a fydd, gobeithio yn

barnowydaidd !

Lot o lwc a dmi,

Ml X

Rhagfyr, 2001.

PARADWYS

Wiliam Owen Roberts

Cyhoeddiadau Barddas

Argraffiad cyntaf 2001

ISBN 1 900437 50 3

*Y mae Cyhoeddiadau Barddas yn gweithio
gyda chefnogaeth ariannol Cyngor Celfyddydau Cymru,
a chyhoeddwyd y gyfrol hon gyda chymorth y Cyngor.*

Cyhoeddwyd gan
Gyhoeddiadau Barddas

Argraffwyd yng Nghymru gan Wasg Dinefwr,
Heol Rawlings, Llandybïe, Sir Gaerfyrddin

– i Elisabeth

CYNNWYS

– y dyheu am baradwys yw paradwys ei hun.

Kahil Gibran.

Y COFIANNYDD

Piccadilly.

Mawredd y tŷ oedd ei safla. Tŷ Iarll Foston. Tŷ'r teulu. Ei orsedd yn y ddinas, calon ei deyrnas yn y dre. Cerddodd Polmont heibio iddo laweroedd o weithia pan oedd yn hogyn (a phan oedd yn hŷn) wrth fynd ar ei ffordd tua Hyde Park Corner a phentra Knight's Bridge i brynu hoff seidar Mr Hatfield gan Huguenot o linach yr enwog Boris de Pffeffel (ond a oedd bellach wedi marw ers mwy o flynyddoedd nag y gallai eu dwyn i go). Fel sawl un arall, fe oedodd ynta lawer tro i edmygu talcen mawreddog y tŷ. Bagio draw i gael gweld yn iawn gan sefyll ar gwr isa llyn dŵr Chelsea a chenfigennu wrth ei ogoniant a thynnu chwiban tros ei dafod wrth stelcian syllu o'r tu allan . . .

Ac o'r diwedd, dyma syllu o'r tu mewn. Daeth tro ar fyd. Rhyfedd o fyd. Deffro bob bora ar fatres gynnes wrth ara agor ei lygaid a syllu ar angylion yn chwythu utgyrn aur yn y nenfwd tal. A'r ogla nefolaidd lond ei ffroen. Ar fwrdd derw du wrth erchwyn ei wely gosodwyd tusw o rosynnod cochion mewn ffiol Rufeinig, un o'r ail ganrif, a fu unwaith yn *villa*'r Ymerawdwr Antoninus Pius, ychydig filltiroedd i'r de o Rufain. Â chwrlid o hapusrwydd wedi lapio am ei galon, codai Polmont wedyn; tynnai forewisg sidan amdano a'i chlymu â chwlwm ysgafn a sŵn ei draed ar bren y llawr yn rhathru fymryn wrth iddo'i groesi. 'Molchai groen ei wyneb hefo sebon ogla lemwn a dŵr glân o gawg a ddodwyd ar gist wrth droed ei wely gan forwyn er ei fwyn.

Sefyllian am hydoedd yn ffenest ei stafell ar y trydydd llawr yn teimlo mor llethol o hapus a balch; yn llawn boddgarwch a hawddfyd; yn fwy na bodlon ei fyd. Teimlai'n ddyddiol mor sionc ac ysgafn, yn union fel y gwnâi ar bnawn o ha pan befriai'r hin yn ddisglair a'r haul yn taro'n boeth. Bysdeimlai'r croglenni trwm yn ysgafn; yna, eu gwasgu'n llond ei ddwrn; eu mwytho ar ei foch; eu sugno'n ddwfn i'w ben o'u hogleuo'n hir. Oedd o'n bod go iawn? Oedd o yno o ddifri? Neu ai rhyw freuddwyd ddrwg oedd y cwbwl? Rhyw hunlla erchyll y byddai'n deffro ohoni i rincian rhynnu eto rhwng dau fedd rhyw fynwent?

Weithia agorai'r ffenest gil i glywed ambell air o ambell sgwrs yn codi ato, cyn codi ei lygaid i ganlyn rhyw un goets – ei dilyn i fyny'r stryd, yr holl ffordd hyd at yr Haymarket. Tu draw i'r stryd honno wedyn, gorweddai Caeau Leicester a Covent Garden. Roedd cymaint i'w weld; cymaint i sylwi arno; cymaint i'w edmygu ond doedd dim yn cymharu â'r olygfa foreol ar draws y Parc Gwyrdd, heibio i'r clwstwr o goed derw draw i'r pellter lle safai Tŷ Buckingham.

Wedi gwisgo, cerddodd i lawr grisia marmor y tŷ i'r cyntedd mwya yn ninas Llundain gan gamu heibio i ddwy forwyn wrth eu gwaith yn gloywi'r dodrefn duon ac ogla cwyr melyn canhwylla'r noson cynt yn graddol gilio tan arogleuon cryfach. Bodiodd addurniada'r muriau ar batrwm Echart. Crwydrodd hyd aceri o garpedi newydd o'r gweithdy enwog ym Mrwsel; heibio i gadeiria derw o'r Iseldiroedd a gwas pwyntus, braidd yn foliog, yn goruchwylio gosod y bwrdd hira a welodd yn ei fyw erioed ac ogla'r cyfoeth lond ei ffroen. Roedd wedi pêr gynhyrfu; ei ben yn llawn o wib feddylia a'i ddychymyg ar dân. Sylweddolai wedyn ei fod wedi bod yn rhyw chwibanu a swyn ganu wrtho'i hun. Pwy feddyliai erioed y byddai rhywun fel fo o bawb yn westai yn Nhŷ Iarll Foston? Yn cysgu, bwyta a darllen wrth ei hamdden o dan ei do?

Tri llun.

Craffodd ar ferch ifanc wen ei gwedd, a'i llygaid mor llonydd ag afon Awst yn syllu'n drist. Isabella Caroline (1720-1745), gwraig gynta Iarll Foston, a fu farw ym mloda'i dyddia wrth eni ei merch, y Fonesig Frances-Hygia Royal (1745-), a osodwyd nesa ati pan dynnwyd ei llun yn ferch ifanc ugain oed. Roedd ei hwyneb wedi'i eirawaedu'n wynnach na gwyn, ac ias ei llygaid fel un a suddodd mor ddwfn i'w hun, nes gweld gwreiddia rhyw natur arall yn blaguro yn ei henaid. Ar ei mynwes sylwodd fod bezoar yn hongian ar gadwyn aur. Camodd yn nes a chraffu'n fanylach a gwelodd fod y garreg wedi ei naddu ar lun calon. Calon fechan i'w harbed rhag drygioni o bob math. A'r drydedd oedd Anna-Maria (1735-), ail wraig Iarll Foston, a'i llygaid duon fel pe'n mwytho cyfrinacha yn ei mynwes. Dilladwyd y tair yn yr un toga gwyn a'u bysedd uwch ffroena haid o gŵn hela ymysg adfeilion Rhufeinig, a rhimyn pwced goleuni'r byd yn rhuddgoch dduo tan blygion trwm yr wybren.

Syllodd ar y llunia'n hir.

Wythnos ynghynt, syllai i lawr i afon Tafwys.

Llifai'n ddu tua'r môr.

Cododd ei hun i eistedd ar ochor y bont; taflu'i goesa tros yr ymyl; gosod cledra ei ddwylo yn barod i'w hyrddio ei hun. A'i ladd ei hun. Rhoi terfyn ar y cwbwl. Ei gorff yn golchi ar ryw draeth yn rhywla . . . Neu 'falla ddim. Madru yn y môr. Pa ots? Wedi holl fwstwr y twrw a'r trwbwl a ddaeth i'w ran, teimlai ryw lonyddwch rhyfedd. Cerddodd yno trwy'r min nos llygliw a chyrra pella'r strydoedd wrth gilio y tu ôl iddo eisoes yn tywyllu. Erbyn iddo gyrraedd y bont roedd y nos yn ddu. Ni allodd wneud dim byd am amser maith gan fod llu o ddynion yn pasio heibio o hyd. Safodd yno. Sefyll a disgwyl. Sefyll a disgwyl tra oedd yn bol dywallt ei holl helbulon yn un gybolfa'n ei ben wrth gofio'r cwbwl a'i ewyllys i fyw wedi ei lwyr dreulio i'r pen . . .

Syllodd fry i'r wybren; gwasgu ei ben yn ôl yn galed ar ei war nes teimlo clecian mân rhyw esgyrn yn ei gefn. Ymhell bell i ffwrdd ym mhellafoedd yr wybren gorweddai lagŵn gwyrdd o sêr. Gwegilsythodd a theimlodd yn benysgafn, ond clwciodd yr afon yn gysurus oddi tano; yn barod i'w gofleidio. Draw dros doea'r ddinas, tua'r de tros blwyfi Southwark, safai cymyla llwydion. Yn hongian yn rhywle tros ei ysgwydd, teimlai agosatrwydd rhith prin ei fam . . .

Camu'n ôl trwy ei feddwl a wnaeth o y noson honno.

Pwy oedd o go iawn?

Polmont.

Ei enw. Dyna'r peth. Nid Mr ond Polmont. Yr un enw â'r gweithdy. Y gweithdy oedd o a fo oedd y gweithdy. Polmont. Yn syml mewn un gair. Hogyn amddifad a adawyd untro, nid ar drugaredd y plwy yn hollol, ond ar haelioni dynion diarth; neu a bod yn fanwl gywir, un dyn diarth a'i wraig; rhyw weithiwr hetia brethyn y byddai'n eu llaw bannu mewn gweith-dy yng nghefn ei dŷ. Cyn hynny . . . Cyn hynny, be? Roedd wastad ar lwgu. Wastad bron â marw isio bwyd bob awr o'r dydd a'r nos. Byddai'n bwyta'n awchlym; yn llewa pob darn o fwyd i'w geg a'i lyncu'n sych. Be arall allai'i ddwyn i go? Be oedd ei atgof cynta

un? Ni allai nofio'n ysgafn yn ei orffennol. Ni allai gofio. Doedd
na'r un. (*Oedd, oedd, wrth gwrs, mi roedd 'na un*) . . . Roedd yno'n
llechu'n isel isel ond roedd mor boenus i'w atgyfodi; doedd fiw
iddo ei alw'n ôl; ond gwasgai arno o wythnos i wythnos, o fis i
fis; ac o bryd i'w gilydd byddai'n galw heibio fel hen berthyn
roedd yn well gan rywun ei anghofio . . . Cryndod; düwch; llwch
a lleisia'n galw trwy ryw gysgodion . . .

Tywydd garw.
   Cofiodd fân ôd o blu eira yn lluwchio'n ddwfn a gwŷr a
gwragedd hyd at eu bolia'n ymbalfalu. Cofiodd yr afon wedi
rhewi'n gorn a phlant a phobol yn sglefrio arni o dorlan i dorlan;
a rhai yn godro gwartheg a gwerthu'r llaeth i'w yfed yn gynnes
yn y fan a'r lle. *Oedd o'n cofio hynny go iawn?* Neu ai wedi dych-
mygu ei fod o roedd o, wrth glywed dynion yn trin a thrafod gaea
mawr 1767? Faint oedd ei oed 'radeg honno tybed? Pump oed?
Chwech oed? Mae pob plentyn yn cofio ogla eira am y tro cynta.
Cofio hefyd teimlo cysgod cwmwl yn llithro hyd oror bryn a'r
dydd yn duo'n sydyn; gwar yn oeri. Gwyddai Polmont fod
ganddo drwyn meinach na'r rhan fwya o ddynion. Felly, 'falla
mai atgo'r gaea hwnnw oedd ei atgo cynta un . . .
   Ni wyddai pryd y'i ganed, ddim mwy nag y gwyddai ym
mhle; ddim mwy nag y gwyddai ei oed na'r enw a roddodd (os
rhoddodd o gwbwl) ei fam arno. Faint oedd ei oed o? O'i
gymharu ei hun â dynion eraill byddai'n dyfalu ei fod yn ddwy
ar hugian neu'n bedair ar hugian neu 'falla'n bump ar hugian.
(Dywedodd Miss Sharpin wrtho fod yn well gan ei thad ddynion
hŷn na dynion iau, a chyn belled ag yr oedd o'n y cwestiwn,
roedd yn saith ar hugian).

Addysg.
   Chafodd Polmont fawr ohono na dysgu moes ac arferion tan
yn hwyr yn y dydd, a hynny trwy law Mr Hatfield, ei feistr
caredig. Dyn main, manwl a wisgai'n drwsiadus: crys gwynlliw
a choleri crin tan wasgod sidan binc. Dyn moel hollol a'i ben wedi
ei wallt-golli bob modfedd ohono, ac o'r herwydd ni fyddai fyth
yn diosg ei wig. Roedd yn ddyn a fyddai'n mwynhau borebryd
anferth ac o'r herwydd yn bwyta fawr ddim weddill y dydd.

Roedd yn ddyn parod i ddangos a gwella bai ac yn dynnwr dannedd heb ei ail, yn ddyn roedd galw cyson am ei wasanaeth. Hyd at yr eiliad y daeth Polmont ato'n was doedd ganddo mo'r gallu i fyw mewn cymdeithas, a doedd ganddo chwaith ddim talenta arbennig nac ymarferol heblaw am y grefft a ddysgwyd iddo, sef pannu hetia brethyn. Er hyn, doedd o ddim yn hollol amddifad o hunanhyder chwaith.

Er iddo ddarllen, er iddo maes o law gael addysg a chrefydd (roedd Mr Hatfield yn ŵr defosiynol ac âi Polmont i'w ganlyn i'r eglwys yn ddefodol a'i hoff ddywediad oedd 'y gobennydd esmwytha ydi cydwybod tawel'), teimlai nad oedd yn gwbod ond y nesa peth i ddim am ddim. Nid nad oedd yn ceisio'i ora glas i'w blesio. Byddai wastad yn ceisio myfyrio ar gynghorion ei feistr, a bwysleisiai mai gweddïo'n ddirgel oedd un o brif ddyletswydda gwas; addef gwendid, diolch am drugaredda a 'morol am nerth i fyw. Pwysleisiodd mai rhinwedd ddisglair a phrydferth oedd gonestrwydd; mai peth hardd oedd bod yn eirwir.

'A ffyddlondeb, Polmont. Onid hwnnw ydi'r rhinwedd bwysica un?'

Dywedodd Mr Hatfield fwy nag unwaith fod dedwyddwch cannoedd o deuluoedd Jamaica, Barbados ac America yn llwyr ddibynnu ar ffyddlondeb eu caethweision. Ffyddlondeb oedd y bluen hardda un yng nghoron dyn.

Serch hynny, gwyddai Polmont ei fod yn amal yn cymryd arno pan geisiai gydymddwyn â'i orchmynion a'r cwbwl yn stwnshio o gwmpas ei ben. Byddai'n amal yn cogio. Byddai'n rhoi act gerbron y byd. Roedd yn ddynwaredwr. Gwyddai yn ei galon ei fod yn rhyw fath o dwyllwr, a doedd yr hyn a ddysgodd, y tameidia o ddarllen, yn ddrabia a ddaeth iddo fesul darn at ddarn, yn wasgaredig a di-drefn, yn gwneud dim oll ond peri iddo sylweddoli cyn lleied roedd o yn ei wybod. Gwyddai fod gofyn ymdrech galed a chyson i lunio cymeriad da a fyddai'n deilwng o'i fodolaeth a pho ddyfna fyddai'r sylfaen yn cael ei gosod, cadarna fyddai'r tŷ.

Chwedl Mr Hatfield, 'Mae cymaint i'w wybod a chymaint i'w ddysgu. A chofia fod y dderwen yn cymryd blynyddoedd lawer yn fwy o amser i dyfu na'r ffawydden, ond o'r herwydd mae hi'n gadarnach a defnyddiolach coedan o'r hannar.'

Uchelgais.

Roedd yn benderfynol o neud ei farc yn y byd ac am neud enw iddo'i hun a thyfu'n ŵr o bwys yng ngolwg dynion. O ble y tarddai ei uchelgais? Tydi pob dyn felly? Pam disgwyl iddo fod yn wahanol i neb arall? Y broblem oedd fod arno angen cyfla a mantais mewn bywyd i ganfod pen y ffordd. Ond a fyddai'n dŵad o hyd i'r bwlch? Heb sôn am gamu trwyddo . . .

Dyn byr o gorff oedd o a'i goesa meinion yn boenus o fain er bod ei draed yn llydan. O ran dillad wedyn, doedd o ond – pe gallai a phe bai ganddo'r modd i neud, wrth gwrs – yn dymuno prynu'r gora; doedd dim ogla tebyg i ogla dillad newydd tanlliw nesa at ei groen. Roedd yn hoff o ganlyn y ffasiwn ac yn hoff hefyd o wisgo yr un gôt las, ha a gaea, a honno'n frith o bleth-linynna, crysbais gwyrddgola, clos pen-glin gwyn a hosana gwynion; het felen ac wrthi bluen las a'i bôn yn goch gan beri iddo edrych mor dalog â chyw milwr yn chwythu rhes o biba. A'i fodrwya wedyn; roedd y rheiny'n werth eu gweld. Byddai'n eu cadw mewn llaw gist a etifeddodd gan ryw wraig fonheddig a gymerodd ato ym mhorth yr eglwys ryw fora Sul; hen gist fechan o'r ganrif gynt yr arferai modryb y wraig fonheddig gadw ei modrwya a'i chlustdlysa ynddi; a'i breichwisgoedd hefyd a'i mân drugaredda eraill i gyd o dan lip gaead haearn a chlo. Be am ei gwpwrdd o sgarffia sidan wedyn? Roedd y rheiny'n werth eu gweld. Breuddwydiai'n amal am brynu'r dodrefn druta a bwyta yn y tai coffi enwoca . . .

'Y dyn a ddaeth o unman.'

Ac yn mynd i unman, sibrydodd wrtho'i hun tan isel grymu'i ysgwydda a gwasgu ei fysedd nes brifo'i esgyrn; cododd gledra ei ddwylo, caeodd ei lygaid yn sownd dynn: yn barod i'w fwrw ei hun i'r lli pan glywodd lais yn bloeddio, 'Stop!'

Y dyn ei hun.

Nid y dyn ei hun a welodd gynta ond ei gysgod pan gamodd i'w gyfwrdd trwy ara festyn ei fraich nes peri i ddüwch gripian ar draws llygaid Polmont a dallu'i olwg. Nid ynganodd y gŵr air am hydoedd, dim ond sefyll yno'n ddelw lonydd hollol tan syllu wrth ei bwysa ar ddyn yn hongian rhwng dau fyd. Gorweddai tawelwch maith wedyn rhwng y ddau ac ambell waith mae mudandod felly yn llefaru'n llawer cliriach na llond ceg o sŵn.

Toc, holodd y llais ifanc, 'Sgen i hawl gofyn pam?'

'F'eiddo i a neb arall ydi 'mywyd i. Ga i neud be bynnag dwi isio hefo fo.'

'Ydi hynna'n hollol wir?'

Anodd oedd trio magu plwc i neud amdano'i hun a rhywun yn rhyw how rythu arno a lledodd rhyw wrid-liw poeth trwy'i focha, i fyny hyd at fôn ei glustia nes peri iddo deimlo ei fod fymryn yn wirion.

'Ydi dy fywyd ti ddim hefyd yn eiddo i dy deulu di?'

'Sdim teulu gen i.'

'Be am gymdeithas 'ta?' holodd wedyn o dywyllwch ei lygaid. 'Wedi'r cwbwl, mae bywyd pob milwr yn eiddo i'r Brenin oni bai bo' chdi'n un o'r rheiny sy'n dadla yn yr oes sy' ohoni fod pob dyn yn frenin bychan iddo'i hun? Neu 'falla bo' chdi'r math o ddyn sy'n mynd yn bellach na hynny trwy ddadla dadl Mr Locke –'

'Gad lonydd imi!'

Llwybreiddiai'r nos o'i gwmpas: lleufer y lloer yn glasoleuo'r lli. Syllodd i lawr gan ewyllysio'i gorff i blymio. Crensiodd Polmont ei ddannedd yn sownd dynn i'w gilydd mor galed nes brifo esgyrn ei ên. Roedd yn rhan o wead y bont a'i gorff mor drwm â'i meini ac o 'dano roedd odyniad o briddfeini trymach yn suddo'n isel i wely'r afon. Eisteddai yno mewn chwys poeth yng nghanol rhyw wres melltigedig tra safai'r gŵr bonheddig yn stond am hydoedd nes peri iddo deimlo ei fod yn ei herio i'w hyrddio ei hun. Ymdrechodd Polmont eto. Ymdrech deg. Teimlodd yn bendrymog a rhyw ogla perlysieuog yn ei ffroen. Tuchanodd o dan ei wynt fel dyn yn trio arbed talcen tŷ rhag disgyn.

Ara gamodd y gŵr tuag ato a dodi ei ddwy law i orwedd ar ei ddwy ysgwydd a'u gwasgu'n dyner.

'Gad inni fynd o'ma.'

Murmurodd yn dawel yn ei glust. Ei lais ifanc yn llyfnu ei boena'n wastad. Oedd Polmont o ddifri ynglŷn â cheisio'i ladd ei hun? Neu ai dim ond tynnu sylw ato'i hun yr oedd o trwy ryw act o hunandosturi? Crefu cydymdeimlad? Crefu ar rywun i wrando arno'n bwrw'i gŵyn? Roedd yn ddyn ar ffo rhag y gyfraith. A warant ar ei enw i'w fwrw ar ei ben i garchar y methdalwyr.

O golli'r cwbwl, doedd o'n neb.

Y goets.

Mor braf oedd blasu ei meddalwch wrth suddo i'w moethus-rwydd; yn union fel carlamu mewn nyth clyd a chynnes a hwnnw'n ogleuo o sebon sent gwlith olympia a dŵr lafender. Wrth gamu iddi llygad-dynnwyd Polmont at wraig fonheddig ifanc, un o'r morwynion glana a welodd yn ei fyw. Faint oedd hi? Ugain oed? Os hynny . . . Eto roedd hi'n fronnog iawn. Gwisgai fantua borffor laes tros ei phen (braidd yn hen ffasiwn erbyn hyn) a deunydd sidan ysgafn tros ei hysgwydda. Roedd wedi lliwio ei gwallt yn felyn a'i bowdro nes peri iddo wynnu, er bod gwreiddia duon i'w gweld yn tyfu'n gryfion pan wyrodd ei chorun.

Cyflwynodd y gŵr bonheddig ei hun.

Syr William-Henry Hobart.

Roedd yn enw cynefin, rhywsut. Gwyddai Polmont iddo ei glywed yn rhywle rywdro; ymhle a phryd yn union, ni allai ddwyn i go. O'i gau'n y goets, llais mwy bachgennaidd na'r hyn a glywodd ar y bont oedd gan Syr William-Henry Hobart hyd yn oed. Dyn ifanc oedd o. A barnu'n ôl ei olwg, fawr hŷn na phump ar hugain oed.

Carlamodd y ceffyla ar wib trwy amryw byd o strydoedd, carlamu'n galed ar ryw berwyl na wyddai Polmont ddim amdano, ac erbyn iddo edrych allan roedd hanner ffordd i lawr Stryd Harley, ac yn croesi ar wib ar draws Sgwâr Cavendish. Mor orfoleddus oedd bod ar drugaredd rhywun arall; ildio pob cyf-rifoldeb, pob penbleth, pob dewis a gŵr diarth yn gwneud pob penderfyniad drosto, ac o wneud hynny yn gwarchod ei les a'i hapusrwydd.

'Ffei! Ffi! Hach!' gwaeddai'r gyrrwr.

Clywodd chwip uwchben yn hisian cyrlio wrth glecian awyr y nos. Teimlad braf oedd symud eto wedi eistedd ar garreg oer y bont. Ar ei waetha teimlai Polmont yn falch o fod yn fyw. Maes o law stopiodd y goets ger Tŷ Coffi enwog yr Alarch Gwyn, ar y gornel dafliad carreg oddi wrth risia'r afon yn Wapping. Derbyn-iodd Polmont wahoddiad Syr William-Henry i gyd-swpera. Roedd hi'n annedd glyd a llawen a chylch ymddiddan yn codi'n frwd o gwmpas y byrdda. Trwy law morwyn tywalltwyd gwydra o Chembertin, wedyn Latache aeddfed, ac ar ôl hynny, ryw win arall, gwin gwyn melys o botel â gwddw hirfain, na ddaliodd mo'i enw – ond beth bynnag oedd o, roedd mor feddalfwyn ar dafod â llais Syr William-Henry.

Mynnodd y gŵr bonheddig wybod y cwbwl o'r dechra i'r diwedd am holl helbulon Polmont. Brathodd ei fwyd yn dyner o'i holi'n dow-dow; gofyn cwestiyna amrywiol a thyner holi am yr hyn a'r llall ac arall rhag ei boenydio ynglŷn â be a'i gyrrodd at y bont. Siaradodd Polmont yn dawel a'i lais yn llawn o eiria eiddil. Wrth i'r Syr William-Henry Hobart a'i wraig wrando ar ei stori, gwnaeth ei ora glas i bwyso a mesur cymeriad y gŵr ifanc gyferbyn. Sut roedd taclo'r dyn? Sut roedd ei gael yn gyfaill? Sut y gallai ei helpu o'i gyfyngder? Manwl nododd ei ymateb i bob dim, gan geisio hefyd, yn yr un gwynt, ddyfndreiddio i hanfod ei natur. Gwrandawodd Syr William-Henry arno â'i lygaid bywiog, a'i geg ar hanner ei hagor; gan ysbeidiol lyfu ei wefus isa a phesychu bob hyn a hyn i'w ddwrn.

Emosiwn.

Dyna'r peth.

Penderfynodd Polmont ddilyn trywydd y llwybr hwnnw.

Miss Sharpin.

Adroddodd Polmont yr holl hanes o'r dechra i'r diwedd; adrodd pob un manylyn; dweud y cwbwl oll amdani. Disgrifiodd ei phrydferthwch a phantyla ei bocha, a roddai ryw wedd ifanc iddi, iau na'i hoed. Disgrifiodd ei bysedd meinion, a'i llygaid gleision a sut y bu iddo ei chyfarfod am y tro cynta yn y Pantheon. A'r awydd iasol i'w gweld wedyn. Lluniodd Polmont esgus i alw heibio i dŷ ei thad. Nid oedd Mr Sharpin yno. Tywysodd y forwyn o at Mrs Sharpin, a wenodd o'i weld. Daeth ag enghreifftia o wahanol bapur walia hefo fo. Y ffrescos diweddara – y rhai â bloda gwyrdd a rhesi o fafon cochion gan baentiwr o dalent neilltuol a gyflogodd at y gwaith – ac a batrymwyd yn unswydd ar gyfer mam y ferch.

'Faswn i wrth fy modd hefo'r patrwm yma,' syllodd Mrs Sharpin yn llawn edmygedd, 'ond yn anffodus, dyn paneli coed ydi 'ngŵr.'

Cofiodd Polmont y drafferth a gâi i ddeall ei sgwrs. Eisteddai Miss Sharpin ger tanllwyth o dân yn brodio o fewn fframia haearn crynion, ei bocha gwynion yn sgleinio'n boethlyd tan dafod y gwres. Neidiodd darn o olosg, sboncio ar y carped nesa at ei gwisg. Neidiodd ynta arno ar ei union a'i stampio'n llwch nes bod dim ar ôl ond llwydni ar y carped lle gynt bu gwadan ei droed. Am ryw reswm penliniodd a hel y sindar â rhaw i fwced, tra teimlai ei dalcen a'i gorun yn blistro o fod ar ei bedwar yn cil-edrych arni hi. Roedd ei hwyneb yn gochlyd iawn. Pam nad edrychai arno? Dilynai ei llygaid y nodwydd ddiwyd a sarffai trwy ei bysedd. A'i bysedd yn crynu. Ynta ar ei gwrcwd o'i blaen, fel rhyw anifail, yn teimlo fod yn rhaid ei ddadormesu ei hun o'r hyn a deimlai tuag ati. Cododd Miss Sharpin ei phen, syllu a gwenu – a dyna ddechra eu carwriaeth o ddifri . . .

Manylodd Polmont am ei thad.

'Sharpin? Enw diarth i mi,' tynnodd Syr William-Henry ei getyn claerwyn hir o'i ben, ei ysgwyd yn ofalus ar gledr ei law ond yna cymerodd ei wynt ato tan hanner agor ei geg a chrychu ei dalcen, hanner pwyso 'mlaen a phwyso ar ei benelin tan godi ei fys bach wrth hanner cofio rhywbeth, a ddarfu'r un mor sydyn yn ei feddwl. Wedyn araf rwbiodd y gŵr bonheddig ifanc gefn ei law yn ara deg o dan ei drwyn – ei hogleuo fel prynwr dodrefn derw mewn ocsiwn – wrth i Polmont fanylu am y siom o'i cholli; mor wag oedd ei fywyd; mor ingol ei nosweithia a'i wely oer, digysur. Ochneidiodd y wraig yn addfwyn. Siaradodd Polmont yn hir; siarad yn fywiol fanwl amdano'i hun a'i helynt. Darfu'r amser. Rowliodd Syr William-Henry ei wydryn rhwng ei gledra yn ara ara. Gwenodd a dywedodd toc, "Falla wir, ond tydi hi ddim yn ddiwedd y byd.'

'Finna wedi colli fy nyweddi am byth?'

Ni soniodd Polmont air o'i ben am y methdalu.

Na'r warant i'w arestio.

Pan holodd Syr William-Henry o am ei waith bu'n rhaid iddo droi'r stori a chymryd arno ei fod, 'Wrthi'n datblygu busnas, ac yn chwilio am bartneriaeth mewn menter newydd o fewnforio papur wal o Bruges.'

'Diddorol,' pwffiodd fwg i gronni tan y gronglwyd. Magodd ogla garlleg a brandi ar wynt Syr William-Henry; aeth fymryn yn fwy trwsgwl; taro ei wydryn trwy festyn yn afrosgo am wddw'r crewet ar ganol y bwrdd a thywallt ei win nes baeddu gwisg ei wraig; aeth ei iaith yn futrach a mwy nag un rheg – rhegfeydd bras iawn hefyd – yn britho trwy'i frawddega nes poethi clustia dynion y bwrdd agosa. Yng nghhannwyll ei lygaid, codai rhyw edrychiad mwythog bob hyn a hyn a awgrymai natur flysig. Sychodd chwys oddi ar ei wefus ucha a chwyno ei fod yn teimlo'n boeth, ac yn chwantu cegiad o awyr iach, gan snwffian i'w fwg ei hun. O dan ei natur fonheddig, synhwyrodd Polmont fod rhywbeth amrwd a llawer garwach yn llechu. Trwch o eira tros domen dail. Mynnodd Syr William-Henry dalu am y bwyd a'r gwin i gyd.

Rhyw hanner codi protest a wnaeth Polmont pan fynnodd y gŵr bonheddig ifanc wedyn ei fod yn treulio'r noson yn eu cwmni. Gyrrwyd hwy'n y goets drachefn. Sylweddolodd Polmont nad oedd y wraig wedi torri gair trwy'r nos. Gwrandawodd ar bob dim ond ddeudodd hi na bw na be. Yn ei feddwl dyna'r enw a roddodd arni'r noson honno: y Fonesig Bw na Be. Am y tro cyntaf ers amser teimlai natur rhyw hyder newydd yn llifo trwy'i wythienna unwaith eto. Parodd hyn iddo weld petha cynefin hefo rhyw lygaid newydd, ac am y tro cynta ers wythnosa synnodd fod y ddinas mor llawn lliwia; fod petha mor hudolus ar bob stryd a sgwâr.

Y Tŷ Opera.

Cerddodd y tri i fyny grisia ac i focs preifat y teulu. Yn eistedd yn yr un nesa (braidd gyfarchodd y gwŷr ei gilydd drwy godi eu rhaglenni) roedd Arglwydd Chatham, ei wraig a'i fab ac un neu ddau o Aeloda'r Tŷ Isaf, Syr Wayland Corton a'i wraig a'i barti. Yn ystod yr egwyl gwthiodd pawb ei ffordd i'r Ystafell De, a honno'n orlwythog i'r ymylon. Wyneba a lleisia'n mynd a dod, yn troi o'u cwmpas. Sylwodd Polmont ar gatyrfa o weinidogion y llywodraeth wedi hel yn un haid draw'n y gornel (yn edrych fel geifr duon slei a ddaeth at ei gilydd yng nghefn y maharan) a'r Canghellor fel castell yn eu canol yn sibrwd yn dawel a phawb yn gwrando'n ddwys.

Teimlai Polmont mewn modd fel na theimlodd erioed o'r blaen: fel dyn yn yfed llond cwpan o hudoliaeth a bod egni bywyd eto yn chwara ar ei feddwl gan beri iddo ddychmygu pob math o bosibiliada newydd. Onid oedd pawb a welai yn nodedig mewn tlysni neu chwaeth? Hon oedd ei gymdeithas; ffynhonnell pob braint a bendith. I hon yr oedd yn perthyn ac yn haeddu cael perthyn. Gwyddai y byddai'n fodlon gwerthu'i enaid i'r diafol, petai'n rhaid, er mwyn ei atal ei hun rhag cael ei gau allan ohoni am byth. Caeodd ei lygaid a swn y cylch mor gylchgyfnewidiol; mor braf oedd lleisia pobol. Prin y cafodd gyfle i roi dau air at ei gilydd cyn i floedd daranu o'r ochor draw i'r 'stafell.

'Lleidar!'

Rhuthrodd; baglodd dynion ar draws ei gilydd; ac i'w gilydd. Sgrechian gwragedd; a 'be aflwydd?' dynion o'u sydyn hyrddio, powlio diodydd tros fysedd; gwisgoedd yn rhwygo wrth i draed faglu o stampio'n stomp.

'Hoi! Hoi! 'Nadwch o!'

Sleifiodd cysgod isel heibio ar igam-ogam. Gwthiodd Polmont ei droed am draw a baglodd; cododd yr hogyn ar ei union a rhedeg ar wib, rhedeg ora y gallai ac allan i'r stryd; rhedodd amryw ar ei ôl, ac o'r tu ôl iddo clywai Polmont wŷr bonheddig yn gweiddi ar i rywrai ei stopio. Rhedodd nerth ei begla i fyny'r stryd a'i wep wrth gil-rythu tros ei ysgwydd fel wyneb gargoil blin a neidiodd i lawr o esgair hen eglwys. Rhedodd Polmont ar ei ôl, a chwaneg yn ei ganlyn, wrth i'r lleidar droi i alai Tafarn y Gloch. Rhedodd trwyddi i Lôn y Farchnad, troi i'r dde a rhedeg i fyny'r stryd nes cyrraedd Marchnad Iago Sant.

Bu ond y dim iddo achosi damwain pan redodd o flaen caseg fagu a dynnai *chaise*. Trodd i Stryd Norris. Gwelodd fod nerth yr hogyn yn pylu; nogiodd ei goesa a daeth i stop. Cydiodd amryw yno, ei dynnu bob sut a modd a'i godi a'i gario. O ddychwelyd i lawr yr Hay Market safai cwlwm o filwyr ar risia'r Tŷ Opera. Yn eu mysg safai gŵr bonheddig tal yng nghwmni Syr William-Henry Hobart.

Peltiodd hwnnw yr hogyn ifanc – swadan, peltan, peltan, swadan ar draws ei foch a'i dalcen a thros ei gorun pan blygodd ger ei fron – rhyw hanner dwsin i ddwsin o weithia yn ffyrnig, a thorf ffyrnicach wrth ei ysgwydd yn ei annog i ddal ati i'w golbio'n waeth gan gyhuddo'r hogyn o fod yn un o fintai o wib ladron a fu'n aflonyddu ar bobol trwy bigo o'u pocedi. Gwadodd yr hogyn iddo ddwyn dim byd trwy honni –

'Camgymeriad! Ar fy marw! Ar fy marw! Ddim fi na'th!'

Trwy lwc, gwelodd Polmont o'n taflu'r pwrs tu ôl i gafn dŵr carreg y ceffyla wrth gwr ffenestr Tafarn y Gloch. Gwerth £50. Byseddodd y cwbwl. Bodiodd y pres; teimlo'u ffreshni'n siffrwd dan groen ei fysedd. Gwasgodd ei fawd dan ei drwyn.

'Mmmmmm,' ogleuodd; a'u hailogleuo'n hir. Am un eiliad fer,

cafodd ei demtio i bocedu'r cwbwl, troi ar ei sawdl a chymryd y goes a gwibio i'r dywyllnos. £50. Yr hyn y gallai dyn ei wneud hefo pecyn felly. Gallai glirio peth o'i ddyledion; gallai ei arbed ei hun rhag cael ei daflu i garchar. 'Cer. Rheda, rheda!' isel sibrydodd rhyw lais bach taer yng nghefn ei ben. Ond oedodd; wedyn sad-gysidrodd ei sefyllfa: roedd wedi dweud gormod o'r hanner amdano'i hun wrth Syr William-Henry a'i wraig. Wrth ddychwelyd at y Tŷ Opera, meddyliodd chwaneg am ei gyfyng-gyngor, a gwenodd wrtho'i hun o feddwl y deuai petha gwell i'w ran o nythu yng nghysgod mab hyna Iarll Foston o'i ail briodas.

'Hwn oedd o, syr?'

Trodd y gŵr bonheddig i wynebu Polmont ac wedi moes-ymgrymu unwaith, teimlodd Polmont ryw reidrwydd greddfol i foesymgrymu eilwaith o barch didwyll i'w swydd a'i safle. Syllodd Polmont arno: roedd yn ŵr glanfoesgar, un hynaws ei wedd a boneddigaidd ei natur, yn gyflawn o bob cwrteisi. O'i osgo yn unig gellid dweud ei fod yn llwyr haeddu ei anrhyd-eddu. O, na allai ynta ennyn y fath barch yn ei gyd-ddynion, meddyliodd wrtho'i hun.

Llefarodd y gŵr bonheddig yn bwyllog, 'Fuost ti'n fachog.'

Cyflwynodd Syr William-Henry Polmont i Iarll Welling-borough. Yr enwog Iarll Wellingborough. Viscount Clive o Lwydlo, Barwn Herbert o Chirbury a Salop, a hyd at fis Tach-wedd y flwyddyn cynt, Llywodraethwr Caer Sant Siôr, Madras, a'r gŵr a wnaeth gymaint i frwydro tros adfer heddwch a gwarineb yn Bengal. Teimlai Polmont hi'n fraint i gyffwrdd â'i law. (Ond ei bod hi mor oer â physgodyn marw). Wedyn cyflwynwyd o i'w wraig, Iarlles Wellingborough. Gwraig fras ond hardd – un a feichiogodd ac a fagodd drwy gydol ei bywyd – o groen glân, llygaid disglair yn gwenu tan aelia duon; gwisgwyd hi'n hardd a'i gŵn wedi ei ymylrwymo â defnydd euraid. Hawdd dweud o'i hymarweddiad – ei migyrna'n grwn ac eiddil – mai un a astudiai gynildeb mewn gair ac ystum oedd hi, yn pwyso a mesur gwerth pob sill cyn mentro eu llefaru fel pob gwraig ddoeth.

Swingiodd Syr William-Henry ei fraich am draw, 'A dyma Syr Swaleside. Y dyn sy'n byw mewn gobaith y ceith o briodi fy chwaer fach, Miss Swinfen-Ann.'

Ymlwybrodd rhyw ddyn braidd yn od ei symudiada i'r fei;

fel pyped pren yn cael ei gynnal gan wahanol linynna. Hanner cododd rhyw wên wan ar ei wyneb wrth iddo sychu ei drwyn â chefn ei law. Gŵr lledofalus oedd o – a'i lygaid yn gwneud iddo edrach braidd yn syn – oddeutu tri deg chwech neu dri deg saith oed. Pan gododd ei law i deimlo'i wddw sylwodd Polmont ar ei fysedd meinion – fel bysedd gwraig – a bod ei goler wedi'i datod, ei wallt yn annhaclus a'i esgid chwith wedi ei dadfoclymu; nid nad oedd o wedi sylwi nac yn malio dim.

Cywirodd Iarll Wellingborough, 'Nid byw mewn gobaith mae fy mab i.'

Gwenodd Syr William-Henry, 'Does dim wedi'i benderfynu eto.'

Synhwyrodd Polmont fod rhyw gyfrinach yn hongian rhwng yr Iarll a'i wraig na wyddai Syr William-Henry amdani.

'Mae'r ddau i ddyweddïo at ddiwedd Hydref. O'n i'n meddwl bo' chi'n gwybod, syr.'

'Chlywis i ddim byd.'

'Mr Francis ddaeth draw i ddeud ar ran eich tad rhyw – pryd oedd o hefyd?' Crafodd ei arlais; yna bôn ei glust â blaen ei fys. Gwyddai i'r dim. Roedd hynny'n hollol amlwg o'r sŵn dihitio a wnâi trwy glecian ei dafod yn ei geg. Trodd Iarll Wellingborough i holi ei wraig a oedd hynny'n wir ai peidio; nad oedd o wedi camddallt; neu gamgofio; a siarad yn y fath fodd a awgrymai i bawb ei fod yn ŵr rhesymol a oedd yn bleidiol i bob tegwch, tra oedd ar yr un pryd yn syllu'n drwm ar wraig Syr William-Henry. Gwyrodd hitha ei phen (roedd wedi cochi at fôn ei chlustia) cyn troi am draw a sylweddoli ei bod hi'n edrych yn syth i wyneb Syr Swaleside.

Atebodd Iarlles Wellingborough wrth ffanio'i hwyneb, 'Y noson cyn yr aeth Iarll Foston draw i Baris.'

Clywodd Polmont Syr William-Henry Hobart yn tynnu anadl a chreu rhyw sŵn isel (Mmmmmm . . .) yn ei gorn gwddw tan sip-sipian ei wefus isa. Tuchanodd a grwgnachoďd a gwingodd yn ei sedd trwy weddill yr opera.

'Ssssh,' ffromodd ei wraig.

Dioddefodd Syr William-Henry ryw awr o ganu cyn codi, hollti'r llenni a cherdded allan.

Pwy oedd Mr Francis Hobart, holodd Polmont ei hun? Brawd Syr William-Henry? Wedi'r opera, roedd gwell hwylia ar ei gyfaill newydd; yn union fel dyn wedi codi o'i wely ar ôl salwch hir.

Gwahoddodd Syr William-Henry Iarll Wellingborough a'i fab i ymuno â Polmont ac ynta am gêm o ffaro yng Nghlwb Willis. Gwrthodwyd y gwahoddiad. Wrth i'r ddau sefyll yn disgwyl eu coetsus clywodd Polmont yr Iarll yn holi Syr William-Henry, wrth edrych draw dros ei ysgwydd arno, 'Nid hwn ydi dyn newydd eich tad?'

Ratlodd coets ger eu bron, a gweision yn neidio i agor drysa yn llawn ffrwst, gan iddi ddechra glawio, ac ni chlywodd Polmont ateb ei achubwr.

Byr fu cysur Polmont.

'Wn i ddim sut y daeth y Beilïaid i glywed,' chwythodd Syr William-Henry wrth bwyso'i benelin ar y seidbord farmor Eidalaidd a gwasgu'i ochor â chledr ei law gan deimlo pigyn neu wynt camdreuliad wedi iddo fwyta horwth o ginio, 'ond clywed dy fod ti yma hefo'r teulu maen nhw wedi'i neud. Rhywun wedi agor 'i hen geg fawr wrth rywun arall a deud dy fod ti'n aros ar aelwyd fy nhad, mae'n rhaid.'

Gan edrych arno'n crychu'i dalcen a gwargrymu iddo'i hun, holodd Polmont a oedd yn teimlo'n iawn.

'Gad imi gael fy ngwynt ata . . . Pwy ddeudodd, tybad?'

'Un o'r gweision, synnwn i ddim,' cerddodd Polmont a Syr William-Henry yn ara deg trwy'r drws o'r stafell fwyta ar draws y cyntedd mawr tua stafell eistedd ei dad. (Hoff stafell Syr William-Henry o holl stafelloedd y tŷ). 'Mi roedd gen i un oedd yn gynddeiriog am gario clecs a gyrru'r gweithwyr i benna'i gilydd.'

'Sdim dal pwy ddeudodd. Francis 'falla. Ti'n gwbod sut un ydi o erbyn hyn.'

'Pam fasa fo'n achwyn arna i? A ph'run bynnag, sut galla fo? Ac ynta dramor hefo dy dad?'

Cegiodd Syr William-Henry slygiad o port, ei sgwrio tros ei dafod a'i lyncu'n galed – Aaaaa! – gan sefyll ger y pentan Eidalaidd gwyn yn hanner craffu hanner ei edmygu ei hun yng ngwydr y cwpwrdd llyfra gyferbyn, gan feddwl nad oedd Polmont yn sylwi arno'n gwneud hynny, a gwthio rhyw gudyn o wallt i fyny o dan arlais ei wig.

'Ma' 'na gant a mil betha allwn i ddeud wrtha chdi amdano fo. Y petha mae o'n ddeud; a'r petha mae o wedi'i neud. Ond

wna i ddim; cega ar ddyn yn 'i gefn; peth annymunol iawn
tydi? A ph'run bynnag, mi garwn i feddwl fod 'na fwy o urddas
yn perthyn i mi na hynny. Yn wahanol i Francis.'

'Ond amdano fo . . .?'

'Ha! Dyna'r peth; dyna daro'r hoelan ar 'i phen. Yn hollol.
'Ond amdano fo?' Rho hi fel hyn; tasa neidar yn brathu Francis
– pwy ti'n meddwl fasa'n marw?'

Gan dynnu napcyn sidan gwyrddola ar hyd croen ei dalcen
sychodd Syr William-Henry Hobart ei chwys yn chwaethus dwt
a phatio croen ei wddw'n lân gan snwffian trwy'i ffroena yr un
pryd, plicio pen-glin ei glos yn ysgafn rhwng bys a bawd a
chamu draw at y gadair ora, ac wrth iddo wneud, sylwodd
Polmont ar arwyddair y teulu uwch y pentan: 'Vinicit omnia
veritas'. Tuchanodd ei gyfaill newydd yn swrthlyd wrth ista yn
y gadair ddwyfraich a'i ben ôl yn suddo'n esmwyth i'r glustog
hydd-liw.

'Gowt,' cwynodd wrth godi ael edrychiad digon poenus, 'fel
marblis poethion ym modia 'nhraed i. Finna ond yn bedair ar
hugain oed.'

'Peth poenus.'

'Ffwcedig.'

Sylwodd Polmont fod cefn y gadair wedi'i harddurn gerfio
a'i dwfn liwio'n gain ar ryw batrwm Affricanaidd. Roedd yn
rhywbeth a wnaeth negro o saer flynyddoedd lawer ynghynt i
ddathlu pen-blwydd Iarll Foston. Sythodd Syr William-Henry
ei goesa a chymell gwas (â fflic ei fysedd) i mofyn ei getyn
claerwyn hir a'i focha'n pantio cymaint nes cusanu ei gilydd yn
ei geg pan sugnai arno wrth dynnu mwg. Heb gyfarfod â Mr
Francis Hobart, ni allai Polmont ond derbyn ei air amdano. Peth
perig oedd hynny. Gwyddai gystal â neb fod dwy ochr i bob
stori. Gwenwyn neu genfigen (neu 'falla'r ddau yn gymysg)
oedd rhwng y ddau, roedd hynny'n amlwg: ond pwy oedd
gwreiddyn y drwg?

Teimlai'n gyndyn i hel meddylia cas am ei achubwr. Gwnaeth
gymaint drosto. Magodd rhyw gyfeillgarwch clòs rhwng y
ddau ddyn, a doedd gan Syr William-Henry ddim rheswm tros
wneud yr hyn a wnaeth, oni bai ei fod yn ŵr o galon dyner, yn
aeddfed yn ei gydymdeimlad at ddynion fel fo – ac fel y gŵyr
pawb sy'n cofio'r hen hwiangerdd honno, 'plentyn purdeb
calon yw cydymdeimlad'. Teimlai Polmont eu bod yn ffrindia

25

bore oes; yn ffrindia mor fynwesol fel y gallodd gyfadda'r cwbwl wrtho'n onest amdano'i hun ac yn hwyr y nos – ddwy noson ynghynt – cyfaddefodd y cwbwl a dweud ei fod yn fethdalwr.

Newydd fod yn swpera yng Nghlwb Willis roedd y ddau a threulio awr yn gamblo wedyn. Gwyliodd Polmont ei gyfaill yn bwrw dau ddarn o ifori mân lygeidiog chwe-ochrog i glecian mewn cwpan ger ei glust cyn eu rowlio i golled ar golled hyd dawelwch meddal y bwrdd. Doedd Syr William-Henry ddim fel petai o'n malio iot. Collodd rai cannoedd cyn penderfynu camu allan i'r min nos, a eisteddai ar fainc y drws, yn cymell ei lwydni tros y byd. Bu'r methdalu yn pwyso'n drwm ar feddwl Polmont ac o deimlo strydoedd ar strydoedd yn gwibio heibio a'r goets yn eu gyrru o gwmpas cyrra'r ddinas, penderfynodd ei ddadlwytho'i hun o'i faich.

'Be ddeudist ti rŵan?'

Oherwydd i gorn y goets bost ganu wrth yrru heibio collodd Syr William-Henry ei eiria.

'Dwi'n fethdalwr.'

Pigiad y cywilydd. Am eiliad fer, edrychodd ei achubwr arno – a'r cetyn claerwyn hir yn hongian ar ei wefus – fel petai Polmont yn rhyw fath o afiechyd marwol i'w osgoi.

'Sut brofiad ydi bod heb ddim?'

Dywedodd Polmont mewn byr eiria; yn fyr ac i bwrpas rhag gorfod tin-droi yn y teimlad o wacter a methiant. Roedd dringo i fyny i'r entrychion a disgyn eto yn waeth na bod heb godi i unman yn y lle cynta. O gael blas ar y bywyd bras, teimlai dyn ei golled yn waeth. O leia bu'n onest amdano'i hun a theimlodd yn well o'r herwydd.

Pwffiodd Syr William-Henry ar ei getyn nes peri i fwg ddringo'n ara hyd gronglwyd stafell eistedd ei dad.

''Drycha, Francis Hobart neu beidio . . . tasa hi'n ddibynnol arna i, Polmont, mi setlwn i dy ddyledion di 'fory nesa, cyn drymed ag yr ydyn nhw, fasa ots gen i. Fel ti'n gwbod erbyn hyn, tydi fiw i mi neud heb ganiatâd fy nhad. Ti'n dallt? Ac os daw'r Beili i guro ar y drws 'na – fel ma'r tacla'n siŵr o neud yn hwyr neu'n hwyrach – fiw iti fod ar gyfyl y tŷ 'ma . . .'

'Y peth dwytha ar fy meddwl i fasa dy gael di i drybini . . .'

'Mae 'nhad yn parchu'r gyfraith â pharch aruthrol ac wedi'n dysgu ninna i'w pharchu hi'n yr un modd. Dychmyga'r helynt!

Ha! Sgandal o'r fath ydi'r peth dwytha fasa fo'n 'i chroesawu ar hyn o bryd.'

Dododd ei getyn claerwyn hir i orwedd ar ei ochor, tynnodd Syr William-Henry ei wig – ei daflu i orwedd fel gwiwer farw ar ei bwrdd – a chrafu ei ben; craffu'n hir a blin, ei ben ar ogwydd a'i lygaid ynghau, yn tuchan yn ysbeidiol cyn codi'i ên, crychu ei dalcen a chraffu ar rywbeth o dan ei ewin cyn ei fflicio a sniffio'i drwyn. Daeth morwyn frestiog â breichia bras i'r fei. Gweithiodd glustgarthydd arian – rhyw declyn digon tebyg i fforc gigwain ond bod bachyn ar y blaen – i mewn i'w glust chwith tra daliai Syr William-Henry ei ben ar ogwydd iddi.

'Does ond un peth amdani,' dywedodd wrth grychu ei dalcen a rhyw hoch besychu, 'mae'n rhaid ichdi adael y wlad ar wib.'

Tyrchodd y forwyn gŵyr du i slabio fesul lwmp ar lwmp ar blât bach crwn a wasgai rhwng ei ên a'i ysgwydd.

'Sut galla i? Sgin i'm ceiniog i f'enw.'

'Twt lol am hynny. Mae o'n fatar hawdd i'w drefnu. Am fod fy nhad yn cadeirio'r Gynhadledd Heddwch, Paris ydi'r union le ichdi ar hyn o bryd. Dwbwl y fantais, achos falla cei di gyfla i'w gyfarfod o ynghynt fel medrwch chi ddechra trafod telera gwaith.'

'Gwaith?'

'Ddim dyna be wyt ti isio?'

'O ddifri?'

'Pam lai?'

Carthwyd ei ddwy glust i'r pen.

'Mae'r teulu yn hwylio i fynd yno i ddathlu ei lwyddiant o – os llwyddiant hefyd, gan fod yr Americanwyr yn mynnu chwara mig a chreu pob math o firi helynt fel basa chdi'n disgwyl. Ond o nabod 'y nhad dwi'n siŵr y sodrith o nhw'n daclus yn 'u lle.'

Ara fodiodd Syr William-Henry lwyth ei glustia'n batryma amrywiol ar y plât cyn caniatáu i'r forwyn adael.

''Na fo! Gallu clwad yn well o'r hannar rŵan pa fath o glecs fydd dynion yn ddeud amdana i'n 'y nghefn.'

Gwenodd yn ddireidus. Roedd wedi sioncio trwyddo.

'Pa fath o waith all Iarll Foston ei gynnig imi?' holodd Polmont.

'Fel deudodd o wrtha i 'nôl yn nechra'r gwanwyn, 'Oes rhwbath tristach na dyn yn llithro tros derfyn amser ac mewn dim o dro does neb yn cofio dim amdano fo?''

Cymyla'r wybren.

Heli pur o liw pinc gola oedd yr awyr drannoeth ben bora glas. Gyrrwyd Polmont mewn coets trwy strydoedd gwag y wawr. Ciliodd Llundain a'i holl helbulon a dadlwythodd rhywfaint o'i hen fywyd y tu cefn iddo. Llaciodd drwyddo; teimlodd yn rhydd ac ysgafn wrth syllu allan dros y wlad. Lledodd y caea a'r perllanna tros frynia'r bröydd ac anadlodd awelon y bore bach; tynnodd hwy'n ddyfn i'w ben a'i feddwl yn sgafnu nes peri i'w gorff deimlo 'run fath. Roedd yn fora lliwgain hyfryd; bora yn llawn argoelion am ddiwrnod braf a da o beth oedd hynny, meddyliodd, achos doedd dim byd casach ganddo na theithio mewn coets trwy law a baw.

Nid oedd Polmont ar ei ben ei hun. Yn eistedd gyferbyn ag o roedd y Fonesig Maidstone-Susanna Royal, merch ifanc ddeunaw neu bedair ar bymtheg oed. Edrychai'n hardd yn ei gwisg *polonaise* o liw glas tywyll. Pan gamodd i mewn i'r goets, derbyniodd Polmont ei llaw a'i chusanu. Gwenodd. Eisteddodd. Ond pan agorodd ei cheg roedd ei llais mor gras â llais y morwr mwya. Megid ei mab bach, Whatton-Henry Royal, ym mreichia morwyn fain. (Cododd wên i wyneb Polmont o'i gweld yn clymu bronliain bach sidan â llun angel arno am ei wddw ac ynta'n mynnu ei dynnu i ffwrdd a'i daflu ar y llawr bob gafal a'r forwyn yn gyndyn o'i ddwrdio rhag ennyn llid ei meistres). Yn dawedog yn y cwmni hefyd roedd Mingo, hogyn negro chwech neu saith oed wedi ei wisgo mewn twrban piws a sandala euraid.

Taith flinderus oedd hi a Syr Feltham Royal, gŵr y Fonesig Maidstone-Susanna, yn swnian a chwyno bob yn ail wrth i bob milltir ddarfod ac i filltir arall dyfu. Ni stopiodd ei froch swnian a'i groch gwyno yr holl ffordd i Dover. Roedd fel hen ddyn cwynfanllyd er nad oedd fawr mwy nag ugain oed. Syr Feltham Royal, mab i'r Fonesig Frances-Hygia Royal, sef llys-chwaer Syr William-Henry Hobart, a ddywedodd wrth Polmont amdano mai gŵr bonheddig ifanc di-dda, di-ddrwg oedd ei nai a'i fod yn onest ond bod y gonestrwydd hwnnw'n onestrwydd dyn dwl: oes rhywbeth diniweitiach ar wyneb y ddaear? Syllodd Polmont ar ei dalcen uchel a'i wyneb gwastad; ei drwyn yn smwt a'i wefusa'n fychan nes peri i'w geg droi'n O.

'O! Stopiwch, stopiwch! Tydw i ddim hannar da . . .'

Crintach oedd cydymdeimlad ei wraig a hitha'n edliw mai

talu roedd o am firi'r noson cynt. *Soirée musicale* yn Sgwâr Hanofer. Un o bartïon preifat y Fonesig Frances-Hygia Royal. O glywed ei henw daeth ei llun yn fyw i go Polmont . . . gwelodd ei llygaid yn ei feddwl; ei hedrychiad chwithig wrth syllu arno – a gwreiddia rhyw natur arall yn blaguro yn ei henaid a'r garreg bezoar yn gorwedd ar ei mynwes. O dŷ ei fam y daeth Syr Feltham Royal y bora hwnnw yn dal i wisgo dillad y noson gynt ac yn drewi braidd ac roedd o hefyd wedi colli ei lais ar ôl sefyll ger ei horgan yn bloeddio canu hyd yr oria mân.

Crefodd yn gryg, 'O! 'Mhen bach i. Stopiwch y goets . . .'

O bryd i'w gilydd byddai'r Fonesig Maidstone-Susanna Royal yn dabio ei haelia â phowdwr pinc; ei batio'n dyner â'i bysedd gan ddal drych bach yng nghledr ei llaw. Dro arall byddai'n dal ei phen ar ogwydd a sipian ei gwefusa – ac unwaith gwelodd Polmont hi'n gwthio ei thafod i chwarae yng nghesail ei childdant tra oedd yn ei hedmygu ei hun.

'Doedd dim rhaid ichdi fod ar dy draed trwy'r nos,' ceryddodd ei wraig. 'Hen lol wirion am isio gweld yr haul yn codi ar draws y caea tros frynia Hampstead. Rheitiach ichdi fod yn dy wely, Feltham.'

Hewiodd Syr Feltham Royal wrth wasgu'i ben ar ei ben-glin, 'O! Dwi'n mynd i daflu i fyny . . .'

'Mi roedd hi'n noson werth chweil hefyd,' gwenodd y Fonesig Maidstone-Susanna gan ei anwybyddu, 'un o'r goreuon; os nad yr ora eto. Ddylsech chi weld rhei o'r gwisgoedd. A'r mwclis ar yddfa rhai o'r gwragedd. Saffir. Diamwntia. Perla na welis i rioed mo'u tebyg.'

Cynhaliai ei mam-yng-nghyfraith nosweithiau elusennol i'r gwragedd hynny y byddai eu gwŷr ar fusnes yn Goree, Madras, Jamaica, Barbados neu America. (Yr unig ddynion a ganiateid i fod yn bresennol oedd ei mab, Syr Feltham Royal, a'i hwyr bach, Whatton-Henry Royal). Gwyddai iddi bechu ambell un – gwraig Arglwydd Mahon er enghraifft, a ddychwelodd sawl gwahoddiad oherwydd ei bod yn feirniadol o'r modd y mynnai'r Fonesig Frances-Hygia Royal wneud petha ar ei phen ei hun heb drin a thrafod â'r gwragedd eraill. Poenai llawer (a'i mab yn fwy na neb) ei bod hi'n ei lladd ei hun, yn llethu ei henaid er mwyn anffodusion cymdeithas. Roedd yn gas gan eraill o'i chylch feddwl fod elusen wedi troi yn fasnach ac yn gystadleuaeth i weld pwy oedd ora.

'Onid efelychu llwyddiant yr ymerodraeth mae hi? Ac yn cyfrannu'n iachus yn ei ffordd ei hun?' holodd Polmont.

Wedi rhai milltiroedd o fudandod, Mr Barlinnie a siaradodd gynta trwy ddweud mor bwysig oedd hi i ddynion a gwragedd hau hada bendithion a gwareiddiad mewn ffordd a oedd yn gydnaws â rhinweddau amlwg, ond eto gwahanol, y ddau ryw.

Bu Prif Was y teulu yn eistedd gyferbyn â Polmont heb yngan yr un gair ers dechra'r daith. Gŵr difrifol mewn dillad duon oedd Mr Barlinnie, a gŵr a wisgai wintas o ledar duach hyd at fôn ei glos a oedd o'r un lliw. Ceisiodd Polmont beidio â syllu arno; syllu i'w lygaid duon, bach – llygaid llus fel llygad sarff – a graffai'n ara fanwl ar bob un dim.

'Od tydi?'

Dywedai Mr Barlinnie bron wrtho'i hun wrth sylwi ar fân betha fel gwraig ar ei chwrcwd yn newid olwyn trol; neu gwmwl yn sydyn newid ei liw. Siaradai'n gymedrol a thawel. Cadwai ei wir feddylia o dan glo. Clywodd Polmont Mr Hatfield yn dweud un tro mai'r dynion mwya di-ddweud, y rhai tawela, y rheiny sy'n eistedd mewn cadeiria i wrando o'u corneli yn amlach na heb ydi'r dynion gwaetha un.

'Mae gofalu am y tlodion yn bwysig iawn i Mami erioed,' tuchanodd Syr Feltham Royal o'i gornel mewn llais petrus a braidd yn aneglur ei ynganiad. Truthian siarad a wnâi ar y gora; rhyw lusgo sŵn o'i eiria a'i leferydd yn ara ac ansicr.

'Ar draul ei hiechyd?' holodd ei wraig.

Cyfrannodd Polmont (er mwyn ei wau ei hun yn dynnach i sgwrs y cwmni), 'Oes 'na ddim cysur i'w deimlo o gnesu dwylo o flaen tanllwyth o dân wedi ichi fod allan mewn oerni rhynllyd tan yr oria mân yn didol cysur i drueiniaid?'

'Dyna pryd y bydd gweddw fwya unig.' Mr Barlinnie a siaradodd.

'Pam ma' dy fam yn mynd allan ym mherfeddion nos, Feltham? Mewn difri calon? I droi ymysg rhyw dacla budron fel'na. Ych-a-fi!' crychodd y Fonesig Maidstone-Susanna Royal ei thrwyn a'i llais fel corn, 'isio iddi neud llai sy'; ne' briodi eto.'

'Paid â siarad yn wirion. Ti'n gwbod briodith Mami byth eto. Tada oedd yr unig ddyn . . .' a darfu llais Syr Feltham Royal mewn rhyw ochenaid isel.

Ar wahân i Whatton-Henry a ddechreuodd grio, tawelodd y goets.

Y llong.

Tan glegar yn swnllyd, chwyrlïodd haid o wylanod o gylch yr hwylbren rholbraff. Cerddodd Polmont tua blaen y bwrdd a sugno awel y môr yn ddyfn i'w 'sgyfaint gan ddal ei wig yn ei law wrth deimlo'r gwynt o'r gogledd-ddwyrain yn rhuthro trwy'i wallt. Syllodd tua'r gorwel main; syllu am hydoedd a distyll o oleuni'r haul yn hollti'n llafna o golofna cryfion trwy'r cymyla. Ciliodd y clogwyni gwynion ers meityn; a darfu'r niwl rhudd a fu'n rowlio ar gefn y llanw. Sychwyd yr awel laith gan wyntoedd a chwipiai 'nôl eu mympwy. Griddfanai'r llong yn drist, anfeidrol drist tan wichian ac ochain am yn ail.

Gwelodd Mr Barlinnie ar ei ben ei hun yn syllu allan. O ran oed, dyfalodd fod Prif Was y teulu rywle rhwng pum a deugain a hanner cant. Gŵr nad oedd fyth yn siarad ond i bwrpas oedd o. Gŵr sur a'i wedd ddi-wên – fel petai wastad yn ddistaw ddig ynglŷn â rhywbeth – a'i grys wedi ei fotymu i fyny'n dynn hyd at ei ên, ond eto fe'i cyflwynai ei hun fel gŵr bodlon ei fyd; fel gŵr llwyddiannus a wnaeth yn dda iddo'i hun o ddringo'n uchel i fod yn Brif Was y teulu. Yn ôl Syr William-Henry, bu'n hollol driw a ffyddlon i Iarll Foston ers blynyddoedd lawer.

Teimlodd Polmont yn falch o fod yn fyw. Hwn oedd y tro cynta erioed iddo fod ar ddŵr mor llyfn a llydan a nerth mud y gwynt yn peri iddo orfod ei sadio ei hun. Roedd ei du mewn yn gynnes a theimlai'n hapus ac yn benysgafn fel dyn wedi magu hyder newydd: fel petai wedi benthyg dillad, corff a llais rhyw ŵr bonheddig arall. Sylwodd ar Syr Feltham Royal a'i wraig yn closio yn ara deg. Gorweddai un llaw ar ei fol a'r llall ar ei wig a'i wyneb yn llwyd-dena, ei lygaid cochion yn waedgleisiog o ddiffyg cwsg.

'Newydd . . . ti'n gwbod . . . tros yr ochor.'

Powliodd wysg ei ochor a gwasgu fymryn ar fraich ei wraig.

'Feltham! Drycha lle ti'n mynd! I sathru 'nhraed i fel rhyw bagan!'

Edrychodd arno braidd yn hyll. Camodd heibio; camu a'i goesa ar led; symud yn ara a herciog fel dyn a'i du mewn wedi ei lifio a'i hoelio gan seiri coed. Aeth y ddau i eistedd rywle ym mhen ôl y llong er mwyn cysgodi rhag y gwynt a chwipiai eu dillad. Nesa ato roedd dau forwr wrthi'n torchi rhaffa a'u hwyneba mor goch â phridd a'u trwyna'n bincas galad. Teimlai Polmont yn llawen wrth i'w groen grasu ac ailgrasu â phob chwythiad hallt nes peri iddo deimlo mai dyma oedd bod yn fyw. Bod yn wironeddol fyw.

Hanner awr ynghynt, yn harbwrdd Dover, cyflwynwyd Polmont gan Mr Barlinnie i Mr Grenock MacFluart, y daearegydd enwog a mab i'r Barnwr Garth MacFluart. Safai'n dal; yn dalach na neb arall fel rhyw grëyr glas y traetha a'i goesa main yn anferthol o hir. Gŵr bonheddig oddeutu deugain oedd o; un a wisgai het tros ei lygaid, côt frethyn lwyd o doriad teiliwr drud a chrafat aml-liwiog am ei wddw. Teithio roedd o yng nghwmni ei was, dyn byr a chrwn (a braidd yn fyr ei wynt) yn gwarchod o dan ei gesail mewn basgedan wiail dorth o fara, blychiad o gig oen, potel o win coch a dwy o seidar sych. Craffodd Polmont ar y ddau – un yn dal a'r llall yn fyr – a phan sydyn gythrwyd het Mr MacFluart gan awel sydyn, gyrrwyd y gwas i gwrcwd-hopio ar ei hôl. Sylwodd Polmont mai coch oedd gwallt y daearegydd; bron mor goch â gwallt ei ferch, Miss MacFluart, a gododd ei breichia i atal y meirch rasio ar faes Ascot dri mis ynghynt. Onid coch oedd gwallt Jiwdas hefyd? (Pam feddyliodd o am hynny?)

Sut allai anghofio be ddigwyddodd?

Ascot.

Fel dŵr ar ddŵr yn suddo'n ddim i ddim, gwell o'r hanner gan Polmont fasa honni nad oedd o'n gallu cofio sut na pham na be ddigwyddodd yno'r diwrnod hwnnw 'nôl ym mis Mehefin. Ond celwydd fasa hynny. A doedd o ddim yn mynd i ddechra ei dwyllo ei hun. Na rhagrithio. Ar waetha ei holl helbulon, teimlai fod yn rhaid iddo ei wynebu ei hun yn onest, petai ond er mwyn canfod yr atebion i'r hyn a aeth o'i le . . .

Ond be tasa mympwyon ffawd wedi cael bachiad gwahanol? Be tasa pob un dim wedi bod fel arall a bod Miss Sharpin ac ynta wedi priodi? Fasa rhawd ei fywyd o wedi troi i lawr rhyw stryd fach gefn i sgwâr gwahanol?

Dyna'r cwestiwn.

Ai Ascot oedd dechra'r diwedd?

Neu ddechra'r dechra?

Mynd yno a wnaeth o oherwydd cariad. Dyna ddagra petha. Mynd yno yn y gobaith o ennill ei chalon hi 'nôl. Be oedd o ei angen ar yr eiliad honno yn ei fywyd? Be roedd o'n dyheu

amdano fo 'nôl yn nechra'r ha? Ai dau beth gwahanol iawn? Os felly, onid rhywla yn y canol wedyn y tarddodd holl helbulon ei fywyd . . .?
Y gwres yn gry a'r awel yn wan.

Pnawn o Fehefin crasboeth.
Gwasgodd Polmont heibio i ddynion a'u bodia ym mhocedi eu gwasgoda sidan. Gwasgu heibio i chwerthin 'Wah, wah, wah,' a bwrlwm bwrlwm o swn yn drymio ar ei glyw. Hyd yn oed yn ei esgidia sodla ucha un roedd yn dal i deimlo yn fychan, yn sbecian heibio i ysgwydda a chraffu heibio i benelinia.
Wyneba cochion; wyneba blotiog; wyneba claerwyn gwragedd o dan eu powdwr a'u penwisgoedd tal. Y miloedd ar filoedd. Sut oedd hi'n bosib gwybod y nesa peth am neb go iawn? Sut oedd hi ar y dyrfa yma? Eu priodasa. Y cannoedd, y miloedd o briodasa yn eu holl amrywiaeth. Faint briododd yn ddoeth? A faint yn annoeth? Gwyddai Polmont yn bersonol am amryw byd o bobol a'u heiddo a'u hiechyd yn deilchion. A'r teuluoedd hynny yn amal yn fawr eu braint a'u bri. Mis (neu weithia lai) yn gweld ffolineb un ffŵl yn sbydu holl ogoniant y canrifoedd i'r pedwar gwynt.
Mor hyll oedd pawb, meddyliodd, mor erchyll o hyll; trychfilod; corachod; gwrachod. Yn enwedig o'u cymharu â'i ddyweddi. Ymysg y miloedd pwy obaith oedd dwad o hyd iddi? Celwydd. Dyna barodd iddo gael ei hudo yno i Ascot; canlyn celwydd o'i dderbyn. Gwyddai o brofiad na allai'r un celwydd fyth gerdded ymhell heb orfod pwyso ar ei fagla ac roedd yn rhaid iddo gael gwybod y gwir. Anodd oedd cael cyfla i sad-gysidro ei fwriada a'i gynllunia chwilfriw ac ynta wedi'i dynnu'n gria mân. Roedd o hefyd wedi meddwi . . .
Ym mhoced ei grysbais, wardiai llythyr; llythyr wedi ei ysgrifennu ganddi hi ond un roedd Polmont yn ei ama a oedd yn llawn o ewyllys ei thad . . .
Chwalu'r dyweddïad.
Pam roedd rhywun roedd o'n ei charu wedi gwneud peth mor greulon? Doedd gwta fis nad oedden nhw wedi cyhoeddi eu bwriad i briodi i'r byd. Ar waelod y drydedd golofn ar dudalen pedwar y *Ledger* ar gost ei ddarpar dad-yng-nghyfraith. Polmont yn bersonol a ddanfonodd yr hysbyseb draw i'r swyddfa yn

Paternoster Row. Feiddia fo ddim ymddiried darn o bapur mor bwysig i ddwylo budron rhyw was. Roedd o'n fater personol, ac ar faterion personol, roedd hi'n well o'r hannar gan Polmont wneud ei waith ei hun bob tro.

Pythefnos ynghynt – llai – (be oedd o'n rwdlian wrtho'i hun? Be oedd o'n mwydro?) – wythnos a hanner ynghynt – os hynny hyd yn oed – naw diwrnod union, a bod yn fanwl gywir – (oedodd ennyd a chyfri'i fysedd yn ei feddwl) – oedd y tro ola un iddo ei gweld hi yn y cnawd. Mwythai'r atgof fel rhyw bruddglwy yn ei go. Cerdded ling-di-long un min nos braf o ha hyd aceri Gerddi Vauxhall. Bodio croen garw eliffant y Brenin wrth iddo araf lingro ar eu llwybr pan gâi ei dywys at y llyn i dorri syched a chwythu dŵr.

Cerdded ling-di-long yng nghwmni'i gilydd ac yng nghwmni ei Modryb, chwaer ei mam, a oedd yn ei gwarchod. Gwraig dawedog oedd hi oni bai fod ganddi achos da i siarad. Y noson honno ni stopiodd rygnu am forwyn newydd roedd newydd ei chyflogi i lanhau a gweini a gwnïo a gwau. Cofiodd gusanu'n slei. Cusanu yn y llwydwyll o dan y coed tra gwrandawai ar gerddorion gwadd o Regensburg.

Sut yr edrychai'r ddau yn llygad y byd? Fedrai lai na dyfalu. Oedd dynion yn genfigennus wrth eu gweld yn eistedd yn grand yn eu dillad hoen gan edmygu'r pâr o fenyg lleder cochion roedd wedi eu prynu iddi i fatshio ei fenyg lleder o. Cofiodd wynder groen ei braich. Ogla ei gwar. Arhosodd olion ei sent ar ei fysedd tan drannoeth. Cofiodd orwedd yn ei wely yn dal ei ewinedd o dan ei drwyn. Gorwedd ar ddi-hun yn yr oria mân yng ngola'r gannwyll fach yn meddwl amdani.

Ni allai Polmont gysgu'n y tywyllwch.

Y maes.

Tu draw i'r reilin cerddai bagbibiwr o'r Argyll Highlanders o flaen march uchel Cyrnol Charles Chenevix-Trench (mor gefnsyth â charreg filltir) ac o'i ôl, coetsus y Teulu Brenhinol a'r tu ôl i'r rheiny martshiai catrawd Giard y Grenadiers. Y Brenin a'r Frenhines yn codi llaw. Cyfarchiad cynnil a gwên y Fam Frenhines. Tywysog a Thywysoges Cymru yn sibrwd rhyw eiria smala yng nghlustia'i gilydd a'u cariad mor amlwg â'r dydd.

Mor agos oedd y Goron ac eto mor bell. Fel erioed yn cyflawni ei dyletswydd: ei baich brenhinol: ei *noblesse oblige*. Ceisiodd Polmont stondio er parch oherwydd fod ganddo lawer iawn i'w ddweud wrth y Frenhiniaeth; llawer o feddwl ohoni a hawdd y gallai weld o'u hwyneba glân fod profiad a doethineb y cenedlaetha wedi treiddio i lawr hyd at fôn asgwrn cefn y llinach. Ar waetha ei boena ni allai lai na llawenhau wrth deimlo fod ei fywyd yn gyfoethocach ei ystyr a'i bwrpas o wybod fod gorsedd ar ei deyrnas ac ynta'n ddeiliad tan ei mawredd.

'Y Brenin! Dyma fo'n dŵad heibio! –'

Ogleuodd Polmont surni wigia seimllyd a sylwodd ar gen pen yn eira hyd ysgwydda'r gŵr o'i flaen. Roedd pobol yn mynnu gwthio pob sut a modd. Syllodd ar y Brenin, y gŵr oedd yn ei garu fel y câr tad ei blentyn a gŵr y gwyddai o ddarllen y papura newydd nad oedd yn braidd ddymuno dim amgenach na gwynfyd ei bobol. Syllodd arno'n ara godi ei law a'r haul yn dallu ei lygaid a'i wyneb yn sgleiniog o chwys. Teimlodd Polmont ei galon yn cynhesu o'i weld yn pasio heibio a lledodd y teimlad o gynhesrwydd o'i gorun i'w sawdl. Pwy allai wadu nad oedd rheolgarwch, rhinwedd a duwioldeb yn drindod berffaith yn ei Fawrhydi? Y fath ymddygiad, meddyliodd. Ymddygiad mor neilltuol. Dyna osodai'r Brenin yn esiampl na ellid trwy ei ddilyn ond peri i ddynion ddedwyddo.

'Cadw dy benelin i chdi dy hun –'

Wrth ei ymyl ffaniai gwraig ei bronna ag ogla ei sebon sent *aqua nuntia* yn gymysg â chwys cyfoglyd ei gŵr. Gwasgai cyrff poethion arno; gwasgu'n glòs a llaith; gyddfa'n 'mestyn; anadlu poethlyd; anadlu drewllyd dynion yn eu diod. Pobol ar draws ei gilydd, yn gwasgu'i gilydd. Sliwennod mewn casgen. Hwtio. Chwerthin 'Hur, hur, hur' yn galed ar ei glust; lleisia bloesg; lleisia clir a'r rheiny'n gry fel organ.

'Mae Tywysog Cymru yn edrych arna i! Iw hw!'

Gwraig fonheddig a'i gwefus ucha yn troi am i fyny, hanner ffordd rhwng gwg a gwên yn sbecian gysgodi ei llygaid hefo cledr ei llaw, a'i llaw arall yn dynn am ei phwrs.

'Chwara teg i'r Fam Frenhines! Bendith arni – (cwpanodd rhyw lanc llwglyd yr olwg ei geg a gweiddi) – 'Bendith arnoch chi, Ma'am!'

Modrwya eurbinc ar law chwith y dynion; modrwya eurbinc ar law dde y gwragedd. Ffasiwn newydd y tymor. Pam na sylwodd? Y mwclis. Y clustdlysa; y sgidia gleision a'u bwcla arian. Parodd y gwres iddo deimlo'n benysgafn; teimlo fod y dorf yn cau amdano a rhyw ysictod ym mhwll ei stumog, ei wddw'n grin a blas anghynnas yn ei geg fel blas banana sur ym môn ei ddannedd. Weithia cysgodai parasola'r gwragedd o rhag yr haul ond teimlai ei nerth yn llosgi ei gorun yr un fath.

Pasiodd y milwr olaf a Polmont ar dân ers meityn i basio dŵr ond yn methu symud oherwydd gwasgfa'r dorf. Yn sydyn, lai na thafliad carreg i ffwrdd, dyma adnabod gwisg: un bastel werdd a het lydan o'r un lliw ar ei phen a hitha'n sefyll wrth ymyl ei gŵr. Er iddo godi ar flaena'i draed; er iddo graffu draw; er iddo rythu doedd dim golwg o'i merch hi chwaith . . .

Torri'n rhydd.

Ymlwybrodd yn igam-ogam trwy'r dorf yn ara – er y teimlai ryw adenydd o dan ei wadna yn ei annog i godi gwib a rhedeg – ond ni wnaeth. Curai ei galon yn galed yn ei ddwrn. Aeth heibio i ddyn yn chwythu tân o'i geg; heibio i sipsiwn yn darllen dwylo; heibio i stondin hogyn du yn gwerthu bara gwyn. Wrth glosio at Babell a llwyfan uchel y Teulu Brenhinol, stopiodd yn stond a syllu. Gwelodd Mr a Mrs Sharpin ar gyrion parti o bobol, yn sgwrsio â rhyw westeion – teuluoedd y Boreel a'r Fagel – a gweision a morwynion yn tywallt siampên i wydra.

Doedd hi ddim yn ei garu.

Byrdwn y llythyr a wyddai air am air ar ei go. Oedodd Polmont, agor ei botel fechan a theimlo'r diferion ola ar ei dafod. Teimlai'n swrth a fymryn yn gysglyd. *'Sut y gallai hi honni hynny?'* Roedd hi *yn* ei garu; ei garu'n driw; ei garu'n fwy na neb. Roedd yn argyhoeddedig o hynny. Yn fwy argyhoeddedig o hynny na dim arall yn ei fywyd heblaw fod Duw yn mynd i farnu pob creadur byw, ac y byddai ychydig yn mynd i'r nefoedd a'r mwyafrif mawr yn mynd i losgi'n lludw yn fflama uffern a bod y ddaear rhyw ddydd mor sicr o fynd ar dân a bod môr o frwmstan eisoes yn llosgi traed yr annuwiol. Roedd ynta'n ei charu hitha; ei charu'n onest. Cariad chwilboeth o dân agored. Seren ei ffurfafen. Eos ei goedwig. Ffynnon fywiol bur o graig ei obaith. Pwysa ei phrydferthwch yn drwm ar ei enaid. Hen sgrwtian yn ei frest; a'i gwên hi'n llenwi ei galon bob awr o'r dydd a'r nos.

36

Be am yr holl gwpledi a sgrifennodd iddi?

'Bydd dawel, galon wan, nac ymofidia,
Tu hwnt i'r cwmwl du yr haul ddisgleiria.'

Sychodd chwys ei dalcen a bwrw yn ei flaen. Trwy gil ei
lygaid gwelodd Mr Sharpin o. Dododd ei blât i forwyn fechan,
feichiog a safai ar ei bwys. Esgusododd ei hun a chamu i'w
gyfwrdd er mwyn cael y blaen arno. Roedd yn amlwg oddi
wrth ei edrychiad yr ofnai i bethau droi yn hyll a blêr. Suddodd
sodla Polmont i feddalwch carped wedi caledwch y cae. Clos-
iodd Mr Sharpin a sefyll rhyngddo a'r parti. Gŵr tafotrwm,
cnawdol; dyn bras ac wyneb coch crib ceiliog oedd ei thad, ond
eto gŵr hefyd a rhyw lonyddwch hawdd o'i gwmpas o; gŵr
mor llonydd weithia fel na fyddai'n cyffroi dim i hyd yn oed
droi blewyn o'i lygaid.

Sychodd Polmont olion chwys ei wddw, 'Ma' hi yma'n tydi?'

Fel dau fustach gwyllt wrth glawdd, rhuthrodd dau o weis-
ion draw i rythu tros ysgwydd Mr Sharpin. Torrodd cymerad-
wyaeth gwrtais. Hanner trodd Polmont i weld Tywysog Cymru
yn tywys y Dywysoges i fyny'r grisia ar y llwyfan tan lygaid
y Llys a'r dorf. Llyncodd boer ond roedd ei geg yn sych.
Teimlodd ryw gryndod yn ei dalcen; gwythïen ei arlais yn
pwmpio'i waed yn dynn; ei ddau lygad yn galed galed fel
marblis yn ei ben a rhyw gosi rhyfedd ym môn ei ddannedd ôl.
Berwai ei ben yn boeth o dan ei wig, a nofiai'r byd . . .

'Ma'n rhaid imi siarad hefo hi ar 'i phen 'i hun.'

Roedd hi'n awr o brysur bwyso. Awr i gydnabod ac adnabod
gwirionedda a chwalu pob rhagrith. A'r gwir plaen? Doedd ei
thad erioed wedi cymryd ato. Fe wyddai hynny o'r gora.
Gwyddai ei ddyweddi hefyd. Gwyddai'r teulu i gyd. Hyd yn
oed y morwynion a'r gweision. 'Y dyn a ddaeth o unman,' chwedl
ei thad. Doedd y ffaith fod gan Polmont fusnes o'r un enw yn
golygu dim. Doedd y ffaith iddo weithio yn galed a gwneud yn
dda iddo'i hun yn golygu dim. Yr enw. Dyna oedd y peth. A'i
linach nad oedd yn bod. Dywedodd hefyd yn ei wyneb ei fod
yn ama mai priodi ei ferch roedd o am resyma annidwyll.
Annidwyll? Be oedd hynny'n ei feddwl? Fod Polmont yn ddyn
anonest?

'Priodi rwyt ti er mwyn trio dallt dy hun,' dywedodd wrtho
rai misoedd ynghynt.

'Priodi er mwyn trio dallt fy hun?' Chlywodd o ffasiwn rwtsh yn ei fyw erioed. Priodi Miss Sharpin roedd o am y ffaith syml ei fod bron â thorri ei fol isio gwneud hynny – a gwneud hynny o gariad. "Falla ei fod braidd yn rhyfedd; 'falla ei fod o'n od yn peidio â chyfri arian yn bwysicach ond roedd ei pharchu hi'n gymhelliad mwy anrhydeddus na dim yn ei olwg o. Gŵr hen ffasiwn a disymud ei farn oedd Mr Sharpin; gŵr digychwyn hefyd; y math o ddyn sy'n fodlon byw hefo hen baneli derw tywyll, hyll pan fo papur wal lliwgar yn gymaint brafiach ar lygad dyn. Nid nad oedd o'n gwrtais y rhan fwya o'r amsar; ond byw ar ei oddefgarwch o wnaeth Polmont drwy gydol yr amser hyd nes y daeth y glec.

Mr Sharpin.

Yn ôl ei arfer siaradodd yn ara (hyd yn oed yn arafach gan grychu pont ei drwyn rhyw fymryn nes gwasgu coch y mân wythienna'n biws), 'Mae'r cwbwl oedd gan fy merch i'w ddeud wedi'i ddeud yn y llythyr. Mae arna i ofn nad oes gen i ddim byd arall i'w ychwanegu at hynny, syr.'

Syr. Y pwyslais.

Atebodd Polmont mor bwyllog fyth ag y gallai, 'Dwi'n mynnu'i gweld hi.'

Doedd ar Mr Sharpin fawr o flys cynnal sgwrs. Gwnaeth i Polmont deimlo yn fychan eto; teimlo fel yr hogyn yn y gweithdy yn ei wasgu ei hun yn bellach o dan y bwrdd wrth weld traed yn dod amdano yn fygythiol fawr.

'Sut allwch chi ddechra dychmygu sut dwi'n teimlo . . .'

'Mae gen i bob cydymdeimlad.'

'Tosturiwch wrtha i.'

Gwasgodd y llythyr o dan ei drwyn.

'Chi orfododd hi i sgwennu hwn?'

O'r braidd yr edrychodd arno. Astudiodd Polmont ei edrychiad â llygaid barcud.

'Eich castia chi sy' tu ôl i hyn?'

Ogleuodd Mr Sharpin ddiod ar ei wynt.

'Mae o'n drewi o gasineb yn f'erbyn i. Ddim ddoe ces inna 'ngeni chwaith. Chi orfododd hi oherwydd be sy' wedi digwydd imi? Oherwydd f'amgylchiada diweddar? Atebwch fi'n onest!'

Gwingai'r meirch yn rhes aflonydd ym mhen pella'r maes.

'Dyna'r rheswm? Am fy mod i wedi disgyn yn eich golwg chi a'r teulu? Am fy mod i'n warth i gymdeithas?'

Sbeciai Mrs Sharpin draw'n bryderus ers meityn.

'Dwi'n mynnu cael ei gweld hi!'

'Newch chi dewi, syr? 'Dach chi'n gneud ffŵl ohonoch eich hun.'

'Ots gen i!'

'Mae fy merch i wedi deud yn hollol glir,' atebodd yn dawel, 'nad ydi hi am barhau â'r dyweddïad ac oherwydd 'i hiechyd –'

Dringodd rhyw deimlad annisgrifiadwy i fyny cefn Polmont. Ceisiodd frwydro yn ei erbyn â holl nerth ei greu. Fel clebran brogaod clywodd ryw fregliach siaradus lond ei ben neu ryw sŵn tebyg yn codi o geg rhyw ffynnon. Wedyn, teimlodd ryw gryndod yn ei 'sgwyddau fel tŷ yn mynd â'i ben iddo; ryw gripian rhyfedd hyd ei groen; cripian a ledodd yn binna bychain o rywle yng ngodra ei gorun cyn llifo tros ei ben a thros ei lygaid . . .

Blas brandi. Wedyn sŵn. Fel y sŵn a glywodd unwaith pan oedd yn hogyn bach, o fuwch yn geni llo yn niwloedd rhyw hen docia brwyn yng nghorsydd Southwark. Teimlodd glustog o dan ei ben. Lledodd ei lygaid yn erbyn pleniad yr haul. Yn ei wyneb roedd hanner dwsin o wyneba'n rhythu arno a'r awyr o'u cwmpas yn loyw olau – nes ei ddallu – nes pylu a diflannu gan hel cymyla wrth i'w hamlinella droi'n rhithoedd duon a ddarfu fesul un ac un. Caeodd Polmont ei lygaid a chyfri i ddeg . . .

Pan agorodd hwy drachefn, gwenai Tywysoges Cymru yn annwyl arno. Gorweddai ei maneg wen yn ei faneg goch. Teimlodd flaen ei fys yn pwyso'n ysgafn ar ei garddwrn lle teimlai guriad ei chalon. A'i gwddw mor glaerwyn. Wedyn: wyneb rhychiog hen Esgob yn closio'n boeth i'w lygaid a'i wynt mor ddrewllyd â chath farw. Ac yna, closiodd rhyw ddyn cul wyneb main i syllu'n gam nes y lledodd gwên ara, hir ac anghynnas ar draws ei ên. Un o weision y Llys Brenhinol. Bodiodd ei aelia a'i groen yn sych a garw nes dallu'i olwg a doedd yn dda gan Polmont ar y gora ddynion a oedd yn eu trefnu a'u naddu eu hunain i'r fath fodd fel nad oedd le ynddyn nhw i ddim byd arall i ledu na thyfu, ond dyn felly gydiodd ynddo a'i godi ar ei draed.

'Gofalus,' dywedodd y Dywysoges rhwng gwrid a gwên wedd-dirion. Gwraig law-dyner oedd hi o dymer ara ac addfwyn, eto'n siriol a chyfeillgar; ei ffordd o siarad yn syml a hawdd ei ddilyn. Simsanodd ynta fymryn cyn sadio ar ei draed. Surodd wyneb y gwas wrth sychu ei ddwylo fel pe bai Polmont yn aflwydd i'w osgoi. Cydiodd y Dywysoges yn ei fraich, 'Dewch draw i fan hyn . . .'

Tyfodd y sŵn mwya byddarol ar eu clyw. Safodd Polmont yng nghefn y Babell Frenhinol yng nghanol gweision y Llys. Ym mhellter y maes, rhuthrai cymyla o lwch tan erlid ei gilydd, rhuthro ar wib a'r byd yn bwhwman i'r prynhawn o lawn oleuni a dywalltai'n boeth trwy'r greadigaeth.

'Amdani! Amdani! Hyp hyp hyp!' a'i ddyrna'n glaerwyn, chwythodd yr Esgob fel baedd.

Tyfodd y carlamu; cododd y lleisia; gwaeddodd y Llys fel un.

'Be mae'r ddynes acw'n 'i neud?'

Islaw, gwelwyd merch ifanc yn camu tros y reilin a rhywrai yn ceisio'i hatal.

'Be sy'n digwydd? Be sy'n digwydd?' holodd y Frenhines.

'Ydi hi'n gall?' gwasgodd y Dywysoges law Polmont.

Fel sŵn tarana o bell, closiodd y meirch. Yn nes a nes, nes a nes caledodd trwst eu carna. Daliodd rhywun fraich y ferch ond mynnodd ei thynnu ei hun yn rhydd a rhedeg yn ei blaen.

'Hyp hyp hyp! Ma' hi'n hurt bost,' trodd yr Esgob.

Gwaeddodd neu galwodd rhyw ŵr bonheddig ar y ferch ond boddwyd ei eiria yn sŵn y dorf a'r naill ffordd neu'r llall, doedd hi'n gwrando dim. Safodd yn herfeiddiol yng nghanol y cae. Cododd rhyw flingynnwrf a rhedodd casineb greddfol o geg i geg ac o gorff i gorff nes i ddynion ddechra ei rhegi a'i bytheirio a'i llwyr ffieiddio.

'Mae hi'n mynd i ddifetha'r cwbwl!'

'Tyd o'na'r hulpan wirion!'

Mor hawdd roedd hi wedi cynddeiriogi'r dorf a phawb yn lloerig a llu o blaid ei lladd. Ati hopiodd dyn un goes. Gan wasgu ei law tros ei aelia o brin goelio ei lygaid rhythodd Polmont.

Gwaeddodd rhywun, 'Y Barnwr MacFluart ydi o!'

'Be mae o'n neud?'

'Maen nhw'n mynd i gael eu lladd!'

'Stopiwch y ras!'

'Helpwch nhw!'

Closiodd y meirch i lawr y maes – baglodd yntau, wedyn cododd – carlamodd y ceffyla – hopiodd yn ei flaen, hopio yn wyneplas a'i boen yn blaen – a'r meirch yn stormio'n nes a nes – hop, hop, hop – yn nes a nes – hop hop hop – rhuo'r dorf – a'r dyn ar frys a'i freichia'n fflapio fel deryn wedi'i glwyfo.

'O Dduw Dad!'

Ebychodd Tywysoges Cymru yn ddolurus. Â phob bloedd o eiddo'r Llys a'r dorf, closiodd y meirch ar wib.

Cododd rhyw hir wae o rywla a disgynnodd y Barnwr ungoes, cydio ym mraich y ferch – a hongian arni – a hitha â'i dwylo i fyny'n uchel er mwyn atal y ceffyla. 'Oedd hi wedi llwyr wallgofi? Oedd hi'n hollol hurt? Doedd dim rheswm arall,' meddyliodd Polmont. 'Be oedd hi'n trio'i wneud?' Hoeliwyd o i'r unfan, ei geg yn gras a'i wddw'n grin a chur hegar yn curo'n galed ar draws ei dalcen.

Llyncwyd y ddau gan gwmwl llwyd. Roedd Polmont wedi cau ei lygaid a'i emosiyna'n gwasgu arno'n dynn. O agor ei lygaid drachefn, gwelodd fod y ddau yno o hyd, yn cydio'n sownd dynn yn ei gilydd; yn cydio fel un. Dal i grochrwgnach a chrochachwyn am yn ail roedd y bobol o'i gwmpas; yn cega a bygwth ei rhoi hi i'r ferch. Goferodd y dorf hyd y cae a chau amdanyn nhw nes eu boddi o'r golwg. Protest oedd hi. Dyna a ddeallodd Polmont wedyn, protest gyhoeddus er mwyn trio dwyn perswâd ar y Senedd i derfynu yr hyn a elwid yn Fasnach Gaethion yr Iwerydd. Be oedd o'i le ar hynny? meddyliodd Polmont. Difetha bywoliaeth miloedd ar filoedd o ddynion a theuluoedd? Dyna oedd ei bwriad hi? Oedd y ferch ifanc wedi dechrau ffwndro neu ddrysu yn y gwres?

Esgob Parva.

Rhwng y gwres a'r gweiddi a'r *gin* a yfodd y diwrnod hwnnw teimlai Polmont yn llegach ac yn isel iawn ei ysbryd.

Dywedodd Mrs Parva, gwraig yr Esgob, nad oedd yn edrych yn hanner da; ei fod yn llwydaidd a llipa; yn ddyn ifanc a gollodd ei wedd. Roedd hynny'n wir. Teimlai'n wanllyd a di-symud a doedd o ddim wedi bwyta na chysgu ers wythnosa lawer ar gownt ei fusnes. Ar ôl derbyn llythyr Miss Sharpin wedyn, peidiodd â bwyta dim o gwbwl. Ei bryd ola oedd griwal o flawd gwenith mewn llefrith hefo lwmpyn o fenyn a hanner llwyad o siwgwr. Pam mae pob newydd drwg yn rhuthro draw dros riniog dyn yr un pryd? Y diwrnod cynt gorfu iddo roi ei forwyn ola ar y clwt. Aeth y gwas ola wythnos ynghynt. Roedd ei dŷ yn rhyfeddol o wag a distaw heblaw am sŵn curo ambell ddyn blin yn morol am ei bres. A be oedd waetha, gwyddai fod chwaneg ar eu ffordd . . .

Doedd ganddo mo'r egni i wrthod pan fynnodd yr Esgob fod Polmont yn teithio'n ôl i'r ddinas yn ei goets. Hen ddyn yn gwisgo llostruddyn o ŵn purddu a fodiai ei *Ganiadau a'i Fyfyrdodau Ysbrydol* ar ei lin. Edrychai'n rhynllyd iawn ar waetha gwres yr ha; ei groen yn llac a'i lygaid yn felynion (a sylwodd hefyd fod sych bilen yn llwydo fymryn ar gannwyll ei lygaid chwith). O ran cwrteisi, gwrandawodd Polmont arno sbel cyn i'w feddylia ddechra crwydro'n ôl tros helynt y dydd. Hurt o beth oedd slotian yn y gwres. Aeth i'w ben yn syth. Prin y gallai gofio'r sgwrs a fu rhyngddo a Mr Sharpin. Ni chafodd heddwch i ogordroi'n ei feddylia ei hun oherwydd, o dipyn i beth, sylweddolodd fod yr Esgob Parva wedi bod yn siarad ers milltiroedd. Siarad am y Barnwr Garth MacFluart roedd o. Nid ei ferch a redodd ar draws Cae Ras Ascot ond ei wyres.

'Miss MacFluart, merch i'w fab, Mr Grenock MacFluart, y daearegydd byddar enwog. Wyddoch chi amdano fo, ŵr ifanc?'

Roedd gan Polmont ryw frith go iddo glywed neu ddarllen am yr enw yn rhywle. Mewn rhyw adroddiad papur newydd yn Nhŷ Coffi'r Bedford Head fwy na thebyg. Ai hwn oedd yr un dyn a fu'n cynnal rhyw arbofion ar natur ac achosion daeargrynfeydd? O'r braidd y gallai ddychmygu y byddai'n cyfarfod ag o yn harbwr Dover dri mis yn ddiweddarach ar ei ffordd i Baris . . .

Coethodd pwdl claerwyn Mrs Parva yn wyneb-filain ond yn gynffon-hapus wrth weld ceffyla'n y caea yn cyd-garlamu â'r goets. Gynt bu'n dyheu; yn ei deimlo'i hun yn danbaid boeth, ei dafod yn glafoeri wrth iddo grafu a chrafu ei hun i'r byw trwy rwbio'i gefn yn erbyn pren y drws. Ciliodd Polmont yn ôl i'w hun am filltir neu ddwy. Teimlodd yn drwm ei feddwl ond roedd y goets ei hun, am ryw reswm neu'i gilydd, yn ogleuo mor bersawrus â choeden calamws. Cododd ei ben a syllu allan a sylwi ar goch y berllan ac aderyn bras yr ŷd yn cwffio â'i gilydd. Ochneidiodd yr Esgob wrth i'r olwyn glecian i dwll yn

y ffordd. Hyrddiwyd pawb bob sut a modd a'r forwyn a
Polmont yn ysgwydd-waldio'i gilydd. Tyfodd llais yr Esgob ar
ei glyw, '. . . braich ne' goes. Wn i'm be sy' waetha.'
'Pryd gollodd y Barnwr MacFluart hi?' holodd Polmont.
'Pryd gollodd o 'i goes?' gwyrodd yr Esgob Parva ato
fymryn. 'Flynyddoedd lawer 'nôl bellach . . .'
'Pan oedd o'n blentyn?'
'Pan oedd o'n ddyn.'
Syllodd Polmont trwy'r ffenest draw dros y brynia coediog y
tu hwnt i'r caea a gwrid coch yr haul yn chwalu fel gwyntyll
trwy'r wybren. Ni theimlodd mor llethol o unig yn ei fyw
erioed a'i gorff i gyd yn oer ddigyffro. Ar y ffordd i Lundain o
Ascot yn hwyr y pnawn hwnnw, teimlai fod ei ddyfodol yn
dduach ac yn fwy diobaith nag y bu erioed o'r blaen.
'Tasa chi'n gofyn imi *sut* gollodd o'i goes? *Sut yn wir*, atebwn
inna! Dyna ichi glamp o gwestiwn. Dyna ichi gwestiwn na wn i
a ydw i'n ddigon abal i gynnig ateb i chi chwaith.'
'Pam hynny?' tynnodd Polmont ei fenyg cochion gan ogleuo
mymryn o *eau de givenchy* Tywysoges Cymru arnyn nhw.
'Pam hynny'n wir! Mae hi'n stori hir. Flynyddoedd yn ôl,
flynyddoedd maith yn ôl, yr un adeg ag o'n i newydd f'ordeinio
yn esgob yn Port Royal ddigwyddodd yr helyntion . . .'
'Un mlynedd ar bymtheg yn ôl, o leia . . .' porthodd ei wraig
tan ffanio'i hwyneb â'i phenguwch melyn.
'Pwy sy'n deud yr hanas yma wrtho fo? Chi ne' fi?'
'Pa helyntion?' holodd Polmont.
'Yr erchylltra fuo yno a'r rheswm pam y cafodd Mr Garth
MacFluart ei yrru i Lys Suful Port Royal yn y lle cynta. Mae'r
union fanylion, yr union amgylchiada, braidd yn angof, ond
Dante oedd achos y cwbwl.'
'Dante?'
'Mmmm-hmmm.'
'Pwy yn y byd mawr 'di hwnnw?'
'Oedd hwnnw. Rhyw negro gododd mewn terfysg yn erbyn
cyfraith a threfn. O ystyried yr hyn ddigwyddodd 'radeg honno
– un mlynedd ar bymtheg yn ôl – mewn gwaed oer heddiw,
mae o'n ddigon a gyrru ias i lawr fy nghefn i, hyd yn oed rŵan
wrth ista'n fa'ma'n yr heulwen braf 'ma'n dwyn y cwbwl i go.
Wedi i Dante a'i giwed gael eu harestio, roedd yn rhaid cynnal
achos llys toedd? Yr un a yrrwyd ar ran yr Arglwydd Gang-

hellor a'r Cyfrin-gyngor i adrodd hanes y cwbwl, a llunio adroddiad am y terfysg a'i ganlyniada, oedd y cyfreithiwr ifanc disglair, Mr Garth MacFluart.'

'Ddim mor ifanc â hynny, Glen. Roedd ganddo fo wraig. A mab yng Ngholeg Baliol . . .'

'Oes rhaid i chi dorri ar 'y nhraws i bob munud? Mae hi'n ddigon o waith dal gafal ar y cwbwl heb i rywun arall ddechra 'nrysu fi . . .'

Hefo rhyw edrychiad llym lladdodd hyder ei wraig.

'Dwi'n cofio croesawu Mr a Mrs Garth MacFluart i Dŷ'r Esgob yn Port Royal,' dywedodd braidd yn drwm o galon. 'Gwraig o anian dyner oedd hi a holl osgo'i chorff a'i phryd a gwedd yn gyforiog o garedigrwydd. Dderbyniodd y ddau bob croeso a chwrteisi; derbyn pob cymorth gan bawb o swydd-ogion yr ynys, y prif deuluoedd a'r masnachwyr. Dechreuodd Mr MacFluart ar y gwaith yn llawn gobaith. Mi gafodd Dante a'r gweddill sefyll eu prawf; geuthon nhw achos teg. A'u dienyddio. Ond o be gofia i – hyp hyp hyp! – roedd 'na achos arall – yr arweinyddion llai – y lladron a'r llofruddion lleol – yn ail dre yr ynys, Damascus, a wedyn o be gofia i, mi roedd trydydd achos hefyd a hwnnw i'w gynnal yn y mynyddoedd mewn lle o'r enw Pietonville. Roedd hi'n ofynnol i Mr MacFluart fynd yno. Ond yn anffodus iddo fo, mi aeth ar yr amser gwaetha. Yr amser pan oedd hi boetha. Wedyn . . .'

'Wedyn be?' holodd Polmont wrth wrando'n astud.

'Ma' mwy nag un stori. Ŵyr neb be i'w goelio. Dwi'n ama'n fawr os gŵyr y Barnwr MacFluart ei hun hefyd, 'nôl un sgwrs ges i hefo fo flynyddoedd 'nôl. Mae si fod un adroddiad i'r Cyfrin-gyngor (adroddiad cyfrinachol y Llywodraethwr) yn taeru i'r cyfreithiwr golli arno'i hun, ac i'r gwres ddechra deud arno fo, a'i yrru fo i ddrysu a mwydro ei hun. 'Dach chi'n gweld, yn nhymor y malaria, yn y tymor pryd bydda'r moscitos yn codi o leithder poethlyd Corsydd Cofio . . .'

'Corsydd Cofio? Enw rhyfedd . . .'

'Y Papistiaid Sbaenaidd, dynion Columbus, yn ôl rhai enwodd fanna'r ynys, yn anffodus, o gael blaen a chyrraedd yno cyn i Gristnogion allu gneud; hawlio'r afonydd a'r mynyddoedd; y coedwigoedd a'r cymoedd – y cwbwl. Mae llawer gormod o olion yr hen ofergoeliaeth Gatholig yno o hyd tasa chi'n gofyn i mi, ond felly mae hi gwaetha'r modd. Gwaith anodd ydi sgwrio enwa o go pobol. A nid yn unig fod yno Bapistiaid ond mi roedd yno Iddewon hefyd. Dwi'n cofio dal pen rheswm hefo un un tro. Dyn trin pres wrth gwrs. Be arall fasa chi'n ei ddisgwyl ynte? Hwnnw'n meiddio honni mai cymhellion dynol oedd i fywyd yr Iesu, ac mai ei ddisgyblion o oedd yn gyfrifol am ddyrchafu a dwyfoli ei weithredoedd o'n wyrthia. Ac mai cymwynaswr oedd Jiwdas, gŵr o weledigaeth a ddewisodd aberthu ei hun trwy fod yn chwalwr chwedla coeg am alluoedd Mab y Dyn, a bod gwewyr meddwl y bradwr Iscariot yn waeth o lawer na gwewyr ein Gwaredwr ar y groes. Goeliwch chi'r ffasiwn beth? Onid ydi'r driniaeth mae'r moch barus wedi ei dderbyn ymysg cenhedloedd daear a'r erledigaetha maen nhw wedi eu diodda – er yn hynod greulon – eto yn brawf diymwad o wirionedd y grefydd Gristnogol? Rhaid inni wastad gadw hyn mewn co. Dratia! Ma' ngho inna fel gogor wedi mynd. Be ro'n i'n trio'i ddeud wrtha chi rŵan cyn imi ddechra crwydro?'

'Lleithder poethlyd Corsydd Cofio . . .'

'A! Wrth gwrs! Cofio rŵan. Yn groes i bob cyngor, fe fynnodd Mr MacFluart fynd allan ar drywydd rhyw lofrudd – un o lieutenants Dante – roedd y si fod y Milisia ar fin ei ddal o. A dyna wnaethon nhw. Ei drapio fo'n y diwedd ar gyrion Pieton-ville – negro o'r enw Plato. Ac yno – i fyny fry i'r mynyddoedd yr aeth Mr Garth MacFluart i gyflawni ei ddyletswydd trwy holi'r caethwas wyneb yn wyneb a rhoi clustwrandawiad i'r planhigwyr hynny ynglŷn â'r terfysg a sut y cychwynnodd o yn eu plwy lleol. Dwi'n cofio'r bora gadawon nhw fi. Mrs MacFluart, druan, a'i gŵr, a oedd mor eirias tros weinyddu cyfiawnder nes bod fymryn yn ddi-hid o'i les ei hun. Drwy gau fy llygaid mi fedra i weld y ddau ohonyn nhw rŵan. Y fo ar ei farch, yn ŵr cefnsyth, talgryf a hardd yn llawn gwroldeb pwyll a'i lyfra trymion tros ei ysgwydd. Hitha'n ei ganlyn o ar hyd yr hen lôn honno allan o Port Royal ac i fyny Dyffryn Milo. Mi ddiflannodd y ddau i'r gwres a hwnnw'n codi'n donna cryfion o'r ddaear. A finna'n meddwl wrtha i fy hun, 'Oes golygfa brydferthach i'w gweld ar wyneb y ddaear nag anian yn gweithio yn ôl ei deddfa? Fod cyfiawnder eto'n rhodio hyd ein llwybra? Fod daioni Duw i'w ailorseddu ar hyd a lled yr ynys a dystiodd i greulondera y tu hwnt i synnwyr, a bod hyd yn oed y poethdir erchyll yma ar waetha'r cwbwl eto'n rhan o deyrnas Crist'. Ond yn anffodus nid felly y buo hi . . .'

'Pam?'

'Ddaeth o na hi ddim i'r fei y noson honno. Na'r noson wedyn. Ar y drydedd noson gyrrwyd milwyr o Filisia Port Royal i chwilio amdanyn nhw. Ble roedd dechra arni? Wedi deg diwrnod o chwilio, a phawb wedi glân anobeithio ac ar fin rhoi'r gora iddi, dyma negro yn cario'r si fod dyn un goes yn llusgo tua'r ddinas . . .'

'Fo oedd o?'

'Neb llai. Hyp hyp hyp.'

'Heb ei goes?'

'Heb ei goes.'

'Ond sut gollodd o hi?'

'Dyna'r peth. Doedd o ddim yn gwbod.'

Coethodd y pwdl tan ryw fagio iddo'i hun o 'sgyrnygu'n isel a chras nes y gorfu i Mrs Parva sibrwd i'w glust er mwyn ei dawelu.

'Ddim yn gwbod?'

Hurt, meddyliodd Polmont. Wrth gwrs ei fod o'n gwybod. Mae'n rhaid ei fod o'n gwybod. Sut alla dyn golli ei goes heb wybod pam?

Arfordir Ffrainc.

Daeth ar ei wartha heb i Polmont sylwi bron. Ciliodd culfor Calais yn gyflym a hynny oherwydd iddo dreulio'i amser yng nghwmni Mr Grenock MacFluart, mab y Barnwr ungoes Mr Garth MacFluart. Roedd yn ddyn naturiol chwilfrydig ac yn siaradwr plaen; ac un o'r dynion hynny oedd yn nabod pawb ac yn honni fod pawb yn ei adnabod o ac yn gyfaill iddo. Honnodd ei fod yn nabod Iarll Foston a Syr William-Henry a'i fod wedi cyfarfod â nhw ar fwy nag un achlysur. Ni wyddai Polmont a oedd hynny'n wir ai peidio, ond manteisiodd ar ei gyfle i holi am yr Iarll.

'Fydd raid i chi siarad yn uwch,' cwpanodd ei law wrth ogwyddo'i ben gan ynganu braidd yn fyngus – fel petai'n cnoi tysan boeth yn ei geg, dwi'n drwm iawn fy nghlust; wedi bod felly er pan o'n i'n hogyn bach . . .'

Er i Polmont godi ei lais, sylweddolodd ei fod yn fyddar iawn a gorfu iddo weiddi i'w glust, 'Ers faint 'dach chi'n nabod Iarll Foston, syr?'

Camglywodd ei gwestiwn.

'Mae Iarll Foston yn un o'r dynion anodda i siarad hefo fo a'r hawsa hefyd. Ond peidiwch â disgwl sgwrs. Does dim sgwrs yn perthyn iddo fo – ddim sgwrs fel hyn, sgwrsio am y peth yma a'r peth arall, os 'dach chi'n 'y nallt i.'

Gwaeddodd i wyneb y gwynt, 'Dwi'n meddwl 'mod i.'

'Tydi o byth yn brin o eiria chwaith. Ellwch chi 'i ddychmygu fo'n Cadeirio'r Gynhadledd Heddwch ym Mharis rŵan hyn? Ista'n fan'no'n deud ei ddeud. Dwi'n 'i gofio fo'n deud wrtha i un tro fod pob un dyn ar wyneb y ddaear yn meddu swn ond faint sy'n meddu sylwedd i egluro dim? Mae o'n ddyn galluog; yn ddyn o ddonia cryfion ac mae isio dyn go debol, coeliwch chi fi, i roi'r Americanwyr yn 'u lle. Ma'r tacla wedi mynd yn rhy hy o'r hannar ac yn mynnu dadla'n orwarthus o unochrog o blaid 'u buddianna 'u hunan heb falio botwm corn am ddim byd arall. Ai ai. Siŵr 'i fod o'n werth ei weld. Ond ddim sgwrsio ydi peth felly'n naci? Sawl gwaith dwi 'di ista trwy nosweithia hirion o wrando arno fo'n rhygnu trwyddi? Stampio barn yn ddiddiwadd am y peth yma a'r peth arall, busnas neu bolitics gan amla a neb arall yn cael 'i big i mewn. Rhyddid. Dyna ydi'r chwilan sy'n 'i ben o ar hyn o bryd. Ydw i'n deud y gwir, Mr Barlinnie?'

Stopiodd y dillad duon i wrando a rhyw edrychiad braidd yn filain a diamynedd yn ei lygaid. Gwnaeth Mr MacFluart ryw stumia annelwig â'i fysedd wrth dddynwared llais Iarll Foston, 'Mae pob bwriad i wireddu'r syniad o gydraddoldeb mewn cymdeithas yn peryglu rhyddid. A pham? Os byth y collir rhyddid – ac mi ydw i, gyfeillion, yn y cyswllt yma yn siarad o brofiad dyn a dreuliodd ugain mlynedd dramor – fyddai cydraddoldeb byth yn bosib o gwbwl ymysg cymdeithas o ddynion o'r fath gan mai ei rheol buchedd fyddai trechaf treised, gwannaf gwichied. Dyna i mi ydi barbareiddiwch coed-wigoedd cyntefig a chorsydd lleidiog.' Ai ai. Felly bydd o wrthi ynte, Mr Barlinnie?'

'Ama dim nad ydi hi am lawio,' hoeliodd y gwas mewn du ei lygaid tywyll ar ryw aderyn diarth yn hofran uwch eu pennau.

Gorlwythwyd yr wybren gan gymyla: cymyla trwm, bygythiol ac o fewn dim tywyllodd yr awyr uwchben y llong nes roedd y dydd mor ddu â llostruddyn yr Esgob Parva . . .

Noson Ascot.

Wedi swpera dilynodd Polmont yr Esgob i lawr hyd lwybr afrosgo o gerrig gwastad trwy'r ardd yng nghefn ei dŷ, nes ymlwybro'n ara deg i'w gwaelod (gan oedi wrth eu pwysa bob hyn a hyn i ogleuo'i phersawr). Doedd dim posib aros yn llonydd am yn hir oherwydd fod gwybed bychain yn nwyf-chwara o gylch eu penna gan eu cosi a'u hambygio. Plygodd yr Esgob yn drafferthus i'w lin a mynnu chwynnu rhyw dyfiant – a pheth dail poethion a dail tafol – o gyrion gwely bloda'r gwcw. Cododd lysia pen tai; mynnodd fod Polmont yn ogleuo'i fintys; wedyn ei bersli a'i rosmari a'i deim.

Drwy gydol y pryd bwyd ni allai Polmont gael gwared â hanes y cyfreithiwr ifanc Mr Garth MacFluart o'i feddwl; mynnodd droi'n hen surdan ym mlaen ei feddwl gan wasgu pob sgwrs arall o'r neilltu, a fwy nag unwaith, fe'i cafodd ei hun yn syllu i wyneb disgwylgar yr Esgob a'i wraig yn holi'n ymddiheurol, 'Mae'n ddrwg gen i? Nes i mo'ch clywed chi . . .'

Rhagddi yr aeth y sgwrs. Canlyn rhyw fanion betha hwnt ac yma, ond wrth nesáu at y cychod gwenyn wedyn, ailgododd Polmont y mater.

'Esgob Parva, maddeuwch imi ddeud, ond dwi'n 'i chael hi'n anodd dallt sut y gall dyn golli'i goes a pheidio â gwbod pam . . .'

Bwyellodd ei fys trwy haid o wybed mân a aml droellai 'mysg ei gilydd.

'Tasach chi wedi treulio amser yn Port Royal fel gwnes i, ŵr ifanc, mi fasa chi'n dallt yn iawn.'

'Be 'dach chi'n feddwl?'

'Y gwres. Dyna sy'n llethu a lladd pawb yno'n y diwedd. 'Dach chi'n gweld, roedd y gwres – a sgynnoch chi ddim amgyffred o'r peth os nag ydach chi wedi bod mewn lle felly. Mae o fel ffwrnais yn bwyta i'ch ysgyfaint chi, yn berwi'ch pen chi, yn sugno'r anadl o'ch gena chi a mygu'ch ffroena chi mewn blanced laith nes prin y medrwch chi gael eich gwynt atoch. I wres felly yr aeth Mr MacFluart i chwilio am gyfiawnder i'r teuluoedd druan hynny a ddioddefodd tan law waedlyd Dante a'i fleiddiaid.'

Tros ei wefus isa chwythodd Polmont bryfetyn o ael ei lygaid a holi, 'Mae'n rhaid ei fod *o'n* gwbod sut gollodd o'i goes?'

'Ddim o gwbwl, ŵr ifanc. Ddim o gwbwl. Achos ddim dyn

trechodd o, 'dach chi'n gweld. Triwch ddychmygu, triwch ddallt be dwi'n 'i ddeud. Y gwres. Dyna'r melltith. Dyna'r gelyn oedd yn trechu pawb 'radag honno fel ag y mae o'n trechu pawb sy'n byw yno hyd y dydd heddiw. Rhaid fod Mr MacFluart wedi'i yrru yn hurt a'i ddarn-ddrysu nes iddo fo lwyr golli arno'i hun a wedyn does wbod sut oedd hi arno fo go iawn. Pan mae meddwl dyn ar chwâl mewn gwres o'r fath does wbod be 'di'r gwir a be 'di'r anwir. Mae o'n union fel byw trwy salwch poeth, berwedig a chwys mileinig nes bod ymennydd dyn yn toddi yn ei ben o. 'Falla fod rhyw anifail – rhyw grocodeil ne' rywbeth tebyg – wedi'i bwyta hi wrth iddo fo fentro afon. Ne' fod canibal o negro wedi'i llowcio hi. Ne' fod rhyw negro arall, cyfaill i Dante neu Plato 'falla, nad oedd yn hoffi'r ffaith fod Mr Garth MacFluart yn sbeuna ac yn holi ar ran y Cyfrin-gyngor, ar hyd a lled yr ynys, a'u bod nhw wedi dial trwy ei thorri hi pan oedd o'n gorweddian yn 'i wendid. Doedd dim dal. Does dim dal o hyd. Fedrwn ni ddyfalu faint fyd fynno ni – dyfalu hyd ddydd y farn, ond cheith o na ni byth bythoedd bellach wbod sut y collodd o hi . . .'

'Hanes anhygoel,' caeodd Polmont ei lygaid o'i haul-ddallu ennyd pan drawodd trwy ddail castanwydden laes.

'Yn tydi hefyd?'

'Be am Mrs MacFluart? Oedd hi hefo fo?'

'Oedd.'

'Sut eglurodd hi'r cwbwl?'

'Gafodd hi ddiwedd rhyfeddol.'

'Rhyfeddol? Ym mha ffordd?'

'Ddeudodd ei gŵr iddi gael ei chwipio'n fyw i'r nefoedd.'

'Chwipio'n fyw i'r nefoedd? Sut?'

'Sut? Be 'dach chi'n feddwl, sut? Peidiwch â rhyfygu, ddyn! Trwy law Duw wrth gwrs. Hyp hyp hyp! 'Drychwch: ma'n amlwg fod ganddoch chi ddiddordeb yn yr hyn ddigwyddodd 'radag honno ond yn lle 'mod i'n sych-barablu fy hun i'r pen fel hyn . . . Os carech chi wbod mwy am Derfysg Dante, mae gen i lyfr yn y tŷ yn rhywla. Cyfaill o feddyg o Port Royal sgrifennodd o. Doctor Shotts, druan. Wedi hen ddaearu o dan y dywarchen ers sawl blwyddyn bellach. Roedd o fel finna yn anffodus yn llygad-dyst i'r cwbwl o'r tywallt gwaed a'r creulondera.'

Pesychodd yn grychgras a'i gorn gwddw'n grinsych. Dychwelodd y ddau i'r tŷ a chael llonydd rhag y gwybed a'r mân bryfetach wrth gamu trwy'r cysgodion oerion. Esgusododd yr Esgob ei hun ac aeth i mofyn y llyfr i Polmont.

Galwodd Person Plwy.

Cafodd Polmont hoe i fod ar ei ben ei hun. Er mwyn manteisio hynny allai ar weddillion y goleuni, aeth i sefyll ger y ffenest. Chwiliodd am lythyr Miss Sharpin. Aeth trwy'i bocedi fesul un ond roedd wedi ei golli. Bu'n ei gario cymaint nesa at ei galon nes ei freuo. Bellach byddai'n ddim. Dychmygodd y torfeydd yn cerdded drosto – trŵp o draed a charna a phedola a phawenna cŵn – yn ei racsio'n llwch. Waeddodd o ar Mr Sharpin? A'i alw'n enwa? Ei sarhau yng ngŵydd ei wraig? Codi cywilydd arno ymysg ei gyfeillion? Ni allai gofio ond rhyw dameidia sbâr o'r sgwrs. Ac wyneb y ddau was yn rhythu wrth ei ysgwydd.

Caeodd y pnawn o'i feddwl. Agorodd *Terfysg Dante*. Llyfr bychan oedd o, yn 'mestyn fawr mwy na saith pennod fer ac epilog. Melynodd ymyl y dalenna a gorfu iddo ei agor yn bwyllog rhag ofn iddo gracio'i asgwrn cefn.

Meddyliodd eto am Miss Sharpin. Oherwydd ei hiechyd? A glywodd grybwyll hynny? Ai dyna'r gwir reswm pam y diflannodd hi mor sydyn ac mor swta o'i fywyd? Neu ai dim ond esgus oedd hynny? Esgus i guddio rhyw gymhelliad arall; rhywbeth drwg a llawer duach. Oedd ei thad wedi ei darbwyllo i newid ei meddwl a'i rhoi hi'n wraig i ryw ddyn arall?

Caeodd Polmont ei lygaid a'i gweld trwy lygaid ei gof. Cofio sut y bu i'r ddau gyfarfod y tro cynta erioed. Noson yn y Pantheon. Y stafelloedd mawrion wedi eu goleuo fel canol dydd. Mynd yno wnaeth o yn sgil gwahoddiad gan un a glywodd ganmol i'r gerddorfa. Bu'r ddau yn sefyll yn gwrando arni ymysg y cannoedd. Hyd nes y tynnodd merch ifanc ei sylw. Edrychai mor unig â rhosyn gwyn yng nghanol llwyni o ddrain duon. Closiodd ati i gael ei gweld yn well. Syllodd arni'n hir. Merch ifanc, lonydd â rhyw olwg bell yn ei llygaid. Ond pe byddai'n hollol onest â'i hun, byddai'n gorfod cyfadda mai ei dillad a ddenodd ei sylw o flaen dim arall. Magodd Polmont lygaid at betha prydferth pan oedd yn gweithio i Mr Hatfield. Dysgodd ei feistr iddo ymhyfrydu mewn lliwia a gydblethai nes creu effaith a lonnai galon dyn. Be fyddai orau ganddo o gael y dewis? Stad oludog yn y wlad? Neu ddawn arlunydd?

Eisteddai Miss Sharpin yng nghwmni ei mam a'r wraig y daeth i'w hadnabod wedyn fel ei Modryb Harriet. Sylwodd na dderbyniodd law yr un gŵr bonheddig i ddawns. Holltodd ei feddwl, hollti'n stribedi mor hawdd â'r hen bapur llwyd hwnnw a ddefnyddid i lapio dillad plant ers talwm. Ceisiodd gofio'r cwbwl a ddywedodd Mr Hatfield wrtho. Dylai pob dyn ei gyflwyno ei hun ar ei ora gerbron gwraig ifanc; yn gwrtais; yn ddymunol; yn llawn anrhydedd. Sylweddolodd ei fod yn siarad â fo'i hun ac aeth yr awydd i gyfarfod â hi'n drech nag o wedi iddo ei dal yn ciledrych arno'n slei ar draws y stafell. A gwenu. Gwenodd y ddau ar ei gilydd ymhell cyn torri gair ac ymhell cyn cyffwrdd blaen bys, heb sôn am anwesu a chusanu a bodio a byseddu a chwantu'r person oedd rywla y tu mewn i'r corff. Ym mhle? Lle'n union oedd o? Ble'r oedd y person roedd o'n ei garu go iawn? Yn y meddwl a'r meddwl yn y llais? Ai dyna'r person? Llais a meddwl? A fyddai'n gallu caru llais a meddwl heb y corff?

Ai dyna fyddai'r prawf o'r cariad eitha?

Terfysg Dante.

Sylwodd fod y llyfr yn gorwedd wyneb i waered a'i ddalenna rhywsut-rywsut ar y llawr. Roedd y dydd wedi hen dynnu ato a doedd dim cannwyll ynghýn; teimlai'r llwydwyll yn darfod a'r gwyll yn cau amdano. Gwasgodd ei hun i'r ffenest, a chraffu wrth ddarllen y rhagymadrodd: cwta wythnos a hanner a barodd y cwbwl ym mis Medi 1767 pan gododd bron i hanner miliwn o negroaid y plwyfi yn erbyn awdurdod ynys o'r enw Paradwys.

– Mygdarthu'n sur a wnâi'r meysydd siwgwr ac o uchder Pieton-ville crasodd arogl y llosgi ein ffroenau nos a dydd nes crino'n gydd-fau. – Yn hongian ar draws yr wybren roedd tagfwg o ddrewdawch yn duo'r haul. – Lledai'n ara i lawr y dyffryn tua Port Royal. – Clywais gan filwr wedi'i glwyfo yn sgarmes ddoe fod yr arweinydd, y negro Dante, yng ngwisg briodas sidan Madame Duvalier Le Blanc, yn annog y negroaid gwaedlyd eraill i'w ganlyn. – Ar lafn ei gleddyf cododd gorff baban gwyn –

Di-chwaeth. Pam sgrifennu peth o'r fath? Cododd bwys arno; doedd ganddo mo'r stumog i ddarllen chwaneg a dododd y llyfr o'r neilltu.

Calais.

Ni lawiodd er iddi fygwth – er i gawod annisgwyl, led drom o genllysg dasgu dros y dec cyn pallu'r un mor sydyn – ac er mawr siom (a dicter) doedd eu coets ddim yno'n aros amdanyn nhw wrth iddyn nhw gamu i lawr o'r llong, coets y teulu na choets Mr Grenock MacFluart a'i was. Aeth Mr Barlinnie i holi yn eu cylch tra cerddai Polmont ar hyd y cei yng nghwmni'r daearegydd byddar enwog a chlegar y gwylanod ar eu clyw.

O syllu tua'r gorwel a'r môr ar hyd ei donna hirion heb na swn na thoriad ar ei gyfyl, holodd Polmont, 'Pryd byddwch chi'n cychwyn am Berlin?'

'Bora 'fory rhyw ben, wedi inni orffwyso. Ai ai. Mae ofn mawr trwy Ewrop benbaladr yn sgil y daeargryn chwalodd Lisbon. Oes unrhyw un ohonon ni'n saff bellach? Be tasa Llundain yn cael ei llyncu?'

'Be sy'n 'u hachosi nhw?'

'Dyna'r cwestiwn. Os darllenwch chi'r Beibl, arwyddion o bresenoldeb y byd anweledig ydyn nhw. Barn Duw ar bechaduriaid. Neges ddwyfol a gair o rybudd i siglo pobol o'u trwmgwsg. Wn i ddim a ydi hynny'n dal dŵr ai peidio. Oedd pobol Lisbon yn waeth na phobol Paris? Eto, 'nôl yr Ysgrythura roedd yr un hynota yn nyddia Uzziah –'

'Brenin Jiwdea,' gwaeddodd Polmont.

''Na chi. Mi dystiodd Josephws i hwnnw fod mor erchyll nes hollti mynydd ar draws ei hanner. Mynydd a safai unwaith i'r gorllewin o Jeriwsalem nes ei symud yn lân o'i le.'

'Oedd daeargryn yng Ngardd Eden, sgwn i?'

Chwarddodd, 'Gardd Eden ddeudoch chi? Go brin. Deimlis i un unwaith. Yn y brynia y tu allan i Port Royal, 'chydig flynyddoedd 'nôl pan ges i 'ngyrru yno ar ran y Gymdeithas Ddaearegol. Dychryn am fy mywyd hefyd. Ai ai. Wrthi'n cynnal profion mewn ogofâu dyfnion yng nghilfacha'r ddaear o'n i. Clywed rhyw weiddi. Dringo i fyny'r ystol i ola dydd i weld cannoedd ar gannoedd o nadroedd yn llithro o'u tylla, o dan y cerrig ac o dan y tyfiant. Miloedd ar filoedd trwy'i gilydd. Mae sarff mor deimladwy 'dach chi'n gweld. Unrhyw gryndod ac mi all ei deimlo fo'n nwfn y blaned. Dyma'r byd yn sgytio. Islaw mi welwn i fynwent fawr yn crynu a'r cerrig bedda yn cerdded ac eirch yn brigo i'r wyneb a'r meirw'n codi. Roedd muria'n gwichian; lloria'n siglo; parwydydd yn cracio wrth i'r rhuo isel ledu'n ddyfnach trwy grombil y mynyddoedd nes peri i ffrwytha'r llwyni ysu ei gilydd. Ysbrydion trymion o Affrica a ddigiodd y duwia barodd y cwbwl yn ôl y negroaid . . .'

Meddyliodd Polmont am y peth yn ddwys; ceisiai ddychmygu teimlo'r ddaear dan ei draed yn crynu'n afreolus; ynta'n ysglyfaeth i'w chwiwia heb y grym na'r gallu i arbed dim rhag disgyn yn deilchion a'r mynyddoedd trymion cyn ysgafned â phapur sidan.

'Sut a pham? Wel, dyna bwrpas cynhadledd Berlin. Cyfle i ni arbenigwyr roi'n penna at ein gilydd. A ma' gofyn cwestiwn pwrpasol yn ei bryd weithia'n bwysicach peth o'r hannar na chanfod atebion hawdd, achos os meddyliwch chi am y peth, aros yn ddiateb erioed mae pob un cwestiwn o bwys gwirioneddol wedi'i neud, er i gannoedd o filoedd eu gofyn nhw.'

'Fel be?'

'Oes 'na Dduw? Pryd ddechreuodd Amser? Oes y fath beth ag ewyllys rydd? Ai yr un ydi 'mhrofiad i o'r byd a'ch profiad chi? Pam mae drygioni'n bod? Ai credo afresymol ydi rhesymoliaeth? Neu hyd yn oed, pam mae eira'n wyn?'

Camodd Syr Feltham Royal a'i wraig heibio i'r ddau a gwenodd hitha ar Polmont a'i cholur o gylch ei llygaid wedi baeddu fymryn.

'Pryd yn union buoch chi ym Mharadwys, Mr MacFluart?'

'Be?'

Ailfloeddiodd Polmont y cwestiwn.

'Rhyw dair blynedd 'nôl.'

'Aethoch chi'm yno hefo'ch tad yn 1767?'

'Hefo 'nhad? Naddo wir. Ro'n i'n y coleg pan aeth o. Hogyn ugian oed.'

'Adeg Terfysg Dante?'

Oedodd a throi i syllu'n syn ar Polmont.

'Terfysg Dante? Nagoedd. Be sy'n peri ichi feddwl hynny, syr? Roedd fy nhad wedi gadal yr ynys cyn i hwnnw gychwyn.'

Gan deimlo braidd yn ddryslyd, oedodd Polmont.

''Dach chi'n siŵr?'

'Be?'

''Dach chi'n siŵr?'

'Siaradwch yn uwch.'

''Dach chi'n hollol siŵr i'ch tad adael cyn Terfysg Dante?'

'Berffaith siŵr. Hollol berffaith siŵr. Dwi'n siŵr mai tua dechra Gorffennaf 1767 gyrhaeddodd fy nhad harbwrdd Port Royal – cofiwch chi, peidiwch â 'nghymryd i ar fy ngair; y peth calla ydi ichi 'i holi fo os am wbod yn fanwl gywir; ond dwi bron yn siŵr 'i fod o wedi gadal erbyn diwedd Awst. Pryd ddechreuodd y terfysg?'

Fel cri o wacter cododd crawcian gwylanod y cei o'u cwmpas. Oedodd a sadgysidrodd Polmont ennyd, gan geisio dwyn i go y sgwrs a fu rhyngddo a'r Esgob Parva yn ei goets o Ascot. Bron na allai dyngu ar ei lw i'r Esgob ddweud i'r Barnwr Garth MacFluart fynd i Baradwys i ymchwilio i achosion Terfysg Dante ar ran y Cyfrin-gyngor. Os nad oedd hynny'n wir, roedd hi'n bur debyg fod yr hen ŵr eglwysig wedi dechra mynd yn anghofus neu wedi dechra drysu yn ei henaint wrth geisio adrodd yr hanes.

Holodd Polmont, 'Yno collodd eich tad ei goes?'

'Mae hynny'n ffaith. Ai ai. Ond cyn i Derfysg Dante ddechra.'

'Cyn iddo fo ddechra?'

'Dwi bron yn siŵr o hynny. Cael ei yrru yno wnaeth fy nhad er mwyn derbyn tystiolaeth mewn achos o lofruddiaeth. Alla i ddim cofio'r hanes yn hollol. Dau ŵr bonheddig, dau ddyn gwyn –'

'Dau ddyn gwyn?'

'– oedd wedi'u cyhuddo o fwrdro rhyw ferch ifanc. Roedd pawb yn gybod sut ond neb yn siŵr iawn pam. Dwi'm yn siŵr a oedd fy nhad fawr callach. Ddaeth yr achos fyth gerbron llys barn. A hynny yn anffodus, oherwydd y rhyfel a dorrodd pan ymosododd Ffrancod Martinique ar ynys Paradwys.'

Cododd y cwbwl ryw ddryswch ym mhen Polmont. Gwyddai o ddarllen llyfr Doctor Shotts i'r Ffrancod ymosod liw nos ar borthladd Damascus yn ne'r ynys ar y pymthegfed o Awst, 1767. Felly os gadawodd y Barnwr MacFluart ddiwedd Awst, ni fuo fo ar yr ynys am fawr mwy na 'chydig wythnosa. Ac nid mynd yno ar fater Dante a wnaeth o gwbwl. Aeth Mr MacFluart yn ei flaen i ddweud, 'Mae hyn flynyddoedd lawer 'nôl. Dros un ar bymtheng mlynedd 'nôl, o leia, dwi'n siŵr. Un llythyr yn unig ges i ganddo fo. Llythyr ddaeth imi yr holl ffordd o Port Royal i Goleg Baliol. Dwi'n cofio ei dderbyn o trwy law yr hen borthor blin hwnnw fel tasa hi'n ddoe.

Cofio ei wasgu fo i 'nghesail i'w arbed o rhag y glaw wrth ruthro i fyny'r grisia i f'ystafelloedd; cau'r drws a thynnu cadair i eistedd arni wrth fy mwrdd yn llawn blys i agor yr amlen. F'annwyl Grenock. Ai ai. Cofio gwenu wrth weld f'enw yn 'i lawysgrifen o. *Mae yr awyr yma heno yn llawn tiwn y pryfed tân.* Felly dechreuodd o. Finna'n ceisio dychmygu be oedd pryfed tân. Clecian yn ddi-baid wnaiff natur yma nos a dydd – dwi'n cofio hynny hefyd – yn llawn pryfetach annweledig neu rywbeth tebyg, alla i'm cofio'r union eiria erbyn hyn . . . A chwyno fod y tywydd yn ddyddiol annioddefol a'i fod o'n methu cysgu gan ei bod hi mor chwilboeth. Wedyn mi aeth yn ei flaen i gwyno ei fod o'n sâl ac yn orweddog yn ei wely – yn ama ei fod o wedi'i wenwyno – ac mai'r unig beth alla fo ei dreulio oedd afocado a phupur, gan fod ei flas o'n dyner, eto'n foethus; yn beth hawdd ei lyncu. Ai ai. 'Dach chi'n edrach yn bryderus, syr. Be sy'n eich poeni chi?'

'Soniodd eich tad sut y collodd o'i goes?' gwaeddodd.

'Roedd o mewn galar gwaeth o lawer. Tydw i erioed wedi gorfod darllen llythyr mor alarus. Mor llethol o alarus. Roedd dagra yn powlio i lawr fy mocha fi. Nid nad oedd fy nhad yn teimlo'n filain ac yn ddig ac wedi sgwennu llythyr llawn hunandosturi . . . Ond be ydi colli coes ochor yn ochor â cholli bywyd fel ddigwyddodd i fy mam?'

'O'i chwipio'n fyw i'r nefoedd?'

'Be?'

Ailfloeddiodd ei gwestiwn i'w glust.

'Dyna chi.'

'Sut?'

'Wyt ti'n dŵad heddiw ne' be?' syllodd Syr Feltham Royal yn flin ar Polmont. 'Ne' wyt ti'n mynd i fân siarad fan hyn nes bydd hi wedi tywyllu a ninna wedi'n dal mewn cawod genllysg arall?'

Gan ddymuno'n dda, ffarweliodd Polmont â Mr Grenock MacFluart ar ei daith i Berlin. Aeth ynta tua Paris. Gyrrwyd y goets ar gryn wib ar hyd y ffordd dyllog tuag at Amiens. Ciliodd y cymyla a thywynnodd yr haul. O gofio geiria Mr Grenock MacFluart, agorodd Polmont *Derfysg Dante* a throi i'r epilog a ysgrifennwyd rai blynyddoedd yn ddiweddarach ar gyfer y trydydd argraffiad. Doedd dim sôn am gynnal achos llys er mwyn dedfrydu a dienyddio Dante. Doedd dim gair yn sôn am y Barnwr Garth MacFluart yn mynd i'r Ynys ar waith y Cyfrin-gyngor chwaith. Pam felly roedd yr Esgob Parva wedi ama iddo fod yno yn ystod misoedd olaf 1767? Os oedd yno ynghynt ynglŷn â rhyw fwrdwr . . . be oedd hwnnw?

Sut yn hollol y collodd ei goes? Sut yn union y bu farw ei wraig? Doedd bosib iddi gael ei chwipio fry i'r nefoedd? Rhyw fath o wyrth oedd hynny. Yn yr oes ohoni doedd gwyrthia byth yn digwydd. Neu oedden nhw? Be wedyn oedd hanes y llofruddiaeth? Pwy oedd y ferch ifanc? Pwy oedd y ddau ŵr gwyn? Oedd rhywun yn rhywle'n gwybod yr hanes?

Trwy ffenest y goets gyrglodd Whatton-Henry wrth weld dwsin o feirch llwydion yn sblashio trwy frwyn y glennydd yng ngoleuni hwyr y prynhawn. Chwyrnodd Syr Feltham Royal. Syllodd Mr Barlinnie yn syth o'i flaen ar y Fonesig Maidstone-Susanna Royal yn cyweirio ei gwallt trwy ailglymu sidanbleth i'w ddal wedi iddo gael ei grychu a'i fodrwyo gan ei morwyn pan oedden nhw'n disgwyl eu coets yn Calais. Dododd Polmont *Terfysg Dante* o'r neilltu. Caeodd ei lygaid a dychwelodd i'r noson honno y gadawodd dŷ'r Esgob Parva . . .

Powlio i'r nos.

Ymlwybrodd i lawr at yr afon a cherdded hyd ei glanna hyd gyrra Chelsea. Croesodd wedyn ar draws godra isa Caea Toothill, heibio i walia Mynwent Sant Ioan, ar draws Stryd y Farchnad, i fyny Stryd Tufton, ar draws Iard y Deon, i fyny Stryd y Brenin – a'i goesa'n camu ynghynt a chynt – i fyny Whitehall, hyd at Charing Cross ac ymlaen nes cyrraedd Stryd y Castell.

Oherwydd myllni'r nos, wrth glosio at y tŷ, clywai siarad dwys yn murmur trwy ffenestri hanner agored. Siarad ysbeidiol (ac isel fel sgwrsio pobol yn cydymdeimlo). Agorwyd y drws ar y curiad cyntaf. Camodd heibio i'r forwyn a hanner agorodd ei cheg. Hanner rhuthrodd ar ei ôl i gydio yn ei fraich ond erbyn hynny roedd wedi cerdded trwy ddeuddrws yr ystafell fwyta i wynebu pedwar o wyneba (cochion braidd o losg haul Ascot) yn troi i rythu arno. Roedd Polmont yn chwys diferyd ond dallwyd o ennyd gan wynder y bwrdd lle gorweddai lliain yn syth o'i blygiada a'i wrymia heb eto eu llyfnu'n wastad ar waetha'r hetar poeth a fu drosto oria ynghynt . . .

Hanner cododd Mr Sharpin (codi'n ara deg fel dyn mewn breuddwyd) a gwydryn o seltzer yn ei law. Roedd Polmont eisoes wedi penderfynu, doed a ddelo, y byddai'n cael y maen i'r wal. Camodd at ben y bwrdd (a rhywsut, ni wyddai sut, ni allai gofio oherwydd digwyddodd mor ddisylw) ond chwalodd un o'r powlenni siwgwr i dywallt hyd y llawr. Llifodd yn rhaeadr wen tros flaen ei esgid gan hel o gwmpas ei draed yn gaenen dena . . .

'Yng ngŵydd y bobol dda yma, Mr Sharpin, syr: dwi'n mynnu cael gwybod lle mae'ch merch chi heno.'

Atebodd Mrs Sharpin o'r pen arall, 'Mae hi wedi mynd i ffwrdd, syr.'

Ei llais yn addfwyn. Lliniarodd hyn ei ddicter. Sylweddolodd ei fod wedi creu llanast wrth deimlo'r crensian o dan draed. Y bowlen ar ei hochor a'r siwgwr hyd y llawr. Ceisiodd arbed chwaneg rhag disgyn tros yr erchwyn drwy'i sgubo i'w law.

'Hitiwch befo,' cododd Mrs Sharpin, 'dim ond mymryn o siwgwr ydi o . . .'

Pesychodd. Camodd ato heibio cefn cadeiria ei gwesteion. Dododd ei llaw i bwyso ar ei fraich; ei chyffyrddiad yn wan. Gwraig eiddil oedd hi a'i hiechyd yn fregus a rhyw lysnafedd ar ei hysgyfaint. Bu'n pesychu gwaed yn ystod y gwanwyn. Bu'n gaeth i'w llofft, ei thraed oerion yn gorweddian oria ar bridd-faen poeth, yn bwyta'r nesa peth i ddim; yn byw ar yfed te gwaedling, te camomeil a hanner llond llwy de o lobelia a phupur. Pesychodd drachefn; yn hegrach y tro hwn a chamodd ei gŵr ati.

'Ffwrdd i lle?'

'Mae hi wedi gofyn inni beidio â deud,' atebodd Mrs Sharpin, cyn pesychu; pesychu'n hyll. Roedd morwyn eisoes yn dodi cwpan arian llawn ffisig chwerw yn ei llaw.

Teimlodd Polmont ei stumog yn cloi.

'Newch chi'n gadael ni, os gwelwch yn dda?'

'Ddim tan ddeudwch chi wrtha i lle mae hi.'

'Waeth ichi heb a dŵad yma i godi twrw fel hyn . . .'

'Lle mae hi?'

'Na holi chwaneg chwaith. Chewch chi ddim ateb. Welwch chi mohoni eto. Byth eto. Mae hi'n benderfynol o hynny.'

'Hi?'

'Mae hi'n marw.'

Waldiodd y gair fel hoelen trwy ei ben ac ias ei phoen yn llosgi'n fain i lawr trwy'i asgwrn cefn. Llifai rhibyn main o siwgwr ar y carped. Rhythodd Polmont o wyneb i wyneb; rhythu'n hyll fel ci tarw cynddeiriog gan ei deimlo'i hun yn stondin yn chwalu mewn storm. Glynodd ei ddillad yn ei groen: bôn ei gefn yn socian a chwys wedi cronni ar groen cefn ei ddau ben-glin ac o dan ei wig, cosai ei gorun. Llosgai'r canhwyllbren ceinciog, addurnedig uwchben yn gras. Roedd llygaid pawb o gwmpas y bwrdd yn syllu arno: syllu'n stond. Llyncodd boer ond roedd ei wddw'n grinsych a'i lwnc yn grimp. Doedd o ddim yn coelio. *Roedd o'n gwrthod coelio.* Rhyw esgus oedd hyn. Doedd hi ddim yn marw. Fe sbonciodd yn sydyn o rywle, rhyw gnoad o emosiwn gwyllt na wydda o ble y daeth, ond daeth ar wib, gan rasio'n derfysg allan o ryw dywyllwch nes tasgu'n llachar o flaen ei lygaid ac fe'i gwelodd ei hun yn hyrddio i gythru'r lliain bwrdd a chwalu'r llestri'n deilchion . . .

Fuo nhw fawr o dro yn ei hel allan o'r tŷ. Gwaith hawdd oedd hynny er iddo gicio a strancio fel dyn gwyllt o'r coed. Gwaeddodd a melltithiodd y teulu wedyn o ganol y stryd nes i leisia eraill ddechrau ei erlid.

Stopiodd hynny mohono. Os rhywbeth, fe'i gwnaeth yn fwy penderfynol fyth o gael y maen i'r wal. Aeth draw i gyffinia'r tŷ fwy nag unwaith ond yn rhagddarbodus a gochelgar rhag ofn i rywun ei weld a mynd draw i achwyn wrth Mr Sharpin. Cadwodd olwg ar fynd a dŵad o'r ochor bella ond yn anffodus, yn lled groes y digwyddodd petha . . .

Un min nos.

Fe sleifiodd i'r cefna a holi ymysg y morwynion a'r gweision a phryd hynny y clywodd chwanag o'r gwir.

'Lausanne?' holodd wrth syllu'n syn.

'Byddar ne' ddim yn gwrando wyt ti? Dwi 'di deud a deud. Yn fan'no mae hi . . .'

Roedd ei lygaid yn ffynnon o ddagra a'i stumog yn troi. Yr unig beth a lyncodd y diwrnod hwnnw oedd crystyn sych a lwmp o gaws. Yn ei glustia – yn sydyn! – hisst! – hisst! – clywodd ei ddyweddi'n hymian canu yn dawel o dan ei gwynt.

Yng ngola'r lantar gannwyll, heibio i gil drws y pantri, safai â'i chefn tuag ato'n slisio rwdins a moron cochion a'r rheiny'n sblashio i fwced wrth ei thraed. Â'i chefn tuag ato bron nad oedd y forwyn yr un ffunud â'i ddyweddi, ei hosgo yr un sbit yn union a'i chysgod mawr yn llenwi'r stafell fach.

Teithiodd Miss Sharpin i Lausanne yng nghwmni cyfeillion i'w thad, Mr a Mrs Askham-Grange (Arglwydd Grange yn ddiweddarach) gan adael ar y deunawfed o'r mis cynt. Gyrrwyd hi at berthnasa. Gyrrodd lythyr at ei mam o Rheims, un arall o Langres a'r trydydd o Besancon cyn iddi dderbyn yr ola yn dweud iddi gyrraedd yn saff ar y degfed ar hugain. Roedd Polmont yn amheus o'r hanes. Os oedd hi mor wael ei hiechyd, pam aeth hi mor bell? Os oedd hi'n marw pam dewis gwneud hynny mewn alltudiaeth ar y cyfandir? Ni chafodd y gwir. Roedd rhyw reswm arall. Roedd Polmont yn saff o hynny; roedd rhyw dwyll a rhyw ddirgelwch yma ond ni wyddai sut oedd mynd at lygad y ffynnon. Pe bai ganddo bres i deithio ati fe ddaliai'r goets gynta am Dover. Doedd hynny ddim yn bosib. Doedd ganddo'r un geiniog i'w enw. Gallai gerdded yno yr holl ffordd. Gallai hefyd yrru llythyr i fynnu'r gwir . . .

Y forwyn.

Y ferch a fu'n slisio'r rwdins. Dyna pwy a ddaeth ato i gynnig help yn y diwedd. Roedd hi'n hogan fywiog, yn egnïol ac yn frwd ac yn fwy na pharod i ddawnsio tendans llaw a throed ar ei meistr a'i meistres ac ynta hefyd, chwara teg iddi; doedd dim ond rhaid iddo ofyn ac roedd hi'n hollol barod ei chymwynas. Yng nghanol naws ei llygaid wrth iddi siarad lledai rhyw asbri sydyn ac wrth iddo gerdded am adra ar ôl bod yn ei chwmni, teimlai Polmont yn dalach ac ysgafnach dyn. Gwnaeth hi addewid iddo. Addawodd; cris-croes; aeth ar ei llw y byddai'n dŵad o hyd i'r cyfeiriad yn Lausanne o fewn deuddydd. Er iddo alw fwy nag unwaith, rhyw hel esgusodion a wnâi hi bob un tro wedyn gan osgoi ei lygaid. Galwodd o fewn yr wythnos i glywed gan forwyn arall fod y forwyn honno wedi gorfod gadael oherwydd iddi lyncu pry.

Fe gafodd y cyfeiriad yn y diwedd trwy law rhyw was stimddrwg (y bu'n rhaid talu iddo) ond ni ddaeth ateb.

Dim gair, dim byd, dim siw na miw. Gyrhaeddodd o hi yn

Lausanne ai peidio, doedd dim posib gwybod. Mwy na thebyg na wnaeth o ddim. Efallai fod ei pherthnasa yn cadw'r cwbwl oddi wrthi. Efallai fod Mr Sharpin wedi mynd mor bell â rhoi copi o'i lawysgrifen i ŵr neu wraig y tŷ yn Lausanne. Doedd wybod be oedd yn digwydd. Ni fyddai dim yn peri syndod i Polmont a Mr Sharpin, ei thad, wedi bygwth grym y gyfraith arno. Gwylltiodd. Cynddeiriogodd. Doedd neb na dim yn mynd i'w drechu a chodi cloddia rhyngddo a'i ddyweddi ar chwara bach. Aeth ati i gynllwynio a dyfeisio rhyw ddullia o'i chael hi 'nôl. Teimlai ei hun yn sgafnu; ei ben yn ola obeithiol wrth feddwl amdano'i hun yn ei hachub. Peth hawdd oedd ildio i ffansi'r dychymyg ond mater arall oedd gweithredu. Buan y ciliodd y teimlad o hyder wrth feddwl am y cannoedd o filltiroedd oedd rhwng y ddau. Suddodd 'nôl i wely'r felan wrth feddwl amdano'i hun.

Llusgodd tuag adra'n drist ar ôl postio ei drydydd llythyr. Roedd hi'n dechra nosi. Stopiodd yn sydyn. Hanner troi i sbecian tros ei ysgwydd o ama fod rhywun yn ei ganlyn. Teimlad rhyfedd oedd teimlad felly. Gwas i Mr Sharpin? Cerddodd yn ei flaen a'i lygaid yn sbarcio o'r naill ochor i'r llall a phob math o goeg-ddychmygion yn sboncio yn ei feddwl. Yn sydyn, trodd i gysgod drws; bagio; wardio. Arhosodd yno. Sbeciodd wedyn i fyny'r stryd a thybio fod rhywun yn cadw golwg o ymyl drws y siop *haberdasher*. Sylweddolodd o fewn dim nad oedd y dyn yn ei wylio ond ei fod yn tawel wylio pobol eraill. Camodd dwy wraig fonheddig heibio a dilynodd y gŵr nhw yn ling-di-long â'i ddwylo wedi'u plethu tu ôl i'w gefn. Gwelodd Polmont ei law yn ara orwedd ar ysgwydd un wraig a'r wraig yn hanner cyffroi mewn braw, cyn chwerthin a rhyw ysgafn daro'r gŵr ar draws ei fraich.

Paris.

Crwydrodd Polmont y ddinas. Treulio'r prynhawnia yng Ngerddi Luxembourg a'i draed yn siffrwd trwy ddail cynta'r hydref. Crwydrodd i lawr y Rue D'Enfer at yr Ile de la Cite a Notre Dame. Dyfalai; myfyriai; ceisiodd ddychmygu yr hyn a oedd o'i flaen. Cofiannydd Swyddogol i Iarll Foston, y penteulu enwog Henry Hobart a'i wraig, Anna-Maria. Oedd o'n deilwng i'r gwaith? Oedd y gallu ganddo i wneud llwyr gyfiawnder â gŵr mor anrhydeddus ac uchel ei barch? Roedd hi'n her a hanner; her fwya ei fywyd. Ar y llaw arall, o'i derbyn, byddai ganddo wedyn fodd o glirio ei holl ddyledion ac adfer ei enw da.

Bu ond y dim i Polmont gael ei alw i bresenoldeb Iarll Foston fwy nag unwaith, ond oherwydd ei fod mor brysur, ac o wybod faint yn union a be oedd baich y gwaith a bwysai ar ei ysgwydda, ni allai lai na rhyfeddu at y modd y daliai sawl pen llinyn ynghyd. Prin y gallai edliw iddo am newid neu ohirio sawl trefniant ar y funud olaf. Teimlai'n ddiogel rhag gafael y gyfraith a phob Beili a'i ddyfodol yn oleuach nag y bu ers amser.

Aeth tridia heibio. Wedyn pedwar. Pump. Chwech. Darfu wythnos. Nid nad oedd Polmont yn gwarafun dim o fyw ym Mharis ar draul y teulu. Doedd dim sôn am Syr William-Henry Hobart chwaith er iddo addo bod wrth law i'w gyflwyno i'w dad.

Amser i'w ladd.

Teimlai Polmont y felan yn golchi drosto. Tirwedd newydd dinas newydd a'r tywydd yn pruddio a'r gaea eisoes ar ei wartha. Y noson cynt edrychodd trwy'i ffenest i wybren y nos a sylwi ar glwstwr o sêr yn ffurfafen y gogledd. Craffodd yn fanylach a'u cyfri fesul un nes nodi'r saith a gwenu wrtho'i hun o nabod rhediad Llun y Llong. Gwnaeth hynny iddo deimlo fymryn yn fwy cartrefol. Aeth i'w wely a gorwedd yno a'r gannwyll fach yn llosgi ar yr erchwyn. Ceisiodd fynd i gysgu ond methodd. A bu am oria yn troi a throsi ac yn clywed taro pob un awr pan seiniai cynghanglych cloc mewn stafell oddi tano yn drwm ac awdurdodol. Am ryw reswm deuai llun olew o'r Fonesig Frances-Hygia Royal i sefyll o flaen ei lygaid. Ni allai beidio â meddwl am y weddw unig yn ei thŷ yn Sgwâr Hanofer yn poeni ei henaid am y tlodion. Yn poeni am bobol fel fo. Dyn a fu'n cysgu yn yr awyr agored, o dan friga'r coedydd derw ac mewn mynwentydd . . .

Agorodd *Derfysg Dante.*

Cyn hynny, fe'i darllenodd mewn dim o dro. Ac ailddarllen wedyn mewn braw a dychryn o fethu â chredu iddo ddarllen catalog o greulondera mor ffiaidd ac mor erchyll. Barbariaid ac anwariaid. Doedd dim arall i ddisgrifio'r negroaid. Adroddai'r llyfryn hanes Doctor Shotts yn feddyg ifanc yn dengid am ei hoedal trwy'r gyflafan ar draws plwyfi'r ynys er mwyn cyrraedd noddfa Port Royal . . .

Terfysg Dante.
Cymerodd Polmont ei wynt ato cyn plymio i'w ffieidd-dra . . .
– Er imi holi amryw byd o ffoaduriaid, ni wyddwn beth oedd hynt fy ngwraig annwyl, Mrs Shotts. – Pan fu'n rhaid imi fynd i feddygfa filwyr baracs Pietonville aeth fy ngwraig i fochel ym mhlanhigfa Neuadd Foston. – Dyna gamgymeriad mwya 'mywyd. – Aeth y Terfysg o ddrwg i waeth. – Gwelais erchyllterau a gododd o waelodion fy hunllefau gwaethaf un. – Buan y mae tywallt gwaed yn troi'n gynefin. – Gwelais ddynion gwynion wedi eu hoelio'n fyw wrth glwydi. – Hefo bwyell torrwyd eu breichiau a'u coesau fesul un. – Yr un oedd y sgwrs ym mhobman. – Hogyn seithmlwydd, er mwyn ei achub ei hun, a guddiodd i fyny simdda'r tŷ berwi ond pan ddaeth Dante a'i lofruddion ar ei draws bu hir drafod ynglŷn â sut i'w ladd. – Penderfynwyd yn y diwedd ei raffu rhwng dau ddarn o goedyn, ei osod ar draws dwy gadair a'i lifio yn ei hanner.
– Planhigwr arall ar lannau Afon Testament, a chanddo ddau fab naturiol o negres, a ymbiliodd ar y ddau â phob tynerwch i beidio ag ochri hefo'r negroaid. – Fe'i hanwybyddwyd a'i wthio o'r neilltu. – Lladrataodd y mab hyna ei bwrs a gwthiodd yr ieuenga gyllell trwy ei galon. – Cyrhaeddodd goruchwyliwr planhigfa'r Drindod ar gefn trol. – O'i enau y clywais y stori fwyaf arswydus hyd yma er bod llawer iawn gwaeth hanesion i'w hadrodd eto. – Yng ngodra deheuol plwyfi'r de, rhwymyd tad i ddwy ferch neilltuol brydferth wrth goeden. – Fe'i gorfodwyd i wylio rheibio ei ferched gan gant neu ragor o negroaid, torri eu tafodau a chafnu eu llygaid o'u penna â llwya aur. – Fel pe na bai hyn yn ddigon, fe'i gorfodwyd wedyn i fwyta'r cwbwl oddi ar eu dwylo gwaedlyd. – Yn ystod y dyddiau a fu bu gwragedd a merched o bob gradd o gymdeithas yn ysglyfaeth i'w chwantau anifeilaidd.
– Am 5 y prynhawn ar Fedi 4, 1767, er mawr ryddhad, cyrhaeddodd byddin gref. – Cyrnol Milisia Port Royal oedd ar ei blaen. – Nid oedwyd dim; bwriodd yn ei flaen i arbed planhigfeydd y canoldir rhag llosgi'n ulw. – Dywedodd yr Esgob Parva wrthym am yr holl erchyllterau a welodd y fyddin ar eu taith. – Penderfynais na fedrwn aros eiliad arall. – Roedd yn rhaid imi gyrraedd fy ngwraig yn Neuadd Foston. – Fe'm cynghorwyd yn daer i beidio â bod yn ffôl. – Crefodd gwragedd arnaf i oedi ac ymbwyllo hyd nes i'r cwbwl dawelu. – Mewn

*gwewyr mawr y treuliais noswaith y chweched o Fedi yn hir ben-
dronni. – Ar doriad gwawr penderfynais adael.
– Methais â chanfod march, na phaeton na dim. – Am ddyddiau
bûm yn byw o'r llaw i'r genau gan gadw i'r llwybrau diarffordd a
wardio yn nhyfiant y coedwigoedd. – Llethwyd fi gan oglau tai a
chnawd yn llosgi. – Roedd arnaf y fath syched. – Ni fu fy ngwddw
erioed mor grin. – Cerddais trwy ludw adfeilion y planhigfeydd. – Yn
nyfnder nos clywn guro drymiau a sgrechian dynion. – I'm cyfwrdd
un bore ymlwybrodd hogyn bach gwyn ei groen. – O'i weld yn closio,
edrychai trwy drugaredd yn holliach ond pan ddaeth o fewn tafliad
carreg sylwais ei fod yn amddifad o glustiau. – Nid oedd ganddo
ddwylo chwaith. – Ymbiliodd am fy nghymorth. – Tywysodd fi ar hyd
llwybr hyd at weddillion ei gartref. – Aeth â fi at ddrws y felin, lle
croeshoeliwyd gwraig noeth. – Aeth â fi draw at dŷ berwi'r blanhigfa a
than neidio i fyny ac i lawr mynnodd fy mod yn arbed ei dad a'i frawd.
– Doedd dim golwg o'r un o'r ddau. – Buan y sylweddolais eu bod
wedi eu claddu yn fyw.*

*– O fewn deuddydd roeddwn yn cerdded trwy faes lle gorweddai
dwy neu dair mil o gaethion marw; ynghyd â nifer o filwyr gwynion
a'r pryfed a'r drewdod yn annisgrifiol erchyll. – Draw drwy'r coed,
clywid sŵn tanio ysbeidiol. – Trwy blanhigfeydd eraill, roedd olion o
wŷr a gwragedd a ferwyd yn fyw mewn crochenni siwgwr. – O'r coed
ar ymyl y croesffyrdd, hongiai dynion gwynion â bachyn trwy eu genau;
bachau trwy eu hasennau. – Gwingai amryw fel pryfed genwair tan
hanner anadlu a hanner byw o hyd. – Yng nghanol barbareiddiwch o'r
fath try angau yn drugaredd.*

*– Gwelais ddynion gwynion â'u gyddfau wedi eu torri; eu gwaed
wedi ei yfed. – Bûm dridiau yng nghwmni planhigwr a gollodd ei
bwyll oherwydd ei orfodi gan ddau negro i fwyta cnawd ei faban ei
hun. – Un nos, o'm cuddfan fry mewn coeden, bûm yn dyst i frwydro
rhwng dwy garfan o gaethion. – Roedd y negroaid yn ymryson fel cŵn
am asgwrn; yn cnoi ei gilydd ar fyr eiriau. – Buan y dechreuodd y
mwrdro. –*

*– Closiwn at derfyn fy nhaith. – Tan araf droelli ar wyneb yr
afonydd fe chwyddai cyrff buchod marw. – Roedd arogl angau lond y
tes. – Nid âi awr heibio nad oedd fy ngwraig ar flaen fy meddwl. – Fy
ngwraig feichiog. – Dyn truenus oeddwn, yn llusgo byw o awr i awr –
O'r braidd imi fwyta dim a diffyg dŵr wedi fy sychu a'm nychu. –
Trwy'r goedwig clywn gri am help. – Cri yn codi o'r galon. – Cri dyn
ar dorri. – Monsieur Duvalier Le Blanc loerig a ddaeth ar fy nhraws. –*

Roedd arno olwg erchyll. – Ar ei ffordd i Port Royal yr oedd o, ynghyd â Madame Le Blanc, pan ymosodwyd arnynt gan haflug o gaethion a Dante waedlyd ar y blaen. – Trwy ryw ryfedd wyrth llwyddodd Monsieur Le Blanc i ddianc ond cipiwyd ei wraig tan sgrechian tua'r goedwig. – Yma yn rhywle'n y cyffiniau roedd fy ngwraig innau. – P'run a oedd yn fyw neu'n farw nid oeddwn fawr dicach. – Ond rhaid oedd imi achub fy ngwraig a'i baban. –

– Breuddwyd gwrach! – O, y fath freuddwydio ynfyd! – Byddai'n haws imi deithio i'r lleuad ac yn f'ôl. – Drannoeth deuthum o hyd iddi. – Neu yn hytrach, deuthum o hyd i'r hyn a oedd yn weddillion ohoni. – Hoeliwyd ei dwylo wrth goeden. – Dadwisgwyd hi. – Blingwyd hi yn fyw. – Naddwyd ei chroen hardd yn ddrwm. – Ac ar y drwm hwnnw y clywn guro nodau rhyfel yn nyfnder nos. – Aethom tua'r blanhigfa. – Ddeuddydd wedyn daethom ar draws brwydr ar dorlan afon. – Gwisgai Dante wisg sidan Madame Duvalier Le Blanc a chludai faban gwyn ar lafn ei gledd. – Yn fuan wedi hynny, trwy fawr drugaredd, trechodd Cyrnol Milisia Port Royal y terfysgwyr. – Lladdwyd oddeutu ugain mil o negroid a chwe chant o wynion ar faes y gad yn Sans Souci. – Bendithiodd yr Esgob Parva ymdrech ein milwyr. – Er brynted, er ffieidded y duon hyn, does dim yn newydd yn eu natur nac yn natur eu terfysg. – Bu'r negroid erioed trwy drais neu dwyll â'u bryd ar ddinistrio ein cymdeithas. – Rhai cyfrwysddrwg, trahaus ac anghyfiawn ŷnt, yn ysglyfaetha beunydd am waed eu meistri oni bai fod iau awdurdod yn ddiogel ar eu gwariau. –

– Mynnodd Cyrnol Milisia Port Royal fod pob un negro i benlinio ger ei fron. – Plygodd mwy na chan mil yn ufudd iddo. – Plygodd pob un pen yn wastad ger ei draed i lyfu gwaed pob milwr marw oddi ar bob un glaswelltyn, hyd nes roedd natur eto'n berffaith wyn a glân.

Drannoeth.

Daeth y Fonesig Maidstone-Susanna Royal i roi tro am Polmont. Clywodd trwy si ei morwyn iddo gael noson aflonydd a phan holodd hi, ni allai Polmont wadu, gan fod hynny'n wir. Y noson gynt breuddwydiodd am Miss Sharpin. Un o'r breuddwydion brawychus hynny a oedd mor fyw – mor gnawdol o fyw – nes peri iddo feddwl ei fod yn ei chyffwrdd a'i chusanu; yn teimlo'i gwddw â'i ewinedd plu; yn blasu ei chroen ar ei groen; yn slowcian ynddi; yn yfed ohoni nes ei deimlo'i hun yn codi allan; yn dringo'n uwch ac uwch ac eto'n is ac is . . .

Gwaeddodd trwy'i gwsg wrth weld dynion mewn dillad

duon yn dod amdani. Ynta'n galw arni. Hitha'n cael ei llusgo i goets ddu ddiffenest a'i dillad yn rhwygo. Drysa'n agor, drysa'n cau. Clep, clep. Gwaeddodd i'w rhybuddio a rhuthr y byd yn goferu i'w gilydd; y ddinas yn berwi o sŵn wylofain a babi yn sgrechian mor gry â gwraig. Pan ddeffrôdd cordeddai ei ddillad gwely o gwmpas ei benglinia a'i lwnc mor sych â lemwn; a chroen ei wddw'n wlyb diferyd a chwys ei wallt ar draws ei wyneb yn blasu o heli Calais . . .

Gwahoddodd y Fonesig Maidstone-Susanna Royal o i farchogaeth yn yr ysgol ar Rue St-Honore gyferbyn â'r Place Vendome. Roedd ei llais yn grasach yn y bore ac yn addfwyno rhywfaint at y pnawn cyn gwaethygu'n y nos. Wedi i'r ddau farchogaeth, ac wrth gerdded draw o'r stabla am y stryd, danfonodd was rhyw lythyr pinc wedi ei rwymo'n ddestlus â rhuban las iddi. Dywedodd mai newydd gyrraedd Paris roedd o ychydig funuda ynghynt. Heb hyd yn oed drafferthu i'w agor – o'r braidd yr edrychodd arno hyd yn oed – fe'i rhwygodd o'n ddau hanner a'i daflu o'r neilltu.

Tuthiodd, 'Sdim isio edrach cweit mor syn.'

'Eich mam-yng-nghyfraith?'

'Dyn craff sy'n sylwi,' sylwodd hitha a gwenu'n llesg ar Polmont, 'Sut?'

'Gweld eich gŵr, Syr Feltham Royal, yn darllen llythyr ganddi neithiwr a nabod y sgrifen.'

'Mi ga i un am bob dydd y bydda i yma. Imi atgoffa Feltham i gymryd 'i ffisig.'

Wrth gerdded trwy Erddi'r Tuileries, aeth rhagddi i flagardio ei mam-yng-nghyfraith, y Fonesig Frances-Hygia Royal.

'Budron ydi'r tlodion yn un peth. Does wbod lle maen nhw wedi bod. Pa fath o afiechydon a llau sy'n llechu yn eu dillad nhw? Oes rhaid iddi rwbio cymaint yn eu mysg nhw? Dwi 'di deud a deud ond tydi'n gwrando dim. Cau 'ngheg wna i erbyn hyn. O'm rhan i fy hun wela i ddim pam mae isio trafferthu rhoi addysg iddyn nhw hyd yn oed. I be? I roi syniada yn 'u penna nhw? Dysgu darllen y Beibl. Digon teg. Roedd gen i forwyn llynadd wedi mynd i ddarllen llyfra a phapur newydd ac yn waeth fyth, rhyw bamffledi radicalaidd. Be wnaeth hynny iddi, medda chi?'

''I gyrru hi i ddarllen eich llythyra chi?'

Stopiodd yn stond, 'Sut gwyddoch chi?'

'Sefyll i reswm tydi? Fuo gen inna was felly unwaith hefyd.'

'Rhoi'r gora i gadw dyddiadur. Dyna un peth fuo rhaid i mi ei wneud dros dro llynadd. Mi aeth hi'n ddiog. Yn drahaus. Meiddio f'ateb i 'nôl hyd yn oed a meddwl 'i bod hi'n gwbod yn well. Yn waeth fyth mi aeth i ddechra trin rhyw syniada rhyfadd ymysg gweision a morwynion y gegin.'

Atebodd Polmont ar ei ben, 'Isio ichi ga'l gwarad â hi oedd.' 'Dyna'n union be wnes i. Ddylswn i fod wedi gwbod yn well. Nid na ches i fy rhybuddio chwaith. Amal i foneddiges wedi cael yr helynt. Chyfloga i un fel hi byth eto. Does yr un gwas neu forwyn sy'n darllen pamffledi o werth yn y byd i neb.'

Cerddodd y ddau ymlaen. Roedd garddwyr wrthi'n brig-dorri'r coedydd ac ymyl-dorri'r perthi ac eraill yn tocio'r llwyni o boptu'r llwybr canol draw at y llyn pysgod. Teimlodd Polmont yn ysgafn a heini. Ciliodd ei hunllef wrth iddo ffroeni awyr y bora a sgubwyd yn lân gan wynt y noson cynt nes peri i arogleuon bras godi'n gry o'r pridd.

'A'r gwaith 'ma i Iarll Foston? Dyn busnes 'dach chi medda Barlinnie wrtha i . . .'

Roedd Polmont wedi ymlacio; yn mwynhau'r olygfa a'r tywydd mor deg â lliw dydd o ha o flaen ei lygaid. Difethodd ei chwestiwn y cwbwl.

'Dyn busnes hefo 'ngweithdy a 'ngweithlu fy hun yn cyflogi pump ar hugain o ddynion tan y gwanwyn, o'n i . . .'

'O'n i?' Yn ddiarwybod, dynwaredodd ei oslef. Sylweddol-odd; ac wedi ennyd, holodd, 'Pwy fath o weithdy?'

'Cynhyrchu a gwerthu papur wal.'

Wrth i'r ddau gerdded tua'r Bont-Royal, stopiodd Polmont yn sydyn stond. Nodwyddodd ias rewllyd trwy ei galon, ias sydyn a barodd iddo grynu trwyddo.

Holodd hitha'n gras, 'Be sy'?'

Doedd neb yno; y peth ni welodd; be ddigwyddodd? Dig-wyddodd y cwbwl mor sydyn. Syllu yn ffenestri'r gemyddion roedd y Fonesig Maidstone-Susanna Royal, syllu ar fodrwya a diamwntia, loceda perla, mwclis ambr, pan aeth heibio. Daliodd ei chysgod yng ngwydr y siop. Fel syllu i lyn a gweld siâp wyneb yn graddol fagu yn y dŵr. Yng nghanol torfeydd y pryn-hawn a lanwai'r fan, ymlwybrodd trwyddynt fel pe na baent yn bod. Digwyddodd; darfu.

Ai hi oedd hi? Titw annwyl, Titw fach ei galon. Neu ryw ferch arall? Rhywun tebyg i Miss Sharpin?

Yn ei fywyd gallai Polmont ddwyn i gof rai digwyddiada,

rhai argraffiada nad oedden nhw mewn gwirionedd erioed wedi digwydd a gwyddai hynny'n iawn ond eto . . . o'u haildrosi yn ei feddwl byddai'n eu hail-fyw, mor fyw nes ei ddarbwyllo ei hun yn hollol eu bod yn rhan o'i orffennol. Roedd digwyddiada eraill, y petha hynny a ddigwyddodd iddo go iawn wedi pylu a darfod ac ni wyddai pam. Sawl gwaith roedd cloc yn ei swyddfa gynt wedi taro heb iddo allu cofio yr eiliad nesa p'run a'i clywodd o ai peidio? Pam oedd ei go yn cynnal rhai argraffiada ac yn anghofio eraill? Beth a ddiflannodd ac na allai ei ailfeddiannu byth?

Y noson honno.

Ailddarllenodd Polmont yr unig lythyr a ddaeth iddo o Lausanne.

Cofiodd pryd y cyrhaeddodd. Y bore hwnnw wedi iddo gerdded draw i'w swyddfa am y tro ola un, a gorfod troi ar ei sawdl, troi i ffwrdd o olwg y gweith-dy rhag ofn i rywrai ei nabod. Roedd y drws a'r ffenestri yn deilchion a dynion lloerig ar draws ei gilydd – yn cwffio a ffraeo a gweiddi – wrth gythru yn unrhyw beth y gellid ei werthu.

Sylwodd ar ei enw yn gorwedd yn y mwd.

Dychwelodd i'w dŷ.

Eisteddai yno'n methu symud gewyn. Roedd yr hyn a welodd wedi ei sigo i'r byw. Ganol y prynhawn clywodd guro ar y drws. Craffodd yng nghil y ffenest yn ofni gweld y Beili. Rhyw hogyn bach oedd yno yn cicio'i sodla. Agorodd y drws yn ofalus rhag ofn fod rhywrai eraill yn sefyll yn barod i ruthro amdano. Y tu ôl i'r hogyn bach, fel rhyw warchodwr, safai latsh o lanc tal, main tan besychu i'w lawes.

Dodwyd y llythyr yn ei ddwylo.

'F'annwyl Polmont' . . .

O dderbyn y llythyr, teimlai fel dyn hanner dall a'r geiria yn powlio oddi wrth ei gilydd. Gorfu iddo eistedd a'i sadio ei hun ond hyd yn oed wedyn teimlai ei waed yn rhuthro trwy'i wythienna a'i galon yn ei phwmpio'i hun yn garreg. Cymerodd ei wynt ato a dweud wrtho'i hun am 'bwyllo, am bwyllo.' Anadlodd yn ara deg a gwneud ei ora glas i'w sadio ei hun ond hyd yn oed wedyn dim ond rhyw igian darllen roedd o, a'r geiria'n sboncio o'i olwg, a rhyw deimlad yn corddi yn ei stumog fel gwynt camdreuliad . . .

Doedd dim cyfeiriad. Yna dechreuodd ddarllen,

'F'annwyl Polmont,
Cefais lythyr gen Mama ddechrau'r wythnos hon
(pa un? – y ddwetha? – yr un cynt? – neu'r un cyn hynny?)
a theimlais reidrwydd i yrru atoch air o eglurhad.
(pwyllo; sadio; sadio; pwyllo; cymerodd ei wynt ato dra-
chefn . . .)
– Ers amser bellach, gwyddoch fy mod i yma yn Lausanne. Bûm yn
aros i ddechrau hefo fy mherthnasau ond ers bron i fis rydw i yn lletya
ar aelwyd Madame Pavilliard. Y mae ei lletygarwch yn hynaws a'r
bwyd a'r gofal yn gymeradwy. Ond nid yw'n fwriad gen i aros yn hir.
Byddaf yn gadael unwaith ag y mae pob darpariaeth wedi ei wneud ar
fy nghyfer. –
(Doedd hi ddim yn marw! Celwydd noeth oedd hyn! meddyl-
iodd Polmont.)
Fe gymer hyn rai dyddiau, neu efallai wythnos (ond fe'm sicrhawyd
na fydd yn fawr mwy na hynny) ac mae'n bur debyg y byddaf eisoes
wedi ymadael wrth i chwi ddarllen hyn o eiriau. Y mae yr hyn sy'n fy
nisgwyl yn fraw . . .
(braw? – be? – pa fath o fraw?)
. . . ac nid wyf yn siŵr sut y byddaf yn dygymod â'm her newydd,
ond her enbyd fydd hi serch hynny.'
(priodi roedd hi? – dyna oedd hi'n trio'i ddweud wrtho fo?)
Gwn trwy Mama i mi eich siomi. Gwn hefyd beth yw dyfnder eich
galar. Ond ni allaf eich caru. Ni allaf fod yn wraig i chi gan fy mod
wedi . . .
(faeddodd ei dagra yr inc?)
. . . am resymau na ddatgelaf. Rydw i yn eich caru ac yn gwybod
eich bod chi yn fy ngharu i. Serch hynny, ni allwn fod yn briod. Y
mae'n amhosib. Does dim troi 'nôl. Dyma fy mhenderfyniad. Mae fy
nhad wedi rhoi sêl ei fendith . . .
(Sêl ei fendith ar be? Priodas? Oedd hi'n bwriadu priodi
Ffrancwr . . .? Teimlodd fel dyn penglwc; fel dyn yn amddifad o
bob synnwyr a'i deimlada'n deilchion. Ailddarllenodd y llythyr
ond bob tro y crafangai ei lygaid trwyddo, teimlai yr un hen
ysictod yn codi i'w wddw nes ei dagu a pheri i'w lygaid lenwi
wrth ddarllen y frawddeg ola un.)
'A byddaf yn sefyll wrth fy ngair.' . . .

YR IARLL

Mr Francis Hobart.

Gan Mr Barlinnie y clywodd enw Polmont gynta. Wedi cyrraedd Paris aeth Prif Was Iarll Foston ar ei union draw i'r gwesty lle lleytai ei feistr a'r ddirprwyaeth er mwyn danfon llythyra (a osodwyd yn nhrefn eu pwysigrwydd yn barod iddo) roedd angen iddo dorri ei enw yn eu bôn; dogfenna roedd angen eu darllen a materion teuluol roedd angen eu trafod. Newydd ddychwelyd o'r Gynhadledd funuda ynghynt roedd yr Iarll ac wedi ei gloi mewn cyfarfod arall tu ôl i ddrysa caeëdig yng nghwmni Iarll Shelburne, y Gweinidog Tros Ofalon Cartref, Gwyddelig a Threfedigaethol.

O'r hyn a ddeallodd Mr Barlinnie roedd y trafodaetha wedi dechra nogio; dynion wedi dechra blino a styfnigo'r American-wyr wedi mynd o ddrwg i waeth ers dechra'r wythnos ar nifer o bwyntia fel hawlia pysgota, mater o adfeddiannu gorllewin Fflorida oddi ar Sbaen, a llwyr faddeuant i'r dynion hynny a fu'n ffyddlon i'r Goron trwy gydol y rhyfel. Suddodd y Gyn-hadledd i ryw gafn nad oedd modd dringo allan ohono. O gyd-ymdrin a chroes-ymdrin gwahanol faterion roedd y dadleuon dyrys wedi drysu llawer a fu'n dystion dyddiol iddyn nhw. Roedd cant a mil o ddrwgddarogan o gwmpas y gynhadledd fod 'y cwbwl yn mynd i chwalu cyn diwadd yr wythnos', yn enwedig o du proffwydi'r gweisg ac ymysg doctoriaid tynged llysoedd Ewrop, a'r rheiny a oedd byth a hefyd yn blysio gweld ailryfela yn America mewn gobaith y deuai drwy hynny rai o broffwydoliaetha eu dyheada hwy i gyflawniad. I'w profi'n gywir. I'w profi'n wir. I brofi mai nhw oedd yn iawn ar hyd y bedlan a'r plesar o allu eistedd 'nôl i sipian eu gwinoedd a theimlo'n fodlon wrth edliw, 'Mi ddeudis i mai fel hyn byddai hi yn do? Dyna fo, doedd neb yn fodlon gwrando arna i. Ond pa les bellach fydda i mi warafun dim i neb?' I wrthsefyll a gwrthweithio yn erbyn sïon o'r math yma roedd angen calon ddewr a phwy well – pwy yn wir oedd yn rhagorach at waith o'r fath – nag Iarll Foston?

O dan drwyn Mr Barlinnie cerddodd gwas â hambwrdd arian yn ei ddwylo tuag at y stafell. Tinciai'r gwydra yn erbyn ei gilydd wrth iddo oedi i grafu ei gorn gwddw a phesychu i'w ddwrn ger y drws a agorwyd iddo ar guriad y gweision a'i gwarchodai. Clywodd Mr Barlinnie lais ei feistr yn glir. Llais heb argoel blinder ar ei gyfyl.

A daeth i'w go yr hyn a ddywedodd Iarll Foston wrtho cyn cychwyn ar y gwaith (y gwaith y bu am hydoedd yn gyndyn o'i dderbyn ond y bu llawer un yn pwyso arno i'w ysgwyddo, ac oni bai am lythyr personol trwy law'r Prif Weinidog yn taer grefu arno i sefyll yn y bwlch, ni fyddai wedi cytuno;) dywedodd Iarll Foston mai ofni gweld Cytundeb Heddwch llai na boddhaol yn gorseddu anghyfiawnder yn lle sylfaenu cyfiawnder i'r cenedlaetha a ddaw rhwng Prydain Fawr a Thair Talaith ar Ddeg America a barodd iddo deimlo'r ddyletswydd ar ran ei gyd-ddynion i gymodi yn enw heddwch cyffredinol.

Gwelodd Barlinnie Mr Francis Hobart yn closio tan siarad â gŵr a adnabu fel gohebydd i'r *Gazette*, papur newydd y Llywodraeth. Yn ôl ei arfer, disgwyliai'r Prif Was yn amyneddgar iddo ddirwyn ei sgwrs i ben. Holi a stilio roedd y dyn llygatgraff – rhyw grecyn cnodiog; yr oedd yn amlwg oddi wrth ei wep ei fod wedi hen arfer â dullia gwŷr bonheddig o gyfrwys ochel rhag rhoi atebion plaen – ynglŷn â meddylia preifat Iarll Foston, ei farn bersonol am fwriada Mr Franklin, a Mr Francis Hobart yn gyndyn o ddweud dim. Ceisiodd y gohebydd dact arall trwy seboni; canmol galluoedd Iarll Foston – ei amynedd, ei egni, ei degwch wrth gadeirio . . . ond doedd o haws â holi dim gan fod Mr Francis Hobart wedi cau fel cneuen.

'Barlinnie,' croesodd tuag ato yn ei wasgod sidan borffor, ei glos du a'i sana gwynion, 'tyd inni fynd o'ma. Mae gormod o glustia o gwmpas yma inni allu siarad.'

Dilynai'r Prif Was yn ôl ei droed. Oedd o wedi magu pwysa? holodd ei hun wrth ei weld yn camu i fyny'r grisia o'i flaen. Be oedd yn bod? Roedd yr un mor fyr ag erioed (a braidd yn flin ei osgo?) ond roedd rhywbeth yn wahanol yn ei gerddediad. Doedd o erioed wedi edrych fel dyn a aned o wraig, ond yn hytrach fel dyn yn ei lawn faint a ddaeth i fyny y llynedd o ryw fyd diarffordd. Pan ddaeth tri o wŷr bonheddig i'w cyfwrdd yn parablu mewn Ffrangeg, gorfodwyd nhw i gamu o'r neilltu oherwydd i Mr Francis Hobart gamu yn ei flaen yn union fel pe na baen nhw'n bod.

'Whoa!' bagiodd un yn fysedd ac yn freichia, 'Gan bwyll, Monsieur!'

Ystafell Mr Francis Hobart.

Clodd y drws wedi iddo ei gau yn dynn ar ei ôl.

Sibrydodd (roedd wedi ei weithio ei hun allan o anadl) 'Fedrwn ni'm bod yn rhy saff.'

Roedd fel bol buwch o dywyll hyd nes yr holltodd y dydd hyd y llawr ar ôl gwthio'r caeada rhwyllog pren am draw ryw fymryn. Holodd yn yr hanner gwyll, 'Ar be ti'n rhythu, Barlinnie?'

Atebodd y Prif Was, 'Dim.'

Ond roedd o'n rhythu. Ni fedrai beidio. Roedd dros naw wythnos ers iddo ei weld yn y cnawd ac roedd wedi newid. Od tydi? meddyliodd wrtho'i hun. Taflodd Mr Francis Hobart ei wig o'r neilltu a thynnu ei esgidia.

Fel dyn diniwed, llawn rhyfeddod, gofynnodd, 'Ddoist ti â fo imi?'

'Fel gwnes i addo,' atebodd gan fynd i'w boced a thynnu blwch arian hirsgwar a'i roi yn ei law. Cerddodd Mr Francis Hobart gam neu ddau tua'r ffenest a'i lygaid yn gloywi o ryw diriondeb. Syllodd Mr Barlinnie ar ei ysgwydda llydan, ei ben mawr crwn, a hwnnw'n hollol foel. Â'r gofal tynera yn y byd, agorodd y caead yn ara deg; a gwên yn lledu hyd ei focha wrth iddo hoff gofio rhyw hen atgo mwyn; araf gododd gudyn du o wallt rhwng bys a bawd, a'i fwytho 'nôl a blaen hyd ei foch gan gau ei lygaid a'i wyneb mewn perlesmair.

'Sut mae o?'

'Yn iach pan welis i o.'

'A'r dannedd? Oes 'na chwaneg?'

'Un neu ddau.'

'Da hogyn. Ac ydi o'n siarad mwy?'

'Ambell air.'

'Fel be?'

'Coets.'

'Coets?' goleuodd llygaid Mr Francis Hobart, 'Rhwbath arall? Tria gofio, Barlinnie. Cofia 'mod i heb 'i weld o ers dros fis . . .'

'Ci.'

'Roedd o'n deud ci cyn imi adael,' ffromodd fymryn; a digio

72

braidd; cyn gwenu drachefn, 'A Dada. Dyna un o'i eiria cynta fo. Dada. Ti wedi'i glywed o'n deud hynny?'

'Fwy nag unwaith.'

'Wyt ti?'

'Do. Fwy nag unwaith.'

Edrychodd arno braidd yn gam a gofyn, 'Ti'm yn gneud hwyl am fy mhen i, wyt ti?'

'I be faswn i'n gneud hynny, syr?'

'Gobeithio bo' chdi ddim. Cofia fod gen i glust fy nhad.'

Wrth ddarllen trwy dwmpath o lythyra wedyn, holodd Mr Francis Hobart nifer o gwestiyna ac atebodd Mr Barlinnie.

'Ac ydi William-Henry wedi cyrraedd?'

'Ddim eto.'

Cododd ei ben, 'Ydi o wedi carthu'i glustia?'

'Y ddwy.'

'Mi ddaw i'r dathliada felly mor sicr bendant â bo'r haul yn mynd i wawrio bora 'fory. Dŵad yma i Baris er mwyn swancio a jarffio a chael 'i weld a thynnu sylw ato'i hun pan fydd Tada a finna wedi gneud y gwaith caled i gyd.'

Tawelodd Mr Francis Hobart wedyn tra darllenai'n ddwys. Yna, gofynnodd ymhen hir a hwyr heb godi ei lygaid.

'Oes 'na rwbath arall ddylswn i 'i wbod?'

'Mae Syr William-Henry yn ama 'i fod o wedi dŵad o hyd i Gofiannydd.'

'Pwy?'

Eglurodd Mr Barlinnie bob un dim a wyddai am Polmont; sut y daeth Syr William-Henry ar ei draws; sut y bu'n lletya yn y tŷ; sut y teithiai yn y goets hefo'r teulu; sut y bu'n holi Mr Grenock MacFluart am Iarll Foston ar fwrdd y llong ar Gulfor Calais. Po fwya y siaradai'r gwas wrth fwrw trwy'r hanes, mwya y gwingai Mr Francis Hobart nes tyfu'n ddyn anhapus iawn.

'Chafodd hyn mo'i drafod,' roedd wedi torchi ei ddwy lawes a golchi ei fysedd inciog mewn dyfr-lestr arian, '*dwi* heb glywed Tada'n 'i drafod o. Dwi heb 'i drafod o. Does neb arall wedi'i drafod o. Pa hawl sy' gan William-Henry i gynnig gwaith i ryw ddyn fel hyn? Pwy ydi o? Be ydi'i hanes o? Ydi o'n dryst? A Tada ei hun bwysleisiodd – pwysleisio fwy nag unwaith hefyd – pa mor ofalus – mor ofnadwy o ofalus ma'n rhaid iddo fo fod wrth ddewis dyn i sgwennu hanes 'i fywyd o. Heblaw am lwyddiant y Gynhadledd Ryngwladol yma, oes 'na orchwyl arall pwysicach ar wyneb y ddaear heddiw?'

Wedi i Mr Barlinnie ei adael, galwodd Mr Francis Hobart ar ei *valet-de-chambre*, Rampton, a'i yrru allan i ddysgu'r cwbwl oll a allai am Polmont; holi pawb; y gweision; y morwynion; ei ddilyn wedyn i ble bynnag yr âi, a hyd yn oed ei orchymyn i dorri i mewn i'w stafell a sbeuna trwy ba bapura, llythyra neu be bynnag arall o bwys a welai yno.

Fe wnaeth Rampton hyn oll yn ufudd – a chanfod dim o bwys.

'Gwerthu papur wal?'
'Dyna ddalltis i gen forwyn Syr Feltham Royal.'

Gwyddai Mr Francis Hobart hynny'n iawn; a phob dim arall amdano – yr holl allanolion, y manion dibwys fel ei hoff fwyd a diod – drwy sgwrsio chwaneg hefo Mr Barlinnie. Ni ddysgodd ddim byd newydd. Polmont. Pwy oedd y dyn? Roedd yn rhaid iddo ei weld drosto'i hun yn y cnawd.

Drannoeth esgusododd Mr Francis Hobart ei hun o gwmni Iarll Foston a gweddill y ddirprwyaeth drwy hel rhyw esgus nad oedd yn teimlo'n hannar da &c &c. Aeth draw i'r gwesty ar Rue St Denis, heb fod ymhell o'r Les Halles, lle'r arhosai Syr Feltham Royal a'r gweddill o'r teulu ynghyd â dyn newydd Syr William-Henry .

Newydd adael roedd Polmont (yn ôl y gwas pwyntus a braidd yn foliog) am wers farchogaeth, a hynny yng nghwmni'r Fonesig Maidstone-Susanna Royal. Dilynodd hwy i'r ysgol. Chwarddodd Mr Francis Hobart wrtho'i hun o bell wrth weld Polmont yn trin ceffyl. Sylwodd ar weddill y marchogion – gwragedd bonheddig fel Marchioness de Beaumarchais a Marchioness le Comte yn gorfod tywys eu meirch o'r neilltu rhag ofn iddo ddifetha patrwm y trotian o gylch y *cour*.

Sylwodd wedyn ar y gwas Guernsey yn danfon llythyr i'r Fonesig Maidstone-Susanna Royal. Hitha prin yn edrach arno fo cyn ei rwygo'n ei hanner a'i daflu o'r neilltu. Wrth weld cefna'r ddau yn diflannu, cododd Mr Francis Hobart y llythyr o'r llwch, edrych yn flysiog tros y sgrifen, a'i osod at ei gilydd. Ag un llygad ar y sgrifen a'r llall ar Polmont, dilynodd tan ddarllen cynghorion y Fonesig Frances-Hygia Royal ar sut i baratoi (a phryd i atgoffa) ei mab, Syr Feltham Royal, i gymryd ei ffisig. Dechreuodd y llythyr yn bwyllog a llawn doethineb ond prysur ddirywio wedyn i drin a thrafod yn blith-draphlith wrth blith-bentyrru'r naill sylw ar ben y llall (gan sboncio o un ofn i'r nesa); sôn am oerni'r Egni Du; a sut y sleifiodd i'w thŷ, cripian trwy'r seler, cripian trwy'r gwyll, i fyny ar draws y cyntedd, i fyny'r grisia hyd at ei ben; hitha'n gorwedd yno'n llygad-effro gan glywed ei ewinedd arian yn rhedeg yn ysgafn hyd fân byst y canbost; yn closio'n nes a nes, cyn sleifio o dan ei drws, i sleifio at ei gwely nes ei hanner mygu o gwrcydu ar ei brest yn y gwyll . . .

Ni chlywodd Mr Francis Hobart ddim o'r sgwrs ond dilynodd y ddau o hirbell at y Pont-Royal.

Wedyn, digwyddodd rhywbeth rhyfedd.

Mwya sydyn, aeth Polmont â'i ben iddo; yn union fel pe bai rhywbeth wedi ei sigo, nes bod ei goesa'n gwanio oddi tano. Sylwodd fel y bu'n rhaid i'r Fonesig Maidstone-Susanna Royal gydio yn ei fraich, ynta'n eistedd yng nghysgod rhyw siop yn trio dŵad ato'i hun, yn ddyn llipa a llegach iawn yr olwg. Nid edrychai'n iach o gorff, p'run bynnag; ei wyneb yn welw ar y gora. Dododd Polmont ei ben yn ei ddwylo a bu felly am beth amser a hitha'n sibrwd rhywbeth yn ei glust.

Wedi i'r ddau fynd o'no camodd Mr Francis Hobart i sbecian yn ffenest y siop. Be barodd iddo wanio? Welodd o rywbeth yno? Gema. Modrwya. Clustdlysa a'r mwclis arferol. Dim byd arall. Be ddaeth dros y dyn? Pam roedd Syr William-Henry mor frwd o'i blaid? Dieithryn hollol. Dyna be oedd o. Rhyw ddyn y digwyddodd gymryd rhyw dosturi drosto wrth i hwnnw drio gwneud amdano'i hun? A hynny trwy gyd-ddigwyddiad. Digwydd taro arno. Digwydd dod ar ei draws wrth fynd i'r Opera. Ar hap a damwain. *Hap a damwain!* Roedd y cwbwl yn hurt bost! Pam dewis hwn o bawb? Oedd cydymdeimlad a thrugaredd yn ddigon o resyma bellach tros gynnig gwaith i ddyn?

Sylwodd Mr Francis Hobart arno'i hun mewn drych a safai ar ogwydd yn y ffenest. Araf ledodd ei wefla i wenu gan ddatgelu bwlch mawr rhwng ei ddeuddant blaen. O'i drwyn hyd at ei ên, araf fagodd dwy rych ddofn, a'i groen a'i lygaid braidd yn felyn. Dyna'r peth. 'Mae gwyn fy llygaid i ers blwyddyn neu ddwy wedi dechrau melynu.' Daliodd rhyw hyddalrwydd yn ei wedd, a meddyliodd ei fod yn olygus ond wedyn gwelodd fod rhyw hunangasineb wedi dechra mwytho'i olwg.

'Gŵr ifanc o hen ddyn moel,' meddyliodd yn drist, 'a dim ond saith ar hugian ydw i.'

Gwylltiodd yn gandryll. Roedd hyd yn oed ei wyneb a'i gorff ei hun yn bwrw gwawd ar ei ben; yn ei ddirmygu a'i ddychanu bob awr o'r dydd a'r nos. Crafodd ei groen; aredig ei winedd yn ffrydia gwynion ar hyd ei fraich nes gweld olion gwaed yn dechra brigo. Pam na allai dyn ei newid ei hun? A gwneud hynny mor hawdd â phrynu het? Ai gwenwyn a malais oedd wrth wraidd y dyhead yma? Wrth gwrs! Uchelgais noeth ac annymunol? Siŵr iawn! Cofiodd Iarll Foston yn dweud wrtho rywdro mai rhywbeth a roddwyd inni yn ei hamherffeithrwydd oedd y natur ddynol; ac nid rhywbeth a ddewiswyd ganddom ni.

'Elli di ymosod arni, 'mosod yn filain hefyd, 'mosod arna chdi dy hun, Francis bach, ond yr un dyn fyddi di yn y bôn.'

Yn groes i'w gyngor – cyngor y byddai'n gwrando arno fel arfer – penderfynodd ei fod yn mynd i herio ei natur ei hun – a thrwy hynny, roedd yn anorfod y byddai yn herio pawb arall hefyd – ac yn enwedig Syr William-Henry – nes y byddai maes o law yn treiddio hyd at fêr esgyrn ei gymeriad gan agor i'w dyfnderoedd holl nerthoedd ei fodolaeth. A pham lai? Be fu pob paun godidog ar un adag yn ei hanes ond cyw eiddil yn poenus gracio'i ffordd i ryddid?

Eto, roedd o'n gaeth. Mor hollol gaeth i'r hyn oedd o. Mor hollol hollol gaeth. A bai pwy oedd hynny? Y dyn a roddodd fywyd iddo. Bai ei dad am ei hadu ei hun i groth mor hyll. Pam wnaeth o hynny? Pam? Y basdad. Y basdad chwantus, budur; y mochyn iddo fo. Ei greu a'i eni i felltith o fyw fel hyn. Weithia, roedd yn casáu ei dad â chasineb a fyddai'n codi ofn ar Dduw.

Rue Moufetard.

Dyna lle'r oedd y tŷ. Tŷ hardd i'w ryfeddu. Goleuwyd y ffenestri'n llachar. O'r goets disgynnodd Syr Feltham Royal a'i wraig a'r babi, Whatton-Henry (ym mreichia'r forwyn) ger y *porte cochere*. O uchel godi lamp i oleuo'u llwybr, tywyswyd hwy gan was bach ffyslyd, diar-mi-yr-olwg a frasgamai o'u blaena'n fân ac yn fuan yn llawn ffrwst a ffwdan gan siarsio, 'Cymrwch ofal, cymrwch ofal rhag ofn ichi gael codwm; cymrwch ofal, bendith tad,' i fyny trwy'r drws ar draws y cyntedd ac i fyny ris wrth ris nes cyrraedd dau ddrws agored i'r salon.

Cododd Madame Stocken-Letitia Clerent-Languarant o gadair ymysg nifer o wragedd i gyfarch ei brawd mawr a'i chwaer-yng-nghyfraith. Y tu ôl iddi eisteddai hogyn bach penfelyn yn canu'r harpsicord.

'Feltham!'

'Stocken-Letitia.'

Sylwodd Polmont, a gamai yng nghysgod Syr Feltham Royal a'r Fonesig Maidstone-Susanna Royal, ar y boch-gusanu; braidd-gyffwrdd-breichia; bysedd-dan-benelin. Trodd Syr Feltham Royal i'w gyflwyno. Chwythodd ei drwyn wrth geisio dwyn ei enw i go.

'A dyma ni ... Hwn ydi ... yyy ... emmm ...'

Croesawyd o i'r salon gan wraig y tŷ wedi i'r Fonesig Maidstone-Susanna Royal ei gyflwyno. Tywyswyd hwy i ganol yr ystafell i sefyll tan ganhwyllyr ceinwych lle dotiodd pawb at focha tewion Whatton-Henry. Gwên fach smala oedd gan Madame Stocken-Letitia Clerent-Languarant. O ran edrychiad roedd yr un ffunud â'i brawd er bod ei gwallt yn oleuach; gwynder ei chroen fel marmor oer, gwrid ifanc yn ei gruddia fel petai'n byw beunydd mewn rhyw hafddydd hir. O fod yn ei chwmni teimlai Polmont mor ysgafn â chwch bychan yn siglo ar frig y tonna. Roedd rhyw hudoliaeth yn ei symudiada; rhyw sioncrwydd hyfryd yn ei chamra. Wedyn, cafodd ar ddallt ei bod yn disgwyl babi ...

'Ges i lythyr arall gen Mami eto bora 'ma,' clywodd Polmont hi'n dweud yn sionc wrth ei brawd, 'a mae hi am i mi d'atgoffa di i gymryd dy ffisig bob nos.'

Chwythodd Syr Feltham Royal ei drwyn yn llaes gan ynganu'n drwsgwl rywbeth na ddeallodd neb.

'Ydi 'mrawd yn cymryd ei ffisig, Maidstone-Susanna?' trodd at ei chwaer-yng-nghyfraith.

'Cyn mynd i'w wely bob nos.'

Trodd ynta'r sgwrs, 'Soniodd Mami rwbath am y cwac newydd?'

'Dim ond deud fod yr Egni Du yn dal i'w phlagio hi.'

'Ddim byd newydd yn hynny o beth,' hoch-boerodd i'w hances.

'O'n i'n meddwl fod yr Egni Du wedi ei lorio llynedd?'

'Dŵad yn 'i ôl bob blwyddyn mae o.'

'Chafodd o mo'i garcharu?'

Gwrandawodd Polmont ar y sgwrs heb fethu gwneud na phen na phont ohoni. Hyd nes y camodd Mr Barlinnie trwy'r drws, sylwodd mai Syr Feltham Royal ac ynta oedd yr unig ddynion mewn stafell orlawn o wragedd. Esgusododd ei hun o'r cwmni ac ymlwybrodd at y Prif Was gan holi a oedd unrhyw newyddion o'r Gynhadledd Heddwch.

'Dim clem.'

'Chdi 'di'r dyn sy'n gwbod y cwbwl, meddan nhw wrtha i.'

Tan rythu'n oer i'w wyneb, gofynnodd, 'A pwy ydi'r *nhw* 'ma, os ca' i ofyn?'

'Y teulu.'

Nid atebodd. Yna bu tawelwch rhwng y ddau; y sgwrs wedi hesbio'n fudanod ond teimlai Polmont, am ryw reswm anesboniadwy, reidrwydd i'w lenwi â sŵn geiria.

'Be ydi'r Egni Du, Barlinnie?'

'Nid fy lle i ydi deud.'

Yr ymwelydd.

Wrth i'r noson fynd rhagddi llanwodd yr holl stafelloedd yn fwrlwm o gyfeddach. Daeth llu mawr i rodresa o fan i fan tan ledu esgyll a choeg-ymddwyn yn llawn gwena a chwerthin a siarad. Syllodd Polmont ar wragedd gwiwlan wedi eu gwisgo'n ddilladwych tan lawen gymuno â'i gilydd. Aeth heibio i ddynion lluniaidd a moesgar yn agweddu'n 'stumgar yng nghwmni merched ifanc mwythog. Y fath amrywiaeth o wyneba. Rhai'n gymhenfalch; eraill yn ffroen-uchel; ambell un yn llawn edrychiad dirmygus; eraill yn hapus; ambell un yn cuddio tristwch; rhai mewn galar; eraill ond newydd briodi; rhai ond newydd blanta. I ganol y gymdeithas hon yn llawn ffrwst a ffwdan – fel dyn wedi poeth gynhyrfu – y cerddodd Syr William-Henry trwy'r drws awr union cyn i'r cloc daro hanner nos.

'Newydd gyrraedd ydw i.'

Dadlwythodd ei gôt laes ar fraich gwas.

'Storm ffwcedig ar y môr. Cael a chael i gyrraedd Bolougne; ro'n i'n meddwl fod y diwedd wedi dod. Ar 'y marw. Ac ar ben bob dim roedd y ddynas 'ma – ar fy llw – heb air o gelwydd rŵan – ond roedd hi'n hwyr glas i rywun fagu'r plwc i roi tro yng nghorn gwddw'r ast; yn sgrechian a sgrechian ar y capten fod yn rhaid iddi fyw! Dychmyga! Fod rhaid iddi fyw er mwyn cadw apwyntment hefo doctor cyrn traed yn Montpellier. Oes 'na rywbeth i'w yfed yma? Gin i ffwc o sychad. Sut ma' Paris yn plesio?'

'Diddorol.'

'Diddorol?' dynwaredodd, 'Siawns nad wyt ti 'di bachu ar dy gyfla . . .?'

'Fuodd y Fonesig Maidstone-Susanna Royal yn garedig iawn, chwara teg . . .'

Craffodd Syr William-Henry tros benna'r gwesteion, gan wenu ac amneidio ar amryw a gwefuso ambell gyfarchiad, a gwneud rhyw stumia â'i fysedd meinion cyn eu cribo'n ara trwy ei wallt llaestew gan adael i'w law orwedd ennyd ar ei war, wrth iddo hoelio ei lygaid ar un gŵr bonheddig ei osgo, a oedd wrthi'n ddiwyd yn cynnal sylw cylch o wragedd ifanc a chwarddai ar ei straeon. Heb edrych ar Polmont holodd, 'Ti 'di cyfarfod gŵr y tŷ?'

'Ddim eto . . .'

'Ddim eto? Be ti'n feddwl? Ers faint wyt ti yma? E? Oes y fath beth â chwrteisi yn perthyn i'r ffwcin Ffrancod 'ma? Tyd.'

Yn glir trwy'r mwg a'r lleisia a'r slotian helaeth diymatreg clywid sŵn clecian ifori ar ifori ymhell cyn cyrraedd deuborth agored yr ystafell.

'Dyma fo . . .'

Cyflwynwyd Polmont i Monsieur Clerent-Languarant. Gwenodd. Edrychai'n debycach i gocyn crwn o gasgen win nag i ddyn.

'Dwi'n dallt dim ar 'i ffwc iaith o; pam ddylswn i?'

Fel gwas disgwylgar, gwenodd Monsieur Clerent-Languarant.

'Tydi o'n goc oen bach tew, Polmont?'

Chwarddodd Syr William-Henry a gwenodd gŵr y tŷ gan lyfu'i wefus. Camodd Syr Feltham Royal i'r fei â hances laes o flaen ei wyneb; roedd yn cael trafferth i'w atal ei hun rhag tishian ac yn chwythu ei drwyn yn ffyrnig. Cydiodd Syr William-Henry mewn ciw ar derfyn gêm a'i ddal o flaen ei wyneb.

'Rho ddau dro am un i'r rhein, Felt.'

'Wel . . .'

'Chdi ydi'r dyn i ddangos iddyn nhw be ydi be.'

Gwenodd. A gwasgodd ei hances i'w boced, cydio yn y ciw a throi at y bwrdd. Sibrydodd Syr William-Henry yng nghlust Polmont, 'Rŵan am dipyn o hwyl.'

Sylwodd Polmont ar Mr Barlinnie yn pwyso ar ffrâm y drws yn tawel edrych ar Syr Feltham Royal yn chwythu sialc glas ar flaen ei giw. Cuwchio chwerthin ar ei ben wnaeth y Ffrancod pan blygodd i anelu, ac yn cochi hyd at fôn ei glustia wrth fethu dro ar ôl tro â tharo'r bêl heb sôn am suddo'r un i boced.

'Tada byth 'di cyrraedd?' holodd Syr William-Henry.

'Ddim eto,' atebodd Polmont.

'Ti wedi cyfarfod Francis 'ta?'

'Naddo.'

'Go brin y basa chdi. Fel mae'r cysgod yn canlyn y goleuni, byw a bod ym mhoced gesail fy nhad mae o bob awr o'r dydd a'r nos. Ofn, ti'n gweld . . .'

'Ofn be?'

'Ofn y bydd rhywbeth yn digwydd na ŵyr o amdano fo.'

Cododd chwerthin uchel, agored i glecian o gwmpas yr ystafell. Sychodd Syr Feltham Royal ei drwyn â chefn ei law ond glafoerai tros ei lawes a thros y bwrdd. Stampiodd ei droed; waldiodd fôn y ciw yn galed ar y llawr. Plygodd, anelodd, caeodd un llygad yn dynn ond safodd y belen wen mor llonydd ag erioed heb symud dim a'r chwerthin yn troi yn sgrechian o'i weld yn plygu eto. Sychodd Syr Feltham Royal ddagra o'i lygaid ond gwelodd gysgod yn disgyn ar draws y melfed gwyrdd a theimlodd law Mr Barlinnie yn cymryd y ffon bren chwyslyd oddi arno.

Y selerydd.

Heibio i resi tywyll o boteli o winllannoedd Vosne-Romanée, Chambolle-Musigny, Clos Vougeot, Romanée-Conti, Vieux Vordeaux Lafitte, Chambertin.

'Latache ydi hon?' craffodd Syr William-Henry . 'A sawl un sy' ar ôl?'

'Dim un . . .'

'I'r dim!'

Aeth Polmont i'w ganlyn i fyny grisia wedyn, heibio i'r llunia ar y muria. Y Ffaro yn rhoi Ramesws i Joseff a'i dylwyth, ac yn uwch i fyny, y llun enwog iawn o Moses yn gadael yr Aifft yn y mis Abib.

'Ti 'di bod yn amyneddgar,' taniodd Syr William-Henry ei getyn claerwyn hir, 'Nei di ddim difaru. Coelia fi. Mi nei di enw mawr i chdi dy hun drwy weithio i 'nhad. Mi fydd pawb yn siarad amdana chdi.'

Hyd y muria a'r nenfyda gosodwyd drycha a thrwy'r drws pella, goleuwyd ystafell arall ag ogla camffor yn wafftio ohoni. Neidiodd Syr William-Henry ar y gwely yn ei sgidia a gorwedd ar ei gefn a phlethu ei ddwylo tan ei gorun. Uwch y gwely crogai rhwyd o fwslim indiaidd mân, a hwnnw wedi ei nyddu trwyddo yn frodwaith euraid. Dodrefn mahogani wedi eu naddu a'u cerfio'n chwaethus, ac yn y *boudoir* nesa at y llofft, roedd hyd yn oed chwaethach, coethach, ceiniach ystafell. 'Unwaith daw 'nhad yma heno mi gei di sgwrs wyneb yn wyneb yn cei? Trafod be fydd isio i chdi neud. Fasa chdi'm yn deud wrth was ne' forwyn i agor y botal 'ma a morol gwydryn? Os bydda i wedi cysgu pan ddaw o ne' hi'n 'i hôl, deud wrthyn nhw am dynnu'r cetyn o 'ngheg i ond i adael y gwin fan hyn ac i beidio â 'neffro i.'

Mr Barlinnie.

Safodd o dan ddarlun *mezzotinto* llydan ar y mur yn araf grafu'i ên a'i wedd yn ddwys ddifrifol, ei lygaid bach – fel dau fotwm du – mor llonydd â gwaelod ffynnon aeaf. Roedd y salon yn boeth a llawn. Bwrlwm siarad, a dynion yn dechra dadla ar draws ei gilydd a lleisia bloesg yn dechra bloeddio. Od tydi, meddyliodd wrtho'i hun, fod cymaint o sŵn yn y byd ac amser ei hun mor ddistaw.

Bu'n meddwl dipyn am Mr Francis Hobart hefyd. Meddwl be oedd wedi achosi'r newid ynddo. Bu'n crafu pen a meddwl yn methu'n lân â dallt y peth hyd nes y gwelodd Iarll Foston a sylweddoli mai wedi mynd i'w ddynwared roedd o. Cerdded yr un fath; eistedd yr un fath ac wedi mynd i hyd yn oed siarad yr un fath.

'Barlinnie?'

Trodd wrth glywed ei enw a chanlyn sŵn y llais at wyneb y Fonesig Maidstone-Susanna Royal a'i chlustdlyda arian yn llawn cryndod goleuni. Camodd ato, camu mor agos nes clyw-odd wich ei hesgid a phlygion ei gwisg yn sgubo'n ysgafn tros y llawr. Safodd nesa ato yn gry o agos. Edrychodd i'w llygaid a daliodd hitha ei edrychiad. Cyn i'r un o'r ddau ddweud chwaneg daeth Syr Feltham Royal ati a'i thywys oddi yno. Wrth ddeuddeg o fyrdda hirion yn y *salle à manger* ar y llawr isa eisteddai dau gant a hanner cant o weision a morwynion yn didol tafelli o gyw iâr, *ragout* o gi llo, *tort de moyle, pease potage*, coes oen, *bisque* o bysgod &c &c . . .

'Chi ydach chi'n 'te?'

Craffodd hen wreigan ar Polmont, craffu'n fanwl a'i llygaid meinion yn ymdrechu i sgrafellu rhywbeth o gysgodion ei meddwl.

'Tydi 'ngolwg i ddim fel y buo fo.'

Gwraig oedd hi ac amser wedi tynnu ei og ddrain tros ei hwyneb, ei chroen wedi crino, ond eto roedd rhyw hyfwynder yn ei gwedd a thiriondeb hyweddus yn addurn iddi ar waetha ei musgrellni. Syllodd Polmont tros ei gwallt llwydwyn o liw'r onnen, a hwnnw'n dena a sych, ac wedi ei liwio droeon gan fod rhyw wawn melyn i'w weld yn rhedeg yn egwan trwyddo o hyd.

'Dwi 'di clywed amdanach chi,' ond cyn hanner dweud ei dweud, trodd i gyfarch gwraig fonheddig fain a golwg arni fel un a lwgodd unwaith at ei gwinedd. Cydiodd yn ei llaw, ei dal wrth ei hysgwydd a'i hanwesu'n annwyl tra gwrandawai'n ddwys ac yn llawn cydymdeimlad. Clywed amdano fo, holodd Polmont ei hun, clywed be gan bwy?

'Y byddwch chi'n gobeithio gweithio i 'ngŵr i,' dywedodd wedyn. Sydyn sylweddolodd pwy oedd y wraig. Doedd hi'n ddim byd tebyg i'r llun a welodd ohoni er bod ei llygaid duon yn dduach oherwydd y cysgodion a dyfai oddi tanyn nhw. Ymddiheurodd am beidio â'i hadnabod. Twt-twtiodd Iarlles Foston hynny.

'Pam ddylsa chi'n 'nabod i?'

'Rydw i ar fai . . .'

'Ddim o gwbwl. Ddaru neb 'yn cyflwyno ni. Dwi'n neb yn y teulu yma . . .' yn goeglyd, 'Neb yn deud dim byd wrtha i byth. Ond dwi'n dŵad i glywed y cwbwl hefyd.'

Daeth i wybod am ddyfodiad Polmont trwy siart a wnaeth un o'i hastrolegwyr iddi.

''Dach chi'n coelio yn y sêr?'

'Y sêr?'

'Sy'n darogan y dyfodol.'

'Sdim isio dechra mwydro heno, Mama,' siarsiodd Syr William-Henry a eisteddai nesa at Polmont (ond a fu'n cynnal sgwrs ysbeidiol a herciog â'r ferch ifanc yr ochor arall iddo fo tra hanner gwrandawai ag un glust ar sgyrsia eraill a allai fod yn ddifyrrach).

Gwgodd hitha, 'Tydw i byth yn mwydro . . . Fasa chi'n deud 'mod i'n ddynes sy'n mwydro?'

Rhythodd Iarlles Foston draw ar draws y bwrdd (â rhyw hanner direidi a thalp o ddifrifoldeb hefyd) at Mademoiselle Chameroi, cyfnither i ŵr y tŷ, merch ifanc dawedog oddeutu un ar bymtheg neu ddwy ar bymtheg oed, a oedd newydd orffen ei haddysg mewn cwfaint yn Grenoble. Nid atebodd oherwydd iddi fynd i'w gilydd i gyd a boddi mewn swildod, er i bawb ryw oedi pwl i barchu hoe rhag ofn y byddai'n dewis gwneud.

'Tydi hi'n dlws?' gwenodd yr Iarlles yn hiraethus, 'Biti na faswn i mor dlws . . .'

Gwyrodd y ferch ei thalcen i guddio'r ffaith iddi gochi. Aeth sgwrsio'r bwrdd i bobman fel cawod flêr. Y gynhadledd. Yr opera. Bywyd preifat rhyw actores. Yr arddangosfa ddiweddara yn y *Musée Central des Arts*. Mynnodd rhyw hogyn ifanc, bonheddig dwys sôn yn ddiflas o fanwl am ei ymweliada â Bologna, Cento, Modena, Parma, Placenza, Rhufain, Fenis, Firenze a Turin. Doedd Iarlles Foston i'w gweld yn hidio dim am ei hanes. Craff syllodd yn hir ar Polmont (gan ochneidio'n dawel) cyn hanner gofyn iddi hi ei hun, 'Y dyn diniwed 'ma,' gwenodd yn drist, 'Be sy'n mynd i ddigwydd iddo fo, tybed?'

Chwarddodd Syr William-Henry wrth dynnu llawliain sidan claerwyn o'i goler tan ateb yn chwim-chwam, 'Be 'dach chi'n trio'i neud? Codi ofn arno fo?'

'Mae dy dad wedi gwrthod pedwar Cofiannydd yn barod. Pam ddylsa fo dderbyn hwn? Be sy' ganddo fo nad oedd gan y lleill?'

Cododd Polmont ei glustia ond dewisodd Syr William-Henry droi'r sgwrs a dywedodd wrth ei fam, 'Pam na soniwch chi wrtho fo am ers talwm?'

'Ers talwm, ers talwm,' cegiodd wydryn o win ac ar ei union, sythodd gwas a chamu draw i'w ail-lenwi, 'Dwi'n casáu erstalwm. Ti'n gwbod 'mod i. Pam ti'n gofyn imi neud a chditha'n gwbod? Wyt ti'n gneud ati heno ne' be?'

'Amser hapusa'ch bywyd, medda chi . . .'

Chwarddodd hitha, 'Hapusa 'mywyd i wir!'

Safodd rhyw eiliad annifyr ar ben y bwrdd. Syllodd Iarlles

Foston i lygaid ei mab ond roedd rhyw ddealltwriaeth rhwng y ddau. Tybiodd Polmont y byddai'n ymddiheuro ond er mawr syndod daliodd ati.

'Rhowch flas ar fywyd Tada iddo fo. Bywyd y ddau ohonoch chi dramor ym Mharadwys. Y dyddia cynnar pan o'n i'n hogyn bach. Fy hanes i'n plicio adenydd y glöyn byw hwnnw, 'dach chi'n cofio? A Tada yn rhoi chwip din imi am fod mor greulon wrth gradur bach mor hardd a diniwed. Dowch, Mama. Ma' llond coets o betha diddorol ganddo chi i'w deud wrthan ni ...'

'Diddorol dros ben,' stumiodd hitha ei hwyneb nes peri i groen ei hwyneb rinclo'n rhycha dyfnion, 'Dyn sy' wastad wedi cyflawni'r amhosib ydi 'ngŵr ...'

'Trwy fagu busnes mor llwyddiannus?' holodd Polmont.

'Twt lol. Peth hawdd iawn ydi hynny,' tinciodd ei llais.

'Ddim mor hawdd â hynny.'

'Dim ond ffŵl sy'n methu.'

Fel sgiwar trwy'i galon; a honno'n cael ei throi a'i throi. Teimlodd Polmont ei du mewn yn oeri. Methiant. Taro'r hoelen ar ei phen. Be os byddai'n methu eto? Methu â darbwyllo Iarll Foston o'i rinwedda fel Cofiannydd posib? Wedi'r cwbwl roedd pedwar arall eisoes wedi methu â chyrraedd y lan.

Bu twrw yn codi ym mhen y bwrdd ers meityn; twrw dynion blin fel terfysg o bell. Cododd un gŵr bonheddig afreolus i'w draed a mynnu sylw ehangach trwy fynnu gwybod barn pawb (o ganol dadl) a fagodd nerth ynglŷn â'r Giwed Ffasiynol, a hyd a lled eu melltith a'u dylanwad cynyddol ddrwg ar ddynion ifanc a merched Paris yn enwedig. 'Dynion sy'n honni caru'r ddynoliaeth gyfan,' bloeddiodd wrth i eraill drio boddi ei lais, 'ond yn llwyr garu neb yn y diwedd ond sŵn anfarwoldeb eu henwa eu hunain.'

Cafodd ei heclo'n waeth wrth bydru yn ei flaen.

'Plant y Fall sy' heb eto ddeall na enir dim i hyn o fyd nad ydi o wedi cilio o berffeithrwydd y dechreuad ac na cheir gwir ryddid ond mewn deddf.'

Gwefusodd yr Iarlles ar Polmont, 'Tydi'r dynion 'ma'n dalentog o ddiflas heno?'

Siaradodd gŵr bonheddig hy, un ffraeth o ysbryd tynn, a byw a pharod iawn i guro cefn a chanmol, crafu a seboni er mwyn cael ei ffordd. Gŵr arall nesa ato, oedd yn gras a garw, yn hyll am daro ar ei gyfer. A nesa atyn nhw dadleuodd gŵr bonheddig gwyllt, llygatgraff mewn llais uchel, mentrus gan ymhyfrydu yn ei sŵn ei hun. Syllodd Polmont ar yr wynebau: rhai brolgar, rhai beiddgar ac ambell un yn gwgu yn anfoesgar ac eraill wedi glân syrffedu a phob un yn ddiwâhan, meddyliodd wrtho'i hun, yn ddynion a gariai ddau neu dri o wyneba sbâr yn eu pocedi.

'Gofyn i Mama siarad am Baradwys . . .' prociodd Syr William-Henry o, 'dyna'r lle ichdi fynd iddo fo . . .'

Atebodd yn swta, 'Sgen i'm isio.'

''Dach chi wastad yn lecio siarad am Baradwys,' dywedodd a sgaden wedi'i briwlio yn garpiog yn ei geg.

'Ddim heno.'

Lle bu'r Esgob Parva. A'r Barnwr ungoes Garth MacFluart ar drywydd llofruddiaeth y ferch ifanc gan ddau ddyn gwyn, meddyliodd Polmont. Oedd y Barnwr yno yr un pryd ag Iarll ac Iarlles Foston tybed? Mae'n rhaid ei fod o. Wyddai hi sut y collodd o'i goes? Daeth blys dros Polmont i'w holi am yr holl helyntion ond torrodd lleisia ar ei draws. Gwyrodd yr Iarlles ato a dweud, 'Isabella Caroline. 'I wraig gynta. Dyna pwy mae fy ngŵr i'n 'i garu o hyd. Dyna pam ma'r llun erchyll 'na ohoni'n hongian yn y tŷ yn Piccadilly heno.'

'Mama,' siarsiodd Syr William-Henry yn dawel.

'Mae pawb yn gwbod.'

Ni siaradodd Iarlles Foston trwy'r tri chwrs nesa wrth i'r tynnu'n groes a'r ffraeo fynd o ddrwg i waeth ymysg gwŷr bonheddig Paris. Byddarodd y dadla o gylch y bwrdd glustia pawb; lleisia dynion yn blith-draphlith a rhai yn crwydro mewn rhyw olaf bang o sylweddoli eu bod wedi colli'r ddadl. Dadleuodd un arall, 'Mae ysbryd pob presennol wastad yn llawn o gynddaredd dadleuon poeth ond buan maen nhw'n oeri, a maes o law, yn rhewi yn y llyfra hanes.'

Hoeliodd Monsieur Clerent-Languarant ei lygaid ar yr unig ŵr na fynegodd farn hyd yma. O ben y bwrdd, uchel-alwodd rhyw ŵr bonheddig cry o feddwl, dawnus a dylanwadol ei farn am ddistawrwydd llethol er mwyn i Syr Feltham Royal roi taw ar yr anghytuno a thorri'r ddadl yn derfynol ar fater 'Hawliau Dyn v Hawliau Duw'. Â'i geg ar hanner ei hagor, fferrodd fel y bydd llygoden gerbron sarff, a chochi hyd at fôn ei glustia a'i lygaid yn llawn panic wrth deimlo'i feddwl yn hongian ar hanner mast.

Yr ystafell ddawns.

Wrth gerdded trwy'r *antichamber*, dododd Iarlles Foston ei braich i bwyso ar fraich Syr William-Henry tra pwysai Mademoiselle Chameroi ar y llall; cerddodd Polmont ar eu sodla. Cyhoeddwyd enwa ger y porth gan *valet de chambre*. Roedd yno ragor nag wyth gant o deulu a gwesteion. Llanwyd yr ystafell nesa gan *filles de chambre*, gwalltwewyr, gwiniadyddesa a ganiatawyd trwy garedigrwydd yr *hôtesse* i eistedd yno er mwyn gwylio'r dawnsio a dysgu moes ac arfer teulu boneddigaidd.

Gwylio'r ddau *cotillons*, o ddeugain gŵr a deugain gwraig, yn gosgeiddig wynebu'i gilydd i ddechra'r ddawns, roedd Mr Barlinnie, a safai ar y cyrion ar ei ben ei hun. Siglodd Syr William-Henry yn llech feddw braidd wedi i'r ddwy wraig ei ryddhau o'u gafael a gwasgodd ar Polmont.

'Dwi'n gwbod 'mod i'n beth'ma . . . braidd yn chwil . . . ond dwi ddim yn geiban chwaith . . . a dwi'n gwbod fod 'na betha ddyliwn i ddim mo'u deud wrtha chdi . . . ond mi deuda i nhw'r un fath . . . 'Drycha . . . 'Drycha . . .' swingiodd ei fraich mewn hanner cylch, 'Ti'n 'i gweld hi?'

'Gweld pwy?' holodd Polmont.

'Dwi ar dân . . . ar dân amdani . . . ond ma' hi'n anwybyddu fi . . .'

'Pwy?'

'Paid â gwrando ar bob dim sgen mam i ddeud chwaith.' Tapiodd flaen ei drwyn, 'Pinsiad mawr o halan. Ma' ganddi ryw ffwcin chwiw, rhyw chwilan yn 'i phen am wraig gynta Tada. Isabella Caroline. Dim ond iddi ga'l hannar cyfla a mwydro amdani neith hi. Dyna pam ma' hi'n peth'ma pan ma' hi'n . . .' Darfu ei eiria yn fwmian annelwig wrth iddo rwbio ei ddau lygad a'i fodia ac wedyn sniffio'i drwyn. 'A tydi mynd at 'i gwrach-ddynas i ddarllen 'i dwylo hi byth a hefyd yn gneud dim lles . . .'

Denodd y *waltz* ynghyd holl wragedd o bell ac agos at oddeutu cant ac ugain o wŷr. Aeth mewn cylch o gylch y stafell. Tros ysgwydd ei *hôtesse* cafodd Polmont gip ar Syr William-Henry yn gwasgu ei law ar y mur uwchben ysgwydd Mademoiselle Chameroi, a hitha'n hanner gwenu'n swil – heibio yr aeth y ddawns tan lygaid y muria – heibio eto, troi a chylchynu drachefn – heibio i Syr Feltham Royal a safai'n unig ar ei ben ei hun.

Heibio, heibio – ynghynt, ynghynt – dawnsio cymaint nes y teimlai Polmont ei benglinia'n troi yn ddŵr – sidellu heibio i'r penna, heibio i'r lleisia, heibio i'r muria, wrth droi a throi drachefn – nes yn sydyn darfu a dadfeiliodd y gerddoriaeth yn ddim ond chwyth rhyw ambell nodyn strae.

Cododd cynnwrf.

Holltodd y dawnswyr.

Iarll Foston.

Cyhoeddwyd ei bresenoldeb. Gwasgodd yr stafell gyfa tua'r porth fel un. Gwthiodd pawb yn nythiad o gywion barus tan stwffio'n boeth i yddfa'i gilydd. Ni allai Polmont weld heibio i benna'r gwesteion oherwydd mai dim ond cwta bum troedfedd dwy fodfedd oedd o'n nhraed ei sana. Cymeradwyodd rhywun; lledodd hyd y stafell nes goferu i ystafelloedd eraill, nes y teimlwyd fod y tŷ i gyd yn curo dwylo. Agorwyd llwybr llydan. Sbeciodd Polmont ar flaena'i draed. Heibio iddo, ochor yn ochor, ara gerddodd dau hogyn negro bychan oddeutu chwech neu saith oed. Gwisgwyd y ddau fel dau fonheddwr o'r Gyf-newidfa Frenhinol ac o gylch eu gyddfa clymwyd *moondah* yn erbyn rhesiad o fwclis gwynion a gleciai yn ei gilydd.

Edrychent oll fel pobol a fu'n disgwyl am y gwynt yn deg. Teimlai Polmont fel dyn yn sefyll yn y môr a'r tonna'n curo oddeutu'i ên. Cymeradwyaeth frwd. Gwasgodd heibio i'r Fonesig Maidstone-Susanna Royal i weld Monsieur a Madame Clerent-Languarant yn croesawu Iarll Foston i'w salon.

Cusanodd hi ei thaid.

Cusanodd ynta hitha.

Trodd yr Iarll i gyflwyno nifer o wŷr bonheddig a safai wrth ei gwt. Yr hyn a synnodd Polmont o'i weld oedd y ffaith nad wig oedd ganddo ond ei wallt ei hun, a hwnnw, yn ogystal â'i aelia, wedi eu lliwio yn ddu a'i lygaid melyngoch o dan ei dalcen gwyn yn wiwera fan hyn, fan draw. Siglai gerbron ei edmygwyr yn ŵr llydan, trwm a'i dafod bras fel pe bai'n diferu dŵr wrth siarad. 'Mestynnai ei fol o'i flaen a chrynai ei dagell o dan ei ên. Rhaid ei fod cyn drymed â cheffyl. Efallai'n drymach hyd yn oed na hynny. Tuchanai. Sylwodd nad oedd yn cau ei geg ac oherwydd ei fod yn anadlu trwyddi, roedd hi wastad gil yn agorad. Defnyddiai ei freichiau bob sut a modd; anwesai, cofleidiai, cydiai'n hawdd mewn pobol i'w tynnu ato a'u mwytho yn ei wres ag ogla cry ei *eau-de-coty*. Gwasgodd ei fraich am ysgwydd Monsieur Clerent-Languarant wrth wyro i sibrwd i'w glust. Chwarddodd yn harti nes crynu o'i sawdl i'w gorun.

'Dowch yma fy nwy siwgwr annwyl i!'

Sgubodd i'w freichia mawrion yr *hôtesse* drachefn a Mademoiselle Chameroi a'u cusanu'n swnllyd. Chwaneg o gymeradwyaeth. Cododd Iarll Foston ei fraich; mynnodd osteg. Ar amrantiad, gweddnewidiodd. Bron nad dyn arall a safai ger eu bron yn llwyr. Ei wedd yn ddu, ei lais yn brudd, yn byseddu ei eiria fel twrna sobor. Gwrandawyd arno'n astud, er bod yr aer yn glòs a phawb yn boeth.

'Gyfeillion . . .'

'Sssh! Ssssh! Sssh! Pesychu; ambell chwerthiniad. Llonydd-wch a thawelwch heblaw am grio Whatton-Henry ar fraich y forwyn a hitha'n gwthio'i bawd i'w geg.

Soniodd Iarll Foston am natur yr amsera, sôn am y rhyfela a fu, brawd yn erbyn brawd, chwalu teuluoedd, chwalu cartrefi a phentrefi a threfi a'r byd i gyd yn crefu heddwch a chymod fel y gwena'r neithdar wlith ar fachlud sêr a'r wawr ar dorri.

'Heno, gyfeillion annwyl, dyna a gafwyd.'

Wedi misoedd meithion o drin a thrafod di-ben-draw, o ddadla, o ddal pen rheswm: o'r diwedd torrodd y Tair Talaith ar Ddeg eu henwa ar gytundeb heddwch. Dywedodd yn llawn hwyl siarad er bod ei lygaid fymryn yn ddwyslym, 'Gall llawer iawn ohonom ni yma heno wenu wrth weld y baban Ameri-canaidd yn codi i redeg nerth ei begla. A pham? Rhedeg â'i ben yn y gwynt neith o, er 'i fod o'n siŵr o gael amal i godwm, brifo'i benglinia, briwio'i groen a chodi crachod ond pa ots? Codi a wna drachefn, dwi'n hyderus o hynny, gyfeillion, ac wedi llawer o draul ac o ofal, prifio yn hogyn cry a nobl, i fod rhyw ddydd y brasa a'r tala o feibion dynion y ddaear, ac mae'n siŵr o ddod i oed a bod yr haul wedi cilio i'r dwyrain heno a chodi 'fory yn y gorllewin.'

Uchel gyhoeddodd i'r byd, 'Mae America yn wlad rydd!'

Y dathlu.

Sioncio llawen. Y salon yn llygadlonni; asbri sydyn yn troi o gylch yr Iarll. Derbyniodd yntau'n wylaidd a gostyngedig eu diolchiada. Gwenodd Mr Benjamin Franklin – gŵr gwritgoch bychan a edrychai fel ffermwr defaid – wrth i Iarll Foston godi ei fraich fry, ei dal hi yno, dwrn am ddwrn. Camodd atyn nhw ddau gyfaill arall, Mr Adams a Mr Jay. Plethodd y pedwar eu breichia tros ysgwydda ei gilydd.

Cynyddodd y gymeradwyaeth, bloeddio, chwibanu hir a rhai o'r gwragedd yn sychu dagra.

Ble'r oedd Iarlles Foston? Doedd dim golwg ohoni.

Cynigiwyd llwncdestun i'r achlysur.

'Byddwch wych, gyfeillion! A byddwch ddedwydd!'

'Byddwn wych!' rhuodd y tŷ, 'a byddwn ddedwydd!'

Meddyliodd Polmont: be sy'n weddill i ddyn ei gyflawni mewn bywyd, wedi iddo gyflawni camp o'r fath? Tynnu rhyfel saith mlynedd i'w derfyn, cymodi a chreu heddwch? A hynny er lles y gwledydd gwâr? Os oedd ei barch tuag ato gynt yn uchel, aeth i'r entrychion a theimlai'n wylaidd wrth sefyll yng nghysgod cawr o'r fath. Ni fu dyn erioed mor gyflawn deimladwy o blaid cyfiawnder ag Iarll Foston.

Nid fo oedd yr unig un i deimlo felly. Heidiodd pobol at yr Iarll. Cymaint o wŷr a gwragedd yn tyrru i'w longyfarch fel mai amhosib oedd dod o fewn hyd braich iddo. Gwelodd Polmont o'i osgo ei fod wedi blino, a doedd ryfedd ei fod yn teimlo felly wedi i'r fath fagad o bobol fwydro'n frwd i'w wyneb, a hynny'n unig er mwyn cael rhwbio'n ei ogoniant.

Dau begwn. Bywyd yr Iarll a bywyd Polmont. Y fath lwyddiant a'r fath aflwyddiant. Roedd cymaint yn y fantol, doedd fiw iddo fethu. Pitïai'n amal mai dim ond unwaith y caiff dyn ei eni. Pitïo na ellid dechra bywyd o'r newydd a rhywun wedi'i arfogi â phrofiada rhyw fyw o'r blaen. Roedd ei lygaid yn llawn rhwth rhyfeddod wrth syllu ar Iarll Foston – ei faint, ei fawredd a'i wychder – a'r awydd i'w wasanaethu yn gryfach na dim arall ar yr eiliad hon yn ei hanes. Argyhoeddi Iarll Foston o'i werth. Uwchlaw pob un dim arall, dyna oedd yn rhaid iddo ei wneud. Dyma ei gyfla. Ei unig gyfla o bosib i'w adfer ei hun i'w le teilwng mewn cymdeithas.

Y gwaith.

Pwysai Iarll Foston ei gorff llydan ar y *chaise-longue* â'i fraich ar wastad hyd ei chefn. Wrth ei ochr, gorweddai pentwr o lythyra a dogfenna yn blith-draphlith; yn ei law, gwasgai wydryn mawr o bort. Sylwodd Polmont ei fod wedi diosg ei 'sgidia a'i sana. Sylwodd ar ei ewinedd geirwon. Llaciodd ei wregys, dadfotymodd ei grys i'r hanner. Roedd ganddo gnawd fel bronna gwraig feichiog. Er bod ei gorff bras yn graddol ymlacio, roedd rhyw olwg ar ei wyneb fel dyn wedi ei gloi mewn rhyw lafurfa ddu.

Cyn camu at Iarll Foston, daeth Syr William-Henry at Polmont i sibrwd yn ei glust, 'Anwybydda Francis. Beth bynnag ddeudith o heno, dim ots be, paid â chymryd ffwc sylw o'r un gair, ac os dalith y bastyn bach ati i dynnu'n groes a chodi helynt, mae o'n gwbod 'mod i'n gwbod rhywbeth amdano fo na fydda i ddim yn fyr o'i droi'n 'i erbyn o.'

'Be felly?'

Â'i wynt yn sur o ogla diod, dododd ei law i orwedd ar ei ysgwydd a dweud yn boeth i'w lygaid, 'Hitia di befo.'

O'r eiliad y trawodd Polmont a Mr Francis Hobart lygaid ar ei gilydd gwyddai'r naill a'r llall yn ei galon nad oedd dim byd yn mynd i dyfu rhyngddyn nhw ond rhyw gasineb greddfol.

Nid gŵr i fân siarad oedd Iarll Foston, ac aeth yn syth at lygad y ffynnon.

"Drycha, Polmont – y peth dwytha dwi isio ydi i rywun neud llanast o 'mywyd i. Troi'r cwbwl oll yn Dachwedd stomplyd wedi ha hirfelyn. A pham? Am mai fy mywyd i a neb arall ydi o. Ond fel pob dyn ma' gin i fy ngelynion amlwg a fy rhith gyfeillion hefyd. Dynion sy'n siarad yn wên deg yn 'y ngwynab i ond yr eiliad nesa yn cnoi 'nghefn i yn stwnsh o gig a gwaed. Dynion ydi'r rhein fasa'n lecio 'nhynnu fi i lawr i faw y gwtar isa un a setlo amal i gownt. Dynion pitw. Dynion truenus. Dynion bach. A does dim byd casach gin i na dynion yn f'euog farnu i, a hynny'n amal ar fyr eiria, cyn imi gael cyfla i amddiffyn fy hun. Does gen i 'run asgwrn i'w grafu hefo neb. Mi alla i ddeud hynny â'm llaw ar fy nghalon. Er fy mwyn fy hun, er mwyn y teulu a phlant fy mhlant – dyna pam y leciwn i roi 'mywyd oll ar go a chadw. Be ydi prifddinas Portiwgal?'

Yn sydyn o annisgwyl y gofynnodd, a chyn i Polmont allu rhoi cynnig arni, clywodd Lisbon ar wefusa Mr Francis Hobart.

'Sbaen?'

Rhuthrodd y ddau i ateb yn yr un gwynt.

'Be oedd barn Plato am Homer a Hesiod?'

Baglwyd Polmont: doedd dim syniad ganddo mwy nag oedd gan Mr Francis Hobart. Gwenodd Syr William-Henry wrth oedi ennyd i wenu'n dalog a godro ei fuddugoliaeth trwy ddatgan, 'Eu bod nhw ar fai yn creu storïa celwyddog i'w hadrodd gerbron y bobol.'

'Wyt ti'n cytuno, Polmont? Neu 'falla nad dyna'r cwestiwn y dylid ei ofyn. 'Falla mai'r gwir gwestiwn ydi hwn: ydi storïa celwyddog yn gallu datgan rhyw wirionedd?'

'Am wn i . . .'

'Am wn i? Ha! Os hynny, be felly ydi union natur y gwir?'

Oedodd Polmont i feddwl cyn mentro, 'Y grym i argyhoeddi?'

Trodd yr Iarll i osod ei edrychiad ar Syr William-Henry.

'Tada, Tada yn enw pob daioni tydi hwn yn gwbod dim! All o ddim rhoi dau air wrth ei gilydd,' protestiodd Mr Francis Hobart. 'Ydi o'm yn hollol amlwg? Neith o'm byd ond llanast; a fydd rhaid inni fynd i chwanag o gost yn y diwadd o gyflogi awdur go iawn.'

'Chi ddeudodd, Tada, bo' chi'n casáu awduron,' cododd Syr William-Henry ei lais.

'Pshaw! Dda gen i'r un. A pham? Dynion llond eu crwyn, yn rhodresa'n llawn dop ohonyn nhw eu hunain ydyn nhw i gyd. Sawl llyfr yn yr oes sydd ohoni sy'n drwm ei lach ar wŷr bonheddig sy' isio gneud dim byd ond llwyddo, a chael 'chydig o ganmoliaeth a chlod wrth osod busnes ar ei draed? Eto, ddes i rioed ar draws yr un awdur nad oedd o'n dymuno mawl a bri a llwyddiant; a rhai dauwynebog a rhagrithiol fel y Monsieur Rousseau erchyll 'na ddes i ar 'i draws o wythnos dwytha'n waeth na neb. Dwad ata i i lyfu a chrafu; deud y medra fo sgwennu chwip o gofiant imi a gwŷr bonheddig eraill yn deud wrtha i fod ei hunangofiant o'i hun yn ferw o gelwydda! Dyn sy'n caru'r gwir, wir! A pham? Be oedd o isio go iawn?'

'Pres?' holodd Polmont.

'Pres, oedd. A be arall? Yn bwysicach peth o'r hannar. Mmmm? Grym. Pam mae Monsieur Rousseau mor barod i gondemnio mewn dynion eraill yr un dyhead sy'n llechu yng nghalon pob awdur?'

'Dyna chi wedi ateb ych dadl eich hun,' goleuodd Syr William-Henry. 'Mae Polmont yn ddyn perffaith at y gwaith. Dyn sy'n cydymdeimlo; mae o'n parchu busnes. Yn dwyt ti?'

'Parch o'r mwya,' atebodd. Diolchodd fod yr Iarll a'i feibion yn siarad cymaint. Rhoddodd hyn gyfle iddo hel meddylia. Os oedd yr Iarll am ei gyflogi roedd yn benderfynol o frwydro hyd eitha ei allu am y cyflog mwya er mwyn clirio ei ddyledion. Nid oedd yn mynd i ildio ar chwarae bach.

'Llyfr o swmp a sylwedd. Cofiant; coflyfr; amser-lyfr; cronicl. Galw di o be fynni di ond mae gen i awydd swyddbenodi rhywun triw i'r gwaith gynta bo modd fel gall o ddechra arni. Cofia di, tydw i fyth yn llwyrgredu'r un cofiant. Os mai wedi ei sgwennu gan elyn mae o, be mae dyn yn ei ddarllen ydi casineb neu genfigen neu gelwydd noeth. Os mai edmygwr sy' wrthi, be wedyn ydi cofiant o fath ond catalog o fombast a chanu clodydd difeirniadaeth? A be am y rheiny wedyn sy'n honni 'sgwennu yn wrthrychol? Pshaw! Gwrthrychol, wir! Yr unig beth mae dyn yn ei ddarllen mewn cofiant o'r fath ydi llwydni diflas, di-liw. Mae'n rhaid anelu at y gwirionedd. A tydi awdur fyth yn gymwys oni bai ei fod o'n tywallt ei hun gorff ac enaid i'r gorchwyl ag angerdd. Angerdd argyhoeddiad o ystyr, gwerth a phwrpas bywyd dyn. Roi di hynny imi? Fyddi di ddim wrthi ar ben dy hun, does dim isio ichdi boeni, mi fydd y teulu cyfan yn gefn ichdi wrth dy waith. Gwersi ar sut ma' byw, gwersi fydd o help i bobol erill, gwersi . . . sut deuda i? ymarferol a gneud hynny trwy 'mhortreadu i fel dyn o gig a gwaed. O 'mherthynas â 'nheulu, a 'nghyd-ddynion; y fi yn gweithredu o fewn cymdeithas. Ddim syniada moelion. Gwendid syniada ynddyn nhw'u hunain ydi troi'n ymhonnus neu'n niwlog neu'n ddim byd ond rhethreg wag; gwagio bywyd o'i ystyr a'i bwrpas, ei droi o'n amddifad o wir swm a sylwedd nes peri mwy o ddryswch nag o oleuni yn y diwedd; mwy o anobaith na gobaith. Be sgen ti i'w ddeud?'

'Anrhydedd o'r mwya fydda derbyn y cynnig, syr.'

'Mestynnodd Iarll Foston ei freichia fry, cydiodd Rampton a Mr Francis Hobart yn ei ddwylo – a hefo un erthwch ddofn – ei dynnu'n dwt ar ei draed.

'Llwyddiant mewn bywyd? Ydi hynny'n dibynnu ar natur dyn yn unig?'

Pa ateb oedd o'n ddisgwyl ei glywed? holodd Polmont ei hun. A chymaint yn y fantol, troediodd yn ofalus.

'Dwi'n meddwl fod bywyd unrhyw ddyn –' dechreuodd yn ara deg gan fagu nerth wrth bydru yn ei flaen – 'yn gyfuniad o'r hyn ydi o a'r amgylchiada y mae o'n digwydd bod ynddyn nhw. Ond chwit-chwat ydi amgylchiada ar y gora; yn newid bob sut a modd. Anodd ydi gwbod o flwyddyn i flwyddyn pa fanteision neu anfanteision a ddaw i'n rhan ni.'

Ysgwydodd Iarll Foston ei ben wrth chwythu'r mwg trwy'i drwyn a hwnnw'n hongian o flaen ei lygaid. Edrychodd Polmont ar Syr William-Henry ond ni allai ddarllen neges ei lygaid. Penliniodd Rampton. Gwasgodd Iarll Foston ei fysedd tros gorun y gwas, codi ei droed er mwyn i Guernsey wisgo sana am ei draed.

'Disgrifio bywyd dyn gwan ac aflwyddiannus nest ti rŵan. Mae dynion sy'n dringo i'r brig yn nabod eu hunain o'r cychwyn cynta un. O'r herwydd maen nhw'n mynd ati'n fwriadol i greu amgylchiada i siwtio eu dibenion er mwyn cyflawni eu pwrpas. Mae rhywun fel fi wedi ei dynghedu i fod yr hyn ydw i.'

Mor syml â hynny, meddyliodd Polmont. Doedd bosib! 'Ma'n rhaid eich bod chi hefyd wedi dioddef rywbryd ar drugaredd ffawd.'

'Pshaw! Ffawd! Meistres greulon, dwi'n cyfadda, ond mi es i â hi i'r gwely yn gynnar iawn a dangos iddi pwy oedd y mistar a phoenodd hi fawr ddim arna i fyth oddi ar hynny.'

Caewyd botyma ei grys a sythodd o flaen drych hirgrwn a ddygwyd o'i flaen.

'Mi ddeuda i'n hollol onest wrtha chdi'n dy wyneb, Polmont, gan nad ydw i ddim yn ddyn sy'n rhagrithio. Pan fydda i'n cyfarfod dynion diarth – dyn fel chdi heno – am y tro cynta yr hyn fydda i'n chwilio amdano fo'n syth yn sgwrs dynion felly ydi *pwrpas*. O'r ffordd ti'n gwenu arna i, y ffordd ti'n edrach rŵan, y ffordd ti'n gwisgo bla bla bla. Ydi'r dyn yma wedi canfod pwrpas bywyd eto? Gwir fod angen oes o fyw i adnabod pwrpas yn y diwedd, ond mae'r gwreiddyn ym mhawb. Pwrpas sy'n gyrru'r llofrudd, pwrpas sy'n gyrru'r lleidar ond gwaith dyn fel fi ydi troi pwrpas pawb yn werth y gellid ei brisio i gymdeithas. Yn fudd i hanes. Yn rhwbath adeiladol, gwrol a gogoneddus. Be weli di ar fy llaw i?'

Roedd wedi agor ei ddwrn a gwelodd Polmont fesen fechan.

Atebodd ond dywedodd Iarll Foston, 'Teulu uwch eu picnic wela i.'

'. . .?' edrychodd Polmont yn syn.

'Weli di mohonyn nhw? Yn mwynhau eu hunain ar bnawn braf o haf? 'Drycha. Craffa arnyn nhw'n cysgodi o dan ganghenna hen hen dderwen hynafol ym mhen saith canrif.'

Dododd Iarll Foston y fesen yn ei law a gwasgu'i ddwrn.

Oes 'na rwbath gara chdi ofyn i mi?'

'Mae'n amlwg fod gynnoch chi fath arbennig o Gofiannydd yn eich meddwl ar gyfar y gwaith?'

'Ddeudis i ffasiwn beth,' byseddodd ei wallt yn ofalus, 'Feltham? Ddeudis i hynny?'

Ni wyddai Polmont ei fod hyd yn oed yno nes y cododd pen yn ara o'i lechfan yn nyfnderoedd y cysgodion pella. Hanner stryffagliodd Syr Feltham Royal i'w draed tan batio'i lodra, a chamu cam neu ddau ymlaen wrth sythu ei goesa a phigo ei afl rhwng bys a bawd tan ryw how besychu â rhyw odrwydd yn ei lygaid; hanner agorodd ei geg ond nid ynganodd air.

'Peth perig ydi trio darllan meddwl gŵr bonheddig,' camodd Iarll Foston at Polmont, 'Dim ond wrth 'i weithredoedd y bydda i'n barnu dyn.'

Safodd eiliada o flaen ei wyneb, a golwg yn ei lygaid fel dyn â'i fryd ar newid rhywbeth allan yn y greadigaeth.

'Mae William-Henry yn deud wrtha i dy fod ti'n onest. Wyt ti?'

'Wrth gwrs.'

Yn dawelach fyth, 'Nei di mo 'mradychu fi?'

'Be 'dach chi'n feddwl, syr?'

Prin y gallai ei glywed.

'Paid byth â gofyn imi fy ailadrodd fy hun.'

'Fradycha i mohono chi Iarll Foston, syr.'

'Deud o eto.'

Dywedodd. Rhythodd i'w lygaid; rhythu yn hir, yn union fel pe bai'n chwilio am rywbeth a aeth ar goll ers amser. Edrychodd Polmont i'w lygaid hefyd ond y cwbwl a welai oedd ei wyneb ei hun. Safodd ei ddau hogyn negro yn ufudd. Agorodd Rampton y drws. Cerddodd pawb allan ar eu hunion a chaewyd y drws gan adael Polmont i syllu ar Syr Feltham Royal, a oedd yn mwmian hanner hymian wrtho'i hun wrth gicio'i sodla fel dyn yn cogio mynd ac yn cogio peidio.

Agorodd y drws yn sydyn a chawod o chwerthin yn llenwi eu clustia. Â'i bocha rhos ei lliw, ysgafngamodd Madame Clerent-Languarant i'w dwrdio. Roedd torf o bobol wedi hel y tu allan a chwaneg yn hel ati a negeseuon yn gwibio draw bob eiliad yn llawn dymuniada gora llysgenhadon holl deyrnasoedd Ewrop.

Diffoddwyd holl ganhwylla'r tŷ.

Rhoddwyd ffyn gwreichioni i bawb. Fraich-ym-mraich cerddodd Iarll Foston a Mr Franklin allan ar y *terrace* i ru bonllefa pobol Paris. Cododd y ddau ŵr eu breichia fry. Cododd y sŵn, lledodd hyd at yr afon. Tu draw i'r dorlan bledodd tân gwyllt ei hun i hun a hedd y cyfnos. Yn fflachiada'r tân – gwelodd Polmont wyneb yn edrych fry o'r dorf fel wyneb yr un ffunud ag wyneb Iarll Foston – sbarciodd, cleciodd, tasgodd hwrli bwrli o wreichion.

Safodd pawb fel teulu o dylwyth teg.

Edrychodd Polmont eto: ond i lawr ymysg y bobol nid oedd yr wyneb yno. Teimlai ei lygaid yn llosgi a blinder lond ei ben. Tasgai cawodydd gleision fry gan ddisgyn tros y Seine ymysg y berw berw o glecian-hisian-hisian-glecian a oedd i'w glywed mor bell i ffwrdd â Breutil a'r wawr ar dorri.

Syr William-Henry Hobart.

Nid aeth i'w wely. Pan welodd y wraig yn cerdded heibio iddo ar y grisia fe gydiodd yn ei llaw, gwasgu'i garddwrn a cheisio ei thynnu o'r neilltu. Mynnodd hithau ei fod yn gollwng ei afael.

Holodd dan ei wynt, 'Be sy'n bod?'

'Dwi 'di blino,' atebodd hitha trwy'i dannedd, 'rŵan gollwng fy ngarddwrn i.'

'Ddim tan drefnwn ni fan a lle.'

Edrychodd hitha o'i chwmpas ond clywodd Iarll Foston yn closio hyd ben y grisia yng nghwmni Monsieur Clerent-Languarant a Mr Franklin a diflannodd ar ei hunion i lawr trwy ddrws i'r chwith ac am y cyntedd. Teimlai Syr William-Henry yn swrthlyd braidd; ei geg yn sych a mymryn o gur pen yn waldio yn ei arlais. Tyfodd rhyw amheuon yn ei feddwl. Magodd chwaneg ac yn sydyn sylweddolodd ei fod wedi ei fwyta gan genfigen. Er hynny, gwyddai nad oedd yn ei charu. Chwant oedd y cwbwl. Chwant a balchder.

Cerddodd hyd y strydoedd a gwlithlaw ysgafn yn mwytho croen poeth ei wyneb. Mater o ewyllys oedd y cwbwl. Ewyllys a 'chydig bach o gynllwynio a byddai'r cwbwl yn dod i drefn yn daclus. Dringodd risia'r gwesty, agor y drws a chamu i mewn.

'Dwi bron â mynd o 'ngho.'

Ar hanner dad-wisgo i fynd i'w wely roedd Polmont ac yn sefyll uwch droeth lestr wrth erchwyn ei wely yn ochneidio wrtho'i hun gan deimlo rhyddhad (o ddal ei bidlan rhwng ei fys a'i fawd) wrth ara wthio ei biso i'w blaen.

'Dwi'n sâl o isio hi.'

Tuchanodd. A byrlymodd dros y carped ond gwyrodd ei gwd i'r aswy i ail-greu'r clecian caled hwnt ac yma nes y trodd y sblashio'n gyrglo bodlon a glaw mân iawn yn binna cynnes ar ei goesa wrth iddo wagio'i bledren i'r pen. Lledodd Syr William-Henry ei gefn hyd orweddfainc, taro'i fraich tros ei dalcen ac un droed ar wastad y llawr.

'Dwi cymaint o'i hisio hi fel na fedra i ddim meddwl am ddim byd arall. Ma'r gnawas fach yn chwara mig tydi? Chwara pob math o gastia bach slei – a dwi'n nabod 'i thricia hi i gyd erbyn hyn, coelia di fi – a be mae hi'n neud ydi 'nghadw i hyd braich, a chadw'i hun yn 'i gwmni fo trwy'r amsar fel na sgin i'm cyfla i hyd yn oed fachu sws fach ganddi heb sôn am ddim byd mwy, ac ar fy marw erbyn hyn ma' hi wedi 'ngyrru i yn hollol gocwyllt.'

Pader-ruodd heb dynnu anadl unwaith.

'Ma'n rhaid ichdi'n helpu fi.'

'Fi?' agorodd Polmont ei geg yn gysglyd.

'Ia, chdi.'

'Helpu, sut?'

'I'w chael hi i mi fy hun rhyw ben 'fory. Fydd dim amsar heddiw na heno oherwydd y dathliada.'

Tynnodd Polmont ei grys nos tros ei ysgwydda a chamu i'w wely. Aeth Syr William-Henry yn ei flaen i ddweud nad oedd dewis ganddo yn y mater. Dechreuodd edliw. Edliw iddo ei arbed rhag ei ladd ei hun. Edliw iddo bwyso ar ei dad i roi gwaith iddo a chlirio ei ddyledion. Edliw iddo fod yn noddwr iddo a'i amddiffyn yn erbyn Francis Hobart, nad oedd am iddo fod ar gyfyl y gwaith, a Polmont yn brwydro cwsg.

'Be sy' raid imi'i neud?'

'Tyd i ga'l brecwast hefo fi – a mi ddeuda i wrtha chdi.'

Y dathlu.

Galwyd Iarll Foston i'r *La Salle des Ambassadeurs* ar lawr isa Palas Thuilleries i'w gyfarch gan lysgenhadon holl deyrnasoedd

Ewrop y prynhawn hwnnw. Eisteddodd ym mhorth un o'r ffenestri mawrion i wylio mynd a dod *beau monde* y sgwâr a disgwyl ei alw i dderbyn Rhyddfraint Holl Ddinasoedd Ffrainc am ei Gyfraniad i'r Ddynoliaeth.

Agorwyd deuborth led y pen. Ar y marmor gwyn oddeutu iddo ar bob gris safai grenadieriaid mewn lifrai coch a glas. Mynd yn fyrrach ei wynt â phob cam roedd yr Iarll hyd nes iddo orfod oedi i gymryd hoe hanner ffordd i fyny'r grisia. Sychodd chwys ei wyneb. Phw! Daeth ato'i hun a chamu ymlaen, troi i'r dde ac yna ymlaen trwy *antechamber* heibio i filwyr sgwâr wynebog a'u gena onglog caled a'i saliwtiodd. Aeth wedyn trwy bump o ystafelloedd mawrion eraill a milwyr stond yn sefyll yn eu congla.

Gofynnwyd yn garedig iddo aros ennyd ger y pyrth tywynnog a warchodid gan ddau filwr a rythai trwyddo. Ar ôl eu hagor, tywyswyd o ar hyd carped melfed glasddwfn at droed grisia a deuddeg gris yn uwch i fyny yn eistedd ar ei orsedd roedd y Brenin Louis XIV a'r Frenhines Marie Antoinette.

Ceisiodd Iarll Foston benlinio mor urddasol fyth ag y gallai dan nerth ei bwysa. Bu'n rhaid i ddau was gamu ymlaen a dal ei freichia wrth iddo duchan ei ben-glin tua'r llawr. Wedi iddo sadio, dododd ei law fawr lonydd i orwedd ar ei lin. Cododd y Brenin ar ei draed. Edrychodd i lawr ar Iarll Foston a'i gnawd yn goferu tros y carped wrth iddo grynu ger ei fron.

'Nous sommes les deux nations les plus puissantes et les plus civilisées de l'Europe.' Cododd ei lais ond roedd yn dal yn wan a'i ddull o draddodi'n llac a dienaid, *'Il faut nous unir pour cultiver les arts, les sciences, les lettres, enfin pour faire le bonheur de l'espèce humaine.'*

Lledai cefn Iarll Foston fel ffridd fynydd fawr tua chopa pell ei gorun. Crynai fel pe bai'n diodda o annwyd hegar. Gwasgodd ei ddwylo tros ei ben-glin. Siaradodd â fo'i hun: sibrwd taer o dan ei wynt. Gwaethygodd ei grynu. Rhagddo yr aeth y Brenin â'i lygaid yn syllu i rywle uwch ei ben. Gorffennodd braidd yn ddirybudd os nad yn swta. Eisteddodd. A rhuthrodd gwas i forol am fraich yr Iarll i'w arbed rhag y cywilydd o lithro i godwm yng ngŵydd y llys. Methodd. Rhuthrodd dau arall draw a'i godi fymryn ond roedd y gorchwyl yn ormod a gwyrodd yr Iarll am draw a'i arbed ei hun yn unig trwy wasgu blaena'i fysedd yn ddyfn i gnawd y carped. Fel arth mewn gwewyr, cododd tan erthychu'n floesg, a'i wyneb bras yn ffwrnais.

Y Louvre.

Drannoeth am un ar ddeg cadwodd Polmont at y trefniant a wnaeth â Syr William-Henry ond pan ddaeth yr awr (trwy gydddigwyddiad) pwy ddaeth i'w gyfwrdd ond neb llai na Monsieur a Madame Clerent-Languarant, a oedd yn disgwyl Iarlles Foston a nifer o wragedd bonheddig eraill fel Marchioness de Beaumarchais a'r Dywysoges Alexandre de Caraman-Chimay. Ond doedd dim golwg ohonyn nhw.

Doedd dim golwg o Syr William-Henry chwaith.

Wedi mân siarad a disgwyl mwy na hanner awr fe aeth pawb i mewn a chyd-gerdded wrth eu pwysa trwy'r galerïa. Heibio i gampweithia arlunwyr yr oesa: la Sueur, le Brun, Nicolas Poussin, Van Dyck, Hans Holbein, Rembrandt, Teniers a'r tri Van Loos.

Wrth iddo siarad am y llunia cafodd Polmont olwg wahanol ar gymeriad Monsieur Clerent-Languarant. Nid y gŵr a oedd fymryn yn ddi-ddweud a welodd yn ei salon oedd o'i flaen ond dyn pwyllog a diwylliedig. Cyfeithodd Madame Clerent-Languarant ar gyfer y naill a'r llall.

'Yn hogyn pymtheg oed ges i 'ngyrru o Lyon i Rufain hefo tiwtor preifat i ddysgu am gelfyddyd. Dyna oedd dymuniad penna fy nhad gan na chafodd o mo'r cyfle oherwydd 'i fod o'n ddyn gwan ei iechyd.'

Oedwyd i syllu ar *Gariad a Rhyfel* Rubens.

Holodd Monsieur Clerent-Languarant Polmont trwy ei wraig. 'Be ydi hanes eich tad chi?'

'Nes i rioed ei nabod o,' ac ychwanegodd yn y tawelwch, 'Na fy mam.'

Tawelwch lletach wedyn tra edmygid *Ymarfer Comedi Eidalaidd*, Michaelangelo Cerquozzi di Battagalia.

'Ydi'ch tad chi'n fyw o hyd, Monsieur?'

'Neuthoch chi mo'i gyfarfod o yn y tŷ?'

'Yr hen ŵr wrth ochor Iarlles Foston,' ychwanegodd Madame Clerent-Languarant tan gil-wenu.

Brith gof oedd gan Polmont ond cymerodd arno ei fod yn ei gofio'n iawn. Yr hen ŵr crwmachog â llygaid gweinion braidd yn ddyfriog a fu'n blaendocio ei frawddega wrth iddo siarad. Nadai rediad ei feddwl rhag llifo, yn union fel dyn llawn ataldweud; cloffai ei leferydd i'r fath radda fel nad oedd hi'n bosib ond lled-ddyfalu yr hyn a oedd ganddo i'w ddweud ac eto roedd ei wyneb yn llawn stumia, yn orlawn o fynegiant. Dyn rhyfedd ar y naw oedd o, ym marn Polmont, ond cadwodd ei farn iddo'i hun. *Adfeilion Rhufain* Giovanni Paolo Panini a syllai arno wedyn. Wedyn *Y Forwyn a'i Phlentyn* Francesco Solimena a *Golygfa o Campagna Rhufain* Claude Lorrain . . . ac er mawr syndod – er mawr ryfeddod! – roedd yno lun a gomisiynodd Monsieur Clerent-Languarant ohono'i hun yn eistedd ar y Piazetta yn Fenis.

Syr William-Henry Hobart.

Ymhell cyn i neb ei weld clywyd clipian ei esgidia yn fwa o sŵn hyd y nenfwd. Yn boeth a blin y brasgamodd i'r fei ond surodd ei wep yn syth wrth weld fod gen Polmont gwmni. Cogiodd ymserchu wrth sychu ei chwys â'i hances, ond o fewn dim trodd ei wingo'n wawdio, a hynny o flaen llun o ddolydd deiliog Paul Potter tra siaradai Monsieur Clerent-Languarant am gywreinrwydd lliwa'r hinon, dirgelion y cymyla a'r modd y chwythai awelon ysgafn yn loyw lân trwy oleuni nefol o ena yr angylion.

Holodd y Ffrancwr yn finiog, 'Mae'n ddrwg gen i?'

'Ddrwg gen i be?'

'Roeddech chi'n deud am y darlun?'

'Do'n i'n deud dim am y darlun.'

'Ddeudoch chi rywbeth. Mi clywis i chi. Peidiwch â gadael i mi dorri ar eich traws chi . . .'

'Pesychu. Gen ddyn hawl i besychu, oes ganddo fo ddim?'

'Dangoswch fymryn o barch. A ddim bihafio fel y dyn meddw rwygodd lun mewn tafarn . . .'

Ochneidiodd Syr William-Henry yn llaes wrth chwythu'n flin trwy'i drwyn a throi at Polmont tan duchan, 'Dyma ni! Dyma ni eto fyth! O'n i'n gwbod y basa fo'n sôn rhwbath. Bob tro! Bob un tro, dim ots sut, ond mae o'n mynnu codi'r hen hen firi helynt yma . . .'

'Mae o'n wir.'

'Ydi, mae o'n wir. *Y Tirlun o Gymru yng Ngolau'r Lloer*. Dyn ifanc meddw o'n i wedi cael ei herio i neud. A ph'run bynnag, fy llun i oedd o . . .'

'Ddim yn ôl be ddeudodd Francis wrtha i.'

'Fo ddygodd o 'ddarna i. I fi roddodd Tada y darlun yna'n anrheg. Fi. Ddim fo. A ta waeth, be ydi darlun?'

Ebychodd Monsieur Clerent-Languarant, 'Hy! Be ydi darlun?'

'Ofynnis i i Barret neud un arall imi union yr un fath. Wel, ddim yn union yr un fath, ond rhwbath tebyg, ddigon agos at y gwreiddiol. Gytunodd fel'na heb feddwl dwywaith am y peth wrth weld pres yn dŵad 'i ffordd o. Criba yr un mynyddoedd, yr un cymyla a'r un math o leuad. Lleuad ormes oedd hi, medda fo wrtha i. Mi dynnodd y llun gwreiddiol ar noson y trydydd lloer ar ddeg ar y nawfed dydd ar hugain o Chwefror.'

'Trin artist fel putain.'

'Ddim dyna be ydyn nhw i gyd?'

Hisian tan gynddaredd roedd Monsieur Clerent-Languarant.

'Be ydi'r anallu yma i drin celfyddyd fel peth o bwys? Be ydi'r diffyg yma sy' ynddoch chi i ymdeimlo â gwir bryd-ferthwch? 'Drychwch ar y darlun yma . . . Sut ma' dechra disgrifio'i degwch o hefo'n geiria tila? Hefo'n sŵn bregus, annigonol wyneb yn wyneb â chymhlethdod o'r fath? Be ydi rhinwedd mawr yr enaid dynol? Y gallu i werthfawrogi ymdrechion arlunwyr o bwys, sy'n dangos mawredd a thrueni bywyd inni, nes peri inni'n wylaidd gyfri'n bendithion tan gydymdeimlo yr un pryd ag anffodusion y byd. Does dim esgus – dim esgus o gwbwl gynnoch chi o bawb! Am faint fuoch chi ar daith trwy'r Eidal?'

'Pum mlynedd.'

'Yn dysgu be? Sut i slotian a hwrio.'

'Francois,' ceryddodd Madame Clerent-Languarant.

'Na! Dwi 'di diodda digon ohono fo'n gneud hwyl am 'y mhen i. Bob tro daw o i'r tŷ tydi o'n gneud dim byd ond hynny. Pawb yn meddwl 'mod i ddim yn dallt, 'mod i ddim yn malio. Mi ydw i! Gen inna 'nheimlada fel pawb arall. Dwi'n gwbod cystal â neb pam mae'r teulu isio fi. Er mwyn ennill talp o 'nghytundeb werthu arfa fi i Fyddin Ffrainc. Dyna'r cwbwl . . .'

Tawelodd yn sydyn wrth sylweddoli fod Iarlles Foston a'i gwesteion ym mhen pella'r galeri yn edmygu darlun o gymun-deb Sant Jerôm. Trwy ffenestri uchel y nenfwd murmurai rhyw loyw-wawn o heulwen hyd y muria nes peri i'r goleuni o gylch eu penna hel yn wan fel hen atgofion. Ymddiheurodd Monsieur Clerent-Languarant.

'A gnewch chitha yr un fath.'

'Na 'na i, Stocken-Letitia.' Gwthiodd Syr William-Henry heibio'n dalog, 'Ffwcio fo.'

Troi ar ei sawdl.

Esgusododd Polmont ei hun a mynd i'w ganlyn. Roedd eisoes wedi diflannu i lawr y grisia trwy'r *La salle des saissons*. Cafodd gip arno'n gwibio heibio i'r cerflunia marmor ac erbyn iddo ei ddal roedd hanner ffordd trwy'r *Salle des hommes illustres*.

'Ma' hi yma; dwi'n gwbod 'i bod hi yma'n rhywla.'

Yn eu blaena ar eu hunion trwy *La Salle de Laocoon* yr aeth y ddau. Doedd dim golwg ohoni yn y fan honno chwaith. Ymlaen wedyn trwy isel sisial edmygwyr *La Salle de l'Apollon* lle'r oedd dau ifanc mewn cariad yn braidd-gyffwrdd blaena'u bysedd heb feddwl fod neb wedi sylwi. Pwyllodd Syr William-Henry, cymryd ei wynt ato a chwyno fod ganddo bigyn yn ei ochor.

'Ti wedi plesio 'nhad.'

'Ydw i?'

'Paid â chymryd arnach, Polmont. Ti'n gwbod dy fod ti.'

Mi oedd o hefyd.

'Lwc iti gyfarfod ag o ar adeg dda. Mae o'n hwyliog iawn dyddia yma. (O, mam bach! Dwi'n dechra mynd i oed . . .) daliodd ei wynt a gwasgu ei law ar fôn ei gefn wrth deimlo rhyw bigyn gwaeth yn lledu i fyny at ei ysgwydd a hyd ei wegil, 'Pob un dim yn mynd o'i blaid o'n berffaith.'

'Sy'n awgrymu y gall o fod yn flin os bydd petha'n mynd o chwith?'

'Pawb yn cael pylia rhyfadd tydyn? Yn amau 'u gwerth. Hyd yn oed rhywun fel fo. A fi. A chdi dwi'n siŵr yn holi be 'di pwynt hyn i gyd. Yn holi be 'dan ni'n 'i neud yn y byd. Pam 'dan ni yma? I be? Ac i lle 'dan ni gyd yn mynd ac ati . . .'

Sefyll ymysg penddelwa *La Salle des Romains* roedd y ddau. Gorffwysodd Syr William-Henry ei benelin ar gorun marmor o Cicero.

'Dwi'n cofio gweld fy nhad adeg yma llynadd. Sefyll wrth ffenest ei lofft roedd o, yn gwylio dail Tachwedd yn chwythu o'r briga tros y tai gwydr mawrion a godwyd tros yr ha. Creu ail Baradwys ar dir y stad allan yn y wlad ar gyrion Llundain. 'Werth 'u gweld, cofia, a ma'n siŵr gin i y cei di cyn bo hir achos fydd fy nhad wrth 'i fodd yn dy dywys di o gwmpas. I ddechra ro'n i'n meddwl ei fod o'n siarad hefo fi; ond wedi sylweddoli, siarad hefo fo'i hun roedd o. Hefo pwy 'dan ni'n siarad pan 'dan ni'n siarad hefo ni'n hunan? Ti 'di meddwl am hynny 'rioed?'

'Naddo . . .'

'Na finna chwaith. Ta waeth, 'pam ydw i'n dal ati i neud cymaint tros bobol? I be? Dim ots be wna i, mi fydd rhywrai yn siŵr o droi'n f'erbyn i . . . Mynnu 'nhynnu i lawr a'n llusgo i trwy'r baw a gneud sbort am fy mhen i. Sgen i neb fedra i alw'n ffrindia, neb i droi atyn nhw am gysur neu air o gyngor' . . . Mi welodd 'mod i yno'n sefyll wedyn, a deud yn uwch wrth droi i syllu ar y cymyla llwydion, 'Pam na thafla i fy hun trwy'r ffenast yma rŵan hyn? Gneud amdana fi fy hun a rhoi terfyn ar y cwbwl am byth?' '

'Y felan?'

'Siŵr o fod. 'Nghalon i'n gwaedu trosto fo. O'n i'n 'i weld o wedi torri. 'I weld o'n hen ddyn am y tro cynta. Hynny'n brofiad annifyr i bob mab . . .'

Cerddodd yn ei flaen yn ara deg a'i law yn gwasgu'i ystlys.

'Paid â chuddio dim oddi wrtho fo, Polmont. Dim ots pa mor ddibwys. Mae o'n parchu ufudd-dod a theyrngarwch gan ei deulu a'i weithwyr. Os gwnei di hyn i gyd dwi'n siŵr y byddi di'n uchel dy barch.'

Lledodd gwên hyd ei wyneb. Yn cerdded i'w cyfwrdd mor urddasol â llong ryfel ar y dyfroedd roedd y Fonesig Maidstone-Susanna Royal. Stopiodd yn stond. A rhyw olwg syfran arni. Fel petai hi wedi cael ei dal mwya sydyn heb unman i droi na dianc. Ni chlywodd Polmont y geiria, y sisial isel taer, y bysedd yn chwilota am law gyndyn yn sownd ar glun pan ruthrodd Syr William-Henry ati.

Syllodd ar gerflun yr Apollo Belvidere o fewn sgwâr o reilia duon, rhwng Venus d'Arles, a cherflun benywaidd a'i llaw yn tyner orwedd ar ei bron, ei phen ar ogwydd, ei llygaid tua'r llawr fel pe bai arni hiraeth am ryw gariad coll. Cerflunia glân bob un ac ynddyn nhw ryw berffeithrwydd, ac mai ar hap y'u hachubwyd o fin y môr yn Capo d'Auzo, o adfeilion llwydion Antium, dafliad carreg o deml enwog Ffawd.

Cusanodd Syr William-Henry a'r Fonesig Maidstone-Susanna Royal.

Gwasgodd Polmont y reilin a syllu fry tua'r nenfwd uchel. Cusanodd y ddau fel pe na bai'r byd yn bod; cydblethai eu tafoda fel nadroedd gwlybion; mân boer ar eu gwefusa, bocha'n cochi. Heibio i dorpwth o hen ŵr a ddwysfyfyriai ar faen hirgrwn o farmor a'i ddwrn tan glicied ei ên, cylchodd hanner dwsin o leianod.

'Pan ddaw o, hel rhyw esgus, nei di?'

Aeth y ddau i ffwrdd. Cerddodd y lleianod heibio wrth eu pwysa. Daeth Syr Feltham Royal i'r fei a'i drwyn mewn catalog, ei wefusa'n araf symud wrth iddo ymdrechu i'w ddarllen.

Cododd ei ben. Gwelodd y Cofiannydd. Taerodd Polmont fod golwg yn ei lygaid fel dyn yn ceisio mesur maint y diffyg yn ei feddwl ond heb allu dechra deall sut yn union roedd mynd ati i neud.

Holodd yn swil fel dyn llawn pryder diwybod, 'Heb weld fy ngwraig i? Heb weld Maidstone-Susanna wyt ti?'

'Mi . . . do . . . emmm . . . aeth hi ffordd acw . . .'

Hanner trodd 'Newydd ddŵad o ffordd acw rydan ni . . .'

Edrychodd Syr Feltham Royal yn ddryslyd.

'Ti'n siŵr?'

Twyllo dyn diniwed. Teimlai Polmont ryw gasineb tuag at Syr William-Henry. Dim ond un lleian oedd ar ôl. Yn sefyll ym mhen draw'r galeri. Syllodd arno. Syllodd ynta – a diflannodd.

Wrth ei weld yn crynu, holodd Syr Feltham Royal, 'Oes 'na rwbath yn bod?'

'Sut fedrwch chi ddeud?'

'Ti wedi bod isio torri ar 'y nhraws i ers meityn mawr,' sylwodd Iarll Foston ar Polmont wrth yrru tuag at yr *Hameau de Chantilly* ger y *Champs-Elysées*. Brathodd hanner yr afal, 'Rhyw olwg felly wedi bod ar dy wep di ers inni gychwyn. Am be ti'n meddwl?'

Am be oedd o'n meddwl! Ho! Am be oedd o'n meddwl, wir! Ei gyfrinach o oedd hon. Penderfynodd Polmont gadw'r cwbwl iddo'i hun am y tro. Wrth ei gweld hi mewn gwisg lleian, prin y coeliodd ei lygaid a rhuthrodd trwy'r Louvre, rhuthro i ganol y chwiorydd. Hi oedd hi.

Titw annwyl, Titw fach ei galon.

Yn sefyll yno o'i flaen. Roedd yn hurt bost; ei ben yn brifo; yn methu siarad; yn baglu ar draws ei eiria; ei emosiyna yn blithdraphlith. Ei feddwl yn gweiddi un peth a'i galon yn sibrwd rhywbeth hollol wahanol . . .

Ble oedd o'n dechra? Ni chafodd gyfle oherwydd daeth helbul arall ar draws ei lwybr. Ers tair galeri sylweddolodd fod Madame Clerent-Languarant wedi dechra colli ei gwedd; ei bocha cochion wedi llwydo a bwrw eu lliw. Clywodd hi'n sibrwd rhywbeth na ddeallodd yng nghlust ei gŵr. Mynnodd hwnnw ei bod hi'n cael hoe a'i thywys draw at fainc i eistedd. Cydiodd ei gŵr yn dyner yn ei llaw; gorweddodd hitha ei thalcen ar ei ysgwydd. Gyrrwyd ei morwyn i forol gwydryn o ddŵr . . .

Pan oedd Polmont ar fin cydio yng ngarddwrn ei ddyweddi, ar draws ei ddryswch cododd twrw; ffrwst a ffradach yn nrws y galeri; wedyn sgrechian a gweiddi. Gwingai Madame Clerent-Languarant mewn poen; yna, gwasgu ei bol yn galed a diferion gwaed yn dripian hyd y llawr yn llwybr main . . .

Griddfanodd a chrio wrth hanner ei chario, 'Peidiwch â gadal imi golli un arall . . . Peidiwch â gadal imi golli'r babi . . . O, 'mabi fi . . . 'Mabi bach i . . .'

Ciliodd y lleian ond mynnodd Polmont enw'r Cwfaint.

Gwrthododd hitha . . .

Mynnodd ynta . . .

Gwrthododd.

Mynnodd.

Ceisiodd gilio.

Mynnodd.

. . . Cytunodd.

O fewn llai nag awr.

Neu hyd yn oed o fewn llai na hynny y curodd Polmont ar borth derw yn y Faubourg St. Antoine. Agorwyd ffenestr fechan yn uwch i fyny a bagiodd draw i adrodd ei neges.

Gofynnwyd iddo ddisgwyl.

Disgwyl wnaeth o; yn gwingo disgwyl a'r munuda'n llusgo o'i flaen mor ara â chanrifoedd. Dychwelodd y lleian a dywedodd iddi siarad â Miss Sharpin ac nad oedd hi'n teimlo'n dda. Roedd ei weld yn y Louvre wedi ei sigo a'i dychryn. Pe dychwelai ar yr un amser ymhen deuddydd, byddai yn barod i siarad.

Echdoe oedd hynny.

Meddyliodd amdani. Prin y cysgodd o gwbwl. Ei feddwl a'i ddychymyg yn rhedeg ar wib. Dyna a barodd iddo ama ei feddwl ei hun wrth gael ei yrru yng nghoets Iarll Foston, fod rhywrai wedi bod yn eu canlyn mewn coets arall yr holl ffordd i lawr y Rue St-Antoine. Nid hwn oedd yr unig dro iddo hel amheuon fel hyn. Ers dyddia ac ers nosweithia lawer hefyd roedd wedi dechra ama fod rhywrai yn eu dilyn. Cyfaddefodd hynny wrth Syr William-Henry y noson cynt wrth iddo, ynghyd â gweddill y teulu (heblaw am Syr Feltham Royal am ryw reswm nad eglurwyd mohono) hwylio i ddychwelyd adra.

Gan bwffio'i getyn claerwyn hir, holodd Syr William-Henry, 'Ti'n siŵr?'

'Dwi'n weddol saff 'mod i.'

'Rhyfadd.'

Dywedodd Polmont yr un peth wrth Iarll Foston.

'Oes. Dwi'n gwbod. Thorp Arch a'r criw.'

'Pwy?'

'Hogyn ardderchog. Gwas i mi a gweision eraill.'

'Llond dwy goets o ddynion? Pam? I be?'

Brathodd ei drydydd afal, 'Does wbod be nawn nhw.'

'Pwy?'

'Sneb yn saff. Ddim yn yr oes sydd ohoni. Ti'n cofio hanes coets y Brenin yn troi ar ei hochor 'nôl ym mis Ionawr? Be ti'n meddwl oedd achos hynny? Rhew? Choelia i fawr. A pham? Maen nhw wedi trio ei wenwyno fo fwy nag unwaith.'

'Pwy?'

'Ydi cynrhon ddim yn edrach yr un ffunud â'i gilydd? Gweriniaethwyr. Gwrth-frenhinwyr. Pwy a ŵyr?'

'Ydyn nhw wedi trio'ch niweidio chi? Dyna be 'dach chi'n 'i ddeud?'

'Beunydd beunos.'

Dychrynodd; edrychodd ar Syr Feltham Royal, 'Sut?'

'Trwy bob sut a modd,' a'r sudd yn sgleinio i lawr ei ên, 'Sdim posib dal pen rheswm hefo tacla. A pham? Am na wrandawan nhw ddim ar ddadl deg. Does neb ohonon ni'n berffaith. Byd amherffaith ydi hwn. Ceisio gneud ein gora ar waetha ein diffygion nawn ni i gyd. Gneud ein gora glas er bod y gora hwnnw'n amal yn methu'n fyr o'r nod. Dyna pam na fedra i ddim diodda clywed y bobol yma'n gwawdio ac yn amharchu llywodraeth y dydd. Peth hawdd ydi tynnu i lawr, anoddach o'r hannar ydi codi i fyny.'

Slapiodd Iarll Foston gefn llaw Syr Feltham Royal wrth iddo bigo'i drwyn.

'Dwi am i chdi daro hyn yn y Cofiant. Cofia ddeud mai cymwynas fawr gwleidyddion ydi gneud y gwaith budur trostan ni. I fod yn llawar cadarnach o neud yr hyn na allwn ni fel unigolion yn amal mo'i gyflawni. Rhowch bob hawl a phob bendith a phob rhwydd hynt i'r Llywodraeth er mwyn ei gneud hi'n gadarn gry fel nad oes raid i ddynion fel ni fyth neud gwaith y crocbren. 'Drycha – weli di'r twr 'na draw'n fan'cw?'

Gan droi i syllu tros ei ysgwydd, atebodd Polmont, 'Gwela.'

Slapiodd Iarll Foston ddernyn arian ar gefn ei law.

'Sgwâr neu grwn?

Cysgododd ei aelia wrth graffu, 'Crwn.'

'Ti'n siŵr?'

'O be wela i o fa'ma.'

'Feltham?'

'. . . Mmm?'

'Ddeudwn i mai sgwâr ydi o,' tuchanodd Iarll Foston i lawr o'r *fiacre*, 'Gawn ni weld pwy fydd yn iawn wrth glosio ato fo yn cawn?'

Gerddi'r Elysée de Bourbon.

Talodd Syr Feltham Royal i fynd i mewn i'r ddrysfa. Dywedodd yr hogyn nad oedd neb wedi dŵad allan yr ochor bella mewn llai nag awr.

Chwythodd Iarll Foston, 'Mi nawn ni o yn chwarter yr amser.'

Teimlai fod Polmont ac ynta yn prysur glosio. Fod y ddau wedi dechra dod i adnabod ei gilydd; ond yn bwysicach o'r hanner i ddechra deall ei gilydd. Roedd yn frwd o blaid i Polmont roi ei stamp ei hun arno. Mynnodd fframwaith clasurol i gynnal hanes ei fywyd a chrybwyllwyd gwaith Heroditws fel enghraifft i'w efelychu er i Plutarch ei gondemio a'i alw yn gelwyddgi.

Cerdded i'r chwith; troi i'r dde heibio i glwstwr o floda melynion; ymlaen hyd rodfa arall. Troi ar eu sodla a wnaeth y tri o fewn pedair llath. Cerdded wedyn, bron gam wrth gam, 'nôl at y fynedfa. Gwenodd yr hogyn â rhyw olwg ddireidus 'ddeudis i'n do?' yn dedwyddo ei lygaid. Anwybyddodd Iarll Foston o a chamu yn ei flaen yn hyderus tan ddweud, 'Peth cyson o'i hanfod ydi'r natur dynol,' a chan daflu conyn afal tros y gwrych, 'a gwerth mawr dy waith di fydd dangos i ddynion sut i fyw o dan amgylchiada tebyg i'n cyfnod ni yn y dyfodol.'

Pendronodd Polmont: sut roedd gwneud hynny? Disgrifio manylion byw a bod un oes ac eto gyfleu gwirionedda tragwyddol? Oedd 'na ddim gwahaniaeth clir rhwng petha a ddigwyddodd a'r hyn sydd eto i ddigwydd? Fydd yr hyn a ddigwyddith yn y dyfodol fyth yn union yr un fath â'r hyn a ddigwyddodd yn y gorffennol? Oedd o'n ddigon tebol i ymrafael â gwaith o'r fath? Oedd o'n ei dwyllo ei hun? Sut roedd canfod craidd y gwirionedd? Yr allwedd i fawredd personoliaeth Iarll Foston? Sut roedd gwbod unrhyw beth am unrhyw un go iawn? Dangosodd hanes y Barnwr ungoes Mr Garth MacFluart hynny iddo fo. Llanwodd Iarll Foston y llwybr; ei ysgwydda mawrion yn gwasgu'r gwrych o'r neilltu.

Penderfynodd Polmont rannu ei bryderon a dywedodd, 'Tra buoch chi'n cadeirio'r Gynhadledd Heddwch, fe dreulis i'n amser yn ailddarllen llyfr o'r enw *Terfysg Dante* am helyntion gododd ym Mharadwys ym mis Medi, 1767, Iarll Foston, syr. A'r milwr trechodd o . . .'

'Mab-yng-nghyfraith i mi.'

Stopiodd Polmont yn stond, 'Mab-yng-nghyfraith i chi? Wyddwn i mo hynny.'

'Syr Walton Royal. Tad Feltham 'ma. Diweddar ŵr fy merch Frances-Hygia o 'mhriodas gynta hefo Isabella Caroline. Arwr mawr Paradwys. Achubwr yr ynys. Dyn llydan, aeddfed. Rhinwedd y meddwl bychan ydi cysondeb; ond fedra neb 'i gyhuddo fo o hynny.'

'Does dim awgrym o berthynas yn llyfr Doctor Shotts.'

'Wel! Dyna chdi! Ti'n dysgu rhwbath newydd bob dydd yn dwyt?'

'O ddarllen y llyfr, faswn i fawr callach ynglŷn â sut yn union y cychwynnodd y Terfysg.'

'Ddim callach! Pshaw! Hawdd. A pham? Ffrancod Martinique oedd y bai. Trefnu trwy nifer o deuluoedd Ffrengig oedd wedi byw ar Baradwys ers cenedlaetha – dynion drwg fel Duvalier Le Blanc – i 'mosod yn slei bach liw nos. Dyna wnaethon nhw.

Cyn taro ar eu matsh. Arweiniodd Syr Walton Royal y milisia i'w hwynebu nhw; a'u herio nhw a'u hymladd nhw. A'u trechu nhw'n deg. Ddim heb dywallt gwaed, cofia. Ddim heb losgi a lladd. Ddim heb boen a dioddefaint. Doedd y rhyfel yn ddim llai na chyflafan. Ac yn sgil y rhyfel – yr erchylltra hwnnw – lledodd erchylltra llawer gwaeth pan gododd storm o gyllyll a bwyelli, bilwgod a phastyna, cwlbrenna a chrymana cau yn derfysg tros yr ynys gyfan gan fwrdro'r gwynion o bob oed. Dyna oedd y storm ofnadwy honno y mae ei heffaith hi i'w theimlo hyd yn oed heddiw ym meddylia y rhai ohono ni fuo'n trio 'mochel rhagddi. Dyna drobwynt pwysica 'mywyd i.'

'Pam ymosododd y Ffrancod yn y lle cynta?'

'Chditha'n ddyn busnas. Pam ti'n gofyn?'

'Barus am farsiandïaeth siwgwr?'

Trodd Syr Feltham Royal yn sydyn ar ei sawdl, ''Nôl.'

'I lle wyt ti'n mynd â ni yr hurtyn?' sydyn wylltiodd Iarll Foston, a hanner codi ei law i gynnig peltan i'w ŵyr ar draws ei ben; cododd ynta ei ddwylo'n reddfol i arbed ei gorun.

'Beth amser yn ôl – adeg rasus Ascot – ro'n i'n sgwrsio hefo'r Esgob Parva.'

'Ti'n 'i nabod o? Dwi inna hefyd. Ma' Glen a'i wraig yn hen ffrindia i'r teulu.'

'Sôn wnaeth o am y Barnwr Garth MacFluart.'

'Nabod ynta hefyd.'

'Yn dda?'

'Er pan ddaeth o i Baradwys flynyddoedd lawer 'nôl.'

'Un mlynedd ar bymtheg 'nôl. Lle collodd o'i goes?'

''Na ti.'

'Yn ôl Esgob Parva, does neb yn gwbod sut. Ddim hyd yn oed y fo . . .'

Ebychodd Iarll Foston, 'Sdim dirgelwch ynglŷn â hynny siŵr iawn.'

'Pam? Be ddigwyddodd?'

'Welis i'r cwbwl â'm llygad fy hun.'

Oedodd; tawelodd; rhythodd ar Polmont a'i anadlu'n flêr.

'Fi llifiodd hi i ffwrdd.'

Chwerthin plant. Dyna a glywodd dros y gwrych agosa.

'Hefo'r dwylo yma. A chyn ichdi ofyn pam: er mwyn achub ei

fywyd o. A chyn ichdi ofyn sut, hefo lli fwa fach saer Neuadd Foston yn yr awyr agored ar garreg wastad liw nos yng ngola'r lamp mewn storm o fellt a tharana.'

Â'i wyneb coch yn gochach, syllodd Polmont i gannwyll llygaid Iarll Foston yn prin coelio'i glustia. Ceisiodd ddychmygu'r peth. Llifio coes dyn ar garreg wastad a'r nef uwchben yn rhuo. Y cnawd; y gwaed a'r asgwrn yn ogleuo'n boeth fel coedyn yn llosgi. Ac nid coes rhywun rhywun chwaith, ond coes y gŵr a welodd yn hopio ar draws maes Ascot. Roedd y cwbwl mor fyw â hynny. (Be wnaethon nhw hefo hi? Ei thaflu hi i ffwrdd? Ei chladdu hi ne' be? Rhyfedd fel mae meddwl dyn yn mynnu canlyn y manion . . .) Syllodd wedyn i wyneb Syr Feltham Royal i geisio mesur ei emosiwn ond y cyfan a wnâi oedd cnoi deilen ar flaen ei dafod.

'Dyddia ofnadwy oedd y rheiny . . .' Oedodd Iarll Foston â'i lygaid wedi fferru ar rywbeth yn ei feddwl; ysgwydodd ei ben yn ara deg a dywedodd drachefn, 'Dyddia ofnadwy . . .'

'Adeg Terfysg Dante ddigwyddodd hyn?' holodd Polmont, 'Ne' ynghynt?'

'Adeg Terfysg y negro Dante. Heb os nac oni bai.'

Oedd rhyw euogrwydd yn ei osgo?

''Drycha, Polmont . . . Ots gen ti . . . Drafodwn ni hyn rywbryd eto . . .'

'Er mwyn achub ei fywyd o? Pam? Be oedd yn bod?'

Â chledr ei law, rhwbiodd Iarll Foston groen sych ei wyneb, 'Sgen i'm isio atgyfodi hyn oll bora 'ma . . . Ddeuda i'r hanes wrtha chdi o'r dechra i'r diwadd rywbryd eto.'

Roedd mil-fil o gwestiyna i'w hateb. Pam oedd o'n meddwl mai adeg Terfysg Dante fuo'r Barnwr MacFluart yno? Doedd hynny ddim yn wir os oedd ei fab, Mr Grenock MacFluart, i'w goelio. Cyrhaeddodd y Barnwr MacFluart ym mis Gorffennaf a gadael ddiwedd Awst, 1767. Ym mis Medi y cododd Dante a'i lofruddion yn erbyn awdurdod . . . Trodd yr Iarll am draw a chyhoeddi, 'Pawb i fynd 'i ffordd ei hun.'

O fewn dim aeth Polmont ar goll yn lân. Wedyn clywodd sŵn Syr Feltham Royal yn closio wrth fachdrofa a bagiodd tan gerdded yn ei ôl hyd nes y daeth wyneb yn wyneb ag o a'i arleisia'n gochion.

'Awn ni i 'nunlla ffordd yna,' dywedodd Polmont.

Edrychodd Syr Feltham Royal braidd yn syn. Lled-oedodd

eiliad a rhyw hanner sbecian tros ei ysgwydd wrth fflicio blaen ei drwyn a'i rwbio wedyn â chefn ei fawd. Wedyn dywedodd, 'Awn ni i 'nunlla ffordd acw chwaith.'

'Be ti'n 'i awgrymu?'

'Mentrwn ni hi ffor'na?'

'A dŵad yn ein hola i'r union fan buon ni gynna?'

'Be am ffordd acw?'

'Troi 'nôl fasa galla.'

Cododd llais Iarll Foston o bell.

'Ddown ni atoch chi rŵan, syr.'

Yn eu hola yr aeth Polmont a Syr Feltham Royal; troi i rodfa hir; troi wedyn i glytir a mainc farmor yn ei ganol; troi'n eu hola; troi i'r chwith; troi i'r dde; rhedeg i lawr rhodfa; troi i'r chwith; i'r dde; i'r chwith; yn eu blaena ar wib ac o fewn dau dro, brasgamu trwy rodfa igam ogam nes stondio wyneb yn wyneb â wal werdd o dyfiant. Ymhellach i ffwrdd clywyd yr Iarll yn bloeddio, 'Lle ydach chi?'

Hastiodd Syr Feltham Royal ei gamre; roedd ei wyneb yn chwys a'i drwyn yn rhedeg. Stondiodd yn hurt pan ddaeth wyneb yn wyneb â wal werdd arall. Trodd ar ei union a rhedodd nerth ei begla tan lithro a sgrialu a chael a chael i'w arbed ei hun rhag baglu a chael codwm. Dilynodd Polmont ond pellhau a wnâi llais Iarll Foston. Dechreuodd weiddi; ac o dipyn i beth, dechreuodd ruo.

'Lle mae'r bwlch? Lle mae'r basdad bwlch o'ma?'

Sydyn-ruthrodd llanc y fynedfa i wyneb Polmont a Syr Feltham Royal. Parablodd; crefodd arnyn nhw i'w ganlyn ar wib. Adnabu'r ddrysfa fel cefn ei law; erbyn hynny roedd Iarll Foston yn ei hyrddio ei hun trwy'r gwrychoedd; ond ni feiddiodd neb ei ddilyn. Powliodd yn ei flaen, powlio a phowlio trwy wrych ar ôl gwrych, powlio tan weiddi hyd nes cyrraedd y gwrych ola – ac oedi yno i hel y dail oddi ar ei 'sgwydda wrth ebychu'n dawel dawel o badera'i ddwylo hyd flaena'i fysedd i wthio'r dail o'r neilltu a chamu trwadd i'r ochor draw.

Y goets.

Wrth deithio wedyn, gwenodd Iarll Foston yn sydyn wrth dynnu deilen fechan o'r tu ôl i'w glust a'i throi rhwng bys a bawd.

'Be ddeudis i? Be ddeudis i? E?' cynhyrfodd; a chlepio chwerthin tra daliai hi'n ei law o dan drwyn Polmont, 'Tyd yn dy flaen – tala dy ddyled.'

Iarll Foston oedd yn iawn: sgwâr oedd y twr.

Agor y porth.

Roedd blas glaw ar y gwynt er bod yr wybren yn glir a'r cymyla a fu yno gynt wedi eu chwythu i ffwrdd. O gamu i'r cwfaint tyfodd rhyw deimlad rhyfedd dros ei ben fel pe bai Polmont wedi camu allan o'i gorff nes sefyll rywle uwch ei gorun ei hun. Syllodd i lawr ar ddyn yn dilyn yn ôl troed lleian a gamai'n fân ac yn fuan fel llygoden fechan ar draws cowt – a chrensian cerrig mân tan droed – hyd lwybr ar draws gardd, trwy winllan afala, nes esgyn dwsin o risia i gamu trwy hen ddrws o dderw trwm a hwnnw wedi pryfedu trwyddo. Camodd i mewn. Daeth wyneb yn wyneb â hen hen leian, grebach o gorff ond bod ei llygaid mor effro â rhai hogan ifanc ym mloda'i dyddia yn llawn o wya ac o waed.

Gofynnwyd iddo aros.

Safodd yno yn yr hanner gwyll gan adael i'w lygaid araf gynefino. Sleifiodd lleianod yn ôl a 'mlaen o ddüwch y cysgodion. Camodd yn ei flaen i syllu ar y cyfrinacha ym mlaen yr allora. Sbecian heibio i'r colofna. Heibio i'r pileri a'r dwys-firarogeulon a adlewyrchid yng nghysgodion y ffenestri lliw. Estynnodd ei lygaid fry i dreulio'r nenfwd a oleddfai tua'r chwith o'r côr ymlaen, nes i'w lygaid orffwyso yn y man ar allor y pen eitha. Cerddodd tuag ati, heibio i'r plentyn dall o dan y pulpud a'r fam ddall a fronfwydai ei baban yng nghwr y gangell, heibio i'r darlunia mawrion a bedd yr abades.

Oedodd ar ei lwybr gan adael i'r eiliad suddo trwy'i lygaid a'i ffroena, suddo i'w gnawd, i'r pen a'r galon wrth edrych ar osod Crist mewn bedd, ar hanes y saint, ar lun o'r baban Iesu ar lin Mair a'r angel yn eu gwarchod. Roedd yno gymaint o gyfoeth, o obeithion, o bersona, o wyneba, o gredoa ac o gyfrinacha hyd nes y camodd hi i'w gyfwrdd.

Titw annwyl.

Cymhellodd o i'w dilyn yn dawel.

Titw fach 'y nghalon.

Dilynodd hi trwy ddrws isel i stafell fechan foel. Eisteddodd ar fainc bren blaen ar y pared pella. Safodd ynta ennyd ar ei ben ei hun yn teimlo fod canrifoedd rhyngddynt. Closiodd ati. Penlinio. Edrychodd ar ei dwylo. Syllodd ar ei gwisg. Edrychodd i'w llygaid a'i llygaid gleision i'w lygaid o nes y llithrodd rhyw lwydni pŵl ar draws ei channwyll ac wedi ennyd faith o dawelwch, gofynnodd, 'Rhyfadd dy weld di yma . . . Be ddaeth â chdi i Baris?'

'Gweithio i Iarll Foston.'

"Iarll Foston?' holodd yn syn cyn dweud, 'Yr Apostol Heddwch fel mae o'n cael ei alw?'

Ceisiodd Polmont gyffwrdd â'i bysedd ond tynnodd ei dwylo i fyny ei llawes. Craffodd i'w hwyneb, craffu i'w llygaid wrth chwilio amdani. A'r dyfodol a afradwyd. Tawelwch maith.

'. . . Dy dad?'

'. . . Na.'

'Be . . .? Chdi dy hun . . .?'

'Ddim dewis gen i ond fan hyn . . .'

'Ddim dewis?'

Ysgwydodd ei phen.

'Os oes rhyw helynt, os oes rhywun wedi dy orfodi di, mi ca' i chdi o'ma . . .'

Ysgwydodd ei phen.

'Dwi'n dy garu di, Titw.'

Disgwyliodd ei hateb; disgwyliodd yn hir.

'Glywist ti be ddeudis i? Os mai'r methdalu gododd gwilydd arna chdi, mae hynny i gyd tu cefn imi rŵan. Mae dyfodol gen i. Mi ofala i amdana chdi ac mi fyddwn ni'n hapus iawn.'

Rhedodd ei figyrna'n ysgafn dan asgwrn ei gên.

'Pwy fath o fywyd sgen ti'n fan'ma? Dysgu'r deillion i ddarllen? Dwi wedi holi; dwi'n gwbod sut 'dach chi'n cynnal eich hunan. I be?'

Ysgafnchwythodd flewyn o flaen ei thrwyn.

'Pan es i Lausanne,' siaradodd ym mhen hir a hwyr, 'mynd yno nes i am fy mod i'n sâl. Ar y pryd do'n i'm yn meddwl fod gen i ryw lawer o amser yn weddill. Roedd gen i lwmp . . .'

'Lwmp?'

'Yma. Do'n i'm yn gwbod sut oedd deud. Ro'n i'n gwbod y basa chdi wedi mynnu dŵad hefo fi. Do'n i'm isio hynny. Fedrwn i ddim diodda meddwl amdana chdi wrth fy ngwely anga i. Mi feddylis mai'r peth gora fasa torri'r dyweddïad. Ond dyna'r peth anodda nes i 'rioed. Roedd y daith trwy Ffrainc yn artaith. Cydwybod ddrwg. O neud be nes i a gwbod cymaint y basa chdi'n poeni. Ac yn diodda. A gwbod hefyd 'mod i'n mynd i farw. Yn nhŷ Madame Pavilliard roedd 'na ŵr bonheddig o'r enw Monsieur d'Herbois yn aros. Llawfeddyg oedd o. Ddaeth o i'n stafell i un pnawn a dweud y galla fo'n iacháu i. Mi eglurodd be oedd yn rhaid ei neud. Mi ddiolchais i iddo fo ac addo y baswn i'n meddwl am y cynnig. Doedd gen i fawr o ddewis. Aeth y boen o ddrwg i waeth. Prin allwn i godi fy mraich dde. Trefnodd imi ddŵad i Baris hefo fo. Fues i'n lletya yn ei dŷ fo yn paratoi fy hun ar gyfer y driniaeth. Dydd a nos ro'n i'n meddwl am y peth. Be oedd waetha'? Marw? Neu fynd yn gwbwl effro o dan y gyllell. Dyna pryd y daeth y Tad Dumouriez ata i. I benlinio. A gweddïo. I gynnig cysur. I fynd â fi gerbron y Fam Fendigaid a'i Baban.'

Yn y tawelwch, canodd côr y deillion – coraid o gantorion yn canu salm – o rywla yr ochor draw i'r winllan.

'Cyrhaeddodd saith dyn mewn du mewn pedwar *fiacre*. Ro'n i'n eu gwylio nhw o ffenest y llofft. Wna i ddim manylu. Dim ond dweud imi sgrechian mor hir nes deffro babi dair stryd i ffwrdd pan aeth y gyllell trwy 'mron i. Hyd yn oed rŵan, mi fedra i deimlo'r haearn yn sgrafellu'r asgwrn er mwyn tyrchu'r drwg i gyd.'

'Ond erbyn hyn, ti'n iach?'

'Yn fy nghorff, ond nid fy enaid.'

'Be amdana i?'

Ceisiodd gyffwrdd â'i boch, ond trodd ei hwyneb draw.

'Addewid i'r Fam Forwyn. Dyna nes i. I gymryd Iesu'n ŵr.'

Llundain.

Yn hongian yng nghanghenna'r coed, roedd rhyw hwyrdawch pygliw tan awyr draeth. Tua meithder llwyd y gorwel lledai brynia coediog draw tu hwnt i feysydd ponciog a doldiroedd llydan. Dododd Iarll Foston ei law ar fraich ei Gofiannydd, ei gwasgu'n dyner a sibrwd yn dawel yn ei glust.

'Sgen ti'm rheswm i deimlo mor drist.'

'Tydw i ddim.'

'Nac wyt ti wir?'

'Na.'

'Be 'di'r gwyneb tirsiog 'ma? Mmmm? Yr holl ffordd o Baris ac ar y llong wedyn, ddeudist ti na bw na be wrth neb. Dim ond ista draw yn dawel bach ar dy ben dy hun o olwg pawb.

'Drycha, Polmont, gwada faint fyd fynno chdi, ond gad imi ddeud un peth, fel bo' ni'n dallt ein gilydd, unwaith ac am byth: fedri di na'r un dyn byw yn unman ar wyneb y ddaear guddio dim byd oddi wrtha i'n hir.'

A gwenodd Syr Feltham Royal wrth weld ei daid yn gwenu arno.

Y TEULU

Piccadilly.

Dan stafelloedd Polmont safai llyfrgell lydan. Silffoedd mawreddog o lyfra, rhesi ar resi o ledar du, a mapia a siartia yn gyfan gwbwl at ei wasanaeth. Yn fan'no y dechreuodd ar ei waith. Syllodd ar ganghenna'r dderwen hynafol yn 'mestyn nôl tros y canrifoedd. Y geni. Y priodi. Y marw. Yr olyniaeth o hanes nad oedd eto wedi terfynu, a phwy a wyddai sut y gwnâi? Pa eni? Pa briodi? Pa farw oedd eto i ddigwydd? Oherwydd manylder yr holl gofnodion, gellid yn hawdd olrhain ach Iarll Foston yn ôl i ddyddia William Goncwerwr, a llinach yr enwog Roger de Gernon a Herbert de Saccheville. Yn ystod teyrnasiad Edward II amlygodd y teulu ei hun trwy briodas Robert Trusbut ag Eleanor Belvoir, merch hyna ac unig etifeddes Thomas, Arglwydd olaf Roos.

Gellid olrhain ach gwraig gyntaf Iarll Foston i deyrnasiad Edward III. Disgynyddion i'r plant a anwyd iddo trwy briodas â Chatherine Swinford, merch Syr Payn Roet (alias Guyen) oedd hynafiaid Isabella Caroline. (A hefyd, trwy briodas â Blanch, merch Robert I, Iarll Artois, a oedd trwy briodas ei chwaer yn perthyn i'r enwog Marcwis Marius de Espinassy de Fontanelle, ac felly'n pontio dau o dai amlyca Ewrop). Llinach gref o farwniaid fu ei theulu a'r gorffennol yn pwyso mor drwm ar y presennol â choeden eirin yn ei chnwd tan deitla haeddiannol a phriodasa bwriadol.

Un o'r dynion hynota oedd hen daid y Fonesig Isabella Caroline, sef Iarll Cyntaf Hinchinbrook. Gŵr a fu â llwyr ofal tros y Llynges; ac y fo a dderbyniodd y fraint o gyflwyno'r llonga rhyfel ger bron y Brenin Siarl II (a'i dyrchafodd yn fuan wedyn yn Farwn Montagu a Iarll Sandwich am ei wasanaeth); ynta hefyd yn rhinwedd ei swydd fel Arglwydd Uchel-lyngesydd a drechodd yr Is-Almaenwyr yn y frwydr stormus oddi ar Fae Southfield ar Fai 28, 1672; ond a fu farw ddeuddydd yn ddiweddarach o'i glwyfa.

Oherwydd i'w fab farw yn ddyn ifanc (o ryw afiechyd ar

groen ei gefn), dyrchafwyd ei ŵyr yn Ail Iarll Hinchinbrook (g. 1701), a gwelodd yn dda i barhau â'r traddodiad teuluol o wasanaethu'r llynges gan ennill mawl a bri iddo'i hun drwy gaptena llong ryfel (20 magnel) yn India'r Gorllewin a difa haid o longa Ffrainc, a thrwy hynny warchod masnach a gwarineb yn y cwr hwnnw o'r byd. Tyfodd clod i'w enw a lledodd ei enwogrwydd. Yn 1725, pleidleisiodd Cynulliad Barbados i'w fendithio â rhyddfraint yr ynys a'i anrhydeddu â chleddyf aur deg pwys. Yn mis Mai 1732 fe'i dyrchafwyd yn Arglwydd Uchel-lyngesydd y Deyrnas. Flwyddyn union yn ddiweddarach, priododd â Hesther-Maria, merch hyna a chyd-etifeddes Dundas Thrale yn Leathim a'i thad, wrth gwrs, yn fab i'r enwog Syr James Dundas o Armiston, a hen ewyrth i Henry, Viscount Mellville.

Bendithiwyd Ail Iarll Hinchinbrook a Hesther-Maria a (1) Charles Noël, y barnwr presennol (g. 1717); (2) Gerard-Thomas, mewn urdda eglwysig (g. 2 Rhagfyr, 1719), priododd â Charolette-Sophia (Chwefror, 1743), merch y gwir anrhydeddus Syr Lucius O'Brien o Swydd Clare; ŵyr i'r enwog Lucius, nai i Anne Hyde, Duges Efrog, sef mam i'r ddwy Frenhines Mary ac Ann (3) Sidney-Charles (g. Mawrth 1723), a wasanaethodd yn y llynges ond a fu farw dramor pan drodd ei gwch a'i foddi oddi ar forglawdd Cadiz ym mis Tachwedd, 1743 (4) Isabella Caroline, (g. 1720), priododd â Henry Hobart, yr Iarll Foston presennol ar yr ail o Awst, 1743. Bu farw ar enedigaeth ei merch, Y Fonesig Frances-Hygia Royal, yn ystod oria mân y bore 10 Mawrth, 1745.

Mor ffodus oedd y teulu o allu adnabod eu cynhysgaeth. Ymdeimlo â hynt a helynt eu hen hynafiaid. Y fraint o deimlo'n rhan o batrwm y cenedlaetha; yn afon fechan yn llifeiriant mawr hanes. Câi Polmont bylia o deimlo yn genfigennus. Teimlo gwacter gwaeth o ddirnad maint ei amddifadrwydd. Mor bwysig oedd i ddyn ddysgu sut i barchu ei wehelyth a'i dras er mwyn rhoi gwydnwch yn ei waed a'i esgyrn. Sylweddoli hefyd mor bwysig oedd gwreiddia i roi sylfaen gadarn mewn bywyd er mwyn arbed dyn rhag troi'n ddieithryn yn y byd.

Ynta'n neb ond fo'i hun.

Ddaw neb fyth i'w le nes iddo ddŵad i'w adnabod ei hun. Ei adnabod ei hun yn onest hollol am yr hyn ydi o, meddyliodd. Sefyll yn noeth o flaen y drych a syllu'n ddyfn i gannwyll ei lygaid, i hanfod ei enaid. Os dysgodd ei waith ar Gofiant Iarll Foston unrhyw beth i Polmont, fe ddysgodd y wers honno.

Syr William-Henry Hobart.

Galwodd amryw byd o bobol heibio i Polmont o dro i dro. Ond ambell un yn amlach na'i gilydd. Gwyddai bob tro y byddai un dyn yn closio at ei ddrws oherwydd gallai ogleuo mwg tybaco ei getyn claerwyn hir o bell. Gwnâi ei ora glas i'w hudo bob gafael (trwy bob sut a modd) i giniawa yn Nhai Coffi newydd Stryd Fawr Jermyn.

'Temtio ydi peth fel hyn.'

'Dyn felly ydw i. Ddylsach chdi wbod yn well erbyn hyn.'

Tan wenu. Sad-gysidro. Penderfynu peidio a hynny am y rheswm syml i bob cinio droi'n swper ac y gwyddai Polmont na ddychwelai i'w wely tan y wawr ar ôl bod yn chwarae Ffaro wrth fyrddau Clwb Willis.

'Fiw imi.'

Nid ar chwara bach yr ildiai.

'Ti ar dorri, bron â marw isio dŵad, fedra i ddeud 'wrth dy wep di. Temtio, medda chdi. Be ydi temtasiwn ond rhyw deimlad yndda chdi sy' heb fod yn dda nac yn ddrwg ynddo'i hun. Paid â chwerthin, dwi o ddifri. Ti'n meddwl fod be bynnag sy'n perthyn i'r hyn ti'n 'i deimlo rŵan yn tarddu naill ai o 'mwriad i neu o dy agwedd feddwl di. Rwtsh! Ma'r drwg sy'n tarddu o'r demtasiwn eisoes yn y temtiedig, felly paid â 'meio i. Tyd. Dim ond newydd agor echdoe mae o. Y lle i fod. Y lle ichdi gael dy weld. Tyd i mi dy gyflwyno di yno. Dalith ar 'i ganfed ichdi rhyw ddydd. Ti byth yn gwbod.'

Ymlaen ac ymlaen.

Y Fonesig Maidstone-Susanna Royal.

Galwai heibio o'i thripia siopa i Saville Row a strydoedd eraill y cyffinia, i ddangos ei bodis sidan newydd, ei chlust-dlysa, ei phowdwr gwallt, ei pheli golchi *cyprian*, ei rhubana a'i photeli o sebon sent gwlith oplympia.

Ar adega, teimlai Polmont ei bod hi'n ei hudo. Ni allai fod yn siŵr p'run oedd hynny'n wir neu ai dim ond fo'i hun oedd yn dewis gweld eu sgyrsia mewn goleuni felly, oherwydd, dro arall, byddai yn ei anwybyddu'n llwyr a'i drin yn ddim byd gwell na rhyw bwt o was nad oedd uwch baw sawdl yn ei golwg hi. Gallai fod yn rhyfeddol o oriog.

Iarll Foston.

Pan alwyd Polmont i'w bresenoldeb, roedd yn llawn anogaeth, yn llawn cynghorion a charedigrwydd.

'Tasa amser yn caniatáu – ond mae gen i gymaint o betha i'w gneud, cymaint o bobol i'w gweld, cymaint o faterion y mae'n rhaid imi roi rhyw gymaint o sylw iddyn nhw, sgen ti'm syniad sut mae hi arna i rhwng y peth yma a'r peth arall, nes bydda i prin yn cael hoe i gael fy ngwynt ata weithia – ond mi garwn i yn fwy na dim roi mwy o f'amser iti na dwi'n 'i roi ar hyn o bryd. Yn ddelfrydol, mi garwn ni inni ista i lawr am o leia awr bob dydd yng nghwmni ein gilydd. A pham? I weld sut mae petha'n dŵad yn 'u blaena. Dwi am iti droi holl brofiada 'mywyd i'n llun cyflawn o ystyr. Dyna dy nod di. Mae angan nod mewn bywyd ar bawb. Heb nod, heb ddim. A chofia hefyd arwyddair y teulu . . .'

'Vincit omnia veritas.'

'Da was. Ti'n hogyn craff; ti'n sylwi ar betha a ti'n dechra dallt yr hyn sy' isio'i neud. A phaid da chdi â bod ofn fy mrifo fi. Bydd yn onest. Rowlia amser 'nôl fel hosan at dy ffêr. Tynn hi i ffwrdd, os ydi hynny'n well gen ti, a thafla hi o'r neilltu er mwyn iti allu craffu'n fanwl ar liw'r croen, patrwm y gwythienna, y blewiach mân a'r defaid a'r cyrn i gyd. Mae mwy o ôl bywyd dyn yn ei draed o'n amal nag sy'n rhycha croen ei wynab o. A fasa dim byd yn rhoi mwy o bleser i mi na meddwl fod mewn canrifoedd i ddod, fod miloedd, dega o filoedd neu hyd yn oed filiyna o ddynion ifanc, yn tyrru ata i o hyd fel bustych duon at ryd hen afon i yfed yn dawel o ddyfroedd ei doethineb.'

Cododd afal coch o bowlen ar y bwrdd a'i frathu'n fochlawn.

'Ti'n gweld, Polmont,' crensiodd yn swnllyd, 'darfod mae ôl pob llafur daearol yn ei dymor; pob un dim; does dim oll yn aros. Heblaw am adeilada mawreddog fel pyramidia'r Aifft. Dychmyga! I godi rhywbeth felly, mi fasa'n rhaid imi wrth gan mil o gaethion o leia a hanner canrif eto o fywyd. Does gen i mo'r amser. Dim ond y syniad tu cefn i 'mywyd i sy'n mynd i aros tros byth bellach. A 'nghymwynas ola i ar y ddaear yma

119

fydd dysgu dynion sut i beidio â syrthio i ffolineb. Achos edrych o dy gwmpas a mi heria i unrhyw un i sefyll i fyny a gwadu nad ydi hynny'n wir. Ti'm yn cytuno?'

'Yn llwyr.'

'Cenhedlaeth ar ôl cenhedlaeth yn dysgu trwy gamgymeriada; trwy boen; trwy ddagra; trwy ddioddefaint; trwy gamresymu; trwy gamgofio; trwy gael eu hudo i gredu fod rhyw ffordd well o fyw! Pshaw! Arbed poen i bob cenhedlaeth o hyn hyd ddiwedd amsar. Dyna'r nod i ti a fi. Rhoi anrheg oesol i ddynion; achos cau dy lygaid a dychmyga – cau nhw! – Cau nhw'n dynn! Dim sbecian slei bach arna i trwy dy gil rŵan ond edrach trwy lygad dy feddwl ar ryfeddoda canrifoedd sydd eto i ddod yn lledu'n ddyffryn gogoneddus. Uchelgeisia i weld! Cer yn dy flaen; dringa lethra serth y mynyddoedd anferthol 'na weli di'n y pellter nes cyrraedd copa mawredd a chroesa i lawr 'rochor bella i wledydd y dyfodol. A rŵan dychmyga weld pob tad trwy'r deyrnas yn rhoi dy lyfr di yn nwylo'i fab – fedri di weld hynny? – tan ddweud, 'Dyma iti lyfr, fy mab, ar sut i fyw yn ddoeth. Darllen o'n ofalus a dysga ohono fo.' Llyfr llawn syniada i ysbrydoli dynion y dyfodol. Er bod yn gas gen i syniada – fel syniada y *philosophes*. Wyddost ti amdanyn nhw?'

Cododd y Cofiannydd ar ei draed, gan deimlo'i goesa wedi cyffio braidd a phinna bach yn magu uwch ei ffêr.

'Ym Mharis.'

'Dinas pob drygioni, Polmont, lle mae syniada aflan yn basdarddu o gwteri duon i orlifo'n llysnafedd hyd ei strydoedd.'

'Y noson wnaethon ni gyfarfod am y tro cynta, Iarll Foston, syr, dyna pryd clywis i rei ohonyn nhw wrthi . . . Wrth inni gydfwyta. Ro'n i yng nghwmni'ch annwyl wraig a Syr William-Henry a merch ifanc o'r enw Mademoiselle Chameroi . . . Dwi'n cofio'r gŵr bonheddig 'ma yn sefyll ar ei draed i ddadla yn erbyn y *philosophes* trwy haeru . . . be oedd o'n haeru hefyd? . . . Alla i ddim cofio'n iawn, roedd 'na gymaint o fregliach o 'nghwmpas i . . .'

'Tria gofio.'

'Na cheir gwir ryddid ond mewn deddf.'

'Yn hollol,' cnodd Iarll Foston ei gil yn araf a'i lygaid melyngoch yn ara ymlaesu nes llonyddu'n llwyr i rythu i lygad ei gofiannydd, 'yn hollol. Does dim gwir ryddid ond mewn deddf. Elli di gofio chwaneg?'

Paris. Mor bell yn ôl oedd y cwbwl. Fel bywyd rhywun arall.

'Tria ddwyn i gof . . .' pwysodd arno.

'Emmm . . . Rhwbath am y Fall . . . Ddeudodd mai Plant y Diafol oeddan nhw pob un, Voltaire, Rousseau, Arouet, Diderot, d'Alembert . . .'

'Pwy oedd y gŵr doeth 'ma? Wyt ti'n cofio'i enw fo?' Methodd a chododd ei ysgwydda.

'Roedd o'n llygad ei le beth bynnag. A pham? 'Chydig iawn sy' wedi sylweddoli pa mor wirioneddol beryglus ydi'r dynion dieflig yma. Ffantasïa. Dyna sy' ganddyn nhw. Syniada sy' heb eu profi ar engan bywyd. Dysgeidiaeth ffals sy'n croesi natur, baeddu rheswm a maglu gwir ddedwyddwch dyn. Gwrthryfel plentynnaidd, rhyw strancio anaeddfed yn erbyn y cyflwr dynol ei hun. Anghristnogol hefyd. Does ryfedd fod rhywun fel Esgob Parva'n poeni ei enaid yn swp wrth feddwl fod dynion yr oes yma yn dyrchafu eu calonna tuag at eu cyd-ddynion mewn ysbryd o brydferthwch ac yn bwrw o'r neilltu wir brydferthwch ein Gwaredwr. A dyna pam mae'n rhaid i rywun fel fi gydnabod pwysigrwydd gair ar bapur o fyfyrdod meddwl dyn 'tae ond er mwyn chwalu syniada hanner pan. Edrach arna i – edrach yn syth i 'ngwynab i, edrach i fyw cannwyll fy llygaid i – a deud yn onest y gwnei di dy ora glas i'n helpu fi a thrwy hynny helpu'r byd rhag cyfeiliorni?'

Addawodd Polmont. Wrth hanner camu trwy'r drws, fferrodd Iarll Foston a hanner troi yn ôl tuag ato; oedi, codi ei fys – fel petai newydd gofio rhywbeth – a dweud, 'Tynna wersi i ddynion ar sut mae dysgu byw yn gyfiawn, Polmont. Trosa; dysga; doethineba; a phaid â bod ag ofn deud y gwir.'

'Does arna i ddim.'

''Falla fod ffasiwn y dydd o blaid y dynion yma; ond cofia mai ffasiwn ydi o. Mae'r natur ddynol yn gyson o'i hanfod. Mae'r gwirionedd oesol am y cyflwr dynol yn eiddo i ni. Yn y diwedd, mae'n rhaid inni gyd – y chdi, y fi, y prif weinidog a'r canghellor ro'n i'n swpera hefo nhw neithiwr – pawb ohonan ni – gan gynnwys y cardotyn drewllyd 'na ddaeth at y drws i fegera bora 'ma – ofyn iddo'i hun be ydi o.'

'Ddim *pwy* ydi o?'

'Naci, Polmont. *Be* ydi o. Neu heb hynny does mo'r fath beth â chymdeithas. Y plethwaith cyfrin yma o ymwneud â'n gilydd er gogoniant i Dduw. Achos dal di ddrych gonest i gymdeithas ac ei di'm yn bell o dy le. Dyna pam na alla i ddim pwysleisio mor bwysig ydi ichdi baentio 'mywyd i fel darlun o rwbath amgenach na fo'i hun, rhwbath sy'n crynhoi ein cyfnod ni, ond eto'n fwy na hynny hefyd. Ymdrech tuag at fawredd ddylai bywyd pob dyn fod.'

Y noson honno.

Am y canfed tro gofynnodd Polmont iddo'i hun a oedd o'n gymwys i'r gwaith? A'r ateb yn syml oedd nad oedd o ddim. Gwyddai hynny yn nwfn ei galon; gwbod nad oedd ganddo y gallu i gyflawni yr hyn yr oedd Iarll Foston yn ei alw amdano. Roedd ei noddwr yn fodlon talu ffortiwn fechan. A gwaith oedd gwaith; ac roedd yn rhaid iddo ynta fel pawb arall ennill ei damaid a'i lymaid. Ni fyddai'r gyfraith ar ei war; ni fyddai drws carchar yn agor o'i flaen. Byddai'n ad-ennill ei le mewn cymdeithas a gallai ddal ei ben cyn uched ag unrhyw ddyn.

Byddai eto'n nofio yn yr afon . . .

Wythnos union wedyn.

Ar achlysur dathlu pen-blwydd ei Fawrhydi bu Miss Swinfen-Ann a Miss Styal yn y Llys, pan ymbresenolodd y Brenin a'r Frenhines yn eu hystafelloedd. Cyfarfod oddeutu dau o'r gloch gan aros yno hyd hanner awr wedi pedwar yng nghwmni Tywysog a Thywysoges Cymru, ynghyd â Dug Portland, Arglwydd North, Arglwydd Stormont, Arglwydd Carlisle, Iarll Wellingborough a Mr Fox, nes peri i'r ystafell fod yn fwy poblog nag arfer.

Roedd yno nifer helaeth o wragedd hynod brydferth – a dyfynnu o'r erthygl o'r *Ledger* (a oedd o flaen Polmont ar y bwrdd) – Iarlles Foston mewn gwisg sidan loyw, a'i dwy ferch – y ddwy decaf oll ac a ddenodd sylw pawb, yn enwedig Tywysog Cymru, oedd Miss Swinfen-Ann a Miss Styal. A hon oedd hi (darllenodd Polmont hi lu o weithia), uwchlaw'r cwbwl, y frawddeg hollbwysig –

"*. . . ymhoffodd ef yn fawr eu dull o ymgomio yn uchelfrydig gan gyfranogi ag ef mewn amryw syniadau ynghylch y dulliau gorau o addysgu merched ifanc; hawdd dweud eu bod ill dwy o waedoliaeth a magwraeth dda . . .*"

Galwai'r ddwy heibio yn y prynhawnia pan fyddai wrth ei

waith yn nhawelwch y llyfrgell. Weithia ar eu penna eu hunain, dro arall hefo'i gilydd. Dychwelai Miss Styal lyfra a benthyca rhai eraill. O'r braidd y dywedai ddim. O'r braidd y byddai'n mentro camu trwy ddrws y llyfrgell ond synhwyrai Polmont weithia ei bod yno yn sefyll yng nghil y drws yn ceisio magu plwc i guro a cherdded i mewn. Codai ynta i'w agor a hitha'n gwingo yno yn ei swildod. (Cyn hynny gyrrodd forwyn i 'mofyn llyfr, ond roedd honno'n anllythrennog a rhoddodd Polmont lyfr na ofynnodd Miss Styal amdano o fwriad er mwyn ei thynnu draw).

Miss Swinfen-Ann.
Tua diwedd yr wythnos daeth draw i dynnu arno (fel y gwnâi bob hyn a hyn). Rhyw chwara mig; rhyw dynnu coes a hynny'n llawn direidi. Cripian yn dawel i mewn ar flaena'i thraed; closio'n dawel, a gweiddi yn ei glust, 'Bw!'
Wedyn byddai'n gwneud rhyw sŵn fel iâr yn cocian. Ynta wedi dychryn a neidio a'r inc o'r corn ifori gwyn wedi baeddu ei fysedd.
'Dratia!'
Dro arall byddai'n sbecian tros ei ysgwydd, ei dwy law ar y bwrdd a'i chorff yn siglo yn ara o'r naill ochor i'r llall; ei thafod yn ara lyfu'i gwefus isa. Bob tro y gwnâi hynny, ni allai roi ei feddwl ar waith na gwneud y nesa peth i ddim ond teimlo gwres ei chorff; a'i drwyn yn waglo yn ei pherarogla. Ond ffin fain iawn oedd rhwng ei direidi a'i gwawdio ac ar adega ni allai fod yn siŵr ar ba ochor yn union y safai.
'Pa mor bell wyt ti wedi cyrraedd?'
Gofynnai yr un cwestiwn bob tro ac atebai yntau yr un fath.
'Y dyddia cynnar.'
'O hyd?'
'Mae 'na dipyn o waith rhoi trefn ar y cwbwl.'
A mwy fyth o dindroi gan fod Iarll Foston byth a beunydd yn gyrru chwaneg o ddeunydd ac o ddogfenna a llwythi o lythyra i drio eglur-brofi hyn a'r llall ac arall ynglŷn â manion ei blentyndod. Ceisiodd ei rhwystro (ond roedd hi'n chwim) rhag codi dalen, ond dyna a wnaeth gan gamu am draw i'w darllen er iddo stryffaglio i geisio ei chipio'n ôl.
'. . . *does dim rhyddid, dim ond sawl math o anrhyddid,*' darllenodd

ar goedd tan ddechrau pwffian chwerthin, 'Myn rhai dynion mai rhyw rodd o law Duw ydi dyhead am beth o'r fath ac y dylai dynion ym mhob man tan haul y greadigaeth ymladd hyd at angau er ei fwyn . . .'

'Mestynnodd Polmont ẹi fraich amdani a'i law ar agor.

'. . . Camresymu erchyll ydi hyn.'

Cododd; hanner camodd tuag ati. 'Ga i hi'n ôl, os gwelwch chi'n dda?'

Brasgamodd ar ei hôl o gwmpas y bwrdd.

'. . . O fodolaeth Duw ei hun y daw goleuni, hapusrwydd a threfn ond amwys a thwyllodrus ydi rhyddid a hawliau sy'n gallu troi mor hawdd ag awelon braf yr haf yn derfysgoedd duon sydyn iawn yn nwylo'r Diafol.'

Cafodd y blaen arno – fel y gwnâi bob tro. Gwibiodd, ysgafn hedodd fel blaen pluen ar y gwynt, rhedodd ynta'n gynt a chynt, torrodd hitha i chwerthin wrth ei weld yn rhusio a'r dalenna yn fflitio o'i hôl.

'Miss Swinfen-Ann!'

Sgrechiodd yn waeth-waeth wrth iddo gythru ar ei hôl. Roedd hi'n gynt ei throed. Disgynnodd cadair ar ei chefn yn blonc. Stondiodd Polmont, sydyn droi ar ei sawdl a rhuthro i'w chyfwrdd a rhedodd hitha ar ei phen i'w freichia. Roedd ei hanadl yn fyr; a'i chorn gwddw'n curo. Chlywodd yr un o'r ddau y drws yn agor, na Mr Barlinnie yn sefyll yno gan edrych yn ddu.

Gwenodd Miss Swinfen-Ann; ei dadfachu ei hun o'i freichia, chwerthin yn smala, hanner tynnu ei thafod ar Mr Barlinnie wrth gerdded allan. Cwrcydodd Polmont o gwmpas y bwrdd gan hel llythyron Iarll Foston at ei gilydd. Clywodd Mr Barlinnie uwch ei ben yn dadlwytho pentwr o ddogfenna yn blwmp.

'Cyfrifon mewnforio, allforio y blynyddoedd cynnar.'

Diolchodd Polmont iddo; eisteddodd; cydiodd yn ei ysgrifbin a'i dowcio yn y corn inc ifori.

'Oes rhywbeth yn bod, Barlinnie?'

Safodd y gŵr mewn du yn ei unfan.

'Os byddwch chi isio help llaw, peidiwch â bod yn rhy swil i ddŵad ar 'y ngofyn i.'

'Siŵr o neud.'

Trodd am y drws ac oedi. Dychwelodd ato a hefo'i lygaid duon (a'i wên fewnol, dawel) rhythu i'w wyneb a dweud â rhyw angerdd rhyfedd, 'Rhaid ichi gymryd gofal, rhag ofn i'r ferch 'na'ch witsio chi.'

Gwyliodd Polmont ei gefn du yn cilio.

Pont Llundain.

Rai nosweithia'n ddiweddarach, dychwelodd Polmont at yr union fan lle newidiodd rhawd ei fywyd. Gwasgodd ei gledra ar y garreg oer – ar yr union fan y gwasgodd nhw yn ei anobaith gynt – a dwyn y teimlad i go: y teimlad fod y byd ar ben. Syllodd i lawr i'r afon a llong mor hir â stryd yn llithro oddi tano. Bu mor agos at y dibyn ag y gall dyn fod. Caeodd ei lygaid a chofio sŵn y fwyell. Wedyn dwy. Pan wrthododd y drws ildio i'w pwysa maluriodd y Beili a'i weision y coedyn yn siwrwd hefo nerth tair. Ynta'n llipa wylio'r cwbwl o'r ochor bella i'r stryd. Gwylio gwagio dodrefn a brynodd â'i arian ei hun; dillad yn cael eu lluchio trwy ffenestri'r llofft; torf yn hel i'w mwynhau eu hunain; i bigo bargeinion; cynhaliwyd rhyw ocsiwn ffwrdd-â-hi yn y fan a'r lle o'i eiddo i gyd; y cwbwl yn diflannu o dan ei drwyn ac ynta'n hollol ddiamddiffyn.

Roedd allan ar y stryd heb gyfaill yn y byd. Roedd fel camu 'nôl i'w blentyndod. Cofiodd fel yr yfodd ei hun yn chwil. Yng ngwres yr ha aeth i gysgu allan o dan friga castanwydden ar Gaea Toothill hanner ffordd rhwng y Bragdy a'r tyrnpeg. Y noson wedyn, hanner hepian yn feddw ar fedd llydan ym Mynwent Eglwys Santes Margaret. Y lle agosa o ddrws cefn Tŷ Potas yr Angor Glas wrth droi i lawr Lôn Gardener i Stryd y Capel.

Mor fywiog oedd mynwentydd yn y nos. Od fel mae dyn yn gallu anghofio cymaint. Pob math o boblach yn mynd a dod. Dychrynodd am ei hoedal un noson wrth weld ysbryd du. Neidiodd a baglu draw, disgyn tros ben bedd arall a wardio yn ei gysgod yn hanner meddw, hanner effro. Gwraig weddw â phenwisg sidan du a dolen dan ei gên. Syllodd ar y bedd; dododd flaena'i bysedd arno.

Craffodd arni: ei thalcen uchel, llydan, ei chroen rhychiog ac arno ôl y frech – fel 'tae rhyw gythral rhywdro wedi rhedeg â hoelion caled ei garna dros ei hwyneb. Symudai ei gwefusa: yr ucha'n feinach na'r isa a phan drodd i gerdded oddi yno, oed-odd eiliad i syllu arno â'i llygaid gwyrddion. Wrth iddi gerdded tua'r glwyd siffrydodd rhywbeth yn y gwelltiach. Penliniodd. Clywodd hi'n sisial galw i'r hanner gwyll, 'Chdi sy' 'na?'

Llusgodd rhyw hen gojiar â chefn crwca, truenus tuag ati.

Holodd y wraig yn isel, 'Ydi o wedi dy feddwi di eto?'

Nid atebodd. Rhynnai'r hen ddyn yn llawn poen annwyd; yn tisian a thisian – 'ahw!' 'ahw!' gan grecian tuchan carthu fflem a phoer. Dododd hitha rywbeth dros ei ysgwydd.

'Rhag 'i gwilydd o. Rhag 'i gwilydd o ddeuda i am beidio â dŵad â chdi yn dy ôl ata i . . .'

Ciliodd llais y wraig. Yn llipa a llawn gwayw llusgodd yr hen ddyn wrth ei hochor a'i dywys i'w choets ddu. Henaint. Dyn a'i esgyrn wedi eu trechu gan anfadwch y tymhora. Ai fel yna fydda i? meddyliodd Polmont o gael ei le yn gynnes yn y glaswellt. Erbyn y bore bach, teimlai yn druenus. Y cwrw wedi oeri ei gorff; ei ddannedd yn rhincian; ei wefusa'n llwydion; a'i wedd wrth iddo syllu arno'i hun mewn ffenest siop yn welw.

Crwydrodd y ddinas.

Treuliodd nosweithia'n rhynnu'n ddiamcan. Cerdded y strydoedd. Marchnad Covent Garden. I lawr tua'r Fleet. Heibio i'r Carchar. Marchnad Newgate. Cwrcydu yng nghysgod tai yn Pater Noster Row. Ar draws Iard Sant Paul tan gysgod yr Eglwys. I lawr at yr afon at Risiau Trigg i wylio llonga'n dadlwytho glo ar y dorlan bella. Yn hwyr rhyw bnawn safodd ger Tŷ Magdalen yn gwrando ar buteiniaid llipa yn canu emyna i nifer o gyfoethogion. Er ei bod hi'n ganol ha dechreuodd fagu peswch.

Doedd o ddim wedi bwyta dim ers amser. Un noson gwthiodd ei drwyn i agerfa boeth i ogleuo pysgodyn mewn saws garlleg yn gwasgu'n sgwâr trwy dwll o sŵn a stêm rhyw gegin. Dro arall bu'n sefyllian am hydoedd mewn ffenast siop yn gwylio bwtshiar yn bilwgio asenna fesul un. O'r trawstia crogai chwarteri blaen a chwarteri ôl; coesa gleision, hanner mochyn a phalfais oen. Ei geg yn glafoerio uwch haena o gigoedd gwynion; cigoedd cochion, powlenni o groen bol, dolenni o iau a darna mân o frithgigoedd. Siaradai'r bwtshiar am gig pen dafad; siarad am ferwi a berwi siarad, yn mwydro pen rhyw wraig fras fel y bydd bwtsheriaid wrth hogi min ei li â chalen lwyd.

Bu'n ail-fyw newyn ei blentyndod. Cododd hynny atgofion eraill, nes y methodd â chysgu o gofio'r atgo cynta un. Cryndod; düwch; llwch a lleisia'n galw trwy ryw gysgodion . . .

Syr Swaleside.

Pan gerddodd allan o'r Senedd roedd hi eisoes yn tywyllu. Oedodd i wthio snyff i fyny ei drwyn o focs bach arian a'r gair *Voltaire* wedi ei naddu arno. Ei jôc fach o a ffordd fach hawdd a smala – ond effeithiol iawn – o wylltio'i dad yn gacwn. Nid ar chwarae bach roedd codi gwrychyn dyn fel Iarll Wellingborough ond roedd gweld enw'r Ffrancwr (heb sôn am ddim byd arall) yn ddigon i'w yrru'n hollol honco hurt o loerig.

Sniffiodd yr aer.

Blas gwynt a rhew, heb os nac oni bai. Dyn y gaea oedd Syr Swaleside ac nid dyn yr ha. Am yr hydref a'r gwanwyn wedyn doedd o'n hitio fawr y naill ffordd neu'r llall, ond parai gormodedd o haul a gwres iddo deimlo'n annifyr yn ei groen – peri iddo deimlo fel ei grafu ei hun fel ambell hen gi go dew wrth deimlo'i waed yn berwi – ac yn boeth ei ben a braidd yn flin. Crefai ystafelloedd oerion a chysgodion coed.

Hanner awr ynghynt (neu 'falla fwy) gorchmynnodd ryw glerc seneddol i 'mofyn coets. Doedd dim golwg ohoni byth. A doed a ddelo, doedd o ddim yn mynd i gerdded cam; ddim dros ei grogi roedd o'n mynd i roi un droed o flaen y llall a mynd o A i B. Roedd yn gas ganddo gerdded. Dim ond pobol heb ddigon o fodd i fyw oedd yn gorfod mynd ar drugaredd eu dwy droed a'u dwy goes. Doedd o ddim wedi cerdded mwy na dau neu dri chan llath ers blynyddoedd. Roedd yn gas ganddo gerdded mor bell â hynny hyd yn oed.

Daeth y goets ac aeth â fo i Covent Garden.

Ebychodd yn llaes wrth feddwl fod noson hir iawn o'i flaen. Noson ddiflas hefyd. Addawodd ddilyn ei Dad a'i Fam i Dŷ Iarll ac Iarlles Foston yn Piccadilly. Addawodd na fyddai'n hwyr. Y dyweddïad. Noson i'r ddau deulu gyfarfod er mwyn trafod pwy fath o ddathlu a fyddai'n addas a phawb yn rhoi ei big i mewn a phawb yn siarad, pawb yn cyfrannu, pawb yn mynnu dweud ei bwt. Yr Iarll yn waeth na neb gan ei fod yn ddiarhebol, a doedd dim posib rhoi taw arno unwaith y byddai wedi dechrau bwrw drwyddi, a phawb yn gorfod gwrando. Neu o leiaf gogio gwrando fel y gwnâi bron bawb a oedd wedi clywed ei storïa fwy nag unwaith.

Miss Swinfen-Ann.

O'r braidd y meddyliai amdani fel merch ond yn hytrach fel rhyw sŵn a lliw a symud tragwyddol, yn gyffro ac yn cyffroi ar y mymryn lleia yn llawn o ryw rialtwch. Gwyddai y byddai byw hefo hi yn waith llafurus; os nad yn annioddefol. Gwyddai y byddai yn ei lethu. Gwyddai y byddai mor frwd o blaid y peth yma a'r peth arall; ar dân i dderbyn y gwahoddiad yma a'r gwahoddiad arall nes llenwi eu nosweithia â chwaneg o sŵn a lliw a symud.

O orfod dewis rhwng y ddwy byddai'n well ganddo ei chwaer. Roedd hi'n dawelach o'r hanner ac yn hynny o beth yn llawer nes at ei anian o. Er ei bod hi'n darllen gormod o'r hanner; yn darllen nofela byth a beunydd a Duw a ŵyr pa fath o sothach oedd yn mwydro yn ei phen. O briodi Miss Styal yn lle Miss Swinfen-Ann byddai ei fywyd yn wastatach. Os priodi o gwbwl . . . Roedd ei dad yn mynnu. A doedd ganddo mo'r ewyllys i'w wrthwynebu. Roedd o'n mynd i oed a'r dyddia'n trotian yn ddiaros heibio . . .

Y Bagnio.

Dringodd Syr Swaleside yn ara, un droed yn cael ei gosod yn llafurus o flaen y llall, i fyny rhes o risia culion, cam. Cyrhaedd-odd ben y grisia a theimlo rhyw hen gosi ym mlaen ei gwd. Oedd o wedi dal rhyw aflwydd? Byddai'n rhaid iddo ei olchi ei hun mewn soser o lefrith gafr fel deudod rhyw aelod seneddol arall wrtho . . . Anodd cofio pryd y bu wrthi ddwytha. Neu ai dim ond rhyw hen fin dŵr oedd wrthi'n chwarae mig wrth ei rwbio'i hun yn erbyn brethyn ei glos. Weithia teimlai Syr Swaleside braidd yn big a phiwis fod un darn ohono yn mynnu bihafio yn ôl ei fympwy. Ceisiodd ei reoli fwy nag unwaith, ceisio deddfu trosto fel trin a thrafod mesur ar lawr y Tŷ. Tra oedd yn hanner hepian wrth wrando ar ryw seneddwr yn rhygnu trwyddi byddai'n teimlo blys ei afl yn codi yn ddi-reswm. Byddai'n cau ei lygaid a cheisio ei orchymyn i orwedd yn wastad fel ci mewn cae ar glywed chwiban – ond roedd gan ei gwd ei ewyllys ei hun ac roedd mor wyllt ac anystywallt â rhai o benboethiaid y pamffledi radicalaidd.

Aeth i'r ystafell.

Safodd yno ennyd tan glip lygadu yn y gwyll. Daeth hi i mewn â channwyll yn ei llaw. Dadwisgodd o'n hamddenol. A chofiodd eistedd ar lin ei daid yn hogyn bach. Roedd yn seneddwr o bwys ac yn gredwr mawr mewn llywodraeth bendefigaidd a threfn odidog a gyfrannai burdeb rhyddid i bawb. Cofiai sut yr edrychai ei daid ymlaen yn frwd at dymor newydd pob senedd, a oedd fel gwanwyn arall ac yn gyfle i hau, chwedl o. Gobaith ei daid oedd gorchuddio egin hada deddfa â chaenen wrtaith dadl deg a'u gwarchod a'u ham-ddiffyn wedyn trwy bob sut a modd rhag rhew'r protestio o'r tu allan, yn y gobaith y byddai gwres yr ha'n aeddfedu'r cwbwl yn gae o ŷd.

Gorweddai Syr Swaleside ar y gwely yn ei gwylio, tra dad-wisgai hi. Gwrandawodd ar y lleisia creision yn ffritian-ffrwtian trwy berfeddion dynion oddi tano nes codi'n bylia o chwerthin ysbeidiol. Bob hyn a hyn wedyn codai pydew o chwerthin dwfn o geubal gŵr y stafell 'gosa.

Ar hap y gwelodd Syr Swaleside y ferch. Cael cip arni'n hanner noeth trwy gil y drws wrth gerdded allan rhyw fis ynghynt. Cofiodd fod ei geg yn sych a'i wddw'n grimp. Hitha ond newydd orffen hefo rhyw ŵr bonheddig a oedd newydd adael a'i ogla sur yn dal i orffwyso ar yr aer. Gwisgodd yng ngola'r gannwyll. Blêr iawn oedd ei stafell: gwely'n simsanu ar deircoes; bolster budur, dau obennydd rhacsiog, carthenni wedi'u cicio'n dwmpath. A chadair bren a welodd fywyd gwell yn crefu ar rywun i'w hatgyweirio. Llipa hongian hwnt ac yma roedd ei dillad neu'n gorwedd o dan draed. Doedd dim byd casach gan Syr Swaleside na blerwch.

Daliodd hitha ddrych â chrac ynddo o flaen ei hwyneb.

Gwenodd arni hi ei hun. Dododd y drych o'r neilltu. Powl-iodd ei gwallt tros ei thalcen; sgrafellu ei chorun â'i bysedd. Syllodd ar ei gwar; syllu ar wynder ei chefn. Cododd ei phen a'i daflu 'nôl a'i gwallt yn nofio. 'Mestynnodd ei dwylo yn uchel uwch ei phen a syllodd ar ei cheseilia lleithion yn drwch du o flew. Dododd ei bysedd mewn celwrn a thaenu diferion tros ei hwyneb a hwnnw'n ei hoeri. Aeth at y gadair bren a thynnu hosan am ei throed tan fwmian canu'n dawel o dan ei gwynt.

Pan alwodd y tro wedyn, holodd amdani.

Gorweddodd yno a'r ferch yn llithro i fyny ac i lawr; i fyny ac i lawr ei goc heb yngan yr un gair. Dyna pam roedd mor fodlon talu iddi. Ei mudandod oedd ei mawredd. Doedd Syr Swaleside ddim yn hoff o siarad. Er iddo dreulio tymor yn y Senedd roedd eto i areithio. Cofiodd ei diwtor yn Eton yn dweud wrtho un tro fod pob dyn yn dysgu mwy o lawer trwy ddynwared ymarweddiad dynion doeth. Doedd angen dim byd arall ar ŵr bonheddig mewn bywyd ond gwybod sut i ymddwyn a'i gynnal ei hun yn gyhoeddus. Dyna paham na thrafferthai ddarllen ac ni allai feddwl am ddim byd mwy di-chwaeth nag ysgrifennu a bwrw ei feddwl i brint.

Ei ofid penna mewn bywyd cyhoeddus oedd gwneud mwy o ddrwg nag o les. Gadael petha'n union fel ag yr oedden nhw oedd galla bob tro. Gadael cymdeithas i fagu'n reddfol 'nôl ei phwysa hi ei hun heb unrhyw ymyrraeth fwriadol. Ymsuddo'n foethus i geidwadaeth aeddfed oedd penna nod pob gŵr mewn bywyd. Cydnabod yr hanfodion. Duw yw Duw yn ei fawredd tragwyddol. Crist yw Crist ar y groes. Dyn yw dyn. Dynes yw dynes. A dylai plant ufuddhau i'w rhieni. Gwenodd yn dawel (gan nad oedd ganddo fyth mo'r egni i chwerthin) wrth sydyn gofio am ei flwch *Voltaire*. Oedodd y ferch fud wrth syllu arno'n ei hansicrwydd. Meddalodd ei godiad a chydiodd yn ei goc a oedd fel sliwan lithrig. Dododd ei fysedd dan ei ffroena ac ogleuodd ei gwres.

Cododd ar ei eistedd a'i flys wedi troi arno'i hun. Yn sydyn, roedd y stafell yn anarferol o boeth a chlòs a theimlodd fod y gronglwyd yn gwasgu arno a'i fygu. Ond buan y ciliodd y teimlad fel pob teimlad arall a godai ynddo o bryd i'w gilydd. Gŵr o deimlada gwastad iawn oedd Syr Swaleside; gŵr a wnâi yn siŵr na fyddai dim oll yn peri iddo gynhyrfu ynglŷn â dim. Daeth drosto bwl o flinder mwya sydyn ac agorodd ei geg i'r pen. Teimlai fod llawer gormod o ruthro o gwmpas; gormod o ferwi ac o ddadla ynglŷn â syniada o bob math. Roedd hyd yn oed Iarll Foston – ei ddarpar dad-yng-nghyfraith – wedi ei rwydo yn y frwydr yma. Ac i be? Doedd dim byd newydd tan haul y greadigaeth. Dim ond yr un hen syniada yn mynd i mewn ac allan o ffasiwn o genhedlaeth i genhedlaeth a'r byd druan yn troi fel olwyn melin a'r syniada hynny a fu mor feiddgar a herfeiddiol ugain mlynedd 'nôl heddiw mor gyffredin â chymyla.

Pam roedd dynion mor barod i ferwi eu penna?

Piccadilly.

Gorffennodd Polmont yn gynt nag arfer y noson honno, oherwydd bod Iarll Foston yn mynnu ei fod yn y swpera wrth fwrdd y teulu er mwyn iddo ddod i adnabod Iarll ac Iarlles Wellingborough a'u mab, Syr Swaleside, a oedd i ddyweddïo â Miss Swinfen-Ann a'i phriodi. Pan gododd ei ben o'i bapura, roedd hi wedi tywyllu a ffenestri Tŷ Buckingham draw ar draws y parc wedi eu goleuo. Cododd a chamu at y ffenestr. Roedd hi'n glawio'n drwm a choetsus yn sblashio trwy bylla a phobol y stryd yn sgrialu.

Crafodd ei foch.

A phendronni ennyd cyn dychwelyd at y bwrdd a thynnu'r gannwyll yn nes ato fel y medrai daro ei lygaid eto tros y ddogfen.

Priodwyd Isabella Caroline (g. 1720) a Syr Henry Hobart, Iarll Foston (g. 1715) ar yr ail o Awst, 1743. A'u plant oedd, (1) Edward Noël Henry Hobart (g. Ebrill 1744), Llywodraethwr presennol Paradwys; (2) Frances-Hygia Royal née Hobart (g. 10 Awst, 1745); priododd â Syr Walton Royal, Cyn-lywodraethwr Paradwys o 1764 hyd ei farw. Ar yr ail o Chwefror 1762 roedd eu priodas. Ganwyd iddyn nhw (1) Syr Feltham Royal Henry Royal (g. 1763); (2) Stocken-Letitia Clerent-Languarant née Royal (g. 1765).

Priododd Iarll Foston am yr eildro â'r Fonesig Anna-Maria ar y chweched o Hydref, 1754. A'r plant a anwyd oedd (1) Roger-Henry Hobart (g. 1755; marw 1758) (2) Robert-Henry Hobart (g. 1757; marw 1762) (3) Syr William-Henry Hobart (g. 1759); (4) Phillip-Finley Hobart (g. 1761; marw 1762) (5) Miss Swinfen-Ann (g. 1763) (6) Miss Styal (g. 1765).

Dau beth a drawodd Polmont braidd yn chwithig. Yn gynta, nid oedd fawr o hanes teulu ail Iarlles Foston ar gael yn unman, ar wahân i nodi'r ffaith i'r briodas gael ei chynnal yn Eglwys Gadeiriol Port Royal a'i bod hi'n ail ferch i fasnachwr coffi o Damascus o'r enw Abraham Van Slang. Ac yn ail – ond yn bwysicach o'r hanner – doedd dim sôn o gwbwl am Mr Francis Hobart ar gyfyl unrhyw gofnod neu hanes y teulu.

Nid oedd yn blentyn naturiol. Fe'i ganwyd y tu allan i ddwy briodas yr Iarll mae'n rhaid. Pa reswm arall oedd tros ei esgeuluso a'i anwybyddu? Mae'n rhaid fod hynny'n wir oherwydd cofiodd Polmont y sgwrs a fu rhyngddo a Syr William-Henry Hobart, funuda cyn iddo ei gyflwyno yn swyddogol i'w dad yn nhŷ Monsieur Clerent-Languarant ym Mharis, pan siarsiodd o i anwybyddu Francis Hobart.

'Be bynnag ddeudith o heno, dim ots be, paid â chymryd ffwc sylw o'r un gair ac os dalith o ati i dynnu'n groes a chodi helynt, mae o'n gwbod 'mod i'n gwbod rhywbeth amdano fo na fydda i ddim yn fyr o'i droi'n 'i erbyn o.'

Y cwestiwn a ofynnodd Polmont iddo'i hun wrth gwpanu'r gannwyll a'i chwythu oedd: a oedd Iarll Foston am ei gydnabod yn y Cofiant o gwbwl?

Miss Swinfen-Ann.

Daeth at Polmont wrth iddo gamu i lawr y grisia tua'r cyntedd mawr i sibrwd yn ei glust, 'Ti'm yn mynd i goelio hyn.'

'Coelio be?'

Gwasgodd ei llaw tros ei cheg i atal ei chwerthin.

'Coelio be?'

'Mae o'n gneud 'run peth bob tro, dwi wedi sylwi.'

'Pwy'n gneud be?'

'Wna i mo'i enwi fo,' sbeciodd tros ei hysgwydd (er y gwyddai'n iawn nad oedd neb yno'n gwrando), tywys Polmont ger ei benelin draw at ddrws stafell fechan Mr Barlinnie a sibrwd yn dawelach yn ei glust, 'cyn diwedd y nos heno mi fydd 'na un gŵr bonheddig wedi gneud ei ddŵr ym mhoced rhyw ŵr bonheddig arall.'

Chwarddodd y Cofiannydd.

'Shwsh i chwerthin! All o'm helpu'i hun.'

'Chlywis i'r ffasiwn beth . . .'

'Gei di weld.'

Daeth Mr Barlinnie i'r fei gan edrych yn bruddach nag arfer; fel dyn yn gwisgo lliain elor tros ei ysbryd.

'Oes rhywbeth yn bod?' holodd Polmont.

'Newydd glywed ydw i na fydd Iarlles Foston yn swpera heno.'

'Pam? Be sy'n bod?' holodd Miss Swinfen-Ann.

Diflannodd i fyny'r grisia. Syllodd Mr Barlinnie ar Polmont a dweud, 'Dwi wedi gweld cysgod y ferch yna yn witshio dynion.'

'Dwi'n abal ddigon i edrach ar ôl fy hun,' atebodd Polmont.

Glaswenodd y Prif Was yn dawel. Dychwelodd Miss Swinfen-Ann o fewn hanner awr a chafodd Polmont ar ddallt fod ei mam wedi dewis ei neilltuo ei hun yn ei hystafelloedd. Y prynhawn hwnnw fe aeth i weld ei gwrach-ddynes. Darllenodd honno ei dwylo; darllenodd arwyddion y sêr; ond rhywsut – yn ôl be ddeudodd Miss Swinfen-Ann – fe gododd rhywbeth, a welodd neu a glywodd (gwrthododd ddweud be yn union) ofn dychrynllyd arni, ofn a barodd iddi orfod gadael ar ei hunion yn hollol wahanol i'r tro cynt. Y tro hwnnw, edrychodd i belen risial a gweld Dynion Bolgrwm y Lleuad.

'Dynion Bolgrwm y Lleuad?'

'Ti heb glywed Mama'n sôn? Rhyfadd. Ma' hi'n deud wrth bawb. Dynion sy'n byw ar y lleuad. Yn bwyta mwg wrth rostio llyffantod. Ac er mwyn torri syched, maen nhw'n gwasgu'r aer yn ddŵr melynwyrdd.' Dechreuodd bwffian chwerthin a'i llygaid yn disgleirio'n fyw, 'Yn ôl Mama, maen nhw'n ddynion pryd-ferth iawn. Dynion crynion, moel, di-flew a'u trwyna nhw'n diferu o fêl. A phan maen nhw'n prancio fel hyn' – hanner dawnsiodd gan daflu ei braich o'i blaen a chicio'i fferau i fyny – 'ar hyd a lled y lloer maen nhw'n chwysu llefrith melys.'

Edrychodd Polmont arni. Roedd Mr Barlinnie yn llygad ei le.

'A phan ddaw henaint, tydyn nhw ddim yn marw, dim ond yn diflannu i fyd arall, i ryw leuad harddach o'r hanner, 'rochor bella i'r haul mewn pwff o fwg coch.'

Stopiodd. Meginodd ei bronna. Gwenodd arno.

A gwenodd ynta.

Y swper.

Dilynodd Polmont Iarll Foston, ynghyd ag Iarll ac Iarlles Wellingborough a Miss Swinfen-Ann a Miss Styal, i lawr tuag at y *drawing room* ora. Syllodd ar gefn llydan ei noddwr, ei ysgwydda cadarn a'i wallt du yn sgleinio. O feddwl chwaneg am y peth, doedd dim math o debygrwydd rhwng Francis Hobart ac Iarll Foston, mwy nag oedd rhwng Mr Francis Hobart a Syr William-Henry; na neb arall o'r teulu. Ac eto, roedd yr un cyfenw ganddo, er nad oedd yn cael ei gydnabod.

Roedd Mr Francis yn hŷn na Syr William-Henry. A barnu 'nôl ei edrychiad, gallai fod yn agos at ddeg ar hugain oed. Dim iau na phump ar hugain yn saff. Os felly, cafodd ei eni rywbryd rhwng 1752 a 1757. Cafodd ei eni wedi i Isabella Caroline farw. Roedd hynny yn weddol bendant. A chafodd ei eni wedi i Iarll Foston briodi Anna-Maria. Gallai fod yn weddol sicr o hynny hefyd.

Pwy felly oedd ei fam?

Gwaith caled oedd gorfod meddwl a dyfalu. Gwaith unig a didostur oedd ysgrifennu, a rhywun yn gorfod treulio oria bwygilydd ar ei ben ei hun; ac yn waeth fyth, yn ei gwmni ei hun; yn gwrando ar ei feddylia ei hun. Roedd troi ymysg dynion wastad wedi rhoi rhyw bleser i Polmont. Cofiodd y pleser a'r boddhad a gâi wrth sgwrsio â'i weithwyr; yn trin a thrafod problema beunyddiol; yn gwrando'u cwynion a'u cwerylon. Cerddodd Polmont heibio i Syr William-Henry a'i wraig at Syr Feltham Royal a holi, 'Fydd eich mam yn ymuno hefo ni heno?'

Chwythodd Syr Feltham Royal ei drwyn yn hir a swnllyd ac ni ddeallodd Polmont ei ateb.

'Mae'n ddrwg gen i?'

'Tydi hi'm yn teimlo'n hanner da,' atebodd y Fonesig Maidstone-Susanna Royal a'i geiria'n gras ar ei glyw.

'Fel yr Iarlles felly?'

'Ia.'

'Chwith gen i glywed.'

Cyn i Polmont allu holi am union natur ei hanhwylder aeth yn ei blaen i ddweud yn finiog wrth godi ei hael chwith a'i phontio dro, 'Ond stopith hynny mohoni rhag codi allan nes ymlaen chwaith i fynd i dendiad ar ei thrueiniaid.'

'Sdim isio bod yn gas wrth Mami,' sbeciodd Syr Feltham Royal ar lwyth llwyd ei hances.

Daliodd Polmont lygaid y Fonesig Maidstone-Susanna Royal yn croesi'r ystafell draw at Syr William-Henry, a oedd yng nghanol sgwrs hefo'i dad, a'r ddau wedi troi eu cefna ar weddill yr ystafell, a'u dwylo wedi'u plethu wrth fôn eu cefna a'u gena'n gwyro tua'r llawr. Yn yr eiliad, daliodd y Fonesig Maidstone-Susanna Royal lygaid y Cofiannydd. Edrychodd y ddau ar ei gilydd; yn rhannu'r un gyfrinach. Ai Syr William-Henry oedd ei chariad cynta, holodd Polmont ei hun, neu oedd hi wedi caru dynion eraill yng nghefn ei gŵr? Ai gwraig rinweddol wedi 'laru ar ei bywyd oedd hi? Neu wraig yn mwynhau'r ias a'r her a'r perig o garu ar ei rhiniog?

Wrth y bwrdd.

Galwodd Mr Barlinnie y gwesteion at y wledd. Rhwng y trydydd a'r pedwerydd cwrs, ar ganol hel atgofion roedd Iarll Foston.

'Dwi'n cofio 'nyddia ysgol . . .' a sydyn chwarddodd; chwerthin uchel, coch, 'O, Dduw Dad, 'tasa fy ngwraig i yma rŵan mi fasa hi'n siŵr o ddeud yn ddistaw bach wrth y person agosa ati: ddim yr hen stori yma eto fyth? Tydan ni wedi'i chlywed hi ganwaith hyd at syrffed yn barod.'

Ail-lanwodd Rampton ei wydryn gwin.

'Ond trwy drugaredd tydi pawb ohonon ni heb gael y fraint,' lledodd Iarll Wellingborough ei draed ymhellach o dan y bwrdd a braidd-gyffwrdd yn ddamweiniol â blaen esgid Miss Styal, a gododd ei phen i syllu arno. Yn ei flaen yr aeth Iarll Foston i sôn am wahanol wersi; gwahanol athrawon – pwy oedd ei ffefryn, pwy roedd yn ei gasáu, pwy a fu'n greulon, pwy a fu'n garedig a'r hiraeth a fu arno o fod oddi cartre – sôn hefyd am amser chwarae.

'Ac i mi, dyna'r amsar gwaetha un –'

Agorodd y ddeuddrws, a throdd pawb ei ben i weld Syr Swaleside yn ymlwybro i mewn i'r stafell, ei goler wedi ei datod, ei wallt yn annhaclus a'i esgid dde wedi ei dadfoclymu er na sylwodd ddim. Llwyddodd i fwngial rhyw lun o ymddiheuriad trwy bledio fod rhyw drafodaeth wedi ei gadw yn y Senedd yn hwy na'r disgwyl.

'Y peth pwysica ydi dy fod ti yma.'

Croesodd Iarll Foston ato a'i groesawu i'w aelwyd a'i dywys at gadair gyferbyn â Miss Swinfen-Ann.

'Ar ganol deud stori o'n i am yr adag honno'n yr ysgol ers talwm pryd yr awchai'r hogia mawr i neud fel fyd fynnon nhw.'

Diflaswyd Syr Swaleside yn syth. Nid eisteddodd Iarll Foston ond cerddodd yn ara deg o gylch y bwrdd i adrodd ei hanes.

'A pham? Er mwyn cael rhwydd hynt i gamdrin a churo'r hogia llai, i greithio a pheri gwae yn ein cyrff bach ni, i beri dagra ac ofn. Dwi wedi myfyrio'n hir iawn am hyn. Myfyrio ar y briwia a'r cleisia a fu ar fy nghorff fy hun. A dwi'n gofyn ichi: ai dyma werth rhyddid? Sef caniatáu penrhyddid? Fuo ar neb erioed y fath hiraeth a'r hiraeth oedd gen i am glywed sŵn cloch yr athro i wagio'r buarth. Wrth lenwi'r dosbarth, wrth wyro i waith tros ddesg be feddyliwch chi oedd yn teyrnasu?'

'Hedd,' atebodd Mr Francis Hobart yn addolgar.

'Perffaith hedd.'

Gwenodd yr Iarll yn dyner arno.

'A braf iawn ein byd, coeliwch chi fi, oedd hi arnon ni'r hogia bach wedyn yn mwynhau cysgod mistar mwyn â chansen yn ei law, a hwnnw'n cadw cow ar bawb yn ddiwahân. Ond gwae ni ar ein penna ein hunain. Gwae ni. Dyna'r wers gynta i mi ei dysgu erioed.'

'Gwers bwysig iawn,' cytunodd Iarll Wellingborough a'i geg yn llacio a'i lygaid yn hanner cau.

'Rho hyn i lawr ar bapur cyn iti fynd i gysgu heno, Polmont, rhag ofn y byddi di wedi anghofio erbyn bora 'fory . . . Dyna hefyd y wers bwysica. A byth ers hynny fues i ddim hanner mor frwd ag amryw byd o bobol sy'n oernadu o hyd ac o hyd o blaid achosion rhyddid. Nid nad ydw i fel pawb call yn wrthwynebus i ryddid cyfrifol, rhyddid o fewn y terfyna – pwy a all wadu gwerth hynny? Drwy gydol fy mywyd – a be ydi gwerth bywyd os nad ydi dyn wedi dysgu rhywbeth o'i brofiada? – buan iawn y dysgis i fod gwerth disgleiriach ac ardderchocach i eiria fel 'hapusrwydd' a 'threfn' yn lle moli 'rhyddid' a 'hawlia' fel sy'n gymaint ias yng nghri pob glaslanc brwd y dwthwn hwn.'

Gwasgodd ei fysedd, gwasgu'n hegar i ddwy ysgwydd Syr Swaleside nes y crychodd hwnnw'i wyneb mewn poen.

Y dynion.

Wedi iddi ara fodio llwyth o faco i'w grannell, taniodd morwyn getyn claerwyn hir Syr William-Henry, ei basio iddo'n ofalus â'i dwy law; sugnodd ynta arno'n ddwys cyn chwythu modrwya crwn o fwg o'i geg. Gyferbyn ag o gorweddai Syr Swaleside ar y gadair, ei ben yn ôl a'i wyneb tua'r nenfwd a'i lygaid ynghau a'i geg ar agor yn chwyrnu cysgu. Safodd Iarll Foston ar ei draed i dderbyn chwaneg o bort a ddidolid gan Rampton yn bwyllog o gwmpas y stafell tan lygaid Mr Barlinnie, a safai gerllaw i'w wylio. Tisiodd Syr Feltham Royal a cholli mymryn tros ei ben-glin wrth i'r gwas ymdrechu i aillenwi ei wydryn.

Gwyrodd Rampton uwch gwydryn Polmont, a sylwodd am y tro cyntaf ar lygaid treiddiol y gwas. Gwenodd, a datgelodd lond ceg o ddannedd braidd yn wyrdd. Iarll Wellingborough a siaradodd fwya trwy ateb cwestiyna Iarll Foston. Siaradodd am ei deulu draw yn Boston. Y buddsoddiada yn y farchnad dybaco a'r posibiliada pellach oedd i wŷr bonheddig a oedd yn fodlon mentro a chan gyfeirio at Iarll Foston, dywedodd, 'A 'dach chi, syr, yn fwy na neb ar hyn o bryd, mewn lle breintiedig a manteisiol iawn ddeudwn i, yn sgil eich cysylltiada o'r Gynhadledd Heddwch ym Mharis . . .'

'Hyrwyddo achos cymod 'ddaru Tada,' cyfrannodd Mr Francis Hobart yn sych braidd, 'a ddim hyrwyddo ei fuddianna ei hun.'

'Siawns fod posib gneud y ddau beth?'

'Gymrodd Mr Franklin yn f'erbyn i'n gynnar,' atebodd Iarll Foston wrth sgwrio'r port o gwmpas ei geg tra datodai fotwm arall.

'Mae America yn fwy nag un dyn, syr.'

'Mi all un dyn neud lot fawr iawn o ddrwg yn y byd yma.'

Wrth i Rampton gamu allan, camodd Iarlles Foston trwy'r drws. Cododd y stafell ar ei hunion, heblaw am Syr Swaleside a araf gododd ar ôl cael ei brocio gan Mr Barlinnie a wyrodd ger ei glust. Cerddodd yr Iarlles yn ara o gylch y stafell i gydnabod cwrteisi'r gwesteion, a derbyniodd pob un ei llaw i'w chusanu yn ei dro. Sylwodd Polmont fod gwydryn gwin gwag yn ei llaw. Safai braidd yn ansad; ac roedd croen ei hwyneb, hyd yn oed o dan ei cholur, i'w weld yn sych a chras, a'i llygaid mwyar duon un ai'n dangos olion cwsg neu ddagra.

Holodd Iarll Wellingborough, 'Dda gen i weld bo' chi'n teimlo'n well.'

Gwenodd hitha lawer ond ni ddywedodd braidd ddim. Safodd Iarll Foston yn glòs wrthi; ac o dipyn i beth, llwyddodd i'w throi tua'r drws.

'Mi adewa i chi i drafod,' dywedodd, 'ac mi a inna at y gwragedd i gau pen y mwdwl ar restr y gwahoddiada i'r noson ddyweddïo, a mi fydd y ddawns a'r wledd gyda'r fwya a welodd neb y ganrif yma.'

'Fyddwn ni draw hefo chi rŵan . . .' dywedodd Iarll Foston.

Tisiodd Syr Feltham Royal a throi at Polmont, 'Sgen ti hances ga i?'

Aeth i'w boced . . . A chythru ei fysedd allan ar ei union a'u suddo i waelodion gwydryn port o'i flaen.

Gwylltiodd Mr Francis Hobart, 'Be ti'n neud? Fi pia hwnna.' A'i alw'n fochyn.

Hanner ffordd rhwng cywilydd a chynddaredd atebodd Polmont yn ddifeddwl, 'Chi ydi'r mochyn, syr.'

'Paid ti â meiddio 'ngalw i'n fochyn! Y methdalwr ag yr wyt ti!'

137

'Gan bwyll, gan bwyll!' cymododd Iarll Foston.

Cododd Polmont ar ei draed i ddal ei hances hyd braich rhwng bys a bawd, 'Pam ma' hon yn wlyb?'

'Be wn i?' atebodd Mr Francis Hobart.

'Am mai chi, syr, bisodd yn fy mhoced i.'

Ebychodd y stafell.

'Be?' deffrôdd Syr Swaleside yn sydyn.

'Gynna. Cyn inni fwyta. Mr Francis Hobart oedd yr unig un i sefyll mor agos ata i heno. Alla neb arall fod wedi gneud. A hynny, dybia i, am reswm amlwg iawn, eich bod chi wedi 'nghasáu i o'r cychwyn cynta un . . .'

'Nes i mo'r fath beth!' Trodd at yr Iarll i ymbilio, 'Tada!'

Camodd Syr William-Henry ato a gofyn, 'Nest ti?'

'Nes i ddim piso i bocad hwn!'

'Mae rhywun wedi gneud,' dywedodd Polmont.

Hanner agorodd Iarll Wellingborough ei geg a phwffian dweud, 'Waeth ichi heb ag edrach arna i. Bisis i i boced neb erioed ond fy mhocad fy hun.'

Ymddiheurodd Iarll Foston yn llaes fod hyd yn oed y llygedyn lleia o amheuaeth am ymddygiad mor gywilyddus wedi ei osod ger ei fron. Derbyniwyd yr ymddiheuriad. Gofynnodd yr Iarll yn garedig i'w westeion ymuno â'r gwragedd ac y bydden nhwtha'n dilyn yn y man.

'Francis?' dododd yr Iarll ei ddwy law ar ei ysgwydda a syllu'n syth i fyw cannwyll ei lygaid wedi i'r drws gau, 'Ateb fi'n hollol onest: nest ti biso i boced Polmont heno?'

'Yn onest, naddo.'

Ebychodd yr Iarll yn llaes a'i dagell yn siglo a dweud, 'Dwi'n dy goelio di.'

Cydiodd yn ei law a'i dodi ar ei foch, 'Diolch, Tada.'

Sythodd Syr William-Henry, 'Dwi'm yn 'i goelio fo. Dwi'm yn coelio gair. Dwi'n meddwl dy fod ti wedi piso'n 'i bocad o o ran sbeit yn 'i erbyn o.'

'Sbeit?'

'A malais pur a dim byd arall.'

'Ti'm yn 'y nabod i o gwbwl.'

'Nabod ti'n rhy dda o'r hannar. Cario clecs. Achwyn yn 'y nghefn i. Pwy ddeudodd y stori 'na am rwygo'r *Tirlun o Gymru yng Ngolau'r Lloer* wrth Monsieur Clerent-Languarant? Mmmm? Sut redodd yr hanas hwnnw mor bell â Pharis?'

'Dyna ddigon,' holltodd yr Iarll y ddau, 'Dyna ddigon. Dwi'm isio clywed gair arall am hyn. Ydi hynny'n glir? Dowch. Awn ni at y gwragedd.'

Dilynodd Mr Francis Hobart Iarll Foston o'r stafell. Diolchodd Polmont i Syr William-Henry am achub ei gam yng ngŵydd y teulu ac o flaen ei frawd.

'Brawd? Tydi o ddim yn frawd i mi, siŵr.'

'Ond Tada. Dyna mae o'n galw'r Iarll?'

'I blesio'i hun.'

'Os ydi o ddim yn frawd i ti nac yn fab i dy dad . . . Pwy ydi o felly?'

Gwenodd Syr William-Henry yn ddireidus, 'Chdi ydi'r Cofiannydd. Chdi sy'n cael dy dalu i roi ffeithia fel hyn at ei gilydd – ddim fi.'

Yr ochor bella i'r drws, clywodd Mr Francis Hobart y cwbwl. Caeodd ei lygaid a brathu ei fys nes tynnu gwaed.

Paradwys.

Darllenodd Polmont hanes yr Ynys mewn llyfr yn y llyfrgell. Sefydlwyd hi dros gant a phum deg dau o flynyddoedd ynghynt. (Er bod chwedl i un o longa Columbus hawlio'r lle yn enw Sbaen bron i ddau gan mlynedd cyn hynny.) Tagodd gwledydd Ewrop ei gilydd wrth gwffio amdani. Hawlio; ailhawlio. Ymosod; ailymosod; meddiannu; ailfeddiannu. Y Ffrancod 12 gwaith. Y Sbaenwyr 9 gwaith. Yr Is-Almaenwyr 7 gwaith. Y Portiwgeiaid 5 gwaith. Y Saeson 6 gwaith. A Sweden am bythefnos.

Yr hyn a'u denai? Hin gymedrol. Dyfroedd glân. Siwgwr o'r radd flaena un. Astudiodd Polmont y mapia. Soser o dir a chefn o fynyddoedd yn ei hollti yn ei hanner gan ddau losg-fynydd cysglyd. Y mynydd uchaf oedd Mynydd Cariad (6,756 troedfedd) a'r ail oedd Mynydd Dyhead (5,434 troedfedd). Rhwng y ddau gorweddai Bwlch Bedydd ar ben uchaf Dyffryn Achubiaeth. Rhannwyd yr ynys yn wyth plwy. Ar odre'r de-ddwyrain gorweddai Damascus (pob. 5,766) yr ail dref. A'r unig borthladd o bwys ar wahân i'r prif un yn Port Royal.

I'r de o Frynia Prynedigaeth safai Neuadd Foston, planhigfa'r Iarll yng nghanol (fwy neu lai) Plwy'r Darostyngiad. O ran milltiroedd roedd yn llawer nes at Damascus nag at Port Royal (pob. 12,435). I gyrraedd y brifddinas byddai'n rhaid un ai ddringo i fyny a thros Fwlch Bedydd neu ganlyn y ffordd hiraf i lawr at gyrion Bae Cysegr, cyn troi a chanlyn y lôn hir ar draws y safana, heibio i Gorsydd Cofio, nes cyrraedd Ffordd yr Adnewyddu o groesi Pont Anghrediniaeth tros Afon Testament, a lifai i lawr trwy Ddyffryn Milo tua'r bae yn Port Royal ac allan i'r môr trwy Aber Aberth.

Plwy cymysg oedd Plwy'r Darostyngiad. Sylwodd ar enwau Ffrengig fel y Duportiaid, y Bourryau, a'r Jesupiaid. Hen deulu-oedd Catholig wedi hen sefydlu tros sawl cenhedlaeth. Nododd hefyd enw Monsieur Duvalier Le Blanc. Y dyn a gynllwyniodd hefo Ffrancod Martinique oddeutu un mlynedd ar bymtheg ynghynt – a'r tro olaf un i'r Ffrancod wneud hynny – er mwyn hawlio'r ynys iddyn nhw'u hunain. Methiant fu'r ymdrech, diolch i wrhydri Syr Walton Royal. Gwelodd o graffu fod Monsieur Le Blanc yn gymydog agos i Iarll Foston. Gorweddai ei blanhigfa fymryn i'r de-orllewin o Neuadd Foston rhwng Afon Tystiolaeth a Heol Hosana.

Enwyd teulu'r Royal fel un o'r rhai hyna. Teulu â'i wreiddia yn y dechreuad. Doedd hi'n rhyfedd yn y byd i Syr Walton Royal wasanaethu fel Llywodraethwr gan i'w dad cyn hynny fod yn Llefarydd y Cynulliad a'i daid yn Llywodraethwr. A'i hen daid. A'i orhendaid hefyd. Roedd yn deulu o bwys, os nad y pwysica, a'r aeloda rywsut neu'i gilydd wedi dal y prif swyddi mewn rhyw ddull neu fodd ers sefydlu'r ynys.

O ddarllen *Terfysg Dante* Doctor Shotts gwyddai Polmont i Syr Walton Royal gael ei wenwyno gan negro yng ngwasanaeth Tŷ'r Llywodraethwr, sef y Tŷ Gwyn. Doedd hynny fawr o syn-dod gan mai dyma oedd dull y negro dichellgar o ddial ar ei feistr cyfiawn a lladd gŵr gonest, gŵr a wnaeth ei ora i amddiffyn gwerthoedd gora gwareiddiad ym mis Ionawr, 1768, a gadael y Fonesig Frances-Hygia Royal yn weddw ynghyd â Syr Feltham Royal a'i chwaer Madam Stocken-Letitia yn blant amddifad.

Be oedd hanes y llofruddiaeth a yrrodd y Barnwr MacFluart yno tybed? Pwy oedd y ferch ifanc? Pwy oedd y ddau ŵr bon-heddig gwyn? Er i Polmont chwilio yn ddyfal ymysg papura'r teulu, ni welodd grybwyll dim.

Oedodd o'i ddarllen. Roedd rhywun yn curo ar y drws. Rampton oedd yno: ei lygaid yn fwy treiddiol a'i wên, os rhywbeth, yn wyrddach. Daeth â llythyr wrth Mr Francis Hobart: llythyr swta, byr a braidd yn flin: i drefnu cyfarfod.

Tŷ Mr Francis Hobart.

Ddeuddydd yn ddiweddarach, dringodd Polmont i fyny'r grisia at y drws, a oedd eisoes led y pen ar agor, i'w gyfarch gan was gwelw a'i dywys ar draws y cyntedd. Â chynfasa llwydion o dan draed, roedd paentwyr wrth eu gwaith yn slempio'r muria â phaent gwyrdd-gola. Camodd heibio a dilyn yn dawel yn ôl troed y brif forwyn. Cododd yr ogla cry yn siarp i'w ben nes ei fwrw 'nôl i'w weithdy ei hun; clywodd leisia – dynion yn tynnu ar ei gilydd; yn tynnu coes a chwerthin; ac ogla baco a phaent a phapur yn gymysg; a gwelodd ei hen ystafell ar ben gogleddol eitha'r adeilad, lle'r eisteddai wrth fwrdd i weithio a chodi ei ben bob hyn a hyn i syllu allan trwy'i ffenest ar Gwt y Gwyliwr Nos ar waelod Stryd White Lyon. A'r cwbwl mor boenus o fyw yn ei galon.

A'r hiraeth fel pwll diwaelod.

Rowliodd pêl fach feddal at ei esgid, un goch a melyn. Gwyrodd Polmont i'w chodi ond gwelodd hogyn bach yn dŵad i'w gyfwrdd; cyn stopio'n stond a rhythu arno â'i lygaid mawrion. Cwrcydodd Polmont, a gwenu wrth ddal y bêl hyd braich rhwng bys a bawd o'i chynnig iddo. Doedd yr hogyn bach ddim yn saff ohono a safodd yn ei unfan, er i Polmont wenu a deud 'Cymer hi, cymer.' Ni thyciodd ddim. Taflodd y bêl ato a chythrodd yr hogyn bach amdani a'i gwasgu o dan ei ên.

Lledodd cysgod tros ben yr hogyn bach a chododd Polmont ei lygaid i edrych i wyneb sarrug Mr Francis Hobart. Edrychodd i lawr ar ei fab, a rhedodd flaen ei fysedd trwy ei wallt; tynerodd ei wedd; gwenodd yn annwyl a gwasgu ei gledr tros ei gorun. Daeth rhyw hyrddiad o emosiwn drosto (fel rhyw deimlad a fu'n ceulo'n hir) a sgubodd yr hogyn bach i'w freichia, ei wasgu'n galed i'w wyneb, nes y gwingodd a gollyngodd ei fab y bêl.

Ystafell wisgo Mr Francis Hobart.

Trwy'r ffenest sylwodd Polmont ar ryw darth melyn-ddu'n codi a chlywodd glecian coed yn llosgi'n goelcerth yn yr ardd;

ogleuodd fwg cras a oedd yn ei atgoffa am rywbeth o'i blentyn-dod na allai roi union siâp iddo.

'Am inni neud yn siŵr ein bod ni'n dallt ein gilydd ydw i. Ynglŷn â'r Cofiant 'ma. A i ddim i falu awyr hefo chdi,' dywedodd tan fwytho ei ên, 'felly 'na i ddim gofyn iti eistedd . . .'

Gwarchododd Polmont ei urddas trwy ateb yn glir, 'Sdim rheswm imi eistedd. 'Dan ni i gyd yn ddynion prysur.'

Dywedodd Mr Francis Hobart yn ddiymatal o chwerw, 'Pawb ond William-Henry, sy' ond yn byw i chwara mig a mercheta. Ond ma' 'na betha gin i isio'u trafod. Y busnes piso 'na noson o'r blaen. Be bynnag wyt ti'n feddwl – ac yn 'i feddwl ohona i – ddim fi wnaeth.'

Gwasgodd yr hogyn ifanc o hen ddyn ei hun i'w gadair; edrychai fel rhyw enaid taer yr oedd holl boena'r byd wedi rowlio i mewn iddo.

'Ma' hyn yn boenus, yn fater anodd imi ei drafod.'

Oedodd; a'i dafod yn chwarae rhwng bwlch ei ddeuddant blaen. Am y tro cyntaf teimlodd Polmont ryw don o haelioni tuag ato.

'Dwi'n synnu fod William-Henry heb sôn. Bob tro y bydd o'n cael llond bol o ddiod, mae'r cwbwl yn chwydu allan.'

'. . .?' edrychodd Polmont yn chwilfrydig.

'Ddim Iarll Foston ydi 'nhad i. Nid Iarlles Foston ydi fy mam i chwaith.'

O fwrw'i faich, llaciodd trwyddo. Edrychodd fymryn yn stwythach a chododd ar ei draed; cerdded at y ffenestr a gwres y tân yn goleuo'i wyneb. Edrychai'n galed o gorff ond rhywsut yn onestach ei osgo . . .

'Francis Foljambe ydi fy enw go iawn i. Mab i Syr Edward Noël Henry Hobart, mab hyna Iarll Foston a'i wraig gynta, Caroline Isabella, ydw i. Fel ti'n gwbod, Syr Edward-Noël Henry Hobart ydi Llywodraethwr Paradwys ar hyn o bryd.'

Teimlodd fod Polmont yn cael pleser wrth ei weld yn ei garthu ei hun o'i gywilydd ger ei fron. Meddyliodd fod y gallu gan y Cofiannydd i guddio'i wir deimlada yn dda.

'Dyna chdi wedi cael gwbod y gwir hyll rŵan.'

Dinoethodd ei hun i'r bôn; sefyll yn hollol ddiamddiffyn ger ei fron a golwg ar ei wyneb fel dyn yn diodda o ryw dynfa chwithig. Gwyddai Polmont y gallai hawlio unrhyw beth. Mor sydyn roedd petha wedi newid. Pwy rŵan oedd gryfa a phwy oedd yn wan?

'Fel bo' chdi'n gwbod . . . Rhyw emmm . . . rhyw *mulates* . . . merch rhyw negres ar dir planhigfa Neuadd Foston . . . 13 oed oedd fy nhad ar y pryd. Hitha wedi manteisio arno fo yn 'i ddiniweidrwydd . . . Does neb yn gwbod . . . Neb o 'nghydnabod i . . . Ond tasa'r gwir yn . . .'

Heb reswm yn y byd, cododd Mr Francis Foljambe ryw ddalen; braidd edrych arni a'i dodi i lawr drachefn. Crynai ei fysedd yn afreolus.

'Yn y Cofiant . . . yyy . . . dwi am ichdi 'nghydnabod i fel mab ieuanga fy rhieni. Fel ail fab Iarll Foston ac Iarlles Foston. Fel ti'n sylweddoli o'r hyn dwi newydd 'i ddeud wrtha chdi, mae gen i deimlada cryfion . . . A ma' cael fy nghydnabod fel mab yn bwysig er mwyn fy mab bach i fy hun a'i fab bach o ryw ddydd . . . Ma' cwilydd gen i o fy mam go iawn.'

Celwydd. Roedd yn gofyn iddo ddweud celwydd. Yn blwmp ac yn blaen. Hawdd deall pam, wrth gwrs. O'i roi ei hun yn ei sgidia fo oni fyddai Polmont hefyd yn teimlo yr un fath? Pwy fasa ddim? Oedd yr awdurdod ganddo i wneud yn ôl ei ddymuniad? Dyna'r cwestiwn. Ar ddiwedd y dydd, byddai'n rhaid i Polmont fynd ar ofyn yr Iarll. Dywedodd hynny wrtho.

Atebodd Mr Francis Foljambe yn finiog, 'Dydi hynna ddim digon da. Dwi isio addewid gen ti yma rŵan hyn.'

Addewid na allai Polmont ei rhoi. Aeth y ddau i ddadlau. Gwaith anodd ac emosiynol oedd dal pen rheswm â dyn â chymaint o gasineb at ei fam; a chasineb hefyd at ei dad.

'Fyddi di ddim ar dy golled,' dywedodd gan ddal braich y Cofiannydd ym mhen y grisia. 'Er mwyn fy mab i! Er mwyn ei enw fo!'

Ni chytunodd Polmont i ddim. A gadawodd Mr Francis Foljambe yn ddyn anhapus iawn.

Os nad yn elyn gwaeth.

Iarll Foston.

Be oedd yr hogyn yn ei wneud, meddyliodd wrtho'i hun? Toedd bosib ei fod o'n gweithio o hyd? Ar ei ffordd i'w wely roedd yr Iarll pan welodd rimyn o oleuni tan ddrws y llofft. Gynt bu'n dal pen rheswm hefo Francis a grefodd arno i beidio â gadael i Polmont ei fradychu.

'Ond Francis bach, fedra i ddim.'

'Gallwch, Tada, gallwch!' crefodd, 'Gnewch fi'n fab i chi go iawn!'

Yn enw pob daioni, mewn difri calon, sut y gallai? Doedd hynny dim yn bosib. Mab ei dad oedd o ac ynta'n daid iddo fo. Doedd dim posib newid hynny. Roedd yn bosib stumio 'chydig ar y ffeithia a dweud fod ei fam wedi marw – ei galw'n etifeddes rhyw blanhigfa gyfagos – a gadael y cwbwl yn annelwig.

'Chi ydi 'nhad i a'r Iarlles ydi fy mam!'

'Neith Polmont ddim crybwyll dy fam go iawn di, Francis. Mi wna i'n saff o hynny.'

'Do'n i'm isio fo ar gyfyl y gwaith. Pam na fasa chi wedi derbyn un o'r pedwar Cofiannydd gynigis i i chi?'

'Hwn ydi'r gora.'

'Dyn William-Henry ydi o! Pam derbyn 'i ddyn o? A ddim un o 'nynion i? 'Dach chi i gyd yn f'erbyn i! A rŵan mae Polmont yn gwbod amdana i! Dwi wedi gorfod deud wrtho fo fy hun; wedi crefu arno fo i beidio â deud y gwir amdana i!'

"Drycha, tydi gwbod unrhyw beth ynddo'i hun ddim nac yma nac acw. A pham? Be mae dyn yn dewis ei neud hefo'r wybodaeth ydi'r peth pwysica. A fel dwi wedi deud wrtha chdi fwy nag unwaith yn barod, neith Polmont ddim crybwyll dy fam go iawn di.'

Ni fodlonwyd Mr Francis Foljambe. Gwthiodd Iarll Foston gil y drws yn agored a gweld Polmont yn penlinio wrth erchwyn ei wely; ei ddwylo wedi eu gwasgu ynghyd a'u gwasgu ar ei dalcen. Sibrydai'n isel yng ngola'r gannwyll. Pe bai modd i'r Iarll gamu i feddwl ei Gofiannydd fe welai Gwfaint; fe welai wraig ifanc yn dysgu'r deillion sut i ddarllen.

A'r un pryd, fe glywai lais taer yn tyngu.

Tyngodd Polmont addewid iddo'i hun; yr un addewid bob nos, nos ar ôl nos ar ôl nos. Addewid a wnaeth yn wreiddiol wrth groesi'r môr o Ffrainc: na fyddai, tra byddai ar dir y byw, byth bythoedd yn priodi yr un wraig arall.

Byth.

Ar waetha pob un dim a ddywedodd wrtho'i hun, amheuai weithia mai dim ond trueni oedd ei weddi ato'i hun yng ngwisg dyhead.

Piccadilly.

'Pam? Be wyt ti isio hefo Francis?' holodd Iarll Foston drannoeth.

'Sgwrs arall . . .'

Brathodd yr Iarll ei ail afal, ''Drycha, Polmont. Mi ddeudodd o wrtha i bo' chi'ch dau wedi trafod 'i ach o . . . 'I ach anffodus o . . . Ti'n gwbod y gwir . . . Mab fy mab hyna, Syr Edward-Noël Henry Hobart, a'r hwran 'na hudodd o i'r llwyni yn hogyn ifanc . . . 'Falla y basa hi'n well tasa fo wedi'i erthylu . . . Tasa fo heb anadlu cegiad o awyr iach erioed . . . Tasa fo wedi marw . . . Dyna'r gwir amdani . . . Dyna'r gwir noeth amdani mae hi'n chwith calon gen i ddeud ond fel'na mae hi . . . Mae Francis wedi crefu arna i i'w alw fo'n fab cyfreithlon i mi . . . Ond sut alla i? Fel gwyddost ti, tydi hynny ddim yn wir.'

'Nac ydi.'

'Felly, deud ti wrtha i, be dwi fod i neud? Mmmm? Sathru ar 'i deimlada fo? Deud mai rhyw *mulates* fudur ydi'i fam o. Cyhoeddi hynny i'r byd? Ei bechu fo am byth? 'I neud o'n destun sbort? Yn gocyn hitio i holl ddynion y ddinas yma? 'I droi o'n chwerwach dyn nag ydi o rŵan? Neu wyro mymryn 'ddar y gwir a'i neud o'n hapus?'

Syllodd Iarll Foston ar Polmont yn hir.

'Be 'dach chi am imi neud?'

'Fel deudis i, Polmont, wna i ddim sensro neb. Gwna di yn ôl dy gydwybod. Be 'tasa fo yn sefyll ar Bont Llundain fel nest ti unwaith? Be 'tasa Francis yn gneud amdano'i hun? Sut fasa chdi'n teimlo wedyn?'

Cyfyng-gyngor.

Plethodd dyddia Polmont i'w gilydd yn blith-draphlith braidd. Codi'n y bore i ddidol a threfnu; crafu pen a chafnu chwaneg o wybodaeth; sgrifennu pwl a 'laru; ymchwilio; turio; sgrifennu chwaneg ac ymchwilio mwy. Turiodd yn ddyfnach i hanes blynyddoedd cynnar yr Iarll. Disgrifio; ceisio dychmygu bywyd ym Mharadwys yn ystod y blynyddoedd a fu . . .

Craffodd yn hir ar gasgliad o lunia (gweddol amrwd) o waith artist lleol dienw.

Port Royal a'i hyfrydwch prydferth yn gwisgo'r môr a'r tir o'i deutu yn dwt.

145

Cymdeithas o blanhigwyr yn sefyll ar ewin gallt.

Gwŷr bonheddig y Llynges a'r Milisia ar fwrdd llong.

Pafiliwn Seineaidd enwog Port Royal.

Y Llywodraethwr a'r prif deuluoedd uwch eu picnic mewn llecyn cysgodol ar gyrion Pietonville.

Harbwrdd Damascus yn llawn llongau rhyfel, o gychod mawr a mân, a'r rheiny'n brydferth a diddorol yr un pryd. (Ac mewn llawysgrifen or-ofalus a braidd yn blentynnaidd roedd rhywun rhywdro wedi sgwennu ar gefn y llun: '*Mae yn harbwrdd Port Royal hefyd gymaint o longau fel nad oes ynys dan haul lle y gall dyn diwyd fod mor sicr ei wala o waith ac felly ei wala o fwyd*').

Cadwyn hir o goetsus a haid o negroaid yn cyd-redeg ar hyd ffyrdd tlws a rhamantus is coed bambŵ. (Dychmygodd deimlo'r palmwydd meddal a'r coed cotwm yn ysgafn chwipio croen ei foch).

Sut brofiad oedd o i Iarll Foston ddringo'n ddyn ifanc i fyny llethra'r brynia ac amffitheatr y mynyddoedd mawrion yn afrosgo godi o'i flaen?

A'r llofruddiaeth. Pwy a pham? Mynnai'r cwestiwn ryddgrogi yn ei ben . . .

Wedyn . . .

Dirgelwch.

Ddim i gychwyn . . . ddim yn hollol, ond dryswch. Daeth ar draws ei lwybr mwya sydyn. Ganol y pnawn wrth ddechra nogio wedi bora eginus o waith a chnwff o ginio'n pwyso'n drwm ar ei stumog; yn yr awr rhwng dau a thri pan gâi drafferth i gadw ar ddi-hun a'i arbed ei hun rhag mynd i gysgu. Dyna, feddyliodd, a barodd y dryswch i ddechrau. Wedyn . . .

Tyfodd y dirgelwch yn dywyllach peth o'r hannar. Ailddarllenodd a sylweddoli fod rhywbeth o'i le; fod rhywbeth ddim yn disgyn i'w le fel y dylai.

Teimlodd ryw bendro: ai fo yn oedd yn drysu? Bodiodd trwy ei nodiada. Ailagor *Terfysg Dante* Doctor Shotts. Gosod y dystiolaeth ochor yn ochor a chysoni.

Doedd dim modd gwneud.

Ffaith: wrth sgwrsio ac o durio trwy lwythi o ddogfenna'r teulu gwyddai Polmont i sicrwydd mai gŵr y Fonesig Frances-Hygia Royal oedd Syr Walton Royal. Priodwyd y ddau yn Eglwys

Gadeiriol Port Royal ar y chweched o Chwefror, 1762. Deunaw oed oedd y briodferch; chwech ar hugain oedd y priodfab. Ganwyd Syr Feltham Royal yn 1763; a Stocken-Letitia yn 1765.

Ffaith: gwasanaethodd Syr Walton Royal fel Llywodraethwr Paradwys am bedair blynedd (1764 – 1768). Gwyddai hynny o ddarllen *Terfysg Dante* Doctor Barbut Shotts. A'r hyn a ddywedodd Iarll Foston wrtho mewn amryw fyd o sgyrsia. Gwyddai hefyd i Syr Walton Royal arwain Milisia'r Ynys i ymladd lluoedd Ffrancod Martinique a ymosododd ar yr ynys trwy borthladd Damascus ar fore'r pymthegfed o Awst, 1767. Gwyddai i Syr Walton drechu'r negro Dante a'i derfysgwyr ac adfer heddwch.

Ond sut y bu farw?

Roedd yr union amgylchiada'n amwys. Yn llyfr Doctor Shotts (gwaelod t. 127, yn y trydydd paragraff, o'r ail argraffiad (1771)) dywedir iddo gael ei wenwyno gan un o'r caethweision yng ngwasanaeth Tŷ'r Llywodraethwr, sef y Tŷ Gwyn, Port Royal; bu'n ddifrifol sâl a marw yn ei wely ar fore Mercher y deuddegfed o Ionawr, 1768.

Yn ôl cofnodion y teulu, nodir fwy nag unwaith iddo farw ar faes y gad – mewn lle o'r enw Sans Souci ar gyrion Port Royal – rywdro yn ystod mis Rhagfyr, 1767 – wedi iddo drechu rhai o derfysgwyr olaf Dante.

Pam roedd dau hanes?

Dydd Gwener ola'r mis.

'Be wyt ti ddim yn 'i ddallt?'

Newydd ddychwelyd o Windsor lle bu'n treulio tridia yng nghwmni'r Brenin a'r Frenhines, Tywysog a Thywysoges Cymru roedd Iarll Foston ac Iarlles Foston (ynghyd â Syr a'r Fonesig Feltham Royal). Parodd gwynt y gaea i groen ei wyneb ruddo'n raddol; ac edrychai ei drwyn coch yn biwis.

'Sut yn hollol y cafodd Syr Walton Royal ei ladd?'

Tuchanodd wrth gnoi afal, 'Pam?'

'Gofyn ydw i.'

'I be? Be wyt ti'n drio'i ddeud wrtha i?'

Eglurodd Polmont ei gyfyng-gyngor.

'Pshaw! Shotts? Hen lolyn gwirion, rhyfadd, hannar pan oedd o. Doctor o faw! Meddwyn; yn chwil ulw o fora gwyn tan nos. Rown i fawr o goel ar be sgrifennodd o am helyntion Dante. Marw fel milwr 'ddaru Syr Walton. Pam mae cofgolofn efydd iddo fo yn sefyll heddiw ar brif sgwâr Port Royal? Pam mae ei fraich o fry a'i fys o'n pwyntio llygaid dynion tua'r haul? Pam mae llyfra hanes diweddar yn canu 'i glodydd o? Pam mae Cymdeithas Flynyddol yn dwyn 'i enw fo? Pam mae o'n mynnu byw o hyd? Mmmm? Am ei fod o'n arwr. Am iddo fo farw yn amddiffyn Paradwys. Am iddo fo farw wrth sefyll a brwydro yn erbyn 'i gelynion. Am iddo fo farw yn gwarchod yr hyn sy' aruchela a mwya gwerthfawr mewn gwareiddiad. Dyna pam. A dyna'r cwbwl sy'n bwysig.'

'Sut?'

Llyncodd weddill yr afal ar un cegiad.

'Be ti'n feddwl, sut?'

'Sut buo fo farw'n hollol?'

'Cleddyf trwy'i galon. Negro o'r enw Plato. Ffrind i Dante.'

'Cleddyf? 'Dach chi'n siŵr?'

'Ah-uh.'

'Cleddyf?'

'Ydw, cleddyf. Cleddyf o tua'r maint yma –' lledodd ei ddwylo rhyw ddeunaw modfedd, 'Pam ti'n mynnu f'ama fi?'

'Ym mhapura'r teulu mae o'n deud mai cael ei saethu 'ddaru o.'

''Drycha, Polmont, ti'n sôn am rwbath ddigwyddodd dros un mlynadd ar bymtheg yn ôl . . . Erbyn hyn, does wbod i sicrwydd . . . 'Falla bo' chdi'n llygad dy le . . . 'Falla mai gwn oedd gen Plato . . . Ond pam gwn? Pam cleddyf? Pam ddim cyllell? Ydi o ots? Be wyt ti'n trio'i gyfleu? Mmm? Poen ac ofn y profiad ar y pryd? Mileindra'r cigydda yn Sans Souci? Y bryntni a'r budreddi? Be yn union ddigwyddodd ar faes y gad? Ti'n gwbod be . . .'

'Be?'

'Wrth edrach 'nôl y cwbwl gofia i yn eironig ydi pleser. Rhyfedd tydi? A chymaint yn cael eu lladd a'u clwyfo? Fasa chdi'n deud fod hynny'n baradocs? Onid ydi llawenydd priodasa erstalwm ddim hefyd wedi troi'n atgofion rhyw hafnos dawel pan gofiwn ni am yr anwyliaid hynny sy' bellach wedi'n gadael ni? Y naill ffordd neu'r llall, be bynnag sgwenni di – y gwir plaen amdani ydi i Walton druan gael ei ladd.'

'Trio dallt be ddigwyddodd go iawn ydw i,' atebodd wrth

synhwyro anniddigrwydd yr Iarll, 'a hynny er mwyn cywirdeb eich Cofiant chi, syr. Y peth dwytha ydach chi a fi isio ydi i ddynion fy nghyhuddo i o bedlera celwydda . . .'

Torrodd yr Iarll ei enw ar lythyra a hwyliodd ei glerc iddo.

'Tyd yma. Ista'n y gadair yma imi ga'l deud un neu ddau o betha wrtha chdi . . . Na, na, rho dy 'sgrifbin o'r neilltu am eiliad a gwranda'n astud. Ti'n gweld . . . Anodd ydi i chdi ddychmygu sut roedd hi arnon ni 'radeg honno. Byw ym Mharadwys. Be oedd peth felly? Fel ti'n gwbod o dy ddarllan, botwm bychan disglair o ynys yn y môr mawr glas ydi hi. Ac o'n cwmpas ni, bleiddiaid yn ffroeni gwaed. Yn barod i ymladd am feddiant yr ynys gyfan. Am gainc ei marsiandïaeth a chyfoeth ei thir. Gwadalwp. Santo Domingo. Martinique. Yma. Yma ac yma. Yn disgwyl eu cyfla; yn hogi cleddyfa ac yn blysio i 'mosod liw nos.'

Caeodd y clerc y drws drwy ei dynnu â'i droed.

'A dyna a wnaeth Martinique. A rhaid iti wastad gadw mewn co mai rhai cyfrwys ofalus ydi'r Ffrancod bob tro wrth lunio eu hymgyrchoedd. Rhuthro ar borthladd Damascus yn slei bach wnaethon nhw. Llonga rhyfel mawrion yn tanio o'r niwl. Finna yn Neuadd Foston yn gallu clywed sŵn y brwydro draw o'r dre ar y gwynt. Hyd nes daeth Syr Walton Royal i'r adwy yn arwain y Milisia i'w nadu nhw. A finna hefo fo hyd at yr eiliad ces i 'nghlwyfo ac i Risley dlawd f'achub i. Hefo cyn lleied o ddynion mi frwydrodd Syr Walton Royal yn ddewr. Y negro Dante wedyn yn codi terfysg erchyll yn sgil y rhyfel oherwydd yr anhrefn achoswyd. A Syr Walton Royal yn trechu hwnnw hefyd. Ydi hynna ddim yn rhoi rhyw amcan iti o fesur y dyn? Er mwyn y co amdano fo: deud iddo fo farw ar faes y gad.'

'Er y galla fo fod wedi'i wenwyno yn ei wely?'

'Gin ti chwilan yn dy ben, mi alla i ddeud.'

'Am dda reswm hefyd. 'Dach chi'm yn gweld peth mor wamal ydi'r gwirionedd? 'Dach chi'n cofio chi'n sôn wrtha i ym Mharis ichi lifio coes y Barnwr MacFluart i ffwrdd â'ch dwylo'ch hun?'

'Ffaith iti. Hynny'n berffaith wir.'

'Adeg Terfysg Dante ddeudoch chi?'

'Heb os nac oni bai.'

'Sy'n hollol amhosib. Alla hynny ddim bod yn wir.'

Oedodd Iarll Foston; tawelodd; rhythodd a'i anadlu'n flêr.

149

'Pwy oedd yno? Chdi neu fi?'

'Yn ôl ei fab o, Mr Grenock MacFluart – gŵr nes i 'i gyfarfod pan o'n i'n croesi'r môr i Calais – roedd o o'r farn i'w dad adael yr ynys cyn i'r Terfysg dorri. Ddechra mis Gorffennaf gyrhaeddodd Mr Garth MacFluart; erbyn diwedd Awst roedd o wedi gadael a hwylio 'nôl am adra ar long o borthladd Port Royal. A fel gwyddoch chi, yn nechra Medi y lledodd Terfysg Dante.'

Craffodd Iarll Foston i fyw ei lygaid. Sylwodd Polmont am y tro cyntaf erioed ar graith fach las ar drofa'i ên. Holodd yr Iarll yn dawel.

'Be wyt ti'n 'i awgrymu? 'Mod i'n gelwyddgi?'

'Ddeudis i mo hynny.'

'Rhyw awgrym felly sy' ar dy wynt di, os ti'm yn meindio imi ddeud. 'Drycha . . . 'Drycha yma . . . Pam ti'n mynnu tindroi hefo rhyw fanion fanylion fel hyn? Mmm? Sut gollodd MacFluart 'i goes? Sut gollodd Francis 'i wallt? Sut gollodd Risley 'i ddannedd? Sut gollodd Swinfen grwban du yn hogan wyth oed? Sut gollodd Syr Walton Royal ei fywyd? I bobol ifanc yr oes yma, wyt ti wir yn meddwl fod rhyw fanion fel hyn yn golygu ffadan beni? Ydi hyn oll wir yn bwysig go iawn?'

'Ydi o ddim?'

'Gofyn i chdi ydw i. Dyn sy'n tyrchu hen hanes braidd yn anghynnes i'r wyneb eto. 'Drycha, cer am bryd o fwyd, pryd go helaeth fydd yn glynu wrth dy asenna di a mwytho dy gorff di'n braf; potal dda o win – paid â phoeni am y pris – ymlacia, smocia, eistedda 'nôl a myfyria'n dawel fach ar be sy'n dda a be sy'n ddrwg; a wedyn tyd 'nôl drannoeth i edrach eto hefo meddwl llydan aeddfed, meddwl agored ar yr hyn a fu a thynna wersi doeth ohono fo, fel ro'n i'n meddwl iti gytuno i'w neud hefo'r Cofiant yma, os wyt ti'n cofio?'

'Cofio'n iawn.'

'Dyna ni 'ta. Sdim chwanag i'w ddeud felly'n nagoes?'

'Roedd Syr Walton Royal yn fab-yng-nghyfraith ichi. Gŵr i'ch merch, y Fonesig Frances-Hygia Royal. Yn Llywodraethwr uchel 'i barch. Yn un o'r teulu. Ydi dyn felly ddim yn haeddu ei ddyledus le yn y Cofiant? Ac ydi o ddim yn haeddu'r anrhydedd o gael ei fywyd wedi'i gofnodi cyn agosed fyth ag y galla i at yr hyn a ddigwyddodd iddo fo go iawn?'

Siaradodd yr Iarll yn llyfn, 'Ti'n meddwl 'mod i ddim yn dallt hynny?' Tawelodd wedyn i hel meddylia, 'Dwi'n dallt hynny'n iawn. Wrth gwrs 'mod i'n dallt. Ti'n llygad dy le.'

'Chi bwysleisiodd imi sgrifennu hanes y teulu yn fanwl.'

'Wrth gwrs. Dyna ydw i isio gen ti. Da was, dyna'r bwriad. Ma'n rhaid ichdi gadw rhei petha mewn co hefyd . . . Rhaid ichdi sylweddoli fod 'na rei petha . . . sut deuda i? Ma'n 'na rei petha sy'n debygol o frifo . . . Fel llifio coes y Barnwr Garth MacFluart. Rhaid iti fod yn effro i deimlada pobol. Cofia hynny. A pham? Ydi o ddim yn amlwg? Ydw i'r math o ddyn sy'n mynd ati'n fwriadol i beri loes i bobol? Yn enwedig fy merch hyna, fy unig ferch o 'mhriodas gynta, Frances-Hygia Royal druan.'

Y weddw unig yn ei thŷ yn Sgwâr Hanofer nad oedd Polmont eto wedi cyfarfod â hi'n y cnawd.

Allai hi ei roi o ar ben y ffordd?

Y noson honno.

Ar ôl swperu, tywysodd Iarll Foston ei Gofiannydd i lawr rhodfa hir ar ail lawr ei dŷ yn Piccadilly. Brasgamu trwy'r cysgodion, bwrw yn ei flaen a'i ysgwydda llydan yn llenwi'r fan fel storm yn dringo dyffryn. I fyny grisia, hyd ben y grisia (a chwerthin Miss Swinfen-Ann i'w glywed 'rochor bella i ddrws a Miss Styal yn ei dwrdio am rywbeth), troi i lawr coridor arall nes cyrraedd drws glas-ola ac i mewn i barlwr moethus at bentan marmor mawr.

'Cod dy lygad at hwn . . .'

Gwychid y mur gan lun olew tal a llydan (mewn ffrâm euraid addurnedig) o ŵr cydnerth mewn lifrai milwr. Syr Walton Royal. A'i ddwrn ar garn ei gledd, fe safai'n eofn â rhyw edrychiad gwrol arno, golwg hyderus, golwg un a feddai galon na thorrai tan bwysa'r byd. Tu cefn iddo rhennid gwastadedda o diroedd yn ddolydd maethlon, ac ynddynt, rhesi o negroaid yn crymanu cynhaea siwgr yn rhesi diwyd. Yn uchel ar fryn uwchlaw, safai plasty claerwyn ac o'i amgylch dderw canghennog a rhes o ffinwydd talog yn 'mestyn i lawr ei lethra hyd at bant rhamantus a choedydd deiliog a phlanhigion na welodd Polmont erioed mo'u tebyg, a rhyngddyn nhw, awgrym o lesni afon, a chysgod rhyw ymdrochwraig lwyd yn mwytho ci ar dorlan.

'Os wyt ti'n teimlo, wir yn teimlo yn dy galon, fod rhaid ichdi godi helynt union amgylchiada ei farw fo . . . Ma' pob rhyddid ichdi neud yn ôl dy gydwybod. Stopia i mohona chdi. Faswn i byth yn sensro neb. A pham? Cuddio'i ofna'i hun. Dyna mae pob sensor yn 'i neud. Be sgen i i'w guddio? Dim. Ond er lles fy merch Frances-Hygia Royal – ac er lles y co am un o'r dynion mwya droediodd ddaear Paradwys erioed a'r hyn mae o bellach yn 'i olygu i gymdeithas ac i hanes – i hanes, cofia – mi fasa'n well gen i 'tasa chdi'n deud iddo fo farw fel milwr ar faes y gad. A marw yn arwrol.'

Teimlodd Polmont efail yn gwasgu ei fraich. Trodd i edrych i lygaid Iarll Foston: ni welodd olwg mor daer ar ddyn erioed. Gwasgodd ei fraich, ei gwasgu yn galed ddwywaith, dair, ond ni ollyngodd a throdd drachefn i syllu ar y darlun. Gorfodwyd Polmont yntau i ailedrych. Wyneb hardd, corff gwydn a thrwch o wallt melyn. Edrychodd y ddau yn hir i lygaid dyn oedd bellach yn ddim ond llwch.

'Nei di?'

Cytunodd i'w gais. Ond wrth addo y cwbwl a welai Polmont (am ryw reswm hollol anesboniadwy iddo'i hun) oedd darlun arall o flaen ei lygaid o'i noddwr yn llifio coes y Barnwr Garth MacFluart ar garreg wastad yng ngola'r lamp ar nos o fellt a tharana.

'Ga'i ofyn un peth arall, Iarll Foston, syr?'

'Gofyn be a fynno chdi.'

Gofynnodd Polmont a chafodd ateb ar ei union, "Drycha: fel bo' chdi'n dallt – fel bo' ni'n dau'n dallt ein gilydd unwaith ac am byth – 'taswn i heb ei thorri hi, 'taswn i heb neud be oedd yn rhaid imi ei neud – fasa Mr Garth MacFluart ddim wedi byw. Ti'n dallt be dwi'n ddeud wrtha chdi? Mi fasa wedi marw. Heb os nac oni bai. Dwi'n gwbod dy fod ti wedi holi'r Iarlles fy ngwraig hefyd . . . Felly, pam wyt ti'n mynnu rhygnu a rhygnu ar yr un tant yma yn dragwyddol?'

Anadlai'n llafurus a'i geg yn hongian. Roedd ei drwyn piws yn biwsach a'i dagell yn crynu o dan ei ên. Trodd wrth glywed curo ar y drws. Brathodd Mr Barlinnie yn ei ben yn ei gil.

'Hannar eiliad,' cododd yr Iarll ei law yn ara deg a'i tharo tros ysgwydd Polmont, ei fraich yn ieuo ar draws ei war, 'Gan dy fod ti heb fod ym Mharadwys, mae hi'n anodd ichdi ddallt sut mae natur lle felly yn handwyo iechyd dyn . . .'

'Dwi wedi darllen . . .'

'Pshaw! Darllen mo'r un peth â byw profiad. Dychmyga wres sy'n boen. Poen sych yn dy fol. Poen yn dy iau. Poen yn dy lygid nes bo' dy groen di'n melynu. Gwres malaria. Gwres cholera. Gwres sy'n codi pob math o anfadwch. Be am yr euon duon? Mmm? Pryfed sy'n ara gnoi trwy wal stumog dyn er mwyn bwyta'u ffordd i fyny i'w ben o nes bydd o'n sgrechian i'r nos. Mi fydda'r negroaid yn bwyta pridd er mwyn gwaredu'r hunllefa. Be trechodd Mr MacFluart oedd y nidws. A pham? Cynrhon yn dodwy wya bach gwynion o dan winadd 'i droed o. Wydda fo ddim eu bod nhw yno am hydoedd hyd yn oed. Meddwl mai rhyw gosi oedd o. Erbyn iddo fo ddŵad ar fy nhraws i, roedd 'i goes o'n duo. Prin galla fo sefyll. Yn mwydro a glafoerio wrth ferwi yn ei dwymyn chwys. Mi ddechreuodd ddrewi mewn dim o dro. Rhyw lysnafedd du yn llifo allan o dan winadd bodia'i draed o. Yntau'n crefu. Crefu am ymwared. Ti'n gwbod pa mor bell o Port Royal oedd Neuadd Foston. Ti 'di 'studio'r mapia. Yn enwedig yng nghanol anhrefn fel Terfysg Dante. Doedd hi'm yn saff mentro troed o'r tŷ. Sut fedrwn i forol doctor? Sut? Deud ti wrtha i! Pa ddewis arall oedd gen i ond gneud be nes i?'

Edrychodd draw tuag at ei Brif Was a ddywedodd, 'Syr Wayland Corton isio gair ynglŷn â'r mesur llonga yn y Senedd.'

Gwnaeth yr Iarll ryw arwydd na ddeallodd Polmont mohono. Aeth Mr Barlinnie o'r golwg a chau'r drws ar ei ôl.

'Fydd raid imi drefnu ichdi gyfarfod y Barnwr MacFluart,' dywedodd yr Iarll, 'iti gael clywed o'i ena fo'i hun be ddigwyddodd.'

Gwasgodd ei ysgwydd ac aeth allan. Safodd Polmont ennyd yn hel ei feddylia at ei gilydd a sŵn lli o eiria ar ei glyw. Oedd o wedi cytuno i gais yr Iarll mai marw ar faes y gad a wnaeth ei fab-yng-nghyfraith? Teimlai fod yr hyn a ddigwyddodd – fod y gwirionedd – yn fwy na hynny. Roedd yn lletach, amgenach peth na fo'i hun a'r Iarll; yn lletach ac amgenach peth na phawb a phopeth yn y byd. O ildio heb wybod y gwirionedd, teimlai na fyddai fyth yn fodlon â gweddill y llyfr.

Clywodd ryw groes eiria yn magu'n ffrae yn codi o rywla yng nghyffinia'r cyntedd . . .

Syllodd unwaith eto ar Syr Walton Royal. Sut fath o lais oedd ganddo tybed? Sut oedd o'n cerdded? Yn bwyllog, gallai ddychmygu. Neu oedd o'n frasgamwr? Bu'n syllu'n rhy agos. Bagiodd lathen a chraffu. Nid eistedd ar dorlan roedd y wraig lwyd ond ar garreg, ac wedi sylwi gwisgai ruban las yn ei gwallt melyn. Roedd gweld o bell a gweld yn agos yn ddau beth gwahanol iawn. Du oedd coler y ci. Coch oedd ei dafod a hwnnw yn dyheu yn y gwres, er ei fod yn 'mochel dan gysgod dail y coed.

'Be ydw i fod i neud?' holodd ei hun. Glynai Iarll Foston wrth ei stori mai adeg Terfysg Dante y llifiodd goes y Barnwr. Mai marw ar faes y gad a wnaeth Syr Walton Royal. Be am Mr Francis Foljame wedyn? Sut roedd sgrifennu ei hanes o? A be am lofruddiaeth Paradwys? Pwy oedd y ferch ifanc? Pwy oedd y ddau ddyn gwyn? Be ddigwyddodd? Oedd ots am hynny?

Edrychai ymlaen i holi'r Barnwr Garth MacFluart.

Neu efallai y gallai'r Fonesig Frances-Hygia Royal dorri'r ddadl. Y noson honno ysgrifennodd lythyr ati – llythyr maith a manwl – a'i yrru trwy law'r gwas Guernsey i Sgwâr Hanofer.

Dridia yn ddiweddarach.

Ganol y bora, cododd Polmont ei ben o'i bapura i syllu trwy'r ffenest ar gaenen ysgafn o niwl yn llwydo briga'r coed. Teim- lai'n oer ar waetha'r gwres a losgai'n danllwyth er ei fwyn. Roedd ei fodia wedi fferru a'i goesa wedi cyffio a chododd ar ei draed. Hiraethai am yr ha. Hiraethu am nosweithia addfwyn wedi tes y dydd a'r aer yn boeth a llonydd a chlywed trwy'r coed yn rhywla glync pêl yn taro pêl wedi i rywun ei rowlio'n fud hyd y borfa wastad a chymeradwyaeth a lleisia wedyn yn mynd a dod yn llac hyd friga'r pellter. Teimlodd yn swrth. Teimlodd fod gormodedd o ddogfenna ac adroddiada a phapura newydd yn ei gyrraedd fel nad oedd modd iddo wneud na phen na phont o'r cwbwl.

Derbyniodd lythyr arall (yn llawysgrifen Mr Francis Foljambe) ond o eiddo Iarll Foston yn nodi rhai atgofion personol ynglŷn â Syr Walton Royal. Wrth ddarllen y geiria ar bapur clywai Polmont lais ei noddwr yn canu'n glir trwy'i ben. Sut tyfodd Syr Walton Royal yn ŵr bonheddig mor rhinweddol yng ngolwg pawb? Mmm? Mi ddeuda i wrtha chdi sut: yn gynta, am fod grym ei ddeall o mor nodedig o finiog a'i reswm o mor gryf. Yn ail, oherwydd iddo fo bori mewn llyfra rhinweddol – y Beibl yn anad dim – a thrwy fyfyrio'n hir uwch ystyr rhinwedd nes iddo fo ddechra meddwl yn rhinweddol a dysgu siarad yn yr un modd, nes yn y diwedd fe ddechreuodd weithredu rhinwedd yn ei waith bob dydd fel Llywodraethwr a Chadfridog Milisia Paradwys nes y lledodd mawredd ei gymeriad tros yr ynys gyfan. Rhinwedd y rhan fwyaf o wleidyddion ydi celwydd, rhagrith a siniciaeth. A'u rhinwedda cysona un ydi anghysondeb. I'r gwrthwyneb yn hollol roedd ymddygiad Syr Walton Royal gan mai ei rinwedd pennaf fel Meistr y Tŷ Gwyn, Port Royal, oedd cysondeb ym mhob peth, gonestrwydd ym mhob dim a thegwch yn ei ymwneud â phawb yn ddiwahân. Ac er iddo fo ddisgyn ar faes y gad a marw ym mlodau'i ddyddia, mi daerwn i fod mwy o rinwedd yn ei fys bach o nag yng nghyrff cyfan dynion a fu fyw i fod yn gant oed.

Llythyra.
Danfonwyd ato sawl hen gasgliad. A danfonwyd hefyd nodiada a wnaeth y Fonesig Frances Hygia-Royal (mewn llawysgrifen mor fân fel y bu'n rhaid iddo mofyn chwydd-wydr i'w darllen) o bregeth gwasanaeth bore Nadolig, 1767, yr Esgob Parva yn Eglwys Port Royal. Tameidia yn unig a nodwyd . . .

'Pryd y daw bendith ar fendith i'n rhan ar yr ynys hon? Ni ddaeth y flwyddyn hon a aeth heibio. Y flwyddyn erchyllaf o fewn ein cof. (*Ai cyfeirio roedd yr Esgob Parva at frwydr Sans Souci?*) Onid rhyfedd yw ffyrdd Rhagluniaeth? (*Neu ai sôn yr oedd o am gyflafan y misoedd o achos Terfysg Dante?*) Paham mae'r Iôr mor amal yn arbed bywyd y naill ddyn, ac yn penderfynu yn ei fawredd i ddiffodd bywyd y llall? (*Neu ai bwrw ei feddwl yn ôl a wnaeth y bore hwnnw at oresgyniad Ffrancod Martinique trwy borthladd Damascus? Roedd hi'n anodd barnu o'r brawddega pytiog*) . . . Petai pawb trwy'r byd yn newid o'r tu mewn, ni fyddai angen huala arnom o'r tu allan, bobol. Ni fyddai arnom angen hyd yn oed y ffydd Gristnogol petai cwrs y byd yn canlyn llwybra cyfiawnder; byddem oll yn byw ym mharadwys. Ond byw amwys yw byw mewn alltudiaeth gan mai aneglur yw arwyddion Duw . . .'

Y Fonesig Frances-Hygia Royal.
Y noson honno cofiodd Polmont yn sydyn nad oedd hi byth wedi ateb ei lythyr. Be oedd yn bod? Galwodd Guernsey ato a'i holi'n fanwl drannoeth. Aeth hwnnw ar ei lw iddo ddanfon y

llythyr i'w drws yn union fel ag y gorchmynnodd iddo ei wneud; ac mai dyna a wnaeth; dim byd mwy, dim byd llai. Amheuodd y gwas o edrychiad ei feistr nad oedd yn ei goelio ac aeth ati i ddadla ei achos yn daer. (Yr euog a ffy?) Mynnodd Polmont ei fod yn gyrru llythyr arall. Y tro yma mynnodd ei fod o'i hun yn mynd draw i'w wylio'n ei ddanfon. Dywedodd nad oedd rhaid. Dywedodd y gallai ymddiried ynddo gan ei fod yn ddyn a gadwai at ei air. Bu yno ddega o weithia ar wahanol orchwylion. (Pam roedd Polmont mor gyndyn i'w goelio?)

Dringodd i'r goets.

Gyrrwyd o i lawr Piccadilly cyn troi i Hen Stryd Bond. Heibio i'r siopa i fyny at y Stryd Newydd (heibio i ddynion yn codi sgaffaldia a sŵn waldio pegia a pholion, pawb â'i forthwyl a'i bastwn), troi i'r dde i fyny Stryd Conduit ac i'r chwaith a Sgwâr Hanofer i'w weld o bell yn closio ar ben Stryd Fawr George. Danfonodd Guernsey ei lythyr i law morwyn yn nrws tŷ'r Fonesig Frances-Hygia Royal.

Deuddydd arall.

Ar derfyn y rheiny dal i wingo yr un mor ddiateb roedd Polmont a'r dyddia'n darfod heb iddo gymaint â chael un gair. (Ni ddaeth gair chwaith i ddweud fod Iarll Foston wedi trefnu iddo weld y Barnwr Garth MacFluart). Ar ben pob dim fe deimlai'n llegach o gael noson wael o gwsg. Bu'n troi a throsi, chwysu ac oeri bob yn ail, yn effro hollol am oria yn ei wely a'r gannwyll fechan wedi llosgi'n isel. Ar goll yn y gwyll uwch ei ben yn rhywle gwrandawai ar adenydd pry cannwyll yn siffrwd siffrwd, siffrwd siffrwd, siffrwd siffrwd. Teimlai fod y dyddiau'n feichus; aeth i ama ei allu ei hun. Be barodd iddo erioed feddwl ei fod yn gallu rhoi dau air at ei gilydd? Heb sôn am sgwennu Cofiant i ŵr mor allweddol ag Iarll Foston? Cynhaliodd gwest a thyrrodd llys o bobol i ddadla lond ei ben. Roedd amryw'n cega fod y gwaith yn llusgo'i draed a bod y Cofiant wedi dod i stop a doedd fawr o neb yn cynnig gair o gysur neu air hael o ganmoliaeth a charthu ei amheuon.

Hyd nes y daeth Syr William-Henry heibio yn ei bwysa tan chwibanu'n braf a phwffio mwg o'i getyn claerwyn hir a'i ddal yn hepian cysgu ar y *chaise-longue* yng nghwr y ffenast.

'Dyma fi'n dy ddal di'n diogi eto,' tynnodd ei goes.

Pan holodd Polmont am ei lys-chwaer, dywedodd, 'Mae hi wedi mynd i'r Spa yn yr Ardennes.'

Syllodd Polmont trwy'r ffenestr ar y mwg tena a godai o simnea Tŷ Buckingham.

'Pam ti'n holi?'

'Ers pryd?'

'Rhyw bedwar, bum diwrnod yn ôl. Pam?'

'Adeg yma o'r flwyddyn? . . . I be?'

'Pam ma' unrhyw un yn mynd i'r Ardennes?' gwenodd a dywedodd yn awgrymog (gan osod clun ar erchwyn y bwrdd), 'Wn i pam y baswn i'n mynd yno. Cofia di, mi faswn i fymryn yn gallach erbyn heddiw na'r o'n i 'radag honno. Pan o'n i yno'n llefnyn ar derfyn fy Nhaith Fawr trwy'r Eidal wedi imi fod fel peth hurt yn trochi mewn cnawd yn Rhufain nes magu blas lloerig yn Fenis a Firenze, doedd yr un wraig yn saff. Ro'n i'n hollol gocwyllt o fora gwyn tan nos. A thrwy'r nos . . . Cofia di. Deffro un bora nes i'n methu'n lân â dallt be oedd yn bod. Sefyll uwchben gondolas duon y gamlas wedi imi ddeffro toc wedi hannar dydd a finna'n fan'no'n trio pasio dŵr trwy'n ffenast lofft. Sefyll tan wasgu 'ngwep wrth duchan ac erthychu a'r contyn tew 'ma yn y stafall 'dana i wedi bod yn bloeddio canu ers oria a 'nghadw i'n effro. Methu'n lân â gneud. Fel 'taswn i'n trio piso gwydr poeth wedi'i falu'n fân trwy 'nghoc.'

'Sut go sy' gen ti am briodas Syr Walton Royal?'

'Priodas Syr Walton Royal?' chwarddodd, 'Faint ffwc ti'n meddwl ydi'n oed i, Polmont? E? Am gwestiwn i'w ofyn! Tydw i ddim mor hen â hynny 'sti! Dwy ne' dair oed o'n i 'radag honno. Sgen i'm math o go. Ar wahân i be ddeudodd hwn a'r llall wrtha i wedyn am redag ar ôl glöynnod byw a'u gwasgu nhw'n farw . . .'

'Felly, mi fasa chdi'n – be? – chwech ne' saith oed pan fuo fo farw?'

'Siŵr o fod . . .'

Cnodd yr atgof ennyd; a gwenu'n hiraethus braidd, fel petai wedi cofio rhywbeth doniol o'i orffennol.

'Sut yn hollol buo fo farw?' holodd Polmont tan chwarae yn ddihitio hefo'i ysgrifbin yn ei fysedd.

'Ar faes y gad. Yn Sans Souci.'

Roedd ynta wedi llyncu stori'r teulu. Roedd yn hen bryd i rywun – unrhyw un o'r teulu – ei helpu'n onest yn ei waith.

Ond pwy? Iarlles Foston? Oedd hi'n ddibynadwy? Pender-fynodd nad oedd fawr o ddiben mynd ar ei gofyn a hitha'n troi ymysg ei sêr a'i siartia a'i hastrolegwyr; roedd hi'n agosach at fyd yr ysbrydion nag yr oedd hi i'r byd go iawn. Y Fonesig Frances-Hygia Royal? Beth oedd barn y weddw tybed? Oedd hi'n gwybod y gwir am yr hyn a ddigwyddodd i'w gŵr? Mae'n rhaid ei bod hi. A hitha ym Mharadwys ar y pryd. Sut alla hi beidio?

'Pryd y daw'r Fonesig Frances-Hygia Royal yn 'i hôl? Oes rhywun yn gwbod?'

'Gofyn i 'nhad i heno.'

'Fydda i'n siŵr o neud.'

Ond ni ddaeth cyfle i fynd yn agos ato.

Noson y dyweddïad.

Hen noson drom o aea oedd hi. Tan rith y nos goleuodd ffagla fynd a dod y coetsus ar y stryd. Goleuwyd y tŷ fel canol dydd ar gyfer *beau mond* y ddinas a dyrrodd draw ynghyd â'r byd a'r betws. Safai Iarll ac Iarlles Foston (a *tiara* aur â phlu gwynion yn ei gwallt) ynghyd ag Iarll a Iarlles Wellingborough yn y stafell dderbyn i dderbyn y cannoedd o westeion a lifai yn eu lifrai i mewn a thrwodd wedyn i'r ystafelloedd mawrion.

Bu Mr Francis Foljambe yn sefyll y tu cefn i'r Iarll yn erbyn llun a ffinid â thorcha *alto-reliefo*. Darlun o gwningod ac adar yn ymwáu trwy ddrysni byrlymus: darlun mor llawn lliwia ac ysgytwol â bywyd ei hun. Cyrhaeddodd Tywysog Cymru yng nghwmni'r Prif Weinidog a'r Arglwydd Faer ac Archesgob Caergaint.

Cydymdeimlodd Iarll Foston pan glywodd nad oedd Tywysoges Cymru yn hanner da ac yn ei gwely yn diodda o'r ddannoedd a dymunodd adferiad buan iddi ac i'r Tywysog ddanfon ei gyfarchion. Llanwyd yr ystafelloedd â murmur sgwrsio fel suo gwenyn. Crwydrai'r gwesteion hwnt ac yma, rhai yn eistedd, eraill yn sefyllian mewn cylchoedd i sgwrsio, cyn gwahanu a chylchynu at rywrai eraill.

Miss Swinfen-Ann oedd canolbwynt edmygedd pawb. I ba le bynnag yr elai mynnai pobol ei llongyfarch.

Hithau'n eiddgar i ddangos ei modrwy.

Cerddodd Miss Styal yn ei chysgod.

Sibrydodd yn ei chlust, 'Sut wyt ti'n gallu, Swinfen?'

'Ti'n gwbod pam. Drwy briodi Syr Swaleside fydda i'n rhydd rhag 'myrraeth Tada a Mama. Yn rhydd i neud fel mynna i wedyn. Dyna pam na fedra i'm disgwl inni fod yn ŵr a gwraig.'

'Ti mor siniciaidd.'

'Nabod fy meddwl ydw i a gwbod be dwi isio.'

'Gei di helynt.'

'Na cha i.'

'Dwi'n dy gasáu di, Swinfen.'

Tynnodd ei thafod a'i hateb yr un mor blentynnaidd, 'Dwi'n dy gasáu di hefyd, Styal. A 'drycha dy wynab di . . .'

'Be amdano fo?'

'Cer at ddrych draw'n fan'cw a gei di weld.'

Trodd ar ei sawdl a rhuthrodd i ffwrdd ar wib hefo'i dwy law ar ei dwy foch. Doedd dim o'i le ar ei cholur ond cafodd Swinfen-Ann esgus i gael 'madal â hi yn hytrach na'i chanlyn o gwmpas fel rhyw gi bach. Gwenodd ar Arglwydd Muskerry ac Arglwydd Palmerston wrth anelu i groesi draw at Polmont. Roedd hi wrth ei bodd yn tynnu arno; ei herio a gweld pwy mor bell y gallai ei gynddeiriogi hyd nes y collai ei limpyn yn lân. Fe'i gyrrodd yn gandryll wythnos ynghynt drwy guddio ei bapura tu ôl i lyfra yn y llyfrgell. Ynta'n methu'n lân â deall ble roeddan nhw wedi mynd. Drannoeth fe'i gosododd ar y bwrdd. Achwynodd wrth ei thad a chafodd ei galw ato i wrando arno'n troi tu min a deud y drefn.

Sibrydodd yn ei glust, 'Ti'm yn mynd i goelio hyn.'

Sylwodd Miss Swinfen-Ann fel y sythodd y Cofiannydd.

'Coelio be?'

Gwasgodd ei llaw tros ei cheg i atal ei chwerthin.

'Coelio be?' gofynnodd wedyn.

'Mi neith o'r un peth heno a mae o'n neud bob tro.'

Gwyddai o'i edrychiad ei fod o'n gwybod yn iawn am be roedd hi'n sôn.

'Pwy?'

'Fedri di'm dyfalu?'

'Ym mhoced pwy tro yma?'

'Y Prif Weinidog.'

'Wedi gneud? Neu'n mynd i neud?'

Roedd hi bron â marw isio chwerthin.

'Mynd i neud.'

'Ydi hi'm yn well i rywun sibrwd rhyw air o rybudd yn 'i glust o?'

Mr Francis Foljambe.

Daeth i benderfyniad ynglŷn â'r Cofiannydd ers amser, a'r penderfyniad hwnnw oedd ei fod am weld ei gefn dim ots sut cyn belled â bod hynny gynted ag y bo modd. Ni wyddai sut yn hollol eto ond roedd yn benderfynol o gael gwared ag o rywsut neu'i gilydd. Roedd yn difaru na fyddai wedi bod yn ffyrnicach o'r cychwyn cynta un a rhoi ei droed i lawr yn gadarn y noson honno ym Mharis. O'r eiliad y clywodd amdano gynta roedd wedi ei gasáu. A doedd dim byd ers hynny wedi peri iddo newid dim ar ei farn. Os rhywbeth roedd yn ei gasáu yn waeth.

Aeth heibio i Duc a Duchesse de Guermantes a'i gwisg llaes yn siffrwd hyd y llawr; llwch o bowdwr ei gwallt yn gadael rhyw sychder ar yr aer ac yn ei drwyn. Dannedd; gwena; gyddfa a mynwesa gwynion; ysgwydda noethion; llygaid yn disgleirio. Cerddodd trwy'r ystafelloedd hyd nes y cafodd gip ar Mr Barlinnie yn cadw cow ar ei weision lifrai, a phob un yn gwisgo esgidia byclau aur a sana sidan claerwyn a'u llygaid yn wiwera o'u gwmpas o ganlyn y gwesteion i forol a thendiad yn ôl eu hangen.

'Heb weld y Cofiannydd?'

'Ddim heno.'

Â blaen ei dafod brwshiodd ei ddannedd fesul un y tu ôl i'w wefusa tynn.

'Os gweli di o, deud 'mod i isio gair.'

Gwyliodd Mr Barlinnie Mr Francis Foljambe yn gwau o'r golwg heibio i Mr Burke a nifer o Aelodau Seneddol nes diflannu trwy'r drws. Gwyddai o'i osgo fod rhywbeth ar droed. Od tydi, meddyliodd wrtho'i hun, fod ei gasineb mor amlwg i bawb ar waetha ei ymdrechion i guddio hynny. Daeth Iarlles Foston at y Prif Was i gwyno am ddiofalwch gwas ac aeth i'w chanlyn.

Y Fonesig Maidstone-Susanna Royal.

Siarad o ran siarad roedd hi erbyn hynny gan fod hynny o sgwrs a fu wedi sychu ers meityn. Yr unig sgwrs a feddai Mrs Parva oedd am goginio a mymryn o arddio; bu'n mwydro a malu awyr am blannu rhes o bren drain yspinys; coda ffa;

llysia'r neidr a chwynnu dail tafol a dail poethion, ond ni wyddai'r Fonesig Maidstone-Susanna am y naill beth na'r llall. Ac yn hidio llai. Roedd hi wedi alaru ers meityn ac yn hanner gobeithio y deuai rhywun ati o rywla i'w hachub. Pan na ddaeth neb i'r fei fe suddodd i'w meddylia hi ei hun. Suddodd mor ddwfn fel na thrafferthodd i droi pan glywodd gwraig fonheddig nesa ati'n gwichian tan batio'i chroen pan ddiferodd cŵyr poeth o'r canhwyllyr mawr uwchben wrth sblashio ar ei gwar.

Teimlai'r Esgob Parva braidd yn flinedig a'r stafell yn anarferol o lachar tan lewyrch y canhwyllyron grisial a grogai'n drwm o'r nenfwd aur. I ba le bynnag y byddai'n troi, gwelai ei hun mewn drycha mawrion ar bob mur ac ar ben pob dim roedd ganddo ddolur gwddw. Cododd chwerthin tros ei ysgwydd dde a hanner trodd i weld y Canghellor yn chwerthin am rywbeth 'smala a ddywedodd Syr Robert Henley wrtho.

'Maddeuwch imi,' dywedodd Esgob Parva, 'ond mae'n rhaid imi eistedd.'

Yr ystafell eistedd.

Gorlawn i'r ymylon oedd hi'n y fan honno hefyd a bwrlwm y sgwrsio dipyn yn fwy swnllyd. Aeth yr Esgob a Mrs Parva at *chaise-longue* ar y mur pella ac eistedd nesa at Dywysog a Thywysoges Edmond de Polignac (a drodd eu cefna arnyn nhw braidd). Cyn gynted ag yr eisteddodd daeth Iarlles Foston i'r fei a theimlodd yr Esgob reidrwydd i araf duchan eto ar ei draed.

'Sdim isio,' siarsiodd hitha a'i gwydryn gwin yn wag. Cyn iddi allu torri dau air llusgodd yr hen Marchioness d'Obizzi ei hun ati a mynnu gair yn dawel yn ei chlust.

'Hyp hyp hyp,' sychodd Esgob Parva ei wegil â'i hances. Gwelodd ryw ŵr ifanc braidd yn fyr yn gwenu arno. Gwenodd ynta – ond heb wybod pwy oedd o; na pham y rhythai gŵr ifanc draw ar draws y stafell heibio i'r ysgwydda gwynion. Fe sylwodd arno ynghynt; sylwi ei fod yn rhythu arno bryd hynny hefyd wrth iddo gamu ar draws y cyntedd yn gynharach ond oherwydd byrdra ei olwg fe'i camgymerodd am rywun arall. Daeth Syr Feltham Royal i'r stafell yn tisian i'w hances a syllu arni cyn ei phlygu a'i gwthio i fyny ei lawes.

Edrychodd yr Esgob Parva yn amheus braidd pan groesodd y gŵr ifanc byr ato, moesymgrymu fymryn a'i gyflwyno ei hun.

'Ascot?' crychodd ei dalcen tra gwyrai Mrs Parva i sibrwd yng nghlust ei gŵr.

'A! Siŵr iawn,' goleuodd ei wedd. 'Wrth gwrs! Cofio chi rŵan. Polmont ynte? . . . A sut ma'r gwenyn meirch?'

'Chi pia'r cychod, syr. Sdim un wenynen gen i.'

Edrychodd yn ddryslyd a sibrydodd ei wraig drachefn.

'Ydw, ydw. Wrth gwrs. Cofio chi'n iawn rŵan. Rois i fenthyg llyfr Doctor Shotts ichi . . . *Terfysg Dante?*'

'Buddiol iawn oedd ei ddarllen o hefyd.'

'Doctor Shotts yn un o fil.'

'Ond yn yfwr trwm glywis i?'

Yfwr trwm? Holodd yr Esgob ei hun. Am be oedd o'n sôn? Oedd y dyn yn lolian neu wedi ffwndro a dechra drysu? Doctor Shotts oedd y dirwestwr mwya iddo gyfarfod ag o erioed; doedd o'n yfed dim byd ond dŵr. Cyn i'r Esgob allu ateb tynnwyd ei sylw gan Mr Wilberforce, a gododd ei law i'w gyfarch o'r ochor bella.

'Pan oeddech chi'n byw yn Port Royal,' gofynnodd Polmont iddo, 'ma'n rhaid bo' chi wedi nabod Syr Walton Royal?'

'Nabod o'n well na neb,' pesychodd yr Esgob i'w ddwrn. Pam roedd o'n holi, holodd ei hun.

'Wyddoch chi sut cafodd o'i fwrdro?'

'Adeg Terfysg Dante.'

'Terfysg Dante? 'Dach chi'n siŵr o hynny?'

'Dyna'r amser gwaetha imi fyw trwyddo fo erioed.' Daeth y cyrff a welodd wedi eu hoelio hyd ddrysa'r ynys yn fyw i'w go, 'Does gen bobol ifanc heddiw ddim syniad o'r hyn fu'n rhaid i rei ohonon ni orfod fyw trwyddo fo. A chyfrwch eich bendithion!'

''Dach chi'n cofio pwy wnaeth ei fwrdro fo?'

'Cofio pwy wnaeth? Oes rhaid gofyn? Rhyw negro.'

'Sut?'

'Trwy wenwyn siŵr iawn.'

Roedd ei ddolur gwddw'n waeth a'i lais yn crugio. Sylwodd fod Polmont yn craffu arno'n galed a'i dalcen wedi'i grychu, un llaw o dan ei benelin a'i fraich arall i fyny hyd ei wyneb, ei law yn gorwedd yn wastad ar ei foch. Brathodd ei fys wedyn.

'Pam? Be sy'n eich poeni chi, ŵr ifanc?'

Daeth Syr William-Henry at Polmont a mynnu gair ar frys.

Trodd yr Esgob at Mrs Parva wedi i Polmont gerdded i ffwrdd a dweud, 'Toedd hwnna'n ddyn rhyfadd?'

Y Cofiannydd.

Gwyddai Polmont ers meityn (trwy Mr Barlinnie) fod Mr Francis Foljambe wedi bod yn chwilio amdano; a meddyliodd mai wedi dod i chwilio amdano ynglŷn â hynny roedd Syr William-Henry Hobart. Camodd y ddau o'r *drawing room* i'r brif ystafell ddawns gan anelu at gornel dawel. Gwelodd Polmont trwy gil ei lygaid Mr Francis Foljambe yn ei lygadu o bell; yn edrych fel dyn a gerddodd yn hir o ganol cyfrinacha rhyw sgwâr bach tywyll. Gwelodd o'n sydyn anelu amdano ond yn stopio'n sydyn a throi ar ei sawdl pan welodd Iarll Foston yn ei alw ato. Doedd yr un gornel yn ddigon tawel i Syr William-Henry. Mynnodd dywys Polmont o'r neilltu, heibio i Mr Burke, a chwarddai'n ysgafn yng nghwmni Llysgennad America, a heibio i laweroedd o westeion eraill.

'Ffwc,' pesychodd.

'Be sy'?'

'Dwi 'di 'i gneud hi go iawn tro yma.'

Rhwbiodd Syr William-Henry ei wyneb a'i wegil â hances sidan binc ola.

'Cawl potsh. Ffwcin llanast . . .'

O'r ochor bellaf i'r ystafell, torrodd cymeradwyaeth frwd. Dringodd Iarll Foston i fyny ar lwyfan a godwyd at y pwrpas. Fe'i dilynwyd gan Iarll Wellingborough ac yna Syr Swaleside a Miss Swinfen-Ann i gymeradwyaeth fyddarol.

Sionciodd Iarll Foston; ei gorff yn stwytho a'i leferydd hefyd yn sioncio yr un modd. Ffraethineb ei dafod yn peri goglais. Canmolodd alluoedd Syr Swaleside fel darpar fab-yng-nghyfraith, fel dyn, fel Aelod Seneddol, fel y gwyddai i sicrwydd y byddai yntau a Swinfen yn tywallt serch i eneidia ei gilydd.

'Ac ar fore dydd eu priodas, gyfeillion, o gylch yr eglwys fach, bydd adar bach y wig yn canu fel adar gwynfyd a'r meysydd bychain o gwmpas neuadd y neithior yn orlawn o wyrddlesni anfarwoldeb tan heulwen ha.'

Cymeradwyodd y cannoedd ac Iarlles Wellingborough yn dotio at ei ddawn ymadrodd. Gŵr o fyr eiria oedd ei gŵr. Ni ddywedodd Syr Swaleside air er i ddynion ei herio. Codwyd gwydra siampên; yfwyd iechyd da a dymuno hir oes i'w Fawrhydi, y Brenin a'r Frenhines, Tywysog a Thywysoges Cymru. Wedyn, mae'n rhaid fod Tywysog Cymru wedi dewis partner i'w thywys i ddawns oherwydd dilynodd dwsina ei esiampl a gwagiodd y stafell o dipyn i beth.

'Gaddo i mi na ddeudi di air wrth neb. Deud o.'

'Ddeuda i 'run gair wrth neb.'

Hanner gwenodd Syr William-Henry a chrychu'i drwyn, 'Na'i grybwyll o'n y Cofiant 'ma.'

'Sonia i wrth undyn byw . . .'

'Achos 'sa fiw i gont fel Francis glywed achos buan iawn y basa fo'n rhoi rhwbath fel hyn ar waith . . .'

'Be sy'n bod?'

'Dwi 'di hadu Maidstone-Susanna.'

Hanner chwerthin wedyn; yn hanner balch; hanner hurt.

'Hadu gwraig fy nai. Tydw i'n gwdyn gwirion?'

Yr Esgob Parva.

Camodd i stafell fechan dywyll ar yr ail lawr (ymhell o sŵn a thwrw'r ddawns er bod y rhialtwch i'w glywed o hyd yn egwan o dan ei draed), cau'r drws yn dawel, penlinio ger y gwely a dodi ei ddwylo ynghyd i grefu ar Dduw i waredu ei ddolur gwddw. Cododd rhywun o'r gwyll . . .

Cododd ynta ar ei union tan fagio gam.

'Sdim isio dychryn. Dim ond fi sy' 'ma.'

'Be 'dach chi'n neud?'

'Isio bod ar ben fy hun am eiliad.'

Anodd oedd cynnal sgwrs hefo merched ifanc, meddyliodd. Doedd wybod beth oedd eu diddordeba; ac erioed bu hi'n llawer anoddach cynnal sgwrs hefo Miss Styal na Miss Swinfen-Ann. Roedd hi'n iau na'i chwaer o flwyddyn, yn ddwysach, yn gymhlethach merch i ddod i'w hadnabod.

'Teimlo tynfa gweddi nes i,' eisteddodd, 'Fyddwch chi'n gweddïo, Miss Styal?'

'Weithia. Os mai gweddïo fydda chi'n galw be dwi'n 'i neud. Wn i ddim. 'Falla mai dyna be ydi o hefyd. Gofyn i Dduw roi gŵr iawn i mi – rhywun rhamantus – rhywun sgubith fi o 'ddar fy nhraed – a ddim rhyw lo fel ma' Swinfen yn mynd i'w briodi. Dydi hi ddim yn caru Syr Swaleside. Dydi o ddim yn 'i charu hi chwaith, fedrwch chi ddeud. Dydi o brin yn gallu siarad. Ia a Na ydi'r cwbwl sy' gynno' fo o eiria. Er ei fod o'n Aelod Seneddol.'

'Dewch i ista fa'ma, 'mechan i.'

Oedodd; wedyn taro clun wrth ei glun, a theimlodd hitha ei law oer ar fôn ei chefn.

'Da chi, peidiwch â gadael i betha fynd yn rhy hwyr chwaith. Tydi'r un ferch ifanc isio mesur cysgod y dyddia hyd nes y bydd hi'n hen ferch yng ngharchar atgofion am yr hyn na fu er mor felys fyddai treulio gweddill eich dyddia yn yfed coffi'r prynhawnia a byw ar floneg stad eich annwyl dad.'

'Ma' ganddo chi, ddynion, fantais fawr iawn o allu mynd allan i garu'r sawl a fynno chi, Esgob Parva, ond rhaid i ni ferched ddioddef y sawl a ddêl i'n ceisio neu fod heb neb.'

'Does dim o'i le ar hynny, 'mechan i.'

'Medda chi fel dyn.'

'Medda fi fel un oedd awydd priodi yn ôl dymuniad 'i galon unwaith. O dreulio bywyd ar ei hyd – a chofiwch fod oed yr addewid tu cefn imi ers sawl blwyddyn bellach – dwi wedi deall pa mor bwysig ydi anghenion llinach. Mawredd teulu, ach a pherchentyaeth. Ma' llawer iawn o blaid priodasa wedi eu trefnu'n ddoeth fel un eich chwaer.'

'Hy!'

'Ifanc ydach chi, 'mechan i.'

Teimlodd ei law yn araf rwbio'i chefn.

'Yn gweld y peth yn annynol a braidd yn ffiaidd. All pobol ifanc yn amal ddim adnabod eu nwyda; na didol y gwahaniaeth rhwng chwant a chariad. Sut mae adnabod – gwir adnabod – y dynfa gychwynnol sy'n tanio ac yn tynnu deuddyn at ei gilydd? Mae o'n fater dyrys. Heneiddio nawn ni i gyd. Be sy'n aros? Cyfeillgarwch? Rhannu diddordeba? Rhannu pleser magu teulu? Ond yn bwysicach na hyn i gyd, parchu'r rheswm gwreiddiol tros bwrpas y briodas, sef anrhydeddu Duw. Onid dyma mae'r Llyfr Gweddi yn ei annog?'

Yr her.

Teimlodd Polmont law ar ei ysgwydd a throdd i syllu i fil-eindra wyneb Mr Francis Foljambe, a oedd isio gair . . .

Mynnodd iddo'i ganlyn trwy ddrws i stafell fyglyd; ystafell isel, glòs, llawn sŵn taeru isel. Gwasgai dynion fel haid o eifr duon o gwmpas bwrdd lle clywid tuchan dau ŵr bonheddig. Waldiodd un ddwrn y llall yn wastad a chodi yn llawn chwys i hawlio ei bres.

'Chdi a fi,' gwasgodd Mr Francis Foljambe ei fys i frest Pol-mont.

'Dwi ddim yn fetiwr.'

Gwasgodd ei fys yn ddyfnach i'w gnawd; ei rwbio yn ei groen meddal a'i lygaid yn mwytho rhyw gasineb miniog.

'Rioed ofn methu?'

'Ddim o gwbwl.'

'Ddim betio pres nawn ni.'

'Oes betio arall?'

Â chasineb meinach, 'Mwy nag un.'

'A phan dwi'n ennill?' heriodd Polmont.

'Nei di ddim.'

Gwthiodd Mr Francis Foljambe trwy'r gwŷr bonheddig. Penlinio a thorchi ei lewys. Agorodd adwy a chamodd Polmont trwyddi a phenlinio wrth gongol y bwrdd tan syllu ar ei ben moel wedi iddo ddiosg ei wig gyferbyn ag o. Tynnwyd cannwyll at Mr Francis Foljambe, tynnwyd un arall at Polmont, sodrodd y ddau eu penelin i lawr a dal eu breichia i fyny. Araf dynnodd Mr Francis Foljambe ei sigâr o'i geg, ei stwmpio a chlapio ei law yn llaw'r Cofiannydd.

A'i anadl yn lledu, dywedodd, 'Pan fydd fflam y gannwyll yma'n llosgi dy groen di . . . deud ac mi ollynga i.'

'A wedyn be?'

'Wedyn – wedyn dwi am ichdi adal y tŷ 'ma heno, a pheidio byth â meiddio dŵad ar gyfyl neb o'r teulu i holi dim fyth eto.'

'Ac os enillia i,' dywedodd Polmont, 'dwi am ichdi fy helpu fi yn onest yn fy ngwaith.'

Mewn dychryn sydyn, cyffiodd corff Polmont trwyddo. Cyffiodd y ddau nes codi fymryn oddi ar y llawr. Clowyd nhw, fraich-ym-mraich – araf glosiodd eu hwyneba, eu talcenni'n crynu, gwythienna'n chwyddo'n nadroedd blin, bocha'n cochi, chwys yn llifo. Tan chwyrnu trwy eu danneddd tynn, isel chwerwai'r ddau fel cŵn wedi eu cloi mewn tŷ gwydr ar des. Llyfodd Polmont ei wefus ucha â blaen ei dafod. Araf fagodd Mr Francis Foljambe duchan hir wrth i'w ddwrn araf suddo tuag at gopa'r gannwyll; a theimlodd ei goes yn merwino tan fil o binna bychain.

Wfft! gwasgodd Polmont â holl nerth ei greu ar ôl cymryd ei wynt ato er mwyn ei suddo ei hun i'r ymdrech ola. Gwichiodd Mr Francis Foljambe wrth deimlo'r gwres a theimlo tywod lond ei glustia, ei war yn magu plwm a chlywed sŵn traed dynion dieithr yn disgyn ar ei glyw. Teimlodd Polmont fod ei ben yn byrstio: llewyrchai ei ben, lledai goleuni trwyddo hyd at ben grisia, yna'n amldroeog, yn is ac yn is trwy strydoedd bychain, heibio i dai wrth eu swper, cysgod merch yn cario dŵr o bistyll, olion plant yn troi i mewn tros garreg drws a'r sgwaria'n distewi a'r nos yn disgyn . . .

Rhythai'r ddau tros gopa'r gannwyll i fyw cannwyll llygaid ei gilydd: ac araf ledodd gwên ar draws gwep Mr Francis Foljambe, er bod ei groen yn cochi.

Anogodd y gwŷr bonheddig o i ildio.

Ogleuodd Polmont losgi.

'Ildia! Ildia!'

Ni wnaeth.

'Francis, ildia ne' mi losgi'n ddrwg . . .'

O erthwch enbyd ei gnawd, pallodd nerth Mr Francis Foljambe, chwalwyd y gannwyll o'i tharo dros y bwrdd; torrodd wydryn, cleciodd plât. Cododd ar ei union, codi'i wig a rhuthro allan.

Taniodd Tywysog Cymru ei sigâr a dweud yn dawel, 'Dowch, mae 'na wragedd yn disgwl amdano ni, foneddigion.'

Drannoeth.

Nid y dyweddïad a gafodd y sylw mwya yn y papura newydd ond hanes y Prif Weinidog yn herio Llysgennad America i *duel*. Amrywiai'r adroddiada ond yr un oedd esgyrn y stori. Oddeutu dau o'r gloch y bore, aeth y Prif Weinidog at Lysgennad America a rhoi peltan hegar iddo – trwm bwyo asgwrn ei rudd – gan ei gyhuddo o wneud rhywbeth annymunol ym mhoced ei gôt. Gwadodd y Llysgennad ond aeth petha o ddrwg i waeth ac roedd y ddau ar fin clewtian ei gilydd yng ngŵydd cymdeithas gyfa a bu'n rhaid i Mr Burke ac Iarll Foston wahanu a thawelu'r ddau ŵr bonheddig a'u tywys i stafell o'r neilltu er mwyn cymodi.

Yn ddiweddarach, datgelwyd mai Miss Swinfen-Ann oedd y tu ôl i'r cwbwl. Doedd dim malais yn ei bwriad. Haerodd nad oedd y cwbwl yn ddim byd mwy na thipyn o dynnu coes hefo gwydryn dŵr ogla drwg o bwll llyffantod yr ardd.

Y cartŵn.

Ar hap y gwelodd Polmont o. Digwydd agor y *Daily Advertiser* a ddywedodd fod Iarll Foston wedi gwahardd ei ferch rhag gadael y tŷ am fis fel cosb am yr hyn a wnaeth i'r Prif Weinidog. Darllenodd Polmont adroddiada eraill. O droi i dudalen 8 daliodd cartŵn ei lygaid.

Cartŵn o'r Fonesig Frances-Hygia Royal a merch fach garpiog yn rhythu ar deisenna mewn ffenast siop. 'Mestynnai ei dwylo draw at y ferch fach eiddil.

Syllodd arno'n hir.

Roedd ail gartŵn o'r Fonesig Frances-Hygia Royal yn cydio yn llaw grynedig y ferch fach ac yn ei thywys tros y rhiniog. Yn y trydydd un, prynai dorllwyth o deisenna iddi. Yn y pedwerydd safai'r ddwy mewn siop ddillad a golwg wedi ei darnsynnu ar y ferch fach wrth foddi yng nghanol y fath garedigrwydd.

Yn y pumed un, wrth edrych i fyny i'w hwyneb caredig, roedd y geiria, 'Madam, pwy ydach chi?'

Hitha'n dweud ei henw.

'Na, ddim dyna pwy ydach chi go iawn.'

'Ia, 'merch fach i, dyna pwy ydw i. A gweddw'r diweddar Syr Walton Royal, Llywodraethwr Ynys Paradwys.'

'Na, mi wn i pwy ydach chi.'

Holodd hitha, 'Pwy ydw i felly?'

'Gwraig Duw.'

Syllodd Polmont drachefn. Syllu tuag allan am hydoedd a chwestiyna yn troi'n hen surdan yn ei ben. Darfu'r bore o synfyfyrio.

Pam nad atebodd y llythyr a yrrodd ati i'r Spa wythnosa ynghynt?

Sut y bu farw ei gŵr?

Pwy laddodd o go iawn?

Wythnos yn ddiweddarach.

Doedd Polmont heb weld Mr Francis Foljambe ers noson dyweddïad Syr Swaleside a Miss Swinfen-Ann ond penderfynodd fod yn rhaid iddo fynnu ei gymwynas ganddo yn sgil y bet a enillodd. Roedd yn benderfynol o'i holi i'r gwraidd ynglŷn â Syr Walton Royal. Os oedd o'n gwybod rhywbeth – neu'n gwybod am rywun arall a oedd yn gwybod rhywbeth – roedd yn benderfynol o glywed y gwir. Gadawodd fwy nag un neges iddo ond nid atebodd. Ddeuddydd ynghynt clywodd Polmont (trwy Rampton) fod Mr Francis Foljambe yn y Gyfnewidfa Frenhinol.

Aeth yno.

Camodd trwy'r gwŷr bonheddig a llif y lleisia o galerïa'r muria yn caledu tua'r canol nes codi'n dŵr o stŵr. Udo galerïa Portiwgal, Oporto a Hambwrg am y gora i foddi udo galerïa Jamaica, Barbados a Pharadwys. Bloeddiodd hanner dwsin o glarcod a stumio'u breichiau a'u bysedd. Â'i fysedd yn waldio cledr ei law, udai hogyn ifanc wrth glust Polmont am gyfanbris siwgwr. Udai un arall am ddrwgdaliad coffi (gan guro'i ysgwydd hefo soser arian).

Er iddo chwilio, methodd weld Mr Francis Foljambe yn un-man.

Roedd ar fin gadael pan welodd ryw ŵr bonheddig yn ei ddagra; yn powlio crio, a darn o bapur wedi'i wasgu rhwng ei ddannedd. Penliniai'r masnachwr tan ei wasgu'i hun a'i freichia. Sydyn ddwrdiodd y nefoedd hefo'i ddyrna tynn; edrychai fel Mohametan yn ei weddi; ei ddwylo a'i freichia'n codi i fyny ac i lawr, ei gorun ar y gwastad. O'i gwmpas sbonciai dynion; dynion yn dawnsio mewn llawenydd, yn cyd-neidio i fyny ac i lawr gan gydio yn ei gilydd. Canodd cloch. Brys, brys, anferth brys! Rhuthr gwyllt tuag at galerïa'r Ffrancod a'r Eidalwyr. Camodd Polmont at y masnachwr a'i godi ar ei draed. Ymysg y crochweiddi a chrachfloeddio, eglurodd fel y bu i slaes o'i ffortiwn (buddsoddiad cenedlaetha ei dad, ei daid – ei deulu i gyd) – y cwbwl oll ohoni hidlo trwy ei fysedd oherwydd iddo gael ei dwyllo ar fater rhyw fusnes mewnforio mawr.

'Fflorida!'

Y dyfodol, gwasgodd freichia Polmont gan rythu'n daer i'w wyneb a'i ysgwyd yn hegar fel petai'n disgwyl gweld rhyw eglurhad yn disgyn fel huddug o simdda. Tynged dyn sy'n byw ar dymer y farchnad. Fflorida oedd ei orffennol. Cydymdeimlodd Polmont o wybod am y chwant o drio canlyn y farchnad hyd ryw lwybra igam-ogam. Codi'n y bora i redeg yn llawn blys i ganlyn dyhead nad oedd modd ei ddigoni. Nad oedd modd ei ddal. Y cawg aur wrth fôn yr enfys. Oes rhywbeth mwy cyfriniol na chyfalaf?

Cafodd gip sydyn ar Mr Francis Foljambe yn sleifio trwy'r porth i Stryd Threadneedle. Aeth ar ei ôl. Ond o gyrraedd mwstwr y stryd, doedd dim golwg ohono. Oedd o'n wardio yn Nhŷ Coffi Pennsylvania? Neu'r Colonial? Neu wedi diflannu i lawr yr Aldgate? Broad? Cheap? Laughbourn? Wallbrook?

Roedd Mr Francis Foljambe yn ei osgoi o fwriad.

Bet oedd bet.

Polmont a enillodd.

Ac roedd dyled i'w setlo.

Drannoeth.

Ar fwrdd y llyfrgell, roedd amlen wen â'i enw arni. Nid llythyr a ddisgwyliai Polmont gen y Fonesig Frances-Hygia Royal o'r Spa yn yr Ardennes . . . ond llythyr dienw. Llythyr yn trefnu i gyfarfod, y noson ganlynol, cyfarfod slei bach mewn tafarn ar dro cul dywyll rhyw stryd, a rhywun oedd â blys didol cyfrinacha pwysig iawn – cyfrinacha na ellid eu hanwybyddu, yn wir, cyfrinacha y byddai Polmont yn ffŵl i'w hanwybyddu a hynny ynglŷn â bywyd Iarll Foston ym Mharadwys.

Sut oedd hi'n bosib iddo roi ei feddwl ar waith ar ôl derbyn llythyr o'r fath? Ond gweithio wnaeth o. Ei orfodi ei hun i weithio er mwyn treulio'r oria neu fel arall ni fyddai wedi gwneud dim oll ond rhyw bensynnu uwch y llith; yn ceisio dyfalu pwy a'i gyrrodd a beth oedd gan y llythyrwr i'w ddweud wrtho. Penderfynodd ddarllen trwy hen rifynna o *Gazette* Brenhinol, Port Royal; darllen trwy hen bapura a'r rheiny wedi melynu a'u dalenna'n gras a chrin. Roedd y rhan fwya o'r digwyddiada a'r persona yn ddiarth iddo. O'r herwydd fe aeth ati i chwilio am enwa cyfarwydd, a buan y daeth ar draws adroddiad gen lygad-dyst o dan y glas enw 'Achos Cyfiawnder', o'r frwydr fawr a fu pan ymosododd Ffrancod Martinique ar borthladd Damascus . . .

Yr Ymosodiad.

Wrth sgrafellu ei thorlannau yn ei dillad gwaith, brown a budur oedd Afon Taledigaeth a'i rhuthr yn sgwrio ei llanast i'r lli. Sgubwyd nialwch Natur o waddol ei choluddion o bellafoedd Cwm Cyfamod i lawr i ferw'r môr. Marchogais tua Damascus ym myddin Syr Walton Royal ac Iarll Foston tros foncan du o fryncyn a sŵn tanio i'w glywed o'r ochor draw. Bwriasom yn ein blaenau a'r glaw yn ein llygaid ac ar ein clustiau clywem chwiban hir o banic yn y meysydd siwgwr ac adenydd sgrech y coed yn waedd dros led y waun. Rhuthrodd i'n cyfwrdd wartheg yn brefu mewn braw a'u lloi a'u llaeth a'u cig a'u crwyn yn siglo i'r nos. Llwyddwyd i groesi Pont Amser mewn pryd cyn ei difa gen nerth yr afon a sŵn y brwydro draw o'r dref i'w glywed ar y gwynt.

Ffurfiwyd y llynges yn un llinell ugain llong can gwn a'r cwbwl yn gadael Fort-de-France liw nos yn cario hwyliau llawn. Oherwydd y cymylau isel a thwrw eu tanio yn gymysg â'r taranau barnodd gwarchodlu bach y morglawdd fod yno ddwbwl neu drebl y rhif. Canwyd y cloch ac alarmu'r dref. Taniodd y llynges er mwyn ceisio diffodd grym y magnelau mawrion ar Glogwyni Armagedon. Deffrowyd dynion y dref o'u cwsg. Chwalwyd coedydd Gerddi Genedigaeth-fraint â tharandwrf tân o'r llynges. Dan gysgod y tanio trwm ymosododd un dosbarth o'r fyddin ar y dref o dan Gadlywyddiaeth Cornel d'Henin (o ddinas Bordeaux) wrth lanio ar Fae Cyfiawnhad i'r de o Frasgreigiau Ymborth.

Trefnodd gwŷr tref Damascus eu hunain yn fintai a rhuthro tua'r gelyn dan arweinyddiaeth Cadeirydd y Siambr Fasnach. Gorchmynnodd bawb i ymladd mor ystyfnig â phe bai'n dial ei lid personol ei hun. Gyrrwyd brys-negeswyr i mofyn cymorth planhigwyr Plwy Dyrchafedig ac un arall ar hyd Heol Addoliad am Blwy'r Darostyngiad. Ymdrechodd y Ffrancod a laniodd i'r de o Forglawdd Gwybodaeth i ddringo'r llwybrau i fyny Clogwyni Armagedon. Daethant wyneb yn wyneb â mintai o blanhigwyr a chriw o gaethion ffyddlon, a'u taniodd ac a'u herlidiodd ar wyneb y graig. Rhyngddynt a'r môr ni allwyd rhifo nerth y gelyn. A mawr oedd eu dychryn wrth i'r saethu ffyrnig o Fae Cyfiawnhad godi i'w anterth a'r ochor-ergydio o wyllni'r môr yn chwalu'r baracŵn lle cynhelid arwerthiant misol caethion Guinea. Daliodd y Ffrancod ati i daro'n galed o flasu troedle, ac yn fantais i lawer chwaneg o filwyr o'i gipio, ac ni adawyd dim na allai dyfais, dyfalbarhad a dewrder ei ddychmygu er llwyddo ym mhob rhuthr. Ond 'tân am dân' oedd cri Cadeirydd Siambr Fasnach Damascus wrth weld y colofnau'n gwau trwy ei gilydd, rhai yn wardio i'r dde, eraill i'r aswy, ac eraill yn eu tyllu eu hunain yn y tywod isod.

Rhuthrodd Syr Walton Royal ac Iarll Foston ar flaen Milisia Port Royal i ganol sgwâr marchnad Damascus yn stomp y glaw a dywalltai yn ddidrugaredd o'r nos. Roedd sŵn magnelau'r môr fel peswch isel. Taniwyd atynt gan deuluoedd Ffrengig a drodd liw eu cotiau o ffenestri neu do y Siambr Fasnach a phowliodd march Risley (goruchwyliwr Neuadd Foston) oddi tano a'i hyrddio dinbendrosben i'r mwd. Yn rhuthro trwy'r cysgodion, roedd caethion a ysbeiliai o'r drysau, yn gymysg â theuluoedd yn llwytho wagenni yn eu ffrwst a'u dychryn wrth anelu i adael. Heb allu mesur nerth y gelyn ym mieri'r

dryswch, a chwaneg o oleuadau llongau yn smicio yn y bae, cwynodd
Syr Walton Royal wrth Iarll Foston fod pylor codau'r milwyr yn
gwlychu ac mai anodd fyddai cynnal y tanio. Gorchmynnwyd i'r
milwyr fidogi, ac ar y gair, rhuthrwyd y muriau ond bagiwyd tan
dywalltiad y plwm poeth.

Siglwyd y ddaear o dan ein traed wrth i fflamau fledu i entrych
awyr y bae a llewyrchu'r fath oleuni nes y gellid hawdd weld baneri
Ffrainc yn hollol glir. Dros y bwrdd neidiodd swyddogion a dynion i'r
dŵr, rhai i'w codi gan gychod, eraill i nogio a boddi, eraill i'w llusgo i
fyny trwy dyllau gynnau llongau ond arhosodd y mwyafrif a sefyll
yno hyd eithaf y diwedd gan barhau i danio oherwydd pan ffrwydrodd
. . . dilynwyd y chwythiad gan ddistawrwydd llethol hyd nes i ddarnau
o hwylbrenni dasgu hisian clecian disgyn fel y glaw o boptu.

Poethodd y brwydro. Yn un haflug, gwasgodd holl nerth Martinique
ar Fae Cyfiawnhad o'i ail a'i drydydd ruthro. Rhuthrodd brys-neges-
wyr at Syr Walton Royal yn crefu am chwaneg o filwyr. Rhuthrodd
Mrs Parva, gwraig yr Esgob Parva (a oedd ar ymweliad bugeiliol â'r
dref) at Iarll Foston gan adrodd fel y bu i'w gŵr gael ei gipio gen
Monsieur Duvalier Le Blanc a rhai Papistiaid a oedd yn bleidiol i
achos y Ffrancod. Sychodd Iarll Foston y glaw o'i lygaid a'i holi i ble'r
aethon nhw â fo. Y wyrcws oedd ei hateb.

Gwyrasant eu pennau pan daniwyd ergydion agos a bloeddio gwŷr
yn erlid o waelodion y traeth. Rhuthrodd milwyr a chaethion heibio fel
brodyr ynghyd. Canwyd pibell o bell a throdd Syr Walton Royal ei wyneb
tua'r môr. Ag wyneb diysgog a chalon ddi-sigl cyfarchodd ei osgordd,
'Ddynion,' dywedodd, 'byddwch bybyr a nerthol. Rydym yn ymladd
ym mhlaid yr achos gorau yn y byd: i amddiffyn ein heiddo a'n rhyddid
rhag carnlladron a chwiwgwn.' O glywed ei eiriau a'r glaw yn lleithio
ein bochau, ei eiriau didwyll a gonest, teimlais ryw ias ar fy ngwegil.
Cododd Syr Walton Royal ei gleddyf fry yn uchel uwch ei ben tan weiddi,
'Ym mhob gwlad y megir y glew! Gwareiddiad a drecha Sparta!'

Yn ôl yr hyn a ddywedodd yr Esgob Parva wrthyf pan gafodd ei
ryddhau yn ddiweddarach, siglwyd seiliau'r Papistiaid o glywed ergyd
ffrwydrad y llong yn y bae. Ofnodd Monsieur Duvalier Le Blanc fod
yr holl ymgyrch yn mynd â'i phen iddi. Melltithiodd y tywydd am
ddifetha cynllun a fu hyd at hynny mor berffaith ei weithrediad. Ni
ddisgwyliodd hanner cymaint o frwydro. Mawr hyderodd y byddai'r
dref wedi ildio heb dywallt gwaed ond nid felly y bu.

'Gwrth-ddyn! Dyna be ydach chi! 'Dach chi'n fy nghlwad i? Gwrth-
ddyn gwrthun! Dyn cynfoesol!'

172

'Tewch newch chi!' neidiodd Monsieur Du Blanc at ddrws y gell a chyfarth, 'Rhowch gora iddi hi!'

'Gwas yr Anghrist!'

Bradwr mewnol oedd y Ffrancwr (a melltith y fam a gaffo bob cyfryw un byth) yn waeth na chant o elynion wrth ddrws tŷ. Roedd Duvalier Le Blanc yn gybyddus â phob amddiffynfa, lloches a dirgel fwriad. Roedd yn fawr ei gloch wrth i'r Papistiaid glosio a ffroeni fel bleiddiaid yr hwyr. A'r Ffrancod yn ddim ond plant i'r truan annuwiol, awdur pob niwed â'i gymun ffôl a'i offeren ffiaidd. Trwy'r ffenestr uchel sbeciodd Esgob Parva ar fwstwr y dre a'r ffaglau yn gyrru ar garlam ble bynnag yr elent.

'Pa werth fydd addoli i wir Gristnogion dan sawdl llywodraeth o rym pybyr y Pab? A phob rhyw chwydd a phob rhyw hen fudur chwant yn ei hen wedd arw gynddeiriog? A'i wael gred yn nelw y grog a'i holl ofergoelion eraill? Be ddaw ohonan ni?'

'Be wyddoch chi?' poerodd Monsieur Duvalier Le Blanc gan gydio yn Esgob Parva a thynnu ei wyneb ato a'i wasgu rhwng y bariau haearn a'i gaethion yn chwerthin. 'Sut gwyddoch chi sut un ydi'r Tad Sanctaidd? Lle gwelsoch chi o erioed? Be wyddoch chi am y gwirionedd?'

'Peidiwch chi â meiddio edliw'r gwirionedd i mi!'

Disgynnodd Esgob Parva i'r llwch. Penliniodd a gweddïo gan fynnu fod yn rhaid gosod yr Iesu i amddiffyn Paradwys, ei daenu fel menyn blasus dros bob plwy yn yr ynys fel y gallo pob gwir Gristion flasu ohono, gan lenwi eu heneidiau â'i wirionedd er mwyn magu nerth i ladd yr Anghrist Rhufeinig a oedd â'i fryd ar eu cigydda. O droi ei lygaid fry i sŵn y storm clywodd dwrw'r glaw anfeidrol a chwiban y gwynt trwy'r bariau haearn a rhuo'r coed yn codi a'u sŵn fel ymchwydd y moroedd mawrion yn daeargrynu'r tir. Gweddïodd ond chwipiwyd ei eiriau gan sŵn y gwynt a'r glaw yn tywallt o berfedd y nos.

Llethwyd nerth gwarchodwyr Clogwyni Armagedon tan gawodydd o belenni haearn poeth o'r bae. Yn y chwalfa rhuthrodd milwyr traed eu rhengoedd a'u gwthio i angau ar flaenau eu bidogau. Aeth llu i'w canlyn i fyny hyd y creigiau a phan gyrhaeddodd mintai o feirch-lu Milisia Port Royal fe'u trechwyd ar eu hunion. Ymladdodd Iarll Foston yn ddewr hyd at yr eiliad y'i trywanwyd yn ei ysgwydd. Mingamodd trwy ei wendid wedi i oerni brath y llafn boethi ei ysgwydd. Fe'i cludwyd i lochesu gen Risley a dau gaethwas trwy Erddi Genedigaeth-fraint.

Ym mharlwr un o dai masnachwyr y dre y sefydlodd Syr Walton Royal ei hun a gorchymyn Sarjiant i orchymyn ei filwyr i ddifa'r tân a ysai'r gegin a'r mwg du yn rhusio trwy'r tŷ. Disgynnodd y Siambr Fasnach i ddwylo'r Ffrancod. Rhuthrodd brys-negeswyr yn ôl a blaen â'u dillad yn diferu. Pan lusgwyd Iarll Foston dros y rhiniog ymnerthodd Syr Walton Royal yn ei benderfyniad a datgan na châi yr un Ffrancwr fyth ennill troedle ar dir Paradwys. Gorchmynnodd y cyrch mawr.

Tan fylchau'r nos trefnodd ei filwyr a rhuthro i lawr yr allt i wyneb Ffrainc. O'u hôl roedd rhimyn mynyddoedd y pellter i'w weld yng ngosteg y glaw. Bagiodd y Papistiaid i fochel yng nghysgodion cychod y traeth a'r niwl yn tynnu dros y tir a'r twrw o fwg Bae Cyfiawnhad yn llawn gwae a gweiddi. Llanwyd y byd â thwrw dynion yn sgrechian. Chwibanodd bwledi tan hollti'r dail, tan frathu'r coed. Disgynnodd milwr â thwll o lygaid. Hwnnw eto'n fyw yn cynddeiriogi yn ei boen. Bwled arall trwy safn: dannedd yn sbydu: y naill hanner o'r tu blaen a'r hanner arall y tu draw i'r gwddw am allan. Craciodd bwled dalcen ac aeth tros yr adfach a'r ymennydd yn glafoeri tros y tywod. Roedd milwyr yn sgrechian rhuthro tros y traeth a'u gynnau yn eu dwylo. Trwy'r niwl gwingai baner Ffrainc fel rhywun wedi'i glwyfo.

I gyfwrdd Milisia Port Royal, yn sydyn, rhuthrodd march gwyn. Stondiodd, goesau ar led, ei geg yn gam a dryswch lond ei lygaid. Trodd a chododd mân gynnwrf y gronynnau ar hynt ei garnau. Ymlwybrodd cysgodion carpiog, yn dameidiog tua'r lli a chrasfloeddio Port Royal yn eu herlid. Ar flaen ei filwyr roedd Syr Walton Royal. Safodd yn ddewr a bwledi o'i gwmpas yn chwalu cawod o ddail a blas y mwg yn llond ei lygaid a'i freichiau'n llonydd hyd nes y tyfodd sŵn ar ei glyw a cherddodd yntau fel dyn trwy ddŵr gan redeg tua'r môr.

Honnodd Esgob Parva'n ddiweddarach iddo glywed ei gri.

O gysgod muriau'r wyrcws, melynwyn oedd wyneb y ffordd. Hyddi carnai sŵn y meirch o Blwy'r Ufudd-dod. Taniwyd gynau i'w canol nes sbydu'r gweryru yn dameidiau cig. Craciodd eu hesgyrn fel cerrig poethion yn y gwres. Craswyd clustiau Esgob Parva gan ru o boen nes y torrodd yn chwys oer. Crefodd yno ryw rym a'i galluogai i osod trefn, i wthio'r gelyn 'nôl. O'i geg deuai rhyw chwiban isel ac anadlu tynn ac oddi draw o gyflafan y briffordd clywai wŷr yn rhegi, gwŷr yn crefu yn eu doluriau, gwingo ceffylau, sŵn haearn yn clincian clancio. Glawiai bwledi ar lurig ac astalch pres. Utgorn yn seinio'n rhonc. Meirch strae yn strancio draw i'r nos a'r wawr ar dorri. Rhuth-

rodd Monsieur Duvalier Le Blanc tuag at Esgob Parva â'i lygaid fel llygaid dafad yn ei ben a'i goler yn gam.

'Tydi holl ddrygioni aflan Rhufain yn ddim ond tystiolaeth o ddaioni Duw,' crugleisiodd yr Esbob, 'Ystyriwch pa sawl pechadur papistaidd a achubwyd wedi'r cyntaf hwnnw a hoeliodd destament y gwirionedd ar borth yr eglwys, ac a gododd i fyny i ddringo trwy'r bwlch i'w synnu a'r wir ffydd ar baith maith y daith tuag at y Duwdod.'

Saethwyd at Monsieur Duvalier Le Blanc gan Risley, goruchwyliwr planhigfa Iarll Foston, a lwyddodd i'w glwyfo ond nid ei ladd, a llwyddodd i ddianc. Rhyddhawyd Esgob Parva o'i gell a cherddodd allan i'r wawr. O glywed gan frys-negesydd fod Clogwyn Armagedon o dan faner cyfiawnder drachefn, codwyd ysbryd milwyr Port Royal. Croesodd yr Esgob Parva a Risley a'r fintai fechan yn gyflym tuag at sŵn y frwydr fawr. O Fae Cyfiawnhad clywid sŵn tanio cynddeiriog a sgrechian egwan. Rhuthrodd Esgob Parva i lawr yr allt tua'r bae ond rhuthrodd Syr Walton Royal a'i fintai bersonol i'w gyfwrdd tan weiddi arno. Yn canlyn yn glòs ar eu sodlau hwy roedd milwyr Martinique. Stopiodd Esgob Parva wrth glywed llais Syr Walton Royal yn gweiddi, 'Ewch o'r ffordd, syr . . .!'

Gollyngodd Syr Walton Royal ei gleddyf a marchogodd amdano. ''Nôl! 'Nôl! Ewch 'nôl!'

Marchogodd ei farch yn galed, cydiodd yng ngwar Esgob Parva a'i lusgo o'r neilltu. Llamodd Risley a'r milwyr eraill o'r ffordd hefyd tan agor eu llygaid led y pen wrth weld mynydd o fynwent fawr, mynwent dlawd y caethion yn llithro i lawr y llethr. Ymdrechodd milwyr Martinique i sgrialu am eu hoedal wrth i'r afon wthio'r meirw o'u beddau yn chwydfa cenedlaethau o lwythi, o esgyrn mwd, o holl slemp a swamp, o bowlio'n lafa o gynrhon tew, o bryfed genwair, o gŵn a chyrff, o geffylau a ieir, o wybed a llyffantod, o chwain a llau. Sgubodd heibio. Sgubo'n rymus. Sgubo tua'r môr tan sgubo Martinique a'r Ffrancod a oedd yn hanner gwichian cyn diflannu â'r meinciau a'r troliau a'r magnelau a'r catrodau nes claddu'r cwbwl o dan ganrifoedd Affrica.

Drannoeth.

Chwalwyd bwriada Polmont yn siwrwd pan ddaeth hi'n fater o gadw oed â'r llythyrwr dienw. Drylliwyd pob un cynllun a wnaeth pan ddaeth gair at ganol dydd i ddweud fod Iarll

Foston wedi trefnu iddo fod yng nghwmni Syr William-Henry ac Iarll Hans Moritz von Bruhl, llysgennad newydd Sacsoni i Lys y Brenin, yn gwrando gwaith newydd Eidaleg yn Nhŷ Opera'r Haymarket y noson honno. Trefnwyd wedyn i bawb gyd-swpera yng nghwmni Syr Wayland Corton a rhai o aeloda eraill y Tŷ Isaf yn Neuadd Grocer.

Ceisiodd Polmont ei ora glas i hel pob math o esgusodion. Doedd dim byd yn tycio. Doedd dim modd gwneud dim a daeth gorchymyn fod yn rhaid iddo fod yn bresennol. Doedd Iarll Foston ddim yn fodlon ar ddim llai. Doedd fiw iddo fynd yn groes i ddymuniad ei noddwr. Gwenodd Rampton yn wyrdd a'i lygaid treiddiol fel pe'n darllen ei feddylia i'r gwraidd. Ni fedrodd Polmont weithio'n y llyfrgell. Teimlai'n aflonydd; methu eistedd; methu canolbwyntio. Pwy yrrodd y llythyr ato? (Ogleuodd yr amlen wrth ei rhedeg yn ara o dan ei drwyn). Be oedd ganddo i'w ddweud wrtho tybed? Pwy gyfrinacha oedd y rhain? Trwy lwc, ni ddaeth Tywysog Cymru i'r wledd oherwydd bod ei fam yn symol. Gwynt colic yn ôl si yr egwyl. Wedi'r perfformiad, gadawodd ar ei union mewn *chaise* am Windsor.

Ffarweliodd Polmont â Syr William-Henry a'r Llysgennad bychan, dyn bongam llonydd, nad oedd fawr o ôl plygu'n ei gymala, ond yn gwrtais ddigon, er bod ei dafod yn rhy fawr i'w geg, a'i bod hi'n anodd ei ddeall ar y cynnig cynta. Gwahoddodd Syr William-Henry Polmont i'r wledd ond hel esgus a wnaeth y Cofiannydd trwy honni ei fod yn dechra hel rhyw annwyd a'i fod wedi blino ac am wely cynnar. Ffarweliodd Polmont a'u gwylio'n gyrru i ffwrdd yn eu coets; trodd ynta ar ei sawdl wedyn, troi ar ei union a mynd ar hast tua'i gennad tan leuad ifanc y nos. Ar wib i fyny Stryd Paton,. croesi Stryd Whitcome, ac yn ei flaen trwy Stryd Spur i Gaeau Leicester, heibio i bara a gerddai fraich-ym-mraich, heibio i ffenestri fflib-fflab a chabalatshio'r tafoda a heibio i glec un hen follt yn disgyn i'w mortais.

Camodd i'r goets gynta. Carlamodd honno i ffwrdd ar hast i ganlyn ei chwilfrydedd.

I lawr y Strand.

Honno oedd y ffordd gyflyma. Teithio tua'r dwyrain. Cheapside. Poultry. Cornhill. I lawr y Minories. O'r goleuni i'r tywyllwch. Y tai yn dlotach, y strydoedd yn futrach. Heibio i oleuni gwelw gwan ffenestri tai yn gwibio heibio. Heibio i iardia seiri coed ac ogla siafins glân i'w glywed ar awel fain y nos. Heibio i dân yn agen drws agored gefail go yn llosgi'n goch cyn cilio. Heibio i Gwt y Gwyliwr Nos ar waelod Stryd White Lyon a dau gi yn coethi canlyn am ryw hyd nes 'laru. Ymlaen i Stryd Cable a throi i'r dde (troi yn sydyn siarp) i fyny Ffordd yr Eglwys gan stopio hanner ffordd i fyny wrth Dafarn y Fuches Goch.

Teithiodd trwy'i orffennol. Aeth heibio i'w hen swyddfa. Teimlad rhyfedd. Y fan a'r lle lle treuliodd gymaint o'i fywyd; a'r fan a'r lle roedd wedi ei osgoi a'i gau o'i go ers amser. Osgoi o fwriad a hynny o gywilydd; ac ing ei fethiant yn brifo ei galon o hyd. Cafodd gip slei ar ddyn penwyn yn gweithio yng ngola cannwyll. Sylwodd fod ei ddau benelin yn pwyso ar ei hen fwrdd derw; edrychai fel pe bai yn gwnïo rhyw ddeunydd – neu efallai mai paentio roedd o, anodd dweud. Pwy oedd o tybed? Ni lwyddodd Polmont i arbed dim o'i eiddo pan aeth yr hwch trwy'r siop.

Collodd y cwbwl.

Ai rhyw farn oedd arno, holodd ei hun fwy nag unwaith. Ni allai lai na meddwl hynny weithia. Meddwl fod pob dim a ddigwyddodd i'w fusnes yn fath o gosb am rywbeth a wnaeth flynyddoedd lawer ynghynt. Gwadodd iddo'i hun, wrth gwrs; ffwlbri ac ati oedd hyd yn oed hel meddylia felly. Ond mewn eiliada distaw – wrth syllu ar gysgodion ei gannwyll yn yr oria mân a'r tywyllwch trwy'r tŷ a'r tŷ mor dawel – fe ddeuai'r cwbwl eto'n fyw. Bob tro y meddyliai am y peth, fe'i llethid gan euogrwydd. Hogyn oedd o; fawr mwy na phlentyn. Mae gan bawb – petaen nhw'n berffaith onest – gywilydd am rywbeth a wnaethon nhw rywdro'n ifanc. Prentis i Mr Hatfield oedd o ar y pryd. Rhyw bnawn Sul poeth o ha oedd hi ac yng nghwmni prentis arall . . .

Gadael y ddinas. Gadael ei gwres a chefnu ar ei drewdod. Croesi'r afon, cerddad trwy blwyfi Southwark, canfod llwybr a'i ganlyn allan trwy'r ysgall. Rhyw gerdded wysg eu trwyna i'r wlad. Mewn cwdyn ar ei gefn carai'r prentis fara, menyn a chaws a Polmont yn cario celwrn o gwrw o dan ei gesail. Teimlai ei wyneb yn graddol gochi; rhyw binna bach yn ei gnawd. Cofio chwarae mig ac ymrafaelio yn y glaswellt. Bwyta'r bwyd, yfed y cwrw. Rasio'i gilydd. Am y cynta wedyn i gyrraedd copa bryncyn lle safai olion hen ddeildy a'i furia'n fwng o eiddew.

Rhuthro am y cyntaf trwy ganol drain a mieri, blodau a phrysg-lwyni . . .

Gorwedd ar wastad eu cefna a'r gwres yn taro'n gry'. Yng nghysgod y dderwen fawr ar ganol y ddôl islaw, safai gyrr o wartheg. Yn y pelltera, draw y tu hwnt i'r coedydd gleision, crynai tes claerwyn ar y brynia. Canai'r gog yn rhywle. A'r ddau ohonyn nhw'n trin a thrafod y dyfodol. Yn ddisylw bron, crwydrodd y ddau i lawr trwy'r wig at dorlan afon. Ni allai Polmont ddwyn i go y geiria: ond cofiai'r teimlad yn iawn: teimlad o hyder. Hyder y byddai'n gadael Mr Hatfield ryw ddydd ac yn sefyll ar ei draed ei hun . . .

Teimlodd fod ei ddyfodol yn llawn gobaith . . .

Bol orweddian ar garreg roedd y ddau tan syllu ar gryndod esgyll brithyll bach tan grychni'r lli pan glywyd llais. Clywed sŵn rhyw glecian hefyd. Codi pen i weld hogyn ifanc, bon-heddig yn dal pistol wedi ei glo-drecio. Wrth ei ochor safai merch ifanc hirgul, wedi'i gwisgo'n syml a dirodres o dan barasol . . .

'Be sgynnoch chi'n y cwdyn 'na?'

Hanner tynnodd hitha ei fraich, 'Gad i ni fynd.'

Fflicio pistol.

'Be sgynnoch chi'n eich pocedi?'

'Gad lonydd iddyn nhw.'

'Atebwch fi!'

'Dim byd.'

'Tynnwch amdanoch.'

Yr haul yn llygaid Polmont. Y prentis yn gwneud. A'i groen yn glaerwyn.

'Chditha hefyd.'

Y ferch ifanc yn chwerthin. Teimlodd Polmont ryw dro yn ei galon.

'Na i ddim gofyn i chdi eto.'

Yn ara.

'I gyd.'

Sefyll yn noeth. Yn fwa slaf i'w chwiwia; yn gocyn hitio; yn destun sbort. Y ferch hirgul yn cuwchio i'w llawes; rhyw hanner sbecian; hanner troi am draw a'r hogyn yn sefyll a'i goesa ar led.

'Edrach arnyn nhw . . .'

Croesi'i freichia; sgwario; chwerthin ar eu penna.

'Welist ti ffasiwn olwg yn dy fyw erioed?'

Tanio'r pistol. Briga'n cracio uwch eu penna; dail yn disgyn. Sblashio sydyn. Poeri dŵr. A'r dŵr yn oer. Wardio yng nghwr y garreg; yn rhynnu, crynu; mwsog ar flaena'i fysedd; ei ben yn brifo; ei draed yn drwm; yn teimlo mor fychan a diymadferth â phry llidiog y llwyn. Chwerthin eto, chwerthin uwch.

'Basdad, basdad,' brathai'r prentis ei fys.

Nes i'r chwerthin ddarfod yn y coed. Ailwisgo ar eu hunion. Yn fud. Hanner suddodd yr haul; a'r gorwel yn gochlyd; gwasgai cysgodion rhwng y dail. Dorrwyd 'run gair. Brasgamu yn llawn cywilydd; llawn dolur dialedd. Teimlo'n chwerw o golli cyfle. Dychmygu darn-ladd yr hogyn. Rhwygo dillad y ferch a'i brathu'n gleisia drosti. Unioni cam. Unioni cam. Gwneud yn iawn ac o glosio at ffordd y fwrdeistref yn y llwydwyll gweld hen ŵr a gwraig.

'Taw â holi; gwna fel dwi'n deud,' siarsiodd Polmont.

'Paid â siarad yn wirion –'

Byseddodd ei wefusa, 'Gwna fel dwi'n deud.'

Edrychiad hurt yr hen ŵr; ofn yn llenwi llygaid ei wraig. Cipio'i ffon. Dawnsiodd y prentis am draw. Hanner rhuthrodd yr hen wraig ond daliodd hi o'i gafael. Cythrodd yr hen ŵr amdani. Taflodd hi i Polmont a'i taflodd hi'n ei dro i'r hen ŵr. Gwenodd yn ddiolchgar. Cipiodd y prentis hi drachefn. Llusgodd yr hen ŵr ar ei ôl. Taflodd hi dros ei ben. Dechreuodd y prentis chwerthin. Crefodd yr hen wraig amdani – er mwyn daioni!

'Mi laddwch o!'

Heriodd y prentis yr hen ŵr a ddaeth amdano â'i freichia ar led, ond wrth iddo neidio amdano, llamodd o'r neilltu. Lluchiodd y ffon i Polmont ond yna peidiodd â chwerthin wrth sylwi ei fod wedi disgyn i'w linia a'i ddwylo ar draws ei frest, yn mygu . . .

'Y cnafon drwg ichi!' wylodd hitha.

Ar ei hyd i'r llwch. Hanner camu tuag ato yn llawn braw, ond gwthiodd y wraig nhw i ffwrdd. Cododd ei ben i'w harffed. Glafoerai, a thuchanai â'i lygaid yn wynion . . .

''Dach chi wedi'i ladd o!' gwaeddodd ar eu holau, ''dach chi wedi'i ladd o . . .!'

Dim gair wedyn. Croesi'r afon a'r dŵr yn dywyll. Sleifio trwy'r strydoedd; sleifio trwy'r drws cefn; sleifio ar draws y gegin ac i fyny'r grisia – gan dawel osgoi'r gwichiada lletraws a godai fel bregliach corachod o dan eu traed; cripian i'w gwlâu. Fflam y gannwyll yn crynu a'r gwyll yn cau amdani. Croen Polmont yn brifo; ei dalcen ar dân; ei war yn llosgi'n binna poethion bach. Gorwedd yno. Gorwedd oria, nes teimlo rhyw dywyllwch arall yn lledu ei adenydd trwy ddüwch ei siambr o gylch ei gannwyll fach. Mor dawel ag alarch yn llithro i'w gwsg. Y prentis yn chwyrnu cysgu ac ynta'n methu. A chlywed wedyn ryw wylofain isel, rhyw lais unig fel cri ysbryd cyhudd-gar yng nghorn y simdda . . .

Talu'r gyrrwr.

Darfu'r pedola – fel petai'r goets wedi troi'n ysbryd ac esgyn i'r nos – wrth i'r stryd droi'n gaea agored dafliad carreg i ffwrdd. O sefyll ar gyrion y ddinas, cymerodd Polmont ei wynt ato wrth ogleuo mwg tân tywyrch tai'r tlodion. Safodd tan graffu ar wartheg godro drwg iawn yr olwg, yn gulion o gig ac yn mud hongian yn erbyn y gwyllni a'i llusgai ei hun yn araf trwy'r dywyllnos tros y coed a thros y wlad tu hwnt.

Llosgodd mwg llwydlas ei lygaid. Trodd pob pen i graffu arno'n camu i mewn. Parodd y gwres i'w glustia droi'n dalpiau cochion o lo mwya sydyn a theimlodd fel petai haearn gwynias wedi ei dynnu ar draws ei war. Roedd ei ddwylo'n oerion.

Edrach am bwy roedd o?

Gwasgodd ei fysedd crepach i'w geseilia. Ailgynheuodd bwrlwm gorlawn y stafell isel. Camodd trwy griw a fagiodd fymryn er ei fwyn cyn cau drachefn. Sbeciodd merch lawn stumia gwamal draw. Slapiodd tameidia o sgyrsia ar ei glust; pytia garw o chwerthin yn hel yn groyw yng nghefn ei ben. Teimlai'n chwithig; teimlo'n wirion o ddiarth. Neidiai ei du mewn: cyw-ion cwningod yn heglu nerth eu pegla o gwmpas walia ei stumog. Mor wahanol oedd natur lleisia gwahanol ranna'r ddinas. Er bod pawb yn byw tan yr un Brenin, yr un llywod-raeth, yr un gyfraith a'r un grefydd, roedd gwahaniaeth mawr rhwng Tŷ Opera'r Haymarket a'r fan yma.

Cerddodd draw at y byrdda, rowndio ymyl pared, i sefyll yn stond.

Doedd o ddim am iddyn nhw aros yno.

Ar wahân i ddweud hynny, nid ynganodd air arall. Allan

trwy ryw ddrws cefn yr aethon nhw. Dilyn olion ei ysgwydda duon i'r nos. Craffodd Polmont ennyd wrth drio cynefino; stopiodd; teimlodd ei ffordd – ei fysedd yn mapio'r wal – ar draws yr iard, heibio i gasgenni a thros fudreddi uffernol – baw ci neu faw dyn neu'r ddau yn un sgothfa feddal o dan draed – nes camu at ddrws coets agored a gwas diarth yn dal lamp wrth i'r ddau gamu i mewn.

Caeodd y drws yn glep.

'Pam y dirgelwch yma?'

Plwciodd y llenni ynghau.

'Gewch chi wbod cyn bo hir.'

'Lle ydan ni'n mynd?'

'Oes rhaid i chi holi cymaint?'

Tawelwch wedyn.

'Od tydi?'

'Be sy'n od?'

'O fyw'n y gorllewin 'dach chi'n colli adnabod ar dlodi'r dwyrain.'

'Barlinnie, be wyt ti isio'i ddeud wrtha i?'

Oedodd. Gwthio'i fawd tan ei ddant blaen, 'Dwi'n mynd i oed. 'Nannedd i'n llacio yn 'u gwreiddia. Dwi wedi colli dau yn barod 'leni. Sut ddannedd sgynnoch chi?'

Teimlodd Polmont yn flin o gael ei hudo i ryw ddrama breifat.

'Be ydi pwrpas hyn?'

Gwasgodd Polmont ei wefusa'n dynn a gwthio'i fawd o dan ei ffroen wrth ogleuo drewdod erchyll a sydyn gododd o rywle. O ryw ffos gyfagos, neu ryw bwll yn y cyffinia fwy na thebyg a chyrff cathod neu lygod mawr wedi marw ac yn madru a phydru. Ni sylwodd Mr Barlinnie, a dywedodd yn dawel, 'Hen bryd i chi ddysgu amynedd, syr. 'Dach chi'n rhy wyllt o'r hanner. Rhedeg pan neith cerdded y tro yn iawn. Wedi'r cwbwl, neuthoch chi'm cerdded cyn cropian yn naddo? Ddim siarad cyn nadu a chadw sŵn?' Gwenodd; a dododd ei law ar ben-glin Polmont a'i wasgu'n dyner.

'Tydi Iarll Foston na neb arall o'r teulu – ddim hyd yn oed y gweision na'r morwynion – a ma'r rheiny'n sylwi ac yn gwbod y cwbwl – ddim yn gwbod eich bod chi na fi yn cyfarfod heno. A bora 'fory pan ddeffrwch chi, fydd heno erioed wedi dig-wydd. Achos ma'r hyn sy' gen i i'w ddeud i'w gadw yn fa'na,' – dododd ei ewin ar ei arlais – 'ac yn unman arall.'

Poethodd gwegil Polmont. Penderfynodd gau ei geg, tewi a gwrando a gadael i'r Prif Was wneud y gwaith siarad.

'Mi wn i eich bod chi wedi bod yn holi ynglŷn â sut y buo farw Syr Walton Royal. Ddeudodd Iarll Foston wrtha i. Mae o'n poeni am y peth i chi gael dallt . . .'

'Does dim rheswm . . .'

'Oes – ma' rheswm. Rheswm go ddifrifol. Fedrwch chi ddim dechra dychmygu'r trwbwl godwch chi, os ewch chi i holi chwanag ynglŷn â'r peth. A chyn deud eich bod chi'n dallt; eich bod chi'n sylweddoli pam. Dydach chi'n dallt dim. Ac yn sylweddoli llai. Does ganddoch chi ddim syniad, dim math o syniad o gwbwl . . .'

Wedi mwstwr o emosiwn, teimlodd Polmont flas y tawelwch a ddilynodd. Disgwyliodd i Mr Barlinnie ddatgelu'r rheswm, ond ni wnaeth, a theimlodd reidrwydd yn magu i'w egluro ei hun.

'Ddeudodd Iarll Foston wrtha i mai poeni am deimlada'r Fonesig Frances-Hygia Royal, gwraig y diweddar Syr Walton Royal, roedd o. Dwi'n dallt hynny. Ac yn bwysicach, yn parchu hynny. Nid dyn â'i fryd ar frifo pobol mohona i. Mi nawn i rwbath o fewn 'y ngallu i beidio â rhoi chwaneg o bryder i'r weddw unig.'

Atebodd Mr Barlinnie yn swta braidd, 'Ma' hynny'n wir.'

Ataliodd y gwas ei hun. Roedd chwaneg. Gwyddai Polmont iddo frathu ei dafod. Roedd yn dal rhywbeth 'nôl.

'Ond?'

'Ddim teimlada y Fonesig Frances-Hygia Royal ydi'r gwir reswm chwaith.'

Tawelwch eto. Gwyddai Polmont ei fod yn sefyll ar ddibyn rhyw ddatgeliad o bwys. Rhywbeth damiol. Y cwestiwn a ofynnodd iddo'i hun oedd: a oedd Mr Barlinnie yn gyfaill neu yn elyn i'r Iarll?

'Be ydi'r gwir reswm felly?'

'Mae Iarll Foston yn gwbod pwy ydi'r llofrudd.'

Llithrodd y goets trwy strydoedd llwyd-ddu.

'Pam na ddeudith o hynny wrth Lys Barn?'

'Am y rheswm syml na all o.'

'Pam?'

'Oherwydd cariad.'

'Cariad?'

'Od tydi? Ond fel'na mae hi.'

'Pam wyt ti'n deud hyn wrtha i rŵan?'

'Oherwydd na all o.'

Teimlodd Polmont ei law ar ei ben-glin.

'Mae gen Iarll Foston efaill.'

Efaill.

Er cymaint a ddarllenodd Polmont, er yr oria a dreuliodd yn y llyfrgell, er yr holl ddyddia y bu wrthi'n siarad â'r teulu, ni fu siw na miw. Dim sôn am ei fodolaeth. Dim gair gan neb, dim byd o gwbwl. Doedd o ddim yn bod. Yn unman. Ar yr un ddogfen. 'Run dyddiadur. 'Run papur newydd. 'Run llythyr. 'Run ewyllys. 'Run cytundeb. 'Run weithred. Doedd ei enw fo ddim ar gyfyl yr un gangen o'r un goeden deuluol.

Ond roedd o'n fyw.

Roedd o'n bod.

Wedyn, cofiodd noson dathlu'r Cytundeb Heddwch pan safodd ar y *terrace* yn nhŷ Monsieur a Madame Clerent-Languarant ym Mharis a'r wawr ar dorri ac yng nghlecian y tân gwyllt, tybiodd iddo weld wyneb tebyg i wyneb yr Iarll yn rhythu i fyny o'r dorf. Ai fo oedd o? Ai efaill yr Iarll a welodd y noson honno? Ei weld ymysg y bobol? A gwreichion gwylltion yn goleuo'i lygaid.

Doedd o heb ddychmygu na drysu dim. Y fo welodd o, mae'n rhaid.

Efaill Iarll Foston.

Ger yr afon.

Wedi i'r goets eu gadael ger Iard y Tŵr, cerddodd Mr Barlinnie a Polmont heibio i Dŷ'r Tollau ac i lawr ar hyd Stryd Tafwys.

'Be union mae o'n 'i neud? Yr efaill yma?'

'Dyna'r broblem.'

'Pa broblam?'

'Drygioni. Dyna'i betha fo. Chwythu bygythion byth a beunydd yn erbyn Iarll Foston.'

'Pa fath o fygythion?'

'Bob math.'

Rhuthrodd coets y post ar garlam heibio gan beri i'r ddau orfod bagio i'r cysgodion.

'A hynny yn benna oherwydd 'i bod hi'n fain arno fo am bres. Ma'r Iarll druan wedi glân ddigalonni. Wedi cyrraedd pen ei dennyn ers amser ac ar ben hyn yn teimlo yn hollol ddiamddiffyn. Teimlo'n ddiymadferth ac yn siomedig â fo'i hun hefyd o fethu â helpu ei efaill i ganfod pen y ffordd . . .'

'Wyt ti wedi dŵad ar 'i draws o?'

'Ddim ers blynyddoedd. Ddim yn y cnawd beth bynnag . . .'

Wedyn, adroddodd Mr Barlinnie hanes rhyfedd iawn.

Dau fabi.

Dau efaill. Dau etifedd i'r teulu. A'r tad a'r fam yn dotio. Tyfodd y ddau fabi yn hogia hapus. Cafodd y ddau blentyndod dedwydd. Y ddau yn dringo coed a chwarae hefo'i gilydd yn yr awyr iach. Aeth y blynyddoedd heibio, a'r ddau yn prysur brifio i nerth ieuenctid; yn tyfu yn laslancia tebol. Iarll Foston yn hogyn gwylaidd, gonest; hogyn parod ei gymwynas bob amser ac yn gwrtais ddigon wrth ei well – (sy' wastad yn beth cymeradwy a rhinweddol mewn glaslancia sy'n prysur brifio i ddoethineb o efelychu y gora'n eu cymdeithas). A'r adeg honno, roedd ei efaill yr un mor wylaidd a'r un mor onest. A'r ddau â'u bryd ar fynd i Eton, yn naturiol. Neu dyna a feddyliodd pawb hyd nes y dechreuodd Thomas Hobart –

'Thomas Hobart?'

'Dyna enw efaill Syr Henry Hobart. Thomas Hobart. Mi ddechreuodd newid. Sylwodd neb i gychwyn gan feddwl mai rhyw ddireidi oedd wrth wraidd y cwbwl. Mi ddechreuodd blagio'r morwynion. O dipyn i beth, mi aeth i gyboli hefo un go ddrwg, hoeden ifanc a weithiai'n y gegin, un a drodd ei ben o'n lân. Gwaetha'r modd, doedd hi ddim yn onest. Ddysgodd gastia drwg iddo fo, ac mi aeth o yr un mor gelwyddog â hitha.

Pan oedd o'n un ar bymtheg neu'n ddwy ar bymtheg oed, mae Iarll Foston yn ama i gymeriad ei efaill fynd ar y goriwaered. Pob un ffug yn ffaith; pob ffaith yn ffug. O dipyn i beth mi giliodd y ddau oddi wrth ei gilydd a thyfu'n ddiarth iawn. Fel y gwyddoch chi o'ch darllen, mi aeth yr Iarll i'r ysgol; aeth ei efaill o ddim. Enillodd Iarll Foston glod a pharch; wnaeth ei efaill o ddim.

Aros adra. Gorweddian yn ei wely. Dyna'r cwbwl a wnaeth Thomas Hobart. Ofera ei amser yn slotian a smocio a gamblo; a thrwy'r forwyn – a orfodwyd i adael y teulu ers blynyddoedd – suddo i gwmni dynion drwg. Codi twrw mewn tafarndai wedyn; a gneud sôn amdano yn cael ei hel o Glybia Covent Garden; a dechrau magu dyledion trymion. Doedd dim parch ganddo fo at neb ac yn waeth fyth, doedd ganddo fo ddim parch ato'i hun. Mi aeth yn ysglyfaeth i afiechydon.

Fuo farw ei fam druan yn llawn llesgedd a thrueni, yn ochain yn galonglwyfus heb iddo fo ddŵad ar ei chyfyl a hynny ar waetha'r ffaith iddi grefu am gael ei weld o . . .

O fewn blwyddyn neu ddwy, aeth y tad ynta yr un ffordd.

Dim ond Iarll Foston oedd yn sefyll hefo'r teulu ar lan y bedd. Aeth o i chwilio am Thomas Hobart. Crefu arno i newid ei ffordd o fyw. Wnaeth o ddim. O bryd i'w gilydd byddai'r Iarll yn clywed ei hanes gan hwn a'r llall. Ac ynta'n gofidio; yn gwbod yn ei galon fod ei ddiwedd o mor amlwg â'r dydd. A gwawriodd y dydd hwnnw'n llawer iawn cynt na'r disgwyl. Iarll Foston dalodd i'w gael o'n rhydd o'r carchar. Doedd Thomas Hobart ddim mymryn diolchgar iddo fo na 'tasa fo wedi benthyg trol i fynd â fo i'w grogi. Dychwelyd wnaeth o at ei ladron a'i hwrod. Meddwi; gamblo; a'r unig dro y byddai'r Iarll yn dŵad ar ei draws o oedd pan lusgai Thomas Hobart ei hun draw i grefu a begera am chwaneg o bres. Cyrhaeddodd Iarll Foston ben ei dennyn a phenderfynodd fod yn rhaid – rhywsut neu'i gilydd (ac mi fuo hynny yn achos poen ac yn wewyr meddwl mawr iddo fo) – ei gipio fo oddi wrth ei giwed lladron.

Aeth hi'n ffradach. Aeth hi'n fyd chwith wrth i weision Iarll Foston ei daclo fo a'i lusgo i'r goets ac wedyn – er mawr syndod, roedd Thomas Hobart yn ddiolchgar; yn beichio crio yn llac a gwan a chrefu ei faddeuant.

Ceisiodd Iarll Foston wneud ei ora glas i'w gadw fo'n iach. Ei gadw fo o fewn cylch y teulu, cylch cymdeithas barchus, ei arbed rhag y gwaetha o'i flysia oherwydd does waeth gelyn gan unrhyw ddyn na fo'i hun. Roedd y demtasiwn i Thomas Hobart yn ormod. Nid nad oedd o'n brwydro â budreddi ei gymeriad. Ganol nos byddai'n udo yn lloerig; ffagio o gwmpas y tŷ fel pe bai ei groen yn cracio, fod seirff oddi mewn yn chwantu cnawd a gwaed. Aeth o i yfed yn drwm unwaith eto. Gamblo hefyd; mynd i ddyledion a dynion blin yn mynnu eu miloedd.

Doedd dim dewis gan Iarll Foston ond ei roi o mewn seilam.

'Seilam?'

'Breifat. I wŷr bonheddig i arbed rhyw gymaint rhag dolurio gormod ar ei deimlada fo. Lle bydda fo yn cael pob cysur. A phob gofal. Felly buo fo am flynyddoedd. Ar 'i ben 'i hun. Mae rhyw gwmwl du ym mhob teulu: rhyw ddüwch wastad yn mynnu rhedeg ar hyd hapusrwydd pawb. Wedi iddo fo ddyfal chwilio am wraig addas, mi briododd Iarll Foston hefo'r Fonesig Isabella Caroline. Gwraig ardderchog o deulu da. Daeth â naw mil o bunna hefo hi i'r briodas a oedd yn swm rhyfeddol 'radeg honno, ond dychmygwch be fasa hynny yng ngwerth pres heddiw. Dechra magu teulu wedyn. Diwrnod o lawenydd mawr, yn wir awr o uchelhwylia a dathlu oedd hi pan ddaeth Syr Edward Noël Henry Hobart, Llywodraethwr Paradwys heddiw, i'r byd. Yn anffodus, ar enedigaeth y Fonesig Frances-Hygia Royal, mi fuo'r Fonesig Isabella Caroline farw. Mi dorrodd Iarll Foston ei galon.

Does yr un gaea yn para am byth. A phleser o'r mwya oedd i mi ei weld o'n cymryd Anna-Maria yn ail wraig. Llawenydd. A hefyd dristwch dwfn o weld y blynyddoedd yn darfod a dyddia ei einioes o'n prysur deneuo. Roedd ing beunyddiol Thomas Hobart yn gori ar feddwl ei efaill nos a dydd; yn teimlo trueni dyddiol o feddwl am ei gnawd a'i waed ei hun yn gaeth i gadwyn. Yn y diwedd fe benderfynodd ei forol at y teulu i Baradwys.

I blanhigfa'r teulu.

I Neuadd Foston.

Llwyddiant na ddychmygodd neb amdano fo ac am y tro cyntaf ers blynyddoedd lawer roedd Thomas Hobart yn hapus. Mae dyddiaduron gan yr Iarll yn ei gasgliad preifat i'r perwyl. P'run ai'r tywydd neu'r gymdeithas oedd yn gyfrifol, doedd wbod, ond doedd ots gan Iarll Foston cyn belled â bod 'i efaill yn gallu byw ei fywyd heb ddinistrio ei hun. Mi briododd Thomas Hobart. Dynes o'r enw Lanasa. Merch i dafarnwr o harbwrdd Port Royal. Epiliwyd dau o blant mewn dim o dro. Mab a merch. Walton ac Alice Hobart.

Pleser i Iarll Foston oedd ei blant ynta. Syr William-Henry Hobart, Miss Swinfen-Ann a Miss Styal. Nid na fu galar o weld colli'r lleill fel gwyddoch chi o'ch gwaith. Prifiodd y plant o flwyddyn i flwyddyn. 'Mhen hir a hwyr pan ddaeth y Fonesig Frances-Hygia Royal i oed priodi yn un ar bymtheg oed dewiswyd Syr Walton Royal yn ŵr iddi gen ei thad a'i mam.

Yn y cyfamser, roedd y Cyfrin-gyngor wedi dyrchafu Syr Walton Royal yn Llywodraethwr Paradwys. Yn ôl be gofia i, y llywodraethwr ieuenga erioed trwy egni ei ddawn a'i allu a hynodrwydd ei ach, yn gyfuniad perffaith ar gyfer y swydd. Aeth y Fonesig Frances-Hygia Royal ac ynta i fyw i'r Tŷ Gwyn pan oedd Syr Feltham Royal yn fabi blwydd oed a Stocken-Letitia heb eto'i geni. Yn anffodus, gwendid penna Syr Walton Royal oedd gamblo. O dipyn o beth, ac o fod yng nghwmni rhywun o'r un anian â fo'i hun, fe ailgydiodd Thomas Hobart ynddi – a chydio hefo arddeliad a thrwy hynny buan yr aeth o tros ei ben a'i glustia i ddyledion eto. Aeth i ddechra slotian; ac fe aeth y slotian o ddrwg i waeth. Crefodd am chwaneg o bres i foddhau ei flys.

Fe ellwch chi ddychmygu, roedd Thomas Hobart yn llanast. A'r ynys yr un fath. Fe ddigwyddodd hyn oll ar adeg dyngedfennol yn hanes Paradwys oherwydd bod Monsieur Duvalier Le Blanc yn cynllwynio i hudo Ffrancod Martinique i 'mosod liw nos trwy gyrchruthro porthladd Damascus. Yn union fel sawl tro o'r blaen. A dyna wnaethon nhw ar y pymthegfed o Awst, 1767. Lladd a llosgi; lludw a llanast. A wedyn – yn sgil y rhyfel, fe fachodd Dante a'r negroaid ar eu cyfla i godi mewn terfysg gan achosi gwaeth alanastra a mwrdro pob cyfiawnder yn farw gorn. Roedd y planhigfeydd a'r ynys gyfan ar fin mynd â'u penna iddyn . . .

Syr Walton Royal, trwy'i ddewrder rhyfeddol, a achubodd y dydd trwy ei wroldeb a'i lafur diflino'n codi byddin gre. A'i gri enwog oedd, 'Dewch ymlaen, ddynion, yn ungalon, unfeddwl ac unfrydol i uno'n eich Milisia.' Tra achubodd Syr Walton Royal yr ynys fe achubodd Iarll Foston ei efaill. Talodd ei ddyledion ar yr addewid na fyddai Thomas Hobart byth eto'n chwarae cardia. Penliniodd gerbron ei efaill, dodi'i wefus ar ei law – ei chusanu'n dyner – ac addo'n ddidwyll i gadw at ei air. O fewn llai na deuddydd roedd o 'nôl wrth fwrdd cardia Syr Walton Royal hyd yr oria mân. Ac yn ystod un o'r nosweithia hynny – 'mhen pythefnos neu 'falla lai – y digwyddodd y mwrdrad.'

'Mwrdrad?'

'Mmm-hmmm,' a'i lygad duon bach yn ola eirias.

'Mwrdrad?'

'Mwrdrad.'

Dywedodd y gwas drachefn â rhyw dynerwch rhyfedd, rhyw arswydus barch – a hyd yn oed rhyw dinc o ryfeddod yng ngoslef ei lais. Mwrdrad. Fel pe bai'n ceisio gosod y gair yn ei le.

'Lle'n union?'

'Yn y stafell nesa at y stafell lle cysgai'r Fonesig Frances-Hygia Royal yn y Tŷ Gwyn, Port Royal.'

Roedd Iarll Foston yno.

Fe welodd y cwbwl.

Cododd lleisia dynion.

Codi'n gras o rywle ym mhen draw'r stryd. Coethi cŵn, rhyw dwrw pigog a chas, rhyw ysu a hisian a llais egwan yn crefu am drugaredd.

Clustfeiniodd Mr Barlinnie, 'Od tydi?'

Sobreiddiwyd Polmont.

'Mwrdro gŵr ei nith ei hun?'

'Yn y modd creulona posib.'

Yn naturiol, cadwyd y cwbwl oddi wrth y Fonesig Frances-Hygia Royal. A gweddill Port Royal. Trwy help Doctor Barbut Shotts o'r Milisia claddwyd Syr Walton Royal ar ei union liw nos. Mynnodd ei wraig gadw cudyn o'i wallt. Gofynnwch am gael ei weld o ganddi. Mi fydd wrth ei bodd. Nid nad ydi o wedi gwynnu a sychu yn arw a chaledu erbyn hyn, a'r melyn a fuo ynddo fo wedi darfod i gyd. Ddeuddeng mlynedd yn ôl, penderfynodd godi gweddillion ei gŵr o'i fedd ym mynwent Port Royal a'i ailgladdu o mewn bedd arall yma'n y ddinas ym Mynwent Eglwys Santes Margaret. Lledaenodd Iarll Foston y si mai wedi ei ladd yn Sans Souci, y tu allan i Port Royal, roedd Syr Walton Royal. Buan y lledodd pob math o chwedla eraill. Doctor Shotts sgrifennodd yn 'i lyfr *Terfysg Dante* mai cael ei wenwyno 'ddaru o. Doedd fiw deud y gwir. Wedi'r cwbwl, roedd o'n arwr. Y dyn a achubodd Paradwys o grafanga'r Papistiaid Ffrengig. Petasa pobol yn dod i glywed y gwir, byddai Thomas Hobart yn cael ei grogi yn y fan a'r lle.

Drwy gydol yr amser roedd o'n yfed yn drwm; yn slotian ei hochor hi bob awr o'r dydd a'r nos. Roedd o wedi dirywio erbyn hynny i fod yn ddim byd ond rhyw adfeilion gwyllt o gymeriad; dyn y byddai awr yn ei gwmni yn ddigon i beri i angel golli ei gymeriad. Cyrhaeddodd Iarll Foston ben ei dennyn; bron â mynd o'i go wrth gysuro Frances-Hygia Royal yn ei galar; cadw ei efaill rhag cyfadda'r gwir am y mwrdrad wrth y teulu neu'r cymdogion. Dychmygwch y straen. Hollol annioddefol. A hynny'n feunyddiol. Roedd baich y boen yn erchyll. Bryd hynny y cyfaddefodd Iarll Foston y cwbwl wrtha i. Fy nghyngor i oedd iddo fo fynd â Thomas Hobart o flaen ei well.'

'Dyna wnaeth o?'

'Chafodd o mo'r cyfla.'

'Pam?'

'Unwaith y clywodd Thomas Hobart wynt o'r bwriad, mi gymrodd y goes yn syth.'

'Dianc?'

'Am ei hoedal gan adael ei wraig a'i blant ym Mharadwys.'

'I lle aeth o?'

'India.'

'India?'

'Am bron i ddwy flynedd. Yn y cyfamser mi fu Iarll Foston wrthi fel gŵr gonest yn prysur fel lladd nadroedd yn diwyd ddilyn yn ôl troed ei dad a'i daid a'i hen daid yn magu masnach, codi busnas, lledu'r busnes – yn prysur brynu planhigfeydd fel y daeth y rheiny ar y farchnad; yn magu teulu mawr, addysgu'r plant ym moes y byd ac ati; yn gofalu am Feltham a Stocken-Letitia. A Walton ac Alice Hobart, mab a merch ei efaill erchyll. Ond un dydd, yn cerdded o gwmwl llwch y ffordd tuag at Neuadd Foston . . .

Dychwelodd Thomas Hobart i Baradwys.

Sgwario'n dipyn o fasnachwr.

Siarad yn frwd o blaid codi busnesau yn Port Royal. Rhyw fusnes mewnforio ac allforio. Alla i ddim cofio'i stori neud o erbyn hyn . . . Buan iawn y gwelis i – ac y gwelodd pawb arall hefyd, trwyddo fo, achos yr un un oedd o yn ei dwyll. Meth-dalwr erchyll. Methiant truenus. Twyllwr trychinebus. Roedd o'n waeth na godinebwr oherwydd iddo fo briodi dwy wraig – un yn Madras a Lanasa'r forwyn ym Mharadwys, mam ei blant – a'r naill yn gwbod dim am y llall. Doedd ganddo fo ddim ceiniog i'w enw, ac yn waeth fyth iddo fo, roedd o'n meddwi ac yn clebran yn ei gwrw. Be tasa fo'n dechra baldorddi am y noson yn y Tŷ Gwyn y mwrdrodd o Syr Walton Royal . . .?

Sefylla annifyr.

Sefyllfa hollol annioddefol.

Be oedd Iarll Foston i'w neud? Be fasa unrhyw un wedi'i neud? Roedd o mewn cyfyng-gyngor dirdynnol; ei gydwybod o wedi'i hollti; ei emosiyna'n siwrwd; ei ewyllys ar chwâl. Cafodd ei demtio, fwy nag unwaith, i roi terfyn ar ei wewyr meddwl ac i lusgo'i efaill draw i Lys Suful Port Royal a chyf-adda'r cwbwl am y noson y mwrdrodd ei efaill Syr Walton Royal. Sut galla fo gondemnio ei deulu ei hun?

Trwy lwc i'r Iarll – os lwc hefyd – oherwydd dyledion gamblo, mi fuo'n rhaid i Thomas Hobart ddianc eto. Sleifio ar long liw nos. I Jamaica. Ac yn fan'no, mi werthodd ei blant ei hun.'

'Gwerthu ei blant ei hun?'

'Do.'

'Faint oedd eu hoed nhw?'

'Dwi'm yn cofio. Plant mân. Pump oed a thair oed. Fawr mwy . . .'

'Be wedyn?'

'Aeth blynyddoedd heibio. Chlywodd neb ohonon ni oddi wrtho fo tan tua phedair blynedd yn ôl. Pan oedd Syr William-Henry yn ŵr ifanc ugain oed yn addysgu ei hun o gwmpas dinasoedd yr Eidal. Ddaeth o ar draws ei Ewyrth un bore yn Pompei pan oedd o'n hwylio i ddringo Mynydd Vesuvius. Cyd-ddigwyddiad. Aeth y ddau i fyny hefo'i gilydd. Ond. A ma' hwn yn 'ond' go fawr. Wn i ddim be'n union ddigwyddodd, ddim yn iawn, er bod Syr William-Henry wedi bod yn dyst i'r cwbwl. A fo – nid fi – ydi'r dyn i'w holi am hanes Mynydd Vesuvius.'

'Be ddigwyddodd?'

'Ar y copa. Rhywbeth erchyll. Rhywbeth . . . Mae peth o'r hanes yn llythyra Syr William-Henry o'r Eidal at ei dad. Goheb-iaeth sylfaenol drist ar waetha gwychder byw a bod bob dydd yng nghanol holl drysora'r byd, llythyra sy'n dangos yn deg arswyd meddwl dyn wrth ddadfeilio'n ddistaw bach . . .'

'Be'n hollol wyt ti'n 'i feddwl?'

'Wn i ddim yn iawn. Clywed yn ail-law nes i. A darllen peth o'r hanes . . . 'Falla mai blynyddoedd y seilam dorrodd enaid Thomas Hobart. 'Falla mai ei gydwybod a'i llethodd o, y blynyddoedd o ddrygioni yn dwyn eu ffrwyth . . . o fwrdro Syr Walton Royal a gwerthu ei blant ei hun yn Jamaica.'

'Rhaid fod hynny'n pwyso'n drwm arno fo faswn i'n meddwl.'

'Go brin hefyd. Dyn hollol ddigydwybod ydi o. Er iddo fo gael ei atgoffa ddigon gen yr Iarll am erchylltra'r hyn a wnaeth o. Amddifadu'r Fonesig Frances-Hygia Royal o ŵr addfwyn. Amddifadu Feltham a Stocken-Letitia o law gadarn tad. Wn i ddim. Od tydi? Ac yn y Tŷ Opera yn Genoa wedyn, pan oedd o'n byw ar gefn Syr William-Henry am rai wythnosa, mi gyrhaeddodd waelod pydew ei ddirywiad . . . Fel 'tasa pob un dim wedi gwasgu arno fo a'i wasgu fo i'r pen nes gneud iddo fo sylweddoli be'n union oedd o . . . Er i Syr William-Henry neud pob un dim o fewn ei allu i'w helpu o – a rhaid cofio mai hogyn ifanc, heb lawn aeddfedu eto ym mhetha'r byd oedd o 'radag honno ac yn gwbod dim oll am wir achos marw Syr Walton Royal – ond mi wnaeth ei ora tros ei ewyrth. Ei ddarbwyllo i ymbwyllo, i annog meddyginiaeth, i annog unrhyw beth er mwyn ei achub o'i drueni . . .'

'Be ddigwyddodd?'

'Ŵyr neb.'

'Pam?'

'Yn hwyr un noson ddu, ddileuad, mi ddiflannodd a gadael Syr William-Henry ar ei ben ei hun mewn gwesty yn Genoa. A'r bilia heb eu talu, wrth gwrs. Y pres wedi'i bocedu i gyd.'

'I lle? India eto?'

'Does wbod. Barn breifat Iarll Foston ydi iddo fo grwydro'r cyfandir fel rhyw adyn unig; fel creadur cefn ffos a llwybra unig y brynia gan lawn amlygu ei hun yn rhyw fath o furgyn yn begera o dre i dre ac o ddinas i ddinas. Ond yr hyn sy'n wir ddigon amlwg ydi na chlywyd 'run siw na miw am dros dair blynedd . . . Ers Genoa yn 1779, a bod yn fanwl gywir . . . Hyd nes y cyrhaeddodd Iarll Foston Baris ar gyfer y Gynhadledd Heddwch llynedd. Bellach, mi wyddom ni i sicrwydd fod Thomas Hobart yno'n sbeuna.'

'Lle mae o erbyn hyn?'

'Yma.'

'Yn y ddinas?'

'Yn bendant.'

'Sut gwyddost ti?'

'Daeth llythyr i Iarll Foston lai na deuddydd 'nôl.'

'Yn deud be?'

'Fod Thomas Hobart yn cofio rhywbeth amdano fo – rhyw gelwydd. Un all 'i ddifetha fo.'

'Pa fath o gelwydd?'

Syllodd Mr Barlinnie i lawr ar drai'r afon a lleufer oer y lloer yn peri i'w mwd sgleinio'n dduach.

'I Iarll Foston neud un peth – un peth un tro, amser maith yn ôl, a bod hynny'n dal i chwarae ar ei feddwl o. Rhyw gyfrinach dywyll mae o'n ei honni sy' rhyngddyn nhw'u dau. A nhw'u dau yn unig. Mae o'n bygwth yr Iarll. Bygwth deud wrth y byd be ydi hi.'

'A be ydi hi?'

'Celwydd y Selar.'

'Celwydd y Selar?'

'Mmmm-hmmm.'

'Be'n hollol felly?'

'Dyna'r peth.'

'Be?'

'Be ddeudis i gynna am gadw hyn heno 'yn gyfrinach glòs. Dim ond y fi sy'n gwbod enw'r gyfrinach hyd yn oed. A rŵan – chi, Polmont. 'Tasa Iarll Foston yn gwbod 'mod i wedi deud wrth rywun arall – dim ots pwy nag i be, mi fasa yn . . . A bod yn onest, wn i ddim be fasa fo'n 'i neud. Achos bob tro y bydd Iarll Foston yn clywed am Gelwydd y Selar, mi fydd o'n gwelwi; yn dechrau crynu ac yn gorfod mynd i orwedd i lawr nes daw o ato'i hun. Trwyddi hi mae Thomas Hobart yn benderfynol o'i ddifetha fo.'

'Wyt ti o ddifri, Barlinnie?'

'Hollol o ddifri.'

'Ar ôl y cwbwl mae Iarll Foston wedi'i neud trosto fo?'

'Un dialgar ydi o. Sgynnoch chi ddim syniad; ddim math o syniad. Diolchwch nad oes. All Thomas Hobart ddim diodda gweld dyn arall wedi llwyddo cystal. Yn ei feddwl gwyrdroëdig o, mae o erbyn hyn yn meddwl mai Iarll Foston fwrdrodd Syr Walton Royal. Dyna ddeudodd Iarll Foston wrtha i'n breifat dro 'nôl. Od tydi? Y dyn wnaeth gymaint tros ei efaill yn cael ei fygwth fel hyn. Heb ymyrraeth Iarll Foston mi fasa wedi ei grogi'n daclus ar brif sgwâr Port Royal flynyddoedd lawer 'nôl.'

'Be neith Iarll Foston?'

'Be all o neud? Dim. Dyna dristwch y sefyllfa. Ond ar y llaw arall, neith Thomas Hobart ddim iddo fo chwaith.'

'Sut wyt ti'n deud?'

'Ddim ar chwara bach beth bynnag. Ddim tra bydda i ar dir y byw. Mae Iarll Foston wedi brwydro'n llawar rhy galad ac yn llawar rhy hir i greu'r hyn sydd ganddo fo i ildio'i afael ar y cwbwl.'

Closiodd ato'n ddwys ddifrifol.

'Ac os do i o hyd i'r efaill mileinig yma, mi geith y ffasiwn gweir gin i, nes bydd dim modfadd o groen cyfa ar 'i gorff o, ac mi mala i o mor fân nes bydd ei gnawd a'i esgyrn o'n hidlo fel blawd trwy ogor rhawn.'

Fel pe bai'n beth mor naturiol â'r awel, teimlodd Polmont eu bod ar fin cusanu.

Y PLAS

Y Spa.

Daeth y gaea yn gynnar i'r Ardennes y flwyddyn honno. Yn ôl ei harfer cadwodd y Fonesig Frances-Hygia Royal i'w chwmni hi ei hun, heb dorri gair â neb o'r bron ond ei morwyn a gysgai yn y stafell nesa at ei stafell hi. 'Y wraig mewn du'. Gwyddai mai dyna roedd pawb yn ei galw yn ei chefn ond doedd hi'n hidio dim. O droi'r nos yn ddydd a'r dydd yn nos o'r braidd y byddai hi'n gweld y gwesteion eraill o gwbwl.

A ph'run bynnag, roedd yn llawer iawn gwell ganddi nofio ar ei phen ei hun heb neb arall i hawlio hamdden ei phwll neu i amharu ar ei dedwyddwch. A'r lloer uwchben yn taenu ei lleufer tros y dŵr, tynnai amdani'n yr *apodyterium*; crynai fymryn a phrysurai wrth ysu i deimlo'i gwadna yn cynhesu o gerdded trwy'r *tepidarium* nes camu'n is ac yn is i ddŵr poeth y baddon-dy. Parai'r gwres iddi deimlo'n swrth a chysglyd. Eisteddai yno am oria yn mwytho'i chnawd yn nhawelwch y nos ac yn gwrando ar hisian stêm yn codi o dan lawr y ffwrnais chwilboeth. Rhyfeddai at y dŵr. Codai o i'w dwylo; ei daro tros ei hwyneb a'i gwddw. Weithia byddai'n chwerw; dro arall yn felys. Clywai udo rhyw anifail allan yn y goedwig. Dro arall frefiad buwch neu ddafad neu gwrcath yn cyrnewian; ac untro tybiodd iddi glywed cyfarthiad cadno: yn feinach, teneuach sŵn na choethi ci.

Meddyliodd lawer am y llythyra a dderbyniodd gan Gofiannydd y Teulu. Rhyfeddodd at y modd y newidiodd eu cywair. Roedd y cynta yn ffurfiol hollol. Yr ail lythyr hefyd yn yr un dull ond fymryn yn daerach wrth fynnu atebion a'r trydydd wedyn yn un di-flewyn-ar-dafod. Teimlodd fod i'w frawddega, ar waetha gwarineb addurniadol ei arddull (nad oedd ond yn cydnabod chwaeth confensiwn a ffasiwn), ryw egni cyntefig a'i cyffyrddodd mewn rhyw ffordd na wnaeth neb arall. Parodd Polmont i fflyd o atgofion godi ohoni . . .

Syr Walton Royal.

Ei gŵr.

Holai am ei hanes; ei rieni; ei eni; ei fagwraeth; ei addysg; ei linach; ei yrfa filwrol; eu priodas; hanes eu bywyd yn y Tŷ Gwyn; y cwbwl oll . . .

Cofiodd eu dyweddïad ym mis Awst 1761. Cofiodd Walton yn mynnu eu bod yn gadael Port Royal, (yng nghwmni ei fam a'i chwaer iau) er mwyn iddo allu ei chyflwyno i rai aeloda o'i deulu yn Nyfnaint a Chernyw a dinas Bryste. Rheswm arall tros ddychwelyd oedd oherwydd i Syr Walton Royal a hitha gael eu gwadd ar y pymthegfed o Dachwedd, 1761, i briodas Richard Pennant ac Ann, unig ferch ac etifeddes y Cadfridog Hugh Warburton o Gaer, un o gyd-berchnogion Stad o'r enw y Penrhyn yn Sir Gaernarfon. Priodas neu beidio, ni stopiodd hynny Richard a Walton rhag trafod busnes, gan fod y cynta yn awyddus i'r ail ddwyn perswâd ar deulu'r Yonge o Ddyfnaint, perchnogion hanner arall y stad, i'w gwerthu iddo. Gŵr parod i blesio oedd Llywodraethwr Paradwys ac yn hyn o beth bu Syr Walton Royal o gymorth amhrisiadwy i undod a datblygiad Stad y Penrhyn.

Mwynhaodd y ddau y briodas; ennill cyfeillion newydd a throi mewn cymdeithas wahanol; a chafodd hitha lu o syniada ar gyfer ei phriodas hi ei hun. Mwynhaodd ei hun gymaint fel nad oedd am ddychwelyd i Baradwys.

Wrth syllu tros y môr llyfn dawel a'r awel wedi sgubo'r niwl o'r neilltu, gofynnodd ei dyweddi iddi'n dyner, 'Be sy'n bod?'

'Sgen i'm isio mynd 'nôl.'

Atseiniodd sŵn tafoda trwy ei chlustia fel ysbrydion y noson gynt; teimlodd fysedd y gwyll yn cau am ei chalon a'i gwasgu'n sych. Breuddwydiodd ei bod hi 'nôl yn Neuadd Foston yn ferch fach. Rhedeg ar ôl ei brawd mawr, Edward-Noël, tan res o goedydd coco ac ogla'r bora wedi dechra hel yng nghesail y mynyddoedd a'u llethra indigo, llethra glasddyfnion â mymryn o darth yn hongian ar eu traws. Sychodd chwys ei hwyneb a'r haul yn torri'i enw ar ei gwar, stamp ei wres ar ei chorun, ei thalcen yn boeth. Syllodd fry trwy'r dail i weld aderyn yn ysgafn hollti trwy rwyd y gwres a chenfigennu wrtho fel na chenfig-ennodd wrth yr un creadur byw erioed; caeodd ei llygaid a'i dychmygu ei hun yn cerdded i fyny at geg yr ogof, i ogof lai ac ogof lai a llai nes cyrraedd gwaelodion yr un oera un a 'mochel yno am byth.

'Does dim dewis,' dywedodd ar ei ben.

'Oes rhaid?' ymbiliodd.

'Be ydi'r dagra yma? Pam wyt ti'n crio?'

Pwff pwffiodd peswch gwyn o gega ugain o fagnela ar ragfur clogwyn Port Royal a llewyrch dŵr yr aber fel drych du yn y gwres. Ciliodd olion bysedd y nos i'r awel ysgafn yng ngwichian y gwylanod cynnar wrth i dân yr haul sgrafellu'r bae yn bur. Closiodd cwch at eu llong a dringodd corrach barfog ar y bwrdd i beilota'r llonga heibio i greigia geirwon Penrhyn Coffadwriaeth.

Roedd hi 'nôl ym Mharadwys.

Yng nghysgodion pellaf y bae ildiodd rhes o adfeilion o'r hen hen ddinas eu gafael, nes llithro un nos i'r lli at y pysgod smwtdrwyn a'u llygaid clòs, a nofiai uwch gwelyau gwag y llofftydd. I'w madru yn y môr, o hanner suddo o'r golwg yng nghysgod darn o simdda, gorweddai gweddillion llong rhyw hen fôrladron. Sigo a gwyro i'r llanw a wnâi'r cei, ac o draw, codai sgaffoldia i gynnal atgyweirio'r negroaid a waeddai uwch eu gwaith.

Gwthiodd plant negro noethion ganŵ i'r lli a phrysur rwyfo tuag at long Cadfridog y Milisia. Gorchmynnodd y Capten danio ugain magnel. Trwy'r awyr gwibiodd gema adeiniog a'u cogar yn troelli yn ola loyw o gylch yr hwylia. Chwarddodd a chwibanodd y morwyr a'r milwyr wrth weld cychod yn feichiog o ferched yn hwylio tuag atyn nhw. O'u hôl fe ochneidiai'r cefnor lle swatiai Ynys y Gwyrthia, terfyn mordeithia y meirw byw, y dot o dir y clywai plant yr ynys gymaint o sôn amdano wrth gamfihafio neu wrthod mynd i'r gwely.

'Dy yrru di i fan'no gei di.'

Ynys y tu hwnt i bellter y gorwel a thu hwnt i'r gorwel hwnnw yn rhywla tyfai fforestydd tewion gwyrdd-dywyll Macondo. Daeth rhagor o hongldai i'r golwg. Sŵn igam ogam bagbibau'n seinio wrth i'r ddinas ymddangos fel plentyn swil yn sbecian heibio i fraich y soffa. Llanwyd ffroena Miss Frances-Hygia yn sydyn ag ogla orenna gwylltion, lemwn a shadoc. Cofiodd ddodi ei dwylo dros ei haelia i syllu ar y bedol o adeilada gwynion a'u toea gwellt a'u toea cochion, yn tyfu mewn hanner cylch o gwmpas yr harbwrdd nes lledu fry hyd ochra aber Afon Testament. Draw ymhell yn y pelltera ymgodai, y naill oddi ar y llall, fynyddoedd gleision uchel. Ar y cei, gwyro'n gam a wnâi Milwyr y Milisia a'u lifrai glas wedi eu golchi'n grin a'r stribeda euraid ar eu hysgwydda yn sgleinio'n flin yn yr haul.

Llosgai'r haul fel na allai neb ddioddef gosod llaw ar gan-llaw'r llong. Teimlodd Miss Frances-Hygia nerth y gwres ar ei gwar a gwasgodd ei het yn glosiach am ei chorun a sylwodd ar Mrs Shotts, gwraig y doctor, â'r babi yn ei breichia yn wardio o dan y parasol a ddaliai ei morwyn ar ei chyfer. Gwenodd arni; gwenodd eilwaith gan feddwl nad oedd wedi sylwi ond edrych-odd Mrs Shotts trwyddi. Trodd Miss Frances-Hygia ei phen i ogleuo llond trwyn o ogla tar du a'r paent melyn tew a slempid ar honglad o long ryfel wrth angor yr harbwrdd.

Rhwyfodd negroaid gychod draw o'r cei a thaflwyd rhaffa tros yr ochor. Codwyd llaw Miss Frances-Hygia i'w chusanu'n isel gan y Capten a phrif swyddogion y llong, pob un yn ŵr bonheddig perffaith, yn allor o ymddygiad. Gwyliodd ei ddyweddi Syr Walton Royal yn derbyn llaw Mrs Shotts a'i gwylio yn araf gamu ati hi i lawr i'r cwch; dododd ei darpar ŵr ei fraich am wasg gwraig y doctor; daliodd Miss Frances-Hygia ei hedrychiad, ond eisteddodd i lawr a derbyn y babi i'w breichia.

Rhwyfwyd y cwch tua'r cei. Syllodd Miss Frances-Hygia ar lwyni o balmwydd uchel ar y lan gyferbyn. Hanner ffordd i fyny un roedd hogyn negro â chylch o gwmpas ei ganol. Ara ddringai gan bwyso â'i gefn, symud ei draed ac felly o radd i radd. Llyn tawel oedd dŵr y bae a'r pysgod yn nofio o dan ei wyneb. Ar fin y cei canai'r bagbiba'n glir; ymgasglodd Aelodau'r Cynulliad, Prif Swyddogion y Fyddin a hanner poblogaeth Port Royal, yn wynion dan eu parasola, neu'n 'mochel yn eu coetsus a'r duon troednoeth gerllaw â chadacha i arbed eu penna rhag yr haul.

Daeth rhyw deimlad rhyfedd dros Miss Frances-Hygia Hobart mwya sydyn, rhyw ysictod yng nghanol sylweddoliad: galarodd am rywbeth hyd at waelod ei bod; rhyw gyfle a gollwyd; neu rywbeth arall, rhyw deimlad o ing ac o unig-rwydd. Mor eiddil oedd ei hewyllys. Mor ddiallu oedd hi; mor ddi-rym. Ceisiodd fwrw ei thristwch o'r neilltu trwy feddwl am rywbeth arall. Syllodd ar res o goed cotwm y tu ôl i'r esplanada, a'r rheiny wedi duo a chrino o'u taro rywdro gen fellten strae. A'u gwreiddia dyrys yn suddo i'r dŵr, ogleuodd y llwyni mangrof a'r coedydd eurafala yn frithion o ffrwytha. Clymwyd rhaffa'r cwch wrth bostyn y cei cam. Esgynnodd darpar-wraig Cad-fridog y Milisia i fyny'r grisia. O dan gysgod dail brownlwyd yr hen goeden damarind, fel dyn a fu'n disgwyl amdani'n hir, ym-lwybrodd i'w chyfwrdd a'i chroesawu adra.

Ei thad.

Iarll Foston a'i cusanodd.

Y ffordd.

Trwy ffenest y goets, holodd Iarlles Foston, 'Fydd Frances-Hygia yn ei hôl o'r Ardennes erbyn inni ddychwelyd i Piccadilly wythnos nesa?'

Edrychodd ar ei gŵr o wadan troed i gorun pen; ei gerdd-ediad yn ysgafn, bron mor ysgafn â dryw o styried ei fod yn ddyn mor drwm o gorff, wrth iddo rowndio'r pylla budron yn y ffordd a chamu ati, wedi iddo sefyllian syllu ar ruddfa glir draw at y troead, 'Pam?'

'Y Cofiannydd holodd fi amdani ddoe.'

'Holi be?'

'Deud 'i fod o wedi gyrru llythyra ati ond heb eto dderbyn yr un ateb.'

Ynglŷn â be mae o'n holi?'

'Amryw byd o betha teuluol.'

Brefodd buwch tros y gwrych. Edrychodd Iarll Foston arni, camu ati'n ara i syllu i'w llygaid mawrion a'i thafod bras yn llyfu ei gwefusa a chreu rhyw sŵn tebyg i rassssss, rassssss. Syllodd Iarlles Foston ar y cnwd o flewiach gwyn a dyfai'n gry o glust chwith ei gŵr, 'Dwi'n synnu na fydda hi wedi'i ateb. Tydi o ddim fel hi i esgeuluso ateb llythyra. Wrth lythyru a chadw 'i dyddiadur mae hi'n rhagori ar bawb arall o'r teulu a hynny ers blynyddoedd lawer tydi?'

Doedd o ddim yn gwrando arni. Awgrymai ei osgo fod rhyw-beth arall yn chwarae ar ei feddwl. Gwyliodd Iarlles Foston o yn camu at Rampton, gwasgu ei ddwylo ar ei benglinia, i blygu i lawr nes peri i'w ben ddiflannu o'r golwg tros orwel ei war. Gorweddai'r gwas ar wastad ei gefn yn curo cŷn a morthwyl yn galed o dan echel ôl y goets; tuchanodd, poerodd a melltithiodd o dan ei wynt. Gorchmynnodd Iarlles Foston i'w morwyn 'morol y decanter a thywallt gwydryn arall o win iddi.

Teimlai'n isel. Roedd hi wedi heneiddio. Rhyw bythefnos

ynghynt wrth gerdded i ben y grisia teimlodd rywbeth oer ar dop ei chlun. Dychrynodd gan feddwl fod pry copyn wedi dringo i fyny hyd ei choes. Aeth i'w stafell ar ei hunion a thynnu amdani'n frysiog ond doedd dim byd i'w weld. Sbeciodd tros ei hysgwydd ac astudio'i chnawd yn fanwl yn y drych hirsgwar. Sylweddolodd wedyn beth a achosodd yr oerni ar ei chroen. Roedd boch chwith ei phen ôl wedi disgyn fymryn . . .

Dechreuodd bigo bwrw glaw.

Syllodd ar ddiferyn yn araf lusgo i lawr pren y goets.

Y glaw.

Yn y glaw y cusanodd y ddau am y tro cynta erioed flynyddoedd maith yn ôl; yng nghanol storm, yng nghanol glaw cynnes Paradwys – ond glaw hefyd, 'nôl Doctor Shotts, a fyddai'n tynnu pob math o afiechydon o'r awyr i wenwyno'r tir trwy suro'r pridd – mor bell yn ôl oedd hynny fel na allai gofio sut roedd ei gŵr yn edrych 'radeg honno. Oedd o mor fras ei wep a'i gorff? Cofiodd ei fod yn chwannog o chwerthin a pheri iddi hitha chwerthin hefyd. Ond cofiodd hefyd y pylia dirdynnol o dristwch a galar o gladdu a cholli ei wraig gynta. Isabella Caroline. Roedd o'n ei charu hi o hyd. Ni pheidiodd â'i charu hi.

Anodd dwyn i go y dyddia hynny – dyddia eu carwriaeth; anodd cofio dim byd o gwbwl ond cusanu yn y glaw a blas y cymyla ar ei thafod. Anodd cofio geni'r plant; anodd eu cofio nhw'n prifio a'u cyrff a'u hwyneba nhw'n newid. Peth hynod a diddorol oedd y wedd ddynol yn newid cymaint drwy gydol bywyd rhywun . . . Anodd cofio pryd y peidiodd y ddau â charu ei gilydd. Chwarddodd yn isel. O'r braidd y byddai hi'n ei alw wrth ei enw. Pryd alwodd hi o'n Henry ddwytha? 'Yr Iarll' oedd o iddi hi, yn union fel roedd o i bawb arall.

'Y peth dwytha o'n i isio heddiw oedd rhyw helbul fel hyn,' tuchanodd Iarll Foston gan godi'i ben a'i wyneb yn gochlyd. 'Finna ar frys i gyrraedd. A 'drycha be sy' wedi digwydd . . .'

Blasodd hitha'r gwin coch ar ei min, 'Yma byddwn ni?'

Edrychodd yn hyll; a gwyddai hitha mai callach fyddai tewi.

'Coets newydd sbon. Sdim deufis ers inni'i chael hi. A ma'r echal yn cracio. A pham? Petha sy'n ca'l 'u gneud yn rhad – ddim fel ers talwm pan fydda gen ddynion fwy o ddileit yng ngwaith 'u dwylo, yn lle waldio rhwbath rhwbath at 'i gilydd a chodi crocbris . . .'

Ymlwybrodd yr Iarll i ganol y ffordd drachefn gan flaengamu'n ofalus heibio i'r pylla mwdlyd; a'r brain duon rhynllyd yn hopio fymryn o'i lwybr. Sipiodd hitha chwaneg o'i gwin (a oedd braidd yn rhy oer) wrth syllu ar ei gefn bras er bod ei goesa braidd yn feinion. O fynd i oed roedd o wedi tyfu'n fwy diamynedd; manion betha yn ei yrru'n gandryll lle na fyddai'n hidio botwm lai na phum mlynedd 'nôl.

'Lle mae'r goets arall? tuthiodd wrth syllu draw at y troad. 'Lle maen nhw na ddôn nhw?'

'Mi ddôn,' atebodd hitha'n dawel, bron wrthi'i hun.

Sgwriodd y gwin yn ei cheg a'i deimlo'n pigo'i thafod a chrasu ei chorn gwddw fymryn. Mae unrhyw wraig briod yn gorfod byw celwydd, meddyliodd, oherwydd mai cyfaddawd ydi pob priodas, ac os ydi gwraig yn cyfaddawdu mae hi'n anonest â'i gŵr a'i phlant a'i pherthnasa a'i chyfeillion – a phawb. Yn waeth o lawer, mae hi'n tyfu i fod yn anonest â hi ei hun. Dyna'r peth gwaetha un. Pwy o'n i ar fore dydd fy mhriodas a phwy ydw i heddiw? Gwraig hollol wahanol. Ai fel hyn o'n i i fod? Allwn i fod wedi tyfu i fod yn wraig arall? Be petaswn i wedi priodi gŵr arall? Sut un faswn i heddiw, tybed, o fyw cyfaddawd gwahanol? Pam mae pawb yn rhoi cymaint o fri ar anonestrwydd? Mae'r byd i gyd yn canu clodydd priodas, y stad ddedwydd dderbyniol yma y dylai pawb anelu ati. O wybod beth a wyddai, o deimlo beth a deimlai, nadodd hynny mohoni rhag canmol y cwbwl wrth Miss Swinfen-Ann chwaith.

Roedd hi'n parhau'r twyll a'r anonestrwydd. A'r genhedlaeth nesa yn debygol o wneud yn union yr un fath; ac felly o genhedlaeth i genhedlaeth hyd ddiwedd amser.

Pa ddewis arall sydd i ferch? Beth petai Iarll Foston wedi mynnu cael gwared ohoni? Dyna gododd arswyd arni am flynyddoedd. Yr ofn i hynny ddigwydd; ofn a'i cadwai ar ddi-hun. Ofni'r dyfodol. Dyna beth a'i gyrrodd at ei gwrachwragedd a'i hastrolegwyr a'u siartia a'u sêr wrth chwilio am ryw sicrwydd. Dyna pam y dewisodd gyfaddawdu a gadael iddo ganlyn gwragedd eraill. O golli ei statws fel gwraig Iarll Foston ofnai i'w bywyd chwalu'n deilchion. A bellach? Gan ei bod hi wedi dod i oed lle nad oedd hi'n malio dim amdano – ac o beidio malio – sylweddolodd ei bod hi'n hapusach o'r hanner nes y daeth rhyw deimlad braf i lenwi'i chorff wrth godi bob bore a sylweddoli ei bod hi'n rhydd o ofn.

'Be mae Polmont yn 'i wbod am Syr Walton Royal?'

'Be mae be?'

Gofynnodd y cwestiwn drachefn.

'Clustia'n gwrando,' atebodd Iarll Foston gan nodio at Rampton fudur a gododd i sefyll a chicio olwyn y goets mewn myll dychrynllyd.

'Synnu 'i fod o heb glywed y cwbwl o'r hanes yn barod.'

'Pam fasa fo?'

'Tydi be ddigwyddodd noson y dyweddïad ddim yn gyfrinach.'

Oedodd Iarll Foston; tawelodd; rhythodd arni a'i anadlu'n flêr.

'Be dwi fod i ddeud wrtho fo?'

'Deud y gwir . . .'

Craffodd yr Iarlles arno a'i chroen sych yn rhychu o gylch ei llygaid, 'Dydach chi ddim fel 'tasach chi'n poeni?'

'Poeni? Pam ddylswn i?'

Y daith.

Yng nghoets Syr Feltham Royal a'r Fonesig Maidstone-Susanna Royal, eu mab bach, Whatton-Henry, a Mingo, yr hogyn negro, y cyrhaeddodd Iarll ac Iarlles Foston glwydi'r stad at ddiwedd y prynhawn a haul gwan ar fin darfod ym min y gorwel. Doedd brin ddigon o le i bawb a Polmont wedi'i wasgu rhwng braster poeth ei noddwr a chlunia cynnes y Fonesig Royal. Chwydodd Whatton-Henry tros ei ysgwydd (ac i lawr hyd ei gefn) wedi iddo gyrnewian a sgrechian am filltiroedd; a bu'r ogla fwy nag unwaith wedyn bron â chodi pwys arno; gwthiodd ei ben trwy'r ffenest deirgwaith i'w arbed ei hun rhag taflu i fyny.

Ar risia'r plas – o flaen y portico Corinthaidd – croesawyd hwy gan Syr William-Henry Hobart a'i wraig a'u merched bach a gyrhaeddodd ddiwrnod ynghynt. Awr yn ddiweddarach cyrhaeddodd Miss Swinfen-Ann a Miss Styal mewn coets yng nghwmni Mr Barlinnie ond doedd dim golwg o Mr Francis Foljambe.

'Sâl? Pwy sy'n sâl? Francis?'

''I fab o.'

'Be sy'n bod?'

'Rhyw beswch,' atebodd Mr Barlinnie.

'Peswch be tro yma? Dim ond i'r tywydd droi mymryn a mae o'n magu rhyw anfadwch byth a hefyd. A pham? Francis sy'n gadael i'r ddynes 'na folicodlo gormod arno fo.'

Y stad.

Cyn i ola'r dydd lwyr ddarfod, mynnodd Iarll Foston fynd â Polmont trwy'r winllan lle plannwyd cryn bymtheg erw o goed ifanc at y diben o'u hailblannu eto yn y gwanwyn. Trwy hen lidiart bren (a honno'n gwichian ar ei cholyn) yr aethant wedyn ac allan ar hyd y caea ac yn y glaswellt wrth ei draed gwelai Polmont led-ôl carna haid o hyddod neu fân ewigod ac wrth godi ei lygaid a chraffu draw gwelodd fod dau ddwsin neu fwy o geirw yn pori yn y pellter. Sylwebai'r Iarll yn frwd ar lafur ei weision, "Drycha. Tyd yma. Rho dy ddwylo fan hyn. Teimla'r clawdd yma. Gwasga dy ddwylo arno fo. Sudda dy fysadd i'r mwsog 'na. Deimli di o? Mmmm? Tydi o'n gampus? Crefft saer maen fuo wrthi'n ddiwyd yn gosod cerrig wyneb i gadw cerrig llanw yn eu lle.'

Taenodd yr Iarll ei ffon ar led, 'A ffor'cw hefyd, a draw ffor'cw – mor bell ag y gelli di graffu hefo dy lygaid.'

'Chi pia'r cwbwl?'

'Y fi sy' pia'r cwbwl.'

Yn cerdded yn ôl troed y ddau roedd Syr William-Henry (yn smocio'i getyn clearwyn hir) a Mr Barlinnie yn siarad yn isel ddwys am rywbeth na allodd Polmont ond bachu ar ambell air o gael rhyw wynt o'u sgwrs ond boddwyd eu geiria gan sŵn eu traed yn siffrwd trwy'r glaswellt.

'Rhyw ddydd, mi fydd un dyn lwcus yn etifeddu'r cwbwl.'

'Pwy fydd hwnnw?'

'A'r cwbwl geith o hefyd. Tydw i ddim yn gredwr mawr mewn didol a rhannu; torri tir ac eiddo yn dipia mân a thrio bod yn deg a rhesymol hefo pawb rhag pechu neb. Pshaw! I be? Bod yn deg ydi gneud pawb yr un mor dlawd â'i gilydd. Gwell o'r hanner yn fy marn i 'tasa ond dau neu dri o ddynion ar wyneb y ddaear a'r rheiny yn hollol warthus o sglyfaethus o gywilyddus o gyfoethog – yn perchnogi a rheoli holl diroedd ac adnodda'r byd i gyd! A pham? Er mwyn cynnig nod clir i ddynion eraill ymgyrraedd ato fo. Ti'm yn meddwl?'

'Cytuno'n llwyr.'

'Be weli di'n fan'cw? Chwadan wyllt? Ma' dega yn codi o'r afon 'radag yma o'r dydd –'

Cododd ei wn i'w ysgwydd: anelu, tynnu, tanio.

'Ges i un?'

Sbiniodd rhywbeth llwyd a gwyn i'r ddaear nes diflannu yr ochor bella i goedwig. Aeth yr Iarll a'i Brif Was i lawr llethr y bryncyn; arhosodd Polmont i syllu draw ar gymyla duon y gorwel. Safodd Syr William-Henry wrth ei ysgwydd yn piff piffian ar ei getyn, 'Storm ffwcedig heno, e?'

Gwyliodd y ddau Iarll Foston a Mr Barlinnie a'r labrador du yn ymlwybro i lawr at bantle yng nghongol y cae a thua'r goedwig gan gamu tros gamfa bren, a dilyn llwybr at hen hen bont tros afon fechan, nes darfod o'r golwg yn nüwch y wig.

'Ti'n meddwl fod Maidstone-Susanna yn dechra magu bol?'

'Ddim i mi sylwi.'

'Dwi 'di 'i darbwyllo hi i ddeud wrth Feltham mai 'i epil o ydi o.'

'Gytunodd hi?'

'Oedd dewis?'

Brathodd y gwynt trwy'i ddillad a chrynodd Polmont fymryn.

'Tydi'r Fonesig Frances-Hygia Royal byth wedi ateb yr un llythyr,' dywedodd gan dynnu ei goler yn dynnach am ei wddw.

'Ti'n synnu? Mynd i osgoi'r byd a'r betws mae hi drwy fynd i'r Spa. A mwynhau dipyn arni'i hun.'

'Mwynhau? Go brin. Ddim o be dwi wedi'i glywed gen bawb, ddeudwn i 'i bod hi'n wraig rhy drist i hynny. Pam gwisgo'i galar mor hir?'

'Tydi hi ddim wedi edrych ar yr un dyn arall ers marw Syr Walton.'

'Mewn un mlynedd ar bymtheg? Wir?'

'Os ti'm yn 'y nghoelio i, gofyn i Feltham.'

Holltodd mellten glaear-ola draw'n y pellter ac ar ei chynffon rowliodd trwy'r wybren wedyn ryw hirdrwst trwm nes torri'n daran.

'Dwi yn coelio; wrth gwrs fy mod i. Cael trafferth dallt rydw i. Mae'n rhaid fod rhywbeth gwirioneddol brin a gwerthfawr rhyngddi hi a'i gŵr? Cariad na welwyd mo'i debyg yn unman erioed sy'n peri iddi allu dal i deimlo amdano fo fel hyn hyd heddiw? Rhaid 'i fod o'n ddyn unigryw iawn.'

'Biti gen i na faswn i wedi'i nabod o'n well. Ond pan gafodd o'i ladd yn Sans Souci dim ond hogyn saith neu wyth oed o'n i.'

Tuthiodd Iarll Foston i fyny'r bryncyn gan ddal chwaden wyllt yn ei law gerfydd ei gwddw a'i phen yn fflopio.

"Drychwch! 'Drychwch!'

Fel rhyw ysbryd araf, ymlwybrodd Mr Barlinnie i'r fei a'i holl osgo yn awgrymu mai dyn y ddinas a oedd yn casáu'r wlad oedd o; ac yn trio ei ora glas i'w arbed ei hun rhag baeddu ei 'sgidia. Draw'n y pellter goleuwyd ffenestri'r plas a gwynt y mwg o'i simnea'n gras ar eu ffroen. Trodd y gwynt i dwll y glaw, duodd yr wybren ac o fewn dim roedd hi'n tresio bwrw yn y modd mwya melltigedig a Mr Barlinnie yn cynnal ei gôt tros ben yr Iarll wrth i bawb forol am fochelfa. Clywyd llais yr Iarll yn cario trwy'r glaw, draw tuag at y coed, lle safai dyn newynog, rhynllyd iawn yr olwg yn sbecian wrth fôn rhyw onnen tan eu gwylio'n ofalus a diferion gwlybion yn llifo hyd ei focha a thrwy ei farf . . .

Dyn a oedd i farw bedair noson yn ddiweddarach.

Wedi swperu.

Esgusododd Polmont ei hun o'r cwmni a cherdded allan o'r ystafell fwyta a dringo at gopa'r grisia derw mawr a gwas yn dilyn yn ôl ei droed yn cario cannwyll. Islaw, yn y cyntedd, gwelodd Mr Barlinnie yng nghwmni Rampton, a oedd yn chwerthin am rywbeth. Trwy gil ei lygaid daliodd y Prif Was gysgod y Cofiannydd yn diflannu tuag at stafelloedd Iarlles Foston a'r merched; aeth Polmont yn ei flaen, heibio i salon breifat yr Iarlles nes cyrraedd grisia a'u dringo fry at ddrws y llyfrgell.

Ogleuai'r stafell o hen flawd: oglau rhesi ar resi o lyfra wedi'u gwasgu'n hir. Camodd draw at y ffenestr a sefyll yng nghwr y llenni i hel meddylia. Roedd Syr William-Henry yn llygad ei le: lledodd y ddrycin dros y tir a'r nos yn afagddu anarferol o dywyll. Gwrandawodd Polmont am beth amser ar sŵn y glaw yn waldio'r chwareli a thrwy dwll o rywle chwythai ias fain o wynt ar groen ei foch.

Cynheuodd y gwas yr holl ganhwylla fesul un. Eisteddodd Polmont wedyn ger y bwrdd tan fodio trwy'i lawysgrif, yn araf gyfri tudalenna ei Gofiant a'r gwaith a wnaeth. Ers i Mr

Barlinnie ddatgelu'r cwbwl wrtho am Thomas Hobart bu hanes yr efaill yn chwarae ar ei feddwl nos a dydd. Cafodd ei demtio fwy nag unwaith – bron nad oedd y cwestiyna yn heidio i wthio ei gilydd ar flaen ei dafod – i holi Iarll Foston amdano. Ond ni wnaeth. Er i'r eiliad fwy nag unwaith fynd yn drech nag o ac ynta bron â hollti o isio clywed yr hanes o enau ei noddwr, atal-iodd o barch i'r addewid a dyngodd i Mr Barlinnie wrth yr afon.

'Addo imi?'

'Addo.'

Cau ei geg. Cadw'n dawel a chadw'r cwbwl iddo'i hun. Ond sliwan lithrig ydi pob cyfrinach, yn mynnu sleifio o afael pobol byth a hefyd. Yn mynnu aflonyddu ar gwsg . . .

Y Llyfrgell.

Ar un wedd, roedd yn y Plas fwy o ddeunydd ar gyfer Cofiant Iarll Foston (*Hanes ei Fywyd a'i Deulu a'i Gyfraniad i Gymdeithas*) nag yn y Tŷ yn Piccadilly. Bwriad Polmont oedd pori trwy lyfra'r silffoedd. Agor droria er mwyn chwilota chwaneg ymysg y papura. A gwneud y cwbwl oll o fewn ei allu. Daeth o hyd i ambell ffaith ddefnyddiol o fewn llai nag awr. Gohebiaeth Iarll Foston ac Iarll Wellingborough oedd un perl, yn trin a thrafod posibilrwydd priodas, ynghyd â hanes llinach Viscount Clive o Lwydlo, Barwn Herbert o Chirbury a Salop. Ar farw Robert, yr hen Arglwydd, yr esgynnodd Iarll Welling-borough i'w safle ar y trydydd o Dachwedd, 1752. Enw ei wraig oedd Henrietta-Antonia, merch James Alexander, Iarll Powys, ac unig chwaer i'r enwog Syr George Edward, Llywodraethwr presennol Antigua. Priodwyd Iarll ac Iarlles Wellingborough ar 7 Mai, 1757. Ganwyd iddynt, (1) Syr Swaleside (3 Ionawr, 1760) (2) Louise (2 Mai, 1762) (3) Rachel (marw yn blentyn, 1764) (4) Louise Bridget (marw yn blentyn, 1766) (5) Frances (marw yn blentyn, 1768) (6) Louise-Mary (6 Medi, 1770) (7) Mary (1 Ebrill, 1772) (8) Harriet (marw yn blentyn, 1774) (9) Susan (16 Mehefin, 1776) (10) Elizabeth (marw yn blentyn, 1778) (11) Caroline (20 Mehefin, 1780).

Wrth fynd ati i feddwl am ysgrifennu'r Cofiant i'r pen, teimlai Polmont fwyfwy fod cymaint na wyddai; gormodedd o fylcha na allai eu llenwi, heb sôn am eu cau. Teimlai fod y gwaith yn ei drechu.

Cytunodd i gais Mr Francis Foljambe, a hefo sêl bendith Iarll Foston, i'w alw'n fab cyntaf o'i ailbriodas.

Cytunodd Polmont wedyn i gais ei noddwr mai marw ar faes y gad yn Sans Souci ar Ragfyr yr ugeinfed, 1767, a wnaeth Syr Walton Royal ar ôl iddo gael ei saethu yn ei gefn gan negro o'r enw Plato.

Gwyddai Polmont nad oedd hynny'n wir; ddim mwy nag yr oedd stori wenwyno Doctor Shotts yn wir. Gwyddai pwy oedd y llofrudd. Ei enw oedd Thomas Hobart. Efaill Iarll Foston. Gŵr na allai ei enwi am resyma da a dilys. I warchod enw achubwr Paradwys. I warchod y cof amdano ymysg y teulu a gweddill cymdeithas. Ond yn bwysicach na dim (yn ei farn o) i arbed gwewyr meddwl gwaeth i'w weddw druan a ddioddefodd ormod o boen yn barod.

Anwiredd rhonc.

Roedd yno o'i flaen: yn ei lawysgrifen ei hun.

Y fo o bawb! Polmont onest. Y dyn a ddechreuodd ar y gwaith hefo'r bwriad gora yn y byd i gyd, hefo'r amcan clir o sgwennu'r gwir. Fe gyfaddawdodd. Ond cyfaddawdu am resyma da, cysurodd ei hun. Nid o fwriad drwg a thwyllodrus. Fedrai neb ei gyhuddo o stumio'r gwir i ryw bwrpas arall. Pwrpas daionus oedd i'r hyn a wnaeth. A chwara teg i'r Iarll, wnaeth o mo'i orfodi fel y gallai fod wedi mynnu gwneud yn hawdd. 'Gwna 'nôl dy gydwybod.' 'Sensra i mo neb. Cuddio'i ofna ei hun; dyna mae pob sensor yn ei neud.' Neu a oedd o wedi'i dwyllo trwy ei ddarbwyllo ei hun fod yr hyn a wnaeth yn iawn? Peth anodd ydi twyllo pobol eraill ond peth mwy disylw a slei o'r hanner ydi hunan-dwyll.

Hunan-dwyll.

Syllodd ar ei fysedd a holi, oedd o'n euog o hynny?

Spa.

Parodd y crafu a chwaneg o sŵn crafu, rhyw fân gnoi, rhyw sgrialu ar hyd y lloria, i'r Fonesig Frances-Hygia Royal agor ei llygaid o ama fod llygod yn rhedeg ar draws ei llofft. Cododd ar ei heistedd; ond doedd yr un i'w gweld. Clustfeiniodd; a'r crafu i'w glywed o dan ei gwely; cododd ar ei phenglinia a chlustfeinio wrth ara festyn ei braich i wthio'r rhwyd moscito o'r neilltu â blaen ei bysedd ond doedd dim byd yno ond gwacter . . .

'Serpentina,' hisiodd; o feddwl fod ei chaethes wedi mynd i gysgu wrth droed ei gwely yn lle ei ffanio, 'oes 'na rwbath o dan y gwely?'

Agorodd ei drws a cherddodd ei morwyn gysglyd i mewn.

'Madam, be sy'?'

Sylweddolodd y Fonesig Frances-Hygia Royal ble'r oedd hi. Yr Ardennes. Nid Neuadd Foston. Gofynnodd i'w morwyn gwrcydu yr un fath i weld a oedd rhywbeth yn llechu o dan ei gwely. Cropiodd honno i sbecian; codi ei phen wrth yr erchwyn a dweud nad oedd dim byd yno. Daliodd lygaid ei meistres – ac yn ei llygaid roedd hi 'nôl ym Mharadwys yn gweld rhywbeth yn symud rhwng y coed.

Cofiodd ei hun yn ferch ifanc yn codi ac yn agor *sluiter* ei ffenest. Safodd yno i sbecian rhwng y pren a gweld Cocoa-be yn crafangu heibio i fôn y goeden goco am y llwyni trwchus. Darn o hogyn oedd y negro a'i llusgai ei hun o gwmpas y blanhigfa. Oherwydd ei afiechyd fe'i herlidiwyd gan y gweddill. Ni wyddai Miss Frances Hygia sut yr oedd yn gallu bwyta; ond dywedodd ei negres, Serpentina, wrthi ei fod yn ddigon abal i edrych ar ei ôl ei hun trwy ladrata o'u gerddi pan fyddai'r caethion yn gweithio yn y meysydd. Dim ond unwaith erioed y gwelodd hi fo yn iawn, a hynny pan oedd ar ei ffordd i wers ddawnsio yn Damascus. Eisteddai (os dyna'r gair) ar ei ben ei hun, a chrachod gwynion fel eira tros ei groen. Closiodd yn ara deg ar waetha siarsio Serpentina i gadw draw. Cyn hynny, yr unig beth a welodd ohono oedd ei lygaid cochion (yn fflamllyd yn y gwyll fel llygaid cathod coed) a'i dafod du a'i wyneb tebyg i löyn wedi hanner ei losgi. Closiodd ato ar ysgafn droed. Roedd ganddi afal yn ei llaw; ond dychrynodd pan neidiodd draw. Gwelodd nad oedd ganddo goesa; nid oedd ganddo fysedd chwaith; rhythodd arni mewn ofn a dychryn ac o fewn llai nag eiliad, diflannodd.

Safodd Miss Frances-Hygia yno fymryn yn syfrdan. Nid ofn oedd arni, nid ofn ei gorff na'i afiechyd ond rhyw chwilfrydedd yn gymysg â thosturi. Roedd ei groen yn gornllyd hyll, ei gnawd wedi gwywo a chrychu, darna ohono wedi pydru a madru a disgyn yn dameidia . . . Yr unig beth a deimlai hi oedd cydymdeimlad a gwnâi ymdrech feunyddiol i chwilio amdano. Dyna paham y byddai wastad yn cerdded hefo rhyw sbarion o fwydiach yn ei phoced, afal neu ddarn o fara. Ond er iddi fynd ati'n fwriadol i chwilio amdano, ni welodd yr hogyn am amser maith. Treuliodd rai prynhawnia yn cerdded i fyny'r llwybr hyd Frynia Prynedigaeth yn y gobaith o'i weld; dro arall eisteddai yng nghysgod dail y coed yn gwylio'r lli ger Rhyd Annirnad ond ni ddaeth i'r fei.

Yng nghwmni ei llys-fam a'r goruchwyliwr, Risley, roedd hi a'r hen gaethwas, Homer, yn ei gyrru ar hyd Heol Hosana am Bont Amod. Isod, yn pwyso ar y dorlan, gwelodd rywbeth du fel muchudd yn nŵr Afon Tystiolaeth. Sylweddolodd mai Cocoa-be oedd o, a mynnodd fod y caethwas yn arafu'r goets. Ni ddeallodd Risley na'i llys-fam pam y mynnodd stopio, ond pan welodd y ddau hi yn prysur gamu i lawr tuag ato, dechreuodd y goruchwyliwr weiddi nerth esgyrn ei ben.

'Miss Frances-Hygia! Miss! Dewch 'nôl!'

O glywed ei grochweiddi, nofiodd (os dyna'r gair) Cocoa-be fel crwban trwsgwl gan ddiflannu fry trwy dyfiant y dorlan bellaf o dan goed cotwm gwynion.

'Hisst! Hegla hi! Hegla hi!'

Bledodd Risley gerrig ar ei ôl.

'Paid!' gwaeddodd arno, 'Paid!'

'O'ma! Hegla hi!'

'Gad lonydd iddo fo!'

Ni welodd erioed y fath fraw ag a welodd yn llygaid Risley na'i llys-fam, a safai yn bryderus â'i llaw yn pwyso ar olwyn y goets. Pan ddychwelodd fe aeth â hi o'r neilltu a'i dwrdio'n ffiaidd; cydio yn ei hysgwydda a'i hysgwyd yn hegar. Oedd hi'n sylweddoli nad oedd iachâd iddo fo? Oedd hi'n deall hynny?

'A phaid â gneud yr wynab pwdlyd yna – edrach arna i pan ydw i'n siarad hefo chdi. Does ond rhaid i rywun ddod o fewn hyd braich a mi fyddi ditha'n ysglyfaeth hefyd!'

'Mae'n rhaid ichi gyffwrdd 'i groen o i hynny ddigwydd yn ôl Doctor Shotts . . .'

O! a ma' Doctor Shotts yn gwbod y cwbwl ydi o?

'Chi sy' wastad yn deud 'i fod o – ddim fi!'

Anwybyddodd ei llys-fam ei choegni. Aeth rhagddi i droi tu min.

Oedd hi eisiau colli ei phrydferthwch? Pwy a'i cymerai hi'n wraig wedyn? Roedd yn rhaid iddi gallio; rhaid iddi ddysgu ymgadw rhag ymhel gormod â negroaid fel Cocoa-be . . . Dallt?

'Ych a fi!' rhwbiodd Risley ei ddwylo mewn cadach a daflodd o'r goets wrth yrru ochor yn ochor â'r afon trwy odre deheuol Plwy'r Ufudd-dod a'r haul yn taro'n boeth, 'Ma' 'na wartheg yn yfed dŵr o hon; plant yn trochi ynddi; pysgod yn magu . . .'

Nid ynganwyd gair rhwng y tri wedyn. Ni wnaeth rhybudd ei llys-fam ond ei gwneud yn fwy penderfynol fyth. Penderfynodd y byddai'n gosod bwyd allan iddo fo. Fyth oddi ar hynny, er na thorrodd y ddau air â'i gilydd erioed, credai fod rhyw gyfeill-garwch wedi tyfu rhyngddyn nhw . . .

Gwrandawodd yn astud ar ffat ffat ffat, rhyw sisial siarad, lleisia o dan wynt. Araf wthiodd y *sluiter* am draw a llafna'r haul yn bario ei garchar ar draws ei hwyneb.

– O wule na mi ni –

– Risli se mi ? –

– Ng ko tile mo ibit'o wa rara –

Tawodd Oubaois ar ei hunion a'r *mustée* Shakespeare yn rhyw hanner troi i sbecian syllu'n slei ar Miss Frances-Hygia Hobart wrth ddal ei hedrychiad. Gwenodd yn ara deg trwy ddangos dannedd melyn a'i ddau lygaid fel dau wy gwyn yn ei ben. Gwasgodd hitha'r *sluiter* yn wastad yn erbyn pren heulsych y tŷ. Rhwbiodd Oubaois ei llygaid gan ieuo'r ddau gelwrn dŵr tros ei gwar wrth anelu am gefn y tŷ, tra croesodd Shakespeare draw am y felin gan lusgo'i droed chwith a phowlio ei *omolanke*. Sylwodd Miss Frances-Hygia ar Risley yn cerdded yn fân ac yn fuan heibio i gornel isaf Cotel Cyfolwg a'r teriar bach yn coethi a baglu ar draws ei draed. Poerai tan ferwi parablu o dan ei wynt a llyfn-bwyo'r awyr o'i flaen fel pe'n paffio rhyw ysbryd goddefgar. Fe'i dilynwyd mewn dim o dro gan y gyntaf o'r aneirfychod a dwy neu dair buwch a lloea ac yna'r tarw ifanc a Horas wrth eu cynffon yn eu cymell â charn ei chwip.

Trawodd Hygia ŵn sidan gwyrddlaes amdani, camu at y drych crwn ac eistedd o'i flaen ar y gadair wiail. Gwenodd arni hi ei hun. A gwenodd eilwaith wrth weld mor deg oedd ei gwên. Tynnodd ei thafod a chlosio. Cribodd Serpentina ei gwallt tan fwngial canu'n dawel.

O dudu pupo

O lewa

O gun ju . . .

Yn nannedd y crib melyn-llwyd gorweddai mynwent o forgrug cochion. Blaenfyseddodd y gaethes nhw, a chan grychu ei thrwyn, gorchmynnodd Miss Frances-Hygia hi i roi'r gora iddi. Tuchiodd wrth deimlo fod y gwres eisoes wedi ei llech-lorio. Daeth rhyw fyll drosti ac yn sydyn sgrafellodd ei phen â blaen ei bysedd, a theimlo ei chorff yn llacio, rhyw ryddid rhyfeddol yn golchi trwy ei chnawd. Dododd ei bysedd o dan ei thrwyn ac ogleuo ogla cnau. Grwgnachodd; doedd ganddi mo'r egni i golli ei thymer gan fod ei hwyneb a'i gwddw eisoes yn chwys poeth. Oni bai i'r sŵn crafu ei deffro byddai wedi cysgu yn ddedwydd ddigon tan ganol y bore neu hyd yn oed yn hwyrach.

A'r noson honno, galwodd ei llys-fam heibio i'w hystafell. Gwyddai Miss Frances-Hygia o arafwch moethus ei hosgo a'i hedrychiad – y cysgod o wên ar ei gwefusa – gwên chwerw-hyfryd gwraig a oedd wrth ei bodd ac yn mwynhau'r ffaith ei bod yn gwybod rhyw gyfrinach.

'Be sy'?' holodd hitha heb godi ei gên o'i llyfr.

Agorodd llygaid Miss Frances-Hygia yn syn agored pan ddywedodd ei llys-fam am fwriad ei thad i'w rhoi yn wraig i Syr Walton Royal.

A'r grechwen. Cofiodd hynny.

A'r casineb a'r mwynhad o dorri'r newydd cyn i'w thad hi allu gwneud, tan gogio nad oedd hi isio i Miss Frances-Hygia Hobart gael gormod o fraw.

Syr William-Henry Hobart.

''Drycha! 'Drycha!'

Ysgwydodd ei wely'n hegar.

'Deffra nei di! Deffra!'

Agorodd Polmont ei lygaid i weld Syr William-Henry yn griddfan ger ei ffenestr. Gwingai fel dyn chwyslyd poeth mewn haul melltigedig, yn fyr ei wynt, yn mygu'n gorn, yn llacio'i goler wrth deimlo'i wddw yn simdda grasboeth a'i gnawd gwyn yn rhisgl noeth wedi'i grino'n grimp yn y gwres.

'Bora 'ma! Bora 'ma!,' oernadodd yn ddagreuol wrth eistedd ar erchwyn y gwely, 'Ac ar ben bob dim ma' gin i gric yn 'y ngwddw. Goeli di? Bora 'ma o bob bora, mi fasa'n rhaid i hynny ddigwydd basa? Finna mewn cymaint o boen fel mae hi. Rhaid mod 'i 'di cysgu'n gam ne' ddobio gormod neithiwr ne' rwbath achos ma' gin i ffwc o boen yn 'y ngwar. Reit yn fan hyn. Gwasga dy fys arno fo rhag ofn y teimli di lwmp. Na, nes yma fymryn. 'Na chdi. Fa'na. Aw! Be ti'n 'neud? Be ffwc ti'n neud? E? 'I ffwcin wasgu mor galad? Parcha'r ffaith 'mod i'n ddyn sy'n diodda nei di?'

Cododd ar ei union wrth fwytho crafell ei ysgwydd.

'Bora 'ma. Bora 'ma. Yn disgwyl amdana i fel rhyw leidar pen ffordd. Eith 'y nhad yn gandryll! Eith o'n hollol hurt ffwcin honco bost! Fydd 'na sgandal na welwyd rioed mo'i thebyg. Ma' hi ar ben arna i! Ti'n clywed?'

Gollyngodd lythyr ar ei wely a'i lusgo'i hun fel rhyw fadfall cloff i gadair.

'Darllan o! Darllan a deud wrtha i be ti'n feddwl!'

Hanner ffordd rhwng cwsg ac effro roedd Polmont. Ei feddwl yn llawn breuddwydion rhyfedd. Pedair clwyd aur ynghau a phelydra'r haul a'r lloer yn rhannu'r un ffurfafen. Cerdded at afon werdd cyn camu ar bont aruthrol a honno'n codi i'r cymyla, a chamu trosti. Sŵn creision, sŵn cynddeiriog, a'r wybren ddu yn torri a'r dyfroedd yn rhaeadru tros doea'r ddinas nes gwagio'r strydoedd. Cerdded at glwyd eglwys a 'mochel yng nghwmni tylluan wen. Honno'n siarad. Siarad yn llawn doethineb; yn gwybod pob un dim amdano. Ynta'n ei hateb mewn iaith roedd y ddau yn ei deall. O borth yr eglwys wedyn, trwy'r briwlan, llusgai rhes faith o bobol heibio ac Esgob Parva ar y blaen, yn tywys arch ddu tuag at fedd agored . . .

'Be dwi'n mynd i neud? Deud wrtha i! Be dwi'n mynd i ffwcin neud?'

Llythyr blacmel.

'Rhaid bo' chdi wedi agor dy hen geg fawr, rhaid bo' chdi wedi sôn wrth ryw gwdyn di-les,' cododd i gyhuddo.

'Sonis i 'run gair wrth neb.'

'Pwy arall wnaeth? Dim ond hi a chdi a fi sy'n gwbod.'

''Falla fod y Fonesig Maidstone-Susanna Royal wedi sôn wrth rywun?'

'Sôn dim. Holis i hi'n dwll.'

''I morwyn?'

'Neb.'

Roedd rhywun yn gwybod mai Syr William-Henry oedd tad ei babi. Gwir falais y llythyr oedd ei gynildeb. Dim cyfarchiad. Un frawddeg fer. A dim enw.

Griddfanodd Syr William-Henry wrth wasgu ei law ar ei frest, 'Ti'n siŵr bo' chdi'm 'di sôn wrth neb?'

'Naddo, neb.'

'Ar dy lw?'

'Ar fy llw.'

'Ar dy farw?'

'Ar fy marw.'

'Wyt ti'n deud y gwir?'

Yn enbyd raddol roedd wedi codi ei lais o ris i ris nes sylweddoli ei fod yn gweiddi nerth esgyrn ei ben, 'Wyt ti'n deud y gwir i gyd yn onest?'

'Yn hollol onest, ydw,' atebodd yn dawel.

Llonyddodd Syr William-Henry. Edrychodd Polmont arno. Edrychodd wedyn ar y llythyr. Ogleuodd o. Ogla plaen. Thomas Hobart? Efaill Iarll Foston? Dyna pwy a'i gyrrodd o? meddyliodd wrtho'i hun. Un o'i gastia fo oedd hwn? I greu chwerwder a rhaniad yn y teulu? I ddwyn gwarth ar bawb. Tynnu Syr William-Henry i lawr yng ngolwg cymdeithas? Difetha'r Iarll? Cyfle perffaith i ddyn dialgar. Synhwyrodd Syr William-Henry ei fod yn od o dawel, 'Am be ti'n meddwl, Polmont?'

Nid atebodd. Pwysodd Syr William-Henry draw ato i ofyn eto, 'Am be ti'n meddwl? Deud. Ma' rhwbath ar dy feddwl di, fedra i ddeud . . .'

Teimlai Polmont fel dyn dan ormes; fel dyn yn cario coflaid o gyfrinacha. Gwrthododd Mr Barlinnie aildrafod yr hyn a ddywedodd wrtho ger yr afon a gorfu iddo ail-fyw'r hanes yn ei ben a'r cwbwl yn hen surdan droi ac ynta'n troi a throsi'r cwbwl ar ei ben ei hun. A geisiodd Iarll Foston arbed Syr Walton Royal rhag cyllell ei efaill? A fu sgarmes? Y tri yn ymrafael â'i gilydd? A'r Fonesig Frances-Hygia Royal yn cysgu'n ddiniwed yn y stafell agosa? Gogor-droi'n rhy hir â'i feddylia ei hun y bu Polmont a phan ddaeth y cyfle i drafod aeth yr eiliad yn drech . . .

'Dwi'n gwbod y cwbwl am dy ewyrth,' dywedodd ar ei ben, 'A synnwn i ddim mai fo yrrodd hwn.'

Edrychodd Syr William-Henry braidd yn syn. Chwarddodd. Sydyn stopiodd – rhyw goethi ar ei hanner – wrth edrych i'w wyneb, 'Ti rioed o ddifri? E? Mi wyt ti'n dwyt? Fedra i ddeud 'wrth dy wep di. Ewyrth Thomas? Pam yn y byd mawr ti'n meddwl hynny?'

Heb fradychu enw Mr Barlinnie adroddodd yr hanes. Crychodd Syr William-Henry ei dalcen a chlicio ei dafod yn nhaflod ei geg, 'Mwrdro Syr Walton Royal?'

'Dyna be glywis i.'

Ebychodd, 'Ti 'di bod yn darllen gormod ar dy ben dy hun; mwydro am yr un petha 'mysg y llwch a'r llyfra 'na; tydi hynny byth o les i iechyd neb. Fel Mama'n rhedag at 'i gwrach-ddynes byth a hefyd.'

Daliodd Polmont ei dir, 'Dyna be glywis i.'

'Gan bwy?'

'Dwi 'di gaddo peidio â deud.'

Gwawdiodd yn llaes, 'Ond mi glywist ti o le saff?'

Cododd. Och-a-fi! Yn ara deg a phwyllog y cerddodd heibio i droed y gwely yn herciog a phoenus; yn union fel petai ei goes wedi mynd i gysgu. Oedi ennyd. Gwasgu'i ên rhwng ei fys a'i fawd tan isel hisian rhwng ei ddannedd.

'Be? Deud eto. Fod f'Ewyrth Thomas wedi mwrdro Syr Walton Royal?'

'Dyna ddalltis i.'

'Ddim yr hen stori wenwyno 'ma eto fyth?'

'Gwaeth.'

'Gwaeth?' Cogiodd ei ddychryn; gwnaeth ryw stumia, 'Py! Marw ar faes y gad yn Sans Souci wnaeth Syr Walton Royal. Marw ar ôl cael 'i drywanu gan gleddyf rhyw negro o'r enw Plato. Gofyn i 'nhad. Roedd o yno; yn sefyll nesa ato fo. Mi welodd y cwbwl. A 'taswn i'n chdi, faswn i'm yn cyhoeddi stori fel'na am f'Ewyrth Thomas yn dy Gofiant neu mi allat ti fynd i lot fawr iawn o drwbwl.'

Druan ohono. Druan bach ohono, meddyliodd Polmont. Roedd y gwir yn bell o'i afael. Ymhell bell o'i afael hefyd. Trugaredd. Dyna'r gair y bu'n chwilio amdano. O drugaredd at ei deulu y cadwodd Iarll Foston y gyfrinach am lofruddio Syr Walton Royal iddo'i hun. Dyna paham y bu mor daer iddo ynta ddweud mai yn Sans Souci y bu farw. Cymerodd hydoedd i Polmont weld y rhinwedd o gadw at yr hanes hwnnw a'i gyhoeddi fel gwirionedd. Wedi'r cwbwl, pa hawl oedd ganddo fo i faeddu'r co oedd gan Syr William-Henry am ei ewyrth?

Iarlles Foston.

Trefnodd Polmont i ymweld â hi am dri o'r gloch y pnawn yn ei salon. (Neu'r Ystafell Dapestri fel ag y'i gelwid gan y gweision a'r morwynion). Peth prin oedd cael ei chwmpeini ar ei ben ei hun; ac ni chafodd y ddau berffaith hedd y pnawn hwnnw, oherwydd deuai rhywrai byth a hefyd i amharu trwy holi hyn a'r llall ac arall.

'Mae cymaint o waith trefnu,' dywedodd Iarlles Foston, 'ac o 'mhrofiad i tydi hi byth, byth yn rhy gynnar i neb ddechra hwylio i baratoi ar gyfer y dydd hyfryta ym mywyd merch. Po fwya y gwaith neith rhywun yn y pen yma, 'sgafnu neith y baich at y pen arall pan fydd gwraig brysura hefo cant a mil o betha eraill fydd yn siŵr o godi'u pen, a rhywun wedi glân flino. Steddwch.'

Roedd Polmont eisoes yn ei gadair yn gwrando ar lais Miss Styal yn ymarfer ei gwersi canu yn y stafell agosa.

'Mi ydw i'n mwynhau priodas. Wyt ti ddim, Maidstone-Susanna?'

'Wrth fy modd.'

Bu'n rhythu ar Polmont, a rhyw edrychiad lled-drist ar ei hwyneb.

'Mae priodas werth chweil, un wedi'i threfnu'n fanwl, yn rhoi mwy o bleser i mi na dim. Pwy wraig sy' ddim yn mwynhau?'

'Dwi'n siŵr y bydd Miss Swinfen-Ann a Syr Swaleside yn hapus,' pesychodd Polmont.' Maen nhw'n ddau freintiedig iawn.'

Agorodd Iarlles Foston gwdyn lleder du a thywallt ei gynnwys i glecian ar hambwrdd aur.

'Dowch yma'ch dau –'

Edrychodd Polmont ar dri dwsin o ddannedd; rhai gwynion; llwydion ac eraill braidd yn ddu.

'Gêm fach. I bwy mae'r rhein yn perthyn?'

'Ych-a-fi!' surodd y Fonesig Maidstone-Susanna ei thrwyn, 'Pam 'dach chi'n mynnu cadw rhyw betha fel hyn?'

'Fy mam ddechreuodd fi arni.'

Cododd Polmont ei ben a syllu allan trwy'r ffenestr i weld Whatton-Henry (a morwyn yn ei warchod) yn mynd am dro at waelod yr ardd.

'Neu be am 'i gneud hi'n haws? P'run sy'n perthyn i Swinfen-Ann?'

Daliodd Polmont ddant mor fawr â bawd i fyny; gwenodd yr Iarlles o wybod ei fod yn tynnu coes a'i alw'n gena.

'Be am Feltham? P'un ydi'i ddannedd o? Ei ddannedd babi fo?'

Gwrthododd y Fonesig Maidstone-Susanna chwara'r gêm.

'Siŵr fod priodas Syr Walton Royal a'r Fonesig Frances-Hygia Royal yn un werth chweil,' gwenodd Polmont wrthi holi'n ysgafn.

'Priodas fwya Port Royal erioed. Fel diwrnod Dolig.'

'Un mlynedd ar hugain yn ôl, ydw i'n iawn?' bodiodd ddant bach du.

'Tydi amser yn darfod? Dwi'n cofio'r cwbwl fel 'tasa hi'n ddoe. Y strydoedd yn llawn dop o bobol am y gora i gael lle i'n gweld ni'n pasio heibio. Wrth yrru'n phaetoniaid trwy sgwaria'r ddinas y bore hwnnw, roeddan ni'n rhyfeddu fod pawb wedi mynd i gymaint o draffarth. Bloda am y gwela chi. Hyd y toea; ar y muria; yn ffenestri'r tai; ac wedi eu taenu'n garpad lliwgar hyd y ffordd bob cam o'n blaena ni. Pawb yn chwifio breichia; chwifio hancesi; a'r sŵn rhyfedda; bob tŷ yn llawn miri a rhialtwch o bob lliw a llun. Roeddan ni'n hwyr iawn yn cyrraedd porth yr eglwys ar ôl methu mynd yn ein blaena . . .'

'Pam?' holodd y Fonesig Maidstone-Susanna.

'Toedd y negroaid 'ma'n neidio o'n cwmpas ni fel petha gwyllt. Llamu a chanu a dawnsio, yn hustio hustio, hwla hwla hwa hwa ha, hwa hwa ho nes tynnu nerth anadl o 'sgyfaint gwraig wrth 'u gweld nhw wrthi'n chwys diferyd. Ond wedyn ma'r negro wedi hen arfer yn y gwres tydi?'

'Pwy weinyddodd?' holodd Polmont.

'Yr Esgob Parva. Prin medrach chi 'i glywed o na Walton a Frances-Hygia yn cyfnewid 'u llwon ar gownt sŵn curo'r drymia a'r miloedd a oedd wedi hel y tu allan. Pan ddaeth y ddau allan i lygad poeth yr haul – ac erbyn hynny, roedd hi'n felltigedig – fe gododd y bloeddio mwya glywis i'n fy myw. Magnela clogwyni y Tŷ Gwyn yn tanio yn un haid a magnela'r llonga rhyfel yn yr harbwrdd yn ateb yn yr un gwynt. Y fath sbleddach! Y fath rialtwch! Fel basa Frances-Hygia yn ei ddeud 'tasa hi yma rŵan: 'Y fath *mélange*!' A chinio ardderchog wedyn yn Siambr y Cynulliad . . .'

Holodd Polmont wedi iddi dawelu, 'Be sy'?'

'Dyn mor olygus oedd o.'

Agorodd y drws a cherddodd Miss Styal i mewn; ei bocha llwydion braidd yn gochlyd wedi iddi fod yn canu gyhyd.

'Biti mawr iddo fo farw mor ifanc.'

Holodd Miss Styal, 'Pwy? Am bwy 'dach chi'n sôn?'

'Cyn d'amser di, 'mach i,' atebodd ei mam, 'ond mae angen parchu'r meirw . . .'

''Dach chi'n cofio dydd ei farw fo?' holodd Polmont.

Oedodd eiliad; a daliodd y Cofiannydd ryw edrychiad cynnil – rhyw lygadu chwim – rhwng Iarlles Foston a'r Fonesig Maidstone-Susanna. Iarlles Foston atebodd yn y man, 'Gwaetha'r modd.'

'Be'n union ddigwyddodd?'

'Cael ei fwrdro gen y negro 'ma ddaru o. Yn Sans Souci.'

'Plato?'

'Dyna chi. Plato. Dyna oedd 'i enw fo dwi'n meddwl, o be alla i gofio beth bynnag. Iarll Foston – fy ngŵr i – fo ddeudodd wrtha i. Doedd ganddo fo mo'r galon i wynebu'i ferch. Fi gafodd y gwaith o dorri'r newydd garw i Frances-Hygia a dyna pam nad ydi hi byth wedi madda imi. Gan mai gen i – o 'ngena i – y clywodd hi y newyddion alaethus am y tro cynta – am ryw reswm rhyfedd, mae hi'n fy meio i am be ddigwyddodd i Syr Walton. Sigodd y cwbwl fy llys-ferch i'r byw a difetha'i bywyd hi; difetha'i hwyl hi. Fuo hi fyth yr un fath ar ôl hynny.'

Gwasgodd fysedd ei law.

'Dowch imi weld.'

Mwythodd Iarlles Foston gnawd Polmont, 'Union fel croen fy ngŵr i. Yr un teimlad. A'r un llinella dwi'n siŵr – trowch hi drosodd imi gael gweld – 'drychwch – yn groes o fa'ma i fan hyn . . .'

Cwyrodd dagra lond ei llygaid a sychodd hwy â hances a chwythu'i thrwyn. Dododd Miss Styal law ar ysgwydd ei mam.

'Mor annheg ydi bywyd, 'mach i. Pam ma' dynion talentog yn marw ym mloda'u dyddia a'r tacla mwya diddaioni yn byw i ddyfnderoedd henaint?'

'Sut wnaeth y Fonesig Frances-Hygia Royal ddygymod â'r angladd?'

'Yn ddewr iawn, chwara teg iddi. Dyna pryd buo'r Iarll yn gefn iddi. Ei chynnal hi. Ei freichia'n dynn amdani. Hitha'n crynu. Feltham a Stocken-Letitia druan yn beichio crio . . .'

Sgrechiodd Miss Styal yn sydyn.

Cythrodd Iarlles Foston fraich ei chadair, 'Be sy'?'

'Er mwyn Duw!'

Rhythodd pawb yn hurt wrth ei chlywed yn gweiddi drachefn, 'Achubwch o! Achubwch o rywun!'

Trodd llygaid pawb at y ffenestr. Rhuthrodd Polmont ati i

weld y forwyn yn cwrcydu – yn crefu mewn ofn – yn galw arno'n gry – er mwyn cymell Whatton-Henry yn ei ôl ond cropiodd ar wib tros y rhew.

'Mi foddith yn y llyn!'

Cleciodd Iarlles Foston ei bys ar was a redodd am y drws. Clywyd ei lais yn cymell chwaneg i'w ganlyn wrth ddwndrio i lawr y grisia. Edrychodd Polmont ar y Fonesig Maidstone-Susanna Royal a safai fel delw heb symud dim – dim ond edrych ar ei mab. Gwingodd; neidiodd Miss Styal i fyny ac i lawr mewn poen a rhwystredigaeth . . .

'Bydd lonydd bendith tad!' siarsiodd ei mam.

Rhuthrodd gweision draw ar draws yr ardd a dyrnaid o forwynion yn eu canlyn. Brysiodd Syr William-Henry at y ffenest.

'Be sy'? Be sy'n bod?'

Hanner trodd Polmont i syllu ar Iarlles Foston yn gwylio gwas yn llithro ar ei fol a gwas arall yn cydio yn ei ffera wrth lithro tuag at ganol y llyn. Chwarddodd Whatton-Henry wrth weld cymaint o bobol yn closio amdano. Â'i llygaid dulwyd llonydd, syllodd y Fonesig Maidstone-Susanna Royal i wyneb Syr William-Henry.

Gwichiodd Miss Styal, 'Gawn nhw fo? Gawn nhw fo'n saff?'

Craciodd y rhew.

'Mae o'n mynd i ddisgyn drwadd!'

Gwasgodd Syr William-Henry law y Fonesig Maidstone-Susanna Royal, gwasgodd hithau ei phen ar ei ysgwydd gan roi ei braich amdano a'i wasgu'n dynn. Y ddau yn gwasgu'n glòs i'w gilydd pan ymlwybrodd Syr Feltham Royal i mewn i'r stafell, 'Be 'di achos y twrw mawr 'ma?'

O'r diwedd, cydiodd llaw rywiog y gwas ym mysedd bychain Whatton-Henry a'i araf dynnu ato.

Syllodd Syr Feltham Royal ar Syr William-Henry a'i wraig a gofyn, 'Be sy'n mynd ymlaen?'

Drannoeth.

At ganol dydd cerddodd Syr William-Henry a Polmont ar eu penna eu hunain trwy'r gerddi. Y noson cynt bu'r Cofiannydd yn dyst i olygfa ryfedd iawn. Noson ola leuad sych oedd hi a'i lofft yn las, pan agorodd ei lygaid o frith dybio iddo glywed trwy'i gwsg ryw sŵn byw y tu allan i'w ffenest. Fel sŵn cornicyll yn cael ei dagu. Cododd ar ei union a chamu draw yn frysiog i sefyll yng nghwr y llenni a syllu allan tan glustfeinio. Gorweddai gerddi'r plas o dan y lloer fel gerddi paradwys a'r wlad i'w gweld yn glir hyd feithder llwyd y gorwel. Be achosodd y sŵn? Dyn neu anifail? Neu rai o fân wylltfilod y nos? Doedd dim oll i'w weld ac roedd pob un dim yn farwaidd ac yn fud. Ar fin camu 'nôl i'w wely roedd Polmont pan ddaliodd rhyw gysgod mewn cysgod gannwyll ei lygaid . . .

Craffodd. Craff edrych yn fanwl iawn trwy rythu'n hir. O dipyn i beth, tyfodd ffurf a gwelai ŵr yn gwasgu ei freichia o gwmpas castanwydden. Peth anodd ydi nabod neb yn y nos ac anoddach fyth os ydi rhywun â'i gefn tuag atoch chi a breichia wedi'u lapio yn sownd dynn am goeden a gwep yn gwasgu arni'n glòs. Gŵr oedd yno, doedd dim dwywaith am hynny. Gŵr delw lonydd ac ni symudodd fodfedd o'r fan, a bu felly am hydoedd; yn un â'r goeden. Arhosodd Polmont yn ei unfan, a gorfu iddo ynta sefyll am amser maith hyd nes y llaciodd y gŵr ei afael, cusanu'r rhisgl yn dyner a cherdded oddi yno.

'Be dwi'n mynd i neud ynglŷn â'r llythyr 'ma?'

Trin a thrafod trwy gydol y bora wnaeth Polmont a Syr William-Henry, nes yn y diwedd gogordroi'n eu hunfan heb fod fymryn nes i'r lan. Cerddodd Polmont at y gastanwydden y noson cynt – a byseddu ei rhisgl a cherddad o'i chwmpas – nes y gwelodd fod yno fedd yr ochor bella. Adroddodd hanes yr hyn a welodd yn ystod oria mân y bora wrth Syr William-Henry.

'Ia. Dwi'n gwbod.'

'Ti'n gwbod?' holodd yn llawn syndod.

'Ydw, siŵr. Ma' pawb o'r teulu'n gwbod.'

Eglurodd yn ddihitio fod ei dad yn gwasgu'r goeden yn amal.

'Ma' dail y coed yn anadlu i mewn ac allan tydyn? Os ydi 'nhad yn anadlu wrth y goedan mae o'n anadlu peth o anadl taid. Mae o'n lecio teimlo'n agos ato fo, er 'i fod o ar un wedd mor bell i ffwrdd oddi wrthan ni. Y pridd ydi cartra agosa'r corff ond y pella o feddwl pawb. Ti'm 'di clwad Tada'n deud hynny?'

Dywedodd Polmont nad oedd. Ymlaen yr aeth y ddau, heibio i was yn astyllodi llu o byst llydan. Ni sylwodd ac ni chlywodd Syr William-Henry sŵn caled y morthwylio. Roedd wedi ei gloi yn ei wewyr. Cynigiodd Polmont wahanol enwa; rhyw awgrymu blacmelwyr posib er mwyn lleddfu rhywfaint ar ei bryderon ond gwadai Syr William-Henry y cwbwl nes hesbio pawb. Dechreuodd Polmont 'laru a daeth drosto flys i droi'r sgwrs at rywbeth arall.

'Sut nest ti gyfarfod dy Ewyrth Thomas yn Pompei?'

Harthiodd Syr William-Henry'n filain wrth sydyn golli'i limpyn, 'Pam ti'n mynnu codi hynny rŵan? E? Sdim cydymdeimlad ar dy gyfyl di'n nagoes? Finna hefo cymaint ar fy meddwl?'

Aeth Polmont i eistedd ar fainc mewn clwt agored o dir tra oedd Syr William-Henry Hobart yn bwrw'i lid.

'Holi o ran diddordeb ydw i.'

'Ar hap a damwain.'

'Ond fuoch chi hefo'ch gilydd am sbel wedyn?'

'Cwta bythefnos. Toedd o ddim yn ddyn da iawn ei iechyd.'

Cymylodd rhyw atgof ei feddwl.

'Aethoch chi i fyny Vesuvius hefo'ch gilydd?'

'Do. Dyna chdi. Hogyn ifanc hefo llygad gwydr aeth â ni i fyny hyd lwybra'r gwyddelltydd, heibio i'r gwinllannoedd, heibio i'r tai â'u toea cochion. Ymlwybro'n uwch i fyny'r llethra a'r coed yn cilio, y glaswellt yn darfod, nes dringo i fyny trwy'r anialdir a gwydr llygad yr hogyn yn duo hefo pob cam. Ninna'n dringo'r llwybr main 'ma, llwybr oedd wedi'i naddu rywdro rhwng dwy graig dywyll. Igam-ogamu'n uwch . . .'

Roedd ei feddwl yn mynnu crwydro 'nôl at rywbeth arall.

'Be 'di'r hanes?' ceisiodd Polmont hoelio ei sylw.

'Pam ti isio gwbod?' holodd braidd yn sarrug.

'Ddigwyddodd rhywbeth ar y copa?'

Aeth yn dawel.

'Do . . .'

'Be?'

'Dringo tua'r haul 'naeth y ddau ohonan ni a chrensian chwilod gwylltion wrth gamu 'ddar 'yn mulod. Roedd chwaneg ohonyn nhw'n chwimio tros y creigia. O'n blaena ni, mi fuo dwsin neu fwy o wŷr bonheddig yn marchogaeth yn un rhes. Yn uwch fyth i fyny – wrth dynnu tua'r copa yn y pellter – hefo rhaff am ei chanol, roedd 'na ryw ŵr yn tynnu ei wraig. Y tu ôl inni wedyn roedd Bae Napoli ac ynysoedd Capri ac Ischia yn gorwedd yn y môr . . .'

'Am be fuoch chi'n siarad?'

'Ddim llawar. Roedd f'Ewyrth Thomas yn sychedig; isio yfed dŵr trwy'r amsar. Mynd yn ein blaena neuthon ni a'i anadl o'n fyr. Roedd o'n mynnu hoe; mynnu eistedd bob gafal; cwyno'i fod o'n cael trafferth i gael ei wynt ato; cwyno fod ganddo fo ddim nerth i wynebu'r copa. Am aros i ista ar ryw bwt o garrag nes deuwn i'n f'ôl. Ar waetha'r haul a'i wres, roedd cymyla yn gwasgu o'r niwl, ac i'w canlyn nhw, roedd 'na ryw awelon oerion. O gwmpas 'yn traed ni doedd dim i'w weld ond lafa du. Ciliodd y niwl. Yn ein blaena wedyn fesul tipyn aethon ni nes cyrraedd y copa anial. Troedio ar hyd y grib. Lleisia dynion gyferbyn yn adleisio i'r dyfnder nes eu llyncu yng ngwacter y ceudwll. Finna'n syllu i'r safn agored; i'w ganol o lle codai mwg du o dwll coch cynddeiriog a hwnnw'n hisian ac weithia'n poeri'n wynias ddeugain, drigain troedfedd, dro arall hyd yn oed yn uwch, cyn pallu a darfod gan adael dim yno, dim ond y clwy diorffwys. Mi roddodd f'Ewyrth Thomas ei law i bwyso ar fy mraich a deud na châi o byth heddwch.'

'Byth heddwch?'

'Byth heddwch.'

Adleisiodd wedyn wrth syllu ar flaen ei esgid.

'A pham? – fel basa 'nhad yn 'i ofyn. Ti'n gwbod pam, Polmont? Oherwydd yr hyn ddigwyddodd i'w wraig o. Gafodd 'i chladdu'n fyw.'

"Claddu'n fyw?'

'Roedd o'n mynnu beio'i hun. Oherwydd daeargryn yn Port Royal. Finna'n trio deud mai damwain oedd peth felly. Doedd o'n gwrando dim ac yn dechra gweiddi. Finna'n poeni sut roedd pobol eraill yn ein gweld ni'n fan'no. Be oeddan ni o bell? Dau gysgod ar ymyl dibyn yn gweiddi i dwll? Wedyn, mi rwygodd 'i ddillad i ffwrdd i gyd; pob un dilledyn a sefyll yn noethlymun ar gopa Vesuvius yn sgrechian fel dyn o'i go a gwasgu'i gnawd ei hun; llond dau ddwrn ohono fo, a deud mai peth wedi ei ddwyn oedd o. Roedd o'n trio rhwygo ei gnawd ei hun i ffwrdd o 'ddar ei esgyrn. A bloeddian petha fel . . . 'Madda imi! Madda imi!' Wir yr. O'n i'm yn gwbod lle i roi fy hun o gwilydd. Fedri di ddychmygu'r peth? Hogyn ugian oed? A dyn yn 'i oed a'i amsar. A llygad gwydr y tywysydd fel twll o waed yn sbïo'n hollol hurt arnan ni. Fy Ewyrth yn parablu fel 'tasa fo ar fin cael ffit.'

'Pam 'na'th o hyn?'

"Lleidar! Llofrudd! Llofrudd! Lleidar!' Fel dyn lloerig yn cyfarth arno'i hun. 'Dyna ydw i! Dyna ydw i!' Dyna oedd o'n weiddi. Yn llawn casineb ofnadwy. Wedyn . . .'

'Wedyn be?'

'Driodd o luchio ei hun i safn y mynydd; lluchio'i hun i lawr i'r gwaelod lle'r oedd y mwg du yn codi o dwll coch cynddeiriog a hwnnw'n hisian, poeri'n wynias. Ond ddim fo bowliodd tros yr ymyl naci? 'Drycha . . .'

Tynnodd Syr William-Henry ei esgidia; tynnodd ei sana. Fel gwreiddia eithin o hyll, roedd croen ei draed yn dduon.

'Bron iddo fo'n llosgi i'n fyw.'

Waldiodd gwas y stanc tu cefn i'r ddau; rhyw ddwylath i ffwrdd. Sŵn didostur curo morthwyl yn waldio a waldio. Teimlai Polmont y cwestiyna yn clincian clancian yn ei ben nes y rowliodd un yn sydyn tros ei dafod, 'Be ddigwyddodd yn Nhŷ Opera Genoa 'ta?'

Â'i sana a'i sgidia yn ei ddwylo, safodd Syr William-Henry o'i flaen fel dyn â'i fywyd wedi disgyn o gwmpas ei ffera.

'Pwy ddeudodd wrtha chdi am hynny? Francis? Francis sy' wedi bod yn parablu, fedra i ddeud. Yr holl holi 'ma mwya sydyn am Ewyrth Thomas. A'r busnas 'na am fwrdro Syr Walton Royal. Dim ond rhywun fel Francis fasa'n lledaenu rhyw betha fel hyn!'

Rowndiodd Iarll Foston y llwyni rhododendrons a Miss Swinfen-Ann a Miss Styal yn ei ganlyn. Stwffiodd Syr William-Henry y llythyr i'w boced tan hisian, 'Dim gair! Dim un basdad gair!'

Galwodd Iarll Foston, 'Ma' Tywysog Cymru newydd godi ac isio i ni i gyd fel teulu wrth y bwrdd brecwast eto.'

Blacmel.

Os Thomas Hobart oedd tu cefn i'r llythyr be oedd o'n ei chwantu?

Dyna'r cwestiwn. Pam na nododd ei fwriad yn y llythyr os mynnu rhywbeth trwy gyfrwystra oedd ei bwrpas? Sut roedd deall cymhellion dyn lloerig? Dyn a safodd yn noethlymun ar gopa Mynydd Vesuvius? Sut y meddyliai, dyfalodd wrtho'i hun; sut y cynllwyniai? Pres? Ai dyna oedd o isio? Neu rywbeth arall? Rhywbeth mwy? Rhyw bleser dyfnach o dynnu ei efaill i'r gwter? A wedyn be? Ei wneud heb ddim?

Celwydd y Seler?

Be oedd hwnnw?

Pwy fyddai'n ama wrth edrych ar Syr William-Henry a'r Fonesig Maidstone-Susanna Royal yn rhodio ymysg gweddill y teulu fod dim byd o'i le? O'u gweld yn ffenest salon Iarlles Foston roedd rhyw agosatrwydd hynod rhwng y ddau. Gwenu; chwerthin; siarad yn frwd; pawb yn glên; pawb yn gwrtais. Gwyddai Polmont yn well. Gwybod mwy na neb. Pwysai'r cwbwl yn drwm ar ei feddwl. Pwy feddyliai y byddai sgrifennu Cofiant yn gallu bod yn dasg mor boenus?

Aeth i chwilio am Mr Barlinnie.

Roedd yn rhaid iddo wrth atebion. Os ymddiriedodd gyfrinach iddo fo ynglŷn ag efaill Iarll Foston a'r gwir am fwrdro Syr Walton Royal, siawns na fedrai Polmont ymddiried cyfrinach llythyr blacmel iddo fo. Er hynny roedd o'n mentro. Sylweddolai hynny. Pe dôi Syr William-Henry i wybod ei fod yn ei drin a'i drafod yn ei gefn byddai'n lloerig o hurt bost. Neu'n waeth. Be arall oedd i'w neud? Dyn mewn cyfyng-gyngor oedd y Cofiannydd.

Dyn mewn poen ac ing meddwl mawr.

Pan oedd Polmont mewn gwewyr meddwl yn eistedd ar Bont Llundain yn pasa gwneud amdano'i hun pwy ddaeth i'r fei fel rhyw Samaritan trugarog ond Syr William-Henry, a estynnodd law i'w helpu. Nid pob dyn a fyddai wedi gwneud hynny. Ei fwydo; ei ddilladu; rhoi to uwch ei ben a phan ddaeth y Beili i wybod amdano, trefnu iddo fynd dramor i Baris. Bu'n gymwynaswr. Bu'n garedig. Bu'n ffrind triw a didwyll pan oedd pawb arall wedi troi cefn arno. O edrych yn ôl ar y dyddia duon hynny ni wnaeth ddim llai na'i achub. Ei achub o drybini. O garchar. A'r blys i'w ladd ei hun . . .

Roedd rheidrwydd ar Polmont i ad-dalu ei ddyled. Ond collodd ei gyfle. Dywedodd Rampton i Mr Barlinnie adael y Plas ryw awr ynghynt am Lundain.

Pwy gyrhaeddodd o fewn dim ond Mr Francis Foljambe.

Drannoeth.

O ffenest y llyfrgell, gwelodd Polmont Iarlles Foston yn cusanu Madamoiselle Chameroi, a oedd newydd gamu o goets yng nghwmni ei brawd. Gwenodd y ddwy ddynes a pharablu fel hen ffrindia. Wrth eu gweld yn cerdded i fyny'r grisia tua phrif borth y Plas meddyliodd Polmont fod y peth braidd yn chwithig os nad yn rhyfedd.

Wrth y bwrdd bwyd ym Mharis, o'r braidd y cymerodd yr Iarlles unrhyw sylw o'r ferch ifanc, ar wahân i genfigennu wrth ei phrydferthwch. Sut y tyfodd eu cyfeillgarwch mwya sydyn? Sylwodd ar frawd Mademoiselle Chameroi, hogyn ifanc penfelyn, bonheddig, tal – cyn sythed â pholyn, hardd ei lun a'i osgo – er bod ei wyneb yn welw a braidd yn hir. Er i Polmont gyfarfod ag o ym Mharis, fe anwybyddodd y Cofiannydd yn llwyr ac edrych i lawr ei drwyn arno braidd.

Tros ginio, clywodd Polmont i Monsieur Chameroi ddod â'r pistol diweddara o weithdai arfa Monsieur Clerent-Languarant ym Mharis yn anrheg i Iarll Foston. Hyd yn hwyr y prynhawn, safodd Monsieur Chameroi ac Iarll Foston yng nghwmni Tywysog Cymru yn ei edmygu a'i glo-drecio a'i danio at goed eirin y winllan fach. Ceisiodd Polmont fwrw i waith. Methodd ysgrifennu fawr ddim a sŵn y saethu yn torri ar ei draws. Galwodd Miss Swinfen-Ann yng nghwmni Mademoiselle Chameroi heibio i'r llyfrgell. Roedd y ddwy yn llawn o ryw ddireidi; rhyw dincio chwerthin trwy'u bysedd; rhyw ddirgelion ac ynta un ai'n destun sbort neu'n gocyn hitio. Cerddodd Iarlles Foston a dwrdio ei merch am amharu ar y Cofiannydd. Cyn iddi gau'r drws, gofynnodd Polmont, 'Iarlles Foston?'

'Ia?'

'Ga i ofyn cwestiwn?'

'Siŵr iawn.'

'Pam nad ydi'r Fonesig Frances-Hygia Royal wedi ailbriodi?'

Oedodd ennyd, a golwg yn ei llygaid fel petai'n plethu rhywbeth at ei gilydd yn ei meddwl cyn ei chwalu eto, 'Chafodd hi mo'r cynnig.'

Mr Francis Foljambe.

Y noson honno, cornelodd Polmont o a gofynnodd, 'Ydi'ch mab bychan yn well?'

Gwingodd Francis Foljambe tan edrych yn sarrug.

'Brech wen glywis i trwy Iarlles Foston?'

Doedd dim blys ganddo i dorri gair hefo'r Cofiannydd a throdd ar ei sawdl.

'Hanner eiliad,' aeth Polmont ar ei ôl, 'Dwi isio gair. Mae 'na addewid yn dal i sefyll rhyngddon ni'n dau. Noson dyweddïad Miss Swinfen-Ann, pan enillis i'r bet wrth y bwrdd wreslo. Ac os ydi gŵr yn ŵr bonheddig, cadw neith o at 'i air . . .'

Syllodd Mr Francis Foljambe dros ei ysgwydd draw at y gwragedd wrth y byrdda yn chwarae cardia a'u chwerthin yn tincian. Edrychai fel dyn noeth truenus yn sefyll ar ganol sgwâr a'r gwynt yn chwythu ei dinbais dena o gwmpas ei glunia. Disgwyliai Polmont iddo wadu a dyna a wnaeth. Gwadodd am hydoedd a mynnodd ailddehongli'r noson a'r wreslo braich a'r hyn a gytunwyd rhwng y ddau go iawn. Fel Whatton-Henry gynt, sefyll yn drymach ar lyn o rew a wnaeth Mr Francis Foljambe a'r cracia'n lledu'n gynt o dan ei draed.

Dywedodd Polmont, 'Fydd dim dewis gen i rŵan ond cyhoeddi'r gwir.'

'Feiddi di ddim.'

'Pwy sy'n deud?'

'Iarll Foston.'

Nid 'fy nhad' sylwodd.

'Mae o wedi rhoi ei air i mi.'

'Mae o wedi deud wrtha i 'mod i i neud yn ôl fy nghyd-wybod.'

Galwodd Iarlles Foston ar y ddau, 'Rydan ni ar fin dechra rownd newydd. Dowch eich dau. Gewch chi siarad eto.'

'Dychmygwch eich mab yn darllen y Cofiant mewn blynydd-oedd i ddod,' sibrydodd Polmont, 'Dychmygwch 'i wyneb o. Gwaed *mulates*. Sut fydd o'n teimlo tybed?'

Gwingodd Mr Francis Foljambe.

'Be wyt ti isio'i wbod?'

'Y gwir i gyd am Syr Walton Royal.'

Nodiodd. A golwg arno fel dyn yn eistedd mewn pwll oer o alar, 'Cyn belled â bo' ti ddim yn peri loes o fath yn y byd i Tada. Gad imi feddwl am y peth heno ac inni gyfarfod bora 'fory.'

Y llyfrgell drannoeth.

Doedd y llawysgrif ddim yno. Rhythodd Polmont ar y bwrdd; rhythu'n stond; wedyn rhythodd ar y silffoedd. Doedd dim golwg ohoni yn fan'no nac yn unman arall chwaith; doedd hi ddim ar gyfyl y lle. Diflannu. Roedd Cofiant Iarll Foston wedi diflannu! Teimlodd Polmont ei du mewn yn oeri. Eisteddodd i lawr a gwasgu ei asenna wrth ei deimlo'i hun yn swp sâl. Be oedd o'n mynd i neud? Yr holl waith a wnaeth yn hollol ofer. Yna, sydyn gofiodd am Miss Swinfen-Ann a Mademoiselle Chameroi yn galw heibio yn llawn direidi.

Ni thrafferthodd guro'r drws.

'Dwi isio fo 'nôl.'

Trodd ei phen.

'Rŵan hyn.'

Trodd ei chorff i gyd, lai na dwylath i ffwrdd.

'Isio be?'

Safodd Polmont yn stond. Safodd hitha â'i breichia wedi'u sythu yn uchel uwch ei phen. Roedd dau dwll yng nghnawd ei dau benelin. Cymaint o dylla a chilfacha oedd yn ei chorff meddyliodd. Sugnodd ei noethni i'w ben. Y peth nesa a deimlodd oedd ei ben yn llosgi wrth fyr anadlu drosti yn glòs a phoeth. Gwasgodd Miss Swinfen-Ann ei wallt yn dynnach yn ei dau ddwrn; ei wasgu a'i wasgu. Gwasgodd ynta amdani; ei fysedd yn crafangu hyd ei chroen – ei chnawd meddal i'w deimlo'n galed wrth iddo'i thrin dan ei fysedd – a'r ddau yn ymrafaelio a chwffio ar draws y gwely, nes yr aeth y boen yn drech na Polmont a gollyngodd hi. Gollyngodd hitha. Yn llawn o ryw ofn a syndod y syllodd y ddau ar ei gilydd. Cydiodd Miss Swinfen-Ann mewn clustog a'i gwasgu ati. Roedd gwreiddia gwallt Polmont ar dân. Cododd. Bagiodd. Ceisiodd dacluso'i feddylia a'i emosiyna ond methodd a heb edrych arni wedyn rhuthrodd allan tan frathu ei fawd.

Ogleuodd sebon sent dŵr olympia.

Trodd ger y drws i weld y Fonesig Maidstone-Susanna Royal yn cerdded i'w gyfwrdd tan wenu'n smala.

Y llawysgrif.

Iarll Foston a'i benthycodd hi.

'Dyma chdi.'

Gwasgodd Polmont ei waith i'w freichia'n dynn.

'Isio gweld sut roedd petha yn dŵad yn 'u blaena o'n i . . .'

Dyna'r cwbwl a ddywedodd. Diflannodd y bore. A mwy na hanner y pnawn. Roedd croen ei ben yn brifo o hyd a disgynnodd ei wallt bob hyn a hyn ar draws ei ddwylo wrth iddo sgwennu. Be ddaeth drosto fo? Oes teimlad gwaeth na dyn yn estroni oddi wrtho'i hun? Rhyw ias pen; rhyw rym arall yn hawlio ei ewyllys a'i fwrw yn ei flaen heb iddo ddallt pam. Oedd o'n ei charu hi? Oedd o mewn cariad hefo Miss Swinfen-Ann, dyweddi Syr Swaleside? Neu a oedd hi wedi ei witshio fo?

Disgwyliai Polmont yn amyneddgar cyn yr agorodd y drws a Mr Francis Foljambe yn cerdded i mewn. Safodd yn ddi-wig. Ei ben mawr moel yn sgleinio, ac yn hongian o dan ei lygaid roedd gwrachod duon.

'Dyma'r unig gymwynas,' dywedodd. 'Ar ôl heddiw, dwyt ti ddim i siarad hefo fo byth eto? Ydi hynny'n glir?'

Amneidiodd Polmont.

'Dwyt ti ddim i frifo'r Iarll. Ydi hynny'n glir?'

'Berffaith glir.'

Ochneidiodd Mr Francis Foljambe a'i lithro'i hun i gadair.

'Wrth ochor llyfr enwog yr Esgob Glen Parva, *Holl Hanes Erchyll y Babaeth*, mi roedd 'na gopi'n arfer bod yn y llyfrgell yma o'r argraffiad cynta o *Terfysg Dante* Doctor Shotts . . .'

'Mae o yma o hyd. Ar y silff isa draw'n fan'cw . . .'

Cododd Mr Francis Foljambe a gadael.

Wrth agor y llyfr, disgynnodd darn o bapur wrth draed Polmont. Hen hen bapur a hwnnw wedi melynu drwyddo nes crino'n galed. O'i godi, ac agor ei blygion i'w osod yn wastad ar y bwrdd, gwelodd Polmont mai llythyr o law Syr Walton Royal i'w wraig, Frances-Hygia Royal, oedd o.

Y Tŷ Gwyn,
Port Royal.
Mai 7fed, 1767.

F'anwylaf Frances-Hygia,

Fy annwyl, annwyl wraig; fy nghariad anwylaf un. Dyma lith o'r galon. Fyth ers imi gael fy nyrchafu i Swydd Llywodraethwr Parad-wys dair blynedd yn ôl, mae dynion wedi cynllwynio yn f'erbyn. Milwr ydw i, ac oherwydd hynny, gŵr sy'n gweithredu ei ewyllys yn ôl gorchymyn. Fy ngorchymyn yw i warchod yr ynys hon yn erbyn ei gelynion, gelynion o'r tu allan a gelynion o'r tu mewn, a gwneud hynny hyd eitha fy ngallu er mwyn diogel fwynhau bendithion heddwch ac archwaethu melys flas cyfiawnder yn ein cymdeithas.

Sylweddolaf nad sefyllfa sy'n rhoi cyfrifoldeb i ddyn, ond bod dyn

yn hytrach yn meithrin cyfrifoldeb ym mha bynnag swydd yr etifedda,
a thrwy hynny, yn creu sefyllfa lle gall ragori er lles eraill, ac er ei les
ei hun trwy wasanaethu yn onest. Credaf imi wneud hyn. Credaf imi
weithredu yn unol â llythyren y ddeddf yn achos pawb a gweinyddu
yn gyfiawn a theg.

Ar fater Mademoiselle Virginie Le Blanc carwn ddatgan y gwir.

Ni chyffyrddais flaen fy mys ynddi erioed. Ni chyffyrddais â hi
noson dathlu ei dyweddïad. Ni odinebais â hi. Rwyf yn ailddatgan, ni
odinebais â hi unwaith. Tyngaf lw ar fedd fy mam. Mae'n chwith gen i
dy fod yn fy amau o anffyddlondeb i'm llw priodasol. Y mae yn fwy
chwith gennyf, serch hynny, dy fod wedi penderfynu gadael y Tŷ
Gwyn echnos a dychwelyd i aelwyd dy dad. Os nad wyt ti yn arddel
ffydd ynof; yn arddel y ffaith gyhoeddus 'mod i'n ddyn dieuog yna
mae fy nyfodol yn ddu ac yn ddiobaith iawn.

Gwn fod y dystiolaeth yn f'erbyn yn gryf. Mae synnwyr rhywun
yn datgan hynny.

Ond mae'r gwirionedd o 'mhlaid.

Er bod cymdeithas yr ynys gyfan wedi troi yn f'erbyn, mae dy dad,
er ei fod, yn naturiol, yn caru ei deulu ei hun, yn fy ngharu innau
hefyd, ei fab-yng-nghyfraith. Dywedodd hynny yn fy wyneb fwy nag
unwaith ers i'r erchylltra yma ddisgyn ar ein gwarau. Dywedais y
gwir wrtho; crefais arno i roi llwyr goel ar fy ngeiriau – er mor anodd
ydi hynny ar hyn o bryd. Edrychodd Iarll Foston arnaf yn hir. Edrych
yn llawn tosturi a dweud ei fod yn fodlon maddau imi am yr hyn a
ddigwyddodd i Mademoiselle Virginie Le Blanc.

Hyd byth,
Dy ŵr a'th garo,
Walton.

Tywysog Cymru.

Torrodd y rhuban. Bagiodd gam. Gwenodd. Derbyniodd gym-
eradwyaeth y cannoedd. Dododd y siswrn bychan yn nwylo
Iarlles Foston; a dododd hitha fo yn llaw Mademoiselle Chameroi,
a safai wrth ei hochor. Symudodd yr osgordd trwy'r drysa yng
ngola'r canhwylla gan iddi ddechrau nosi. Tywyswyd y gwesteion
gan Iarll Foston trwy'r Tŷ Gwydr anferthol (yr ail fwyaf yn Ewrop)
a gododd ar dir ei blas.

'Mae o'n union fel bod 'nôl ym Mharadwys,' surodd Iarlles
Foston ei thrwyn, 'yr un hen arogleuon, yr un hen wres . . .'

Oria ynghynt mynnodd Polmont weld yr Iarll ar ei ben ei hun. Cyn ei dywys ato gan Rampton, trefnodd ei gwestiyna yn rhestr dwt. Ar draws y cwbwl roedd llythyr Syr Walton Royal yn codi i'r brig. Be fu rhyngddo a Mademoiselle Virginie Le Blanc?

Be oedd yr hanes?

'Fedra i ddim trafod hyn rŵan,' dywedodd yr Iarll wrth gael ei wisgo yn ei ystafelloedd, 'a'r osgordd frenhinol yn barod i fynd allan i saethu.'

'Mae gen i gymaint i'w ofyn,' dywedodd Polmont.

'Ma' gen inna gymaint i'w ddeud. Ond ddim rŵan – fedra i ddim. A pham? Dwi'n brysur.'

Dychwelodd Polmont i'r llyfrgell ar ei ben ei hun. Agorodd y llythyr a'i ddarllen drachefn. Tybiodd mai llais addfwyn oedd gan Syr Walton Royal, er ei fod yn filwr gwrol. Cofiodd y llun yn y tŷ yn Piccadilly. Gwelodd ei wyneb a'i ddwrn ar garn ei gledd. Bu ynta a'r Ffrances ifanc yn gariadon. Roedd hynny'n hollol amlwg, a daeth ei wraig i glywed am y peth a chael ei siomi i'r byw a'i adael gan ddychwelyd, yn naturiol, i dŷ ei thad. A Syr Walton wedyn yn llawn edifeirwch ac yn crefu ei maddeuant; yn daer i'w chael hi 'nôl ac wedi mynd ar ofyn Iarll Foston i'w helpu? Ai dyna be ddigwyddodd?

Y Tŷ Gwydr.

Cerddodd Polmont yn ôl troed Syr Feltham Royal a'r Fonesig Maidstone-Susanna Royal. Sylwodd fel y rhoddodd ei fraich amdani. Siaradai'n addfwyn yn ei chlust. Penliniodd a phigodd rosyn melyn a'i gynnig iddi mor gariadus ag erioed. Oedd hi'n edrych yn feichiog? Roedd hi'n anodd deud. Druan ohono. Oedodd y gwesteion hwnt ac yma i wagswmera uwch gwlâu o floda a mefus gwylltion. Cerddai cannoedd hyd wahanol lwybra, trwy arogleuon dyfnion y coedydd bara a'r coed jacffrwyth a'r coed cinamon.

Cerddodd Polmont heibio i Iarll ac Iarlles Wellingborough. Sylwodd (heibio i ddail coeden tamarind) ar Monsieur Chameroi yn pwyso ei benelin ar gorun delw o Herciwles, yn edrych yn llawn edmygedd ar Dywysog Cymru; ac yn ôl ei osgo yn ysu i gael ei gyflwyno iddo. Cerddodd Tywysog Cymru ac Iarll Foston i lawr y llwybr canol hyd at y grisia gwynion a thrwy fynedfa swyngyfareddol o waed bloda i lwybr cylchynedig.

'Chi 'rochor acw, Mami!' gwirionodd Miss Swinfen-Ann wrth godi i fyny ac i lawr ar flaena'i thraed, cyn rhuthro draw i gymell Mademoiselle Chameroi i'w chadair. Yng ngola'r canhwylla roedd y Ffrances ifanc yn neilltuol o brydferth; ei gwddw a'i mynwes fel y lili a'i gwallt fel y nos.

'Swinfen, byhafia!' ceryddodd Iarlles Foston, 'a rho'r mwnci bach 'na i lawr!'

Eisteddodd tri chant a hanner wrth fyrdda hirion y wledd a hwyliwyd ar eu cyfer a rhyw awel dawel yn rhusio'n addfwyn trwy'r coed lliwyddion. Sgrechiodd parot gwyrdd uwchben Polmont. Chafodd o fawr o flas ar y bwyd a llai fyth ar y sgwrsio. Cwynodd Syr Feltham Royal ei fod yn magu annwyd; nad oedd yn teimlo'n hanner digon da; na allai tros ei grogi feddwl am fynd ar gefn ceffyl drannoeth. Daliodd Syr William-Henry edrychiad Polmont fwy nag unwaith. Yn ystod yr hoe rhwng y pumed â'r chweched cwrs, mynnodd air.

Tu ôl i drwch o goed bambŵ a'r rheiny'n sisial.

'Mae Maidstone-Susanna am inni briodi.'

'Priodi?'

'Cadw dy lais i lawr.'

Llanwyd ffroena Polmont â pherarogla'r pisgwydd a dyfai'n dew am draw. Tan lygadrythu, craffodd Syr Willam-Henry yn wyllt-wibog draw at y byrdda.

'Priodi?'

'Ia! Ffwcin priodi! Gwranda ar be dwi'n ddeud!'

'Brrrrrrr,' rhedodd rhwyd rhyw hogyn bach o dan eu trwyna tan erlid ieir bach yr ha. Rhai melyn mawr a ffliciai ar y llwyni.

Holodd Syr William-Henry yn llawn hunandosturi, 'Oedd raid i rwbath fel hyn ddigwydd i fi o bawb?'

'Gas gen i dy weld di'n gorfod diodda tan law rhyw flac-meliwr,' atebodd Polmont yn llawn tynerwch, 'Pam na ei di at Iarll Foston a chyfadda'r cwbwl?'

''Y 'nhad? Cyfadda'r cwbwl? Ti'n gall? Es i i ddyled gamblo unwaith. Deng mil o bunna. Bron iddo fo 'mlingo i'n fyw . . .'

'Pa ddewis arall sy'? Disgwyl llythyr arall? Be fydd pen draw hynny?'

'Fiw imi sôn wrth fy nhad. Fiw imi.' Oedodd, taniodd ei getyn claerwyn hir a sugno arno.' A phaid ti â ffwcin meiddio mynd ato fo yn 'y nghefn i chwaith.'

'Wna i ddim.'

'Na neb arall chwaith,' addfwynodd rywfaint wrth biffian am yn ail wrth siarad, 'Diolch ichdi am fynd i boeni ar fy nghownt i 'run fath. Ti'n gyfaill da imi . . .'

'Chditha i minna.'

Ar waetha'r mwg tybaco, ogleuodd Polmont fochyn wedi'i rostio: cig a fwydwyd yn hir mewn mêl a phupur du a theim.

'Be nei di 'ta?'

'Dwi'n gwbod 'mod i'n gofyn rhwbath mawr iawn rŵan, a welwn i ddim mymryn o fai arna chdi am wrthod . . .'

'Gofyn 'run fath . . .'

'Rhyw feddwl wnes i y medrat ti ddal pen rheswm hefo hi. Dwi'n gwbod eich bod chi'ch dau yn . . . yn beth'ma . . . ti'n gwbod . . . 'dach chi'n dipyn o ffrindia tydach? Sonist ti wrtha i rywdro 'i bod hi wedi mynd â chdi i farchogaeth ym Mharis? Yli, dwi 'di crefu a chrefu arni i ddeud wrth bawb mai babi Feltham – a feddylis i'n bod ni wedi setlo ar hynny ers amsar – ond rŵan dyma hi'n troi rownd a dechra troi tu min a mynnu 'i bod hi'n gwrthod gneud. Dwi'n gofyn ichdi: ydi peth fel'na'n deg? Ydi peth fel'na'n iawn?'

Cysurodd Polmont o orau y gallai.

'Dwi isio mwy na ffwcin cysur. Dwi isio ichdi'n helpu i.'

Addawodd Polmont y byddai'n cael gair â hi. Diolchodd Syr William-Henry iddo (trwy wasgu'i law yn dynn) ond ffafr am ffafr, meddyliodd y Cofiannydd a gofynnodd.

'Oedd Mlle Virginie Le Blanc yn perthyn i Monsieur Duvalier Le Blanc?'

'Oedd.'

''I ferch o?'

''I unig ferch o. Pam ti'n holi?'

Torrodd yr ias, 'Be fuo rhyngddi hi a Syr Walton Royal? Carwriaeth?'

'Ti wedi dŵad i glywed am hynny hefyd wyt ti? Dwyt ti'n un craff.'

'Oeddan nhw'n gariadon?'

'Pytia o'r hanas dwi wedi'i glywed . . .'

'Roeddach chdi ym Mharadwys ar y pryd?'

'Yn hogyn chwech oed . . .'

Craffodd Syr William-Henry heibio i'r deiliach a gweld ei wraig yn sbecian draw.

'Ti'm haws â gofyn i mi. Gofyn i 'nhad. Y fo 'di'r clo a'r all-wedd i bob un drws.'

Syr Swaleside.

'Nôl ei arfer, cyrhaeddodd yn hwyr. Erbyn hynny roedd mwy na hanner y gwesteion wedi ymadael â'r Tŷ Gwydr am stafell ddawns y plas. O gylch y byrdda gynt bu dadla swnllyd ac aeth yr anghytuno braidd yn hyll a blêr a chroch ac amryw wedi cymryd atyn. Un neu ddau wedi'u pechu a hynny oher-wydd dadl a oedd wedi codi o unman ynglŷn â'r natur ddynol. Mynnodd rhyw ŵr bonheddig nad oedd hi'n ddim mwy na'r iaith roedd pobol yn ei defnyddio i'w thrafod hi. Anghytunodd eraill yn ffyrnig a honni ei bod yn oesol . . .

Hanner gwrando'n unig roedd Polmont. Cadwodd lygaid ar wraig Syr Feltham Royal. Nid aeth i ddawnsio. Arhosodd yn y Tŷ Gwydr tan yfed gwin yng nghwmni Miss Styal. Pan gododd y ferch ifanc a chau ei llyfr a cherdded oddi yno am y Plas, aeth Polmont ati.

'Alla i gael gair tawel?'

Cododd ei llygaid i edrych arno â rhyw wên chwaraegar ar ei min. Ymlwybrodd y ddau trwy floda o wrychoedd coedydd calch a'u ffrwytha o wawn melyn; nes ymlwybro yn ddyfnach trwy'r tyfiant i bellafoedd y Tŷ Gwydr, nes cyrraedd mainc farmor nesa at lwyni cocoa. Trymaidd oedd yr aer, yn glòs a mwll ar waetha'r tywydd garw y tu allan. Edrychodd Polmont yn syth i'w llygaid a sylwodd ynta o fod mor agos ati pa mor deg ei graen oedd hi, mor llyfn ei grudd.

Â'i lais fel corn, dywedodd, 'Dwyt ti'n gena drwg? Hudo gwraig briod i le fel hyn o olwg 'i gŵr?'

Rhusiodd rhywrai heibio i'r coed otaheite a'u hesgidia'n siffrwd trwy'i dail pincllachar. Chwerthin merch a chwerthin dyn yn canlyn rhyw flys tu hwnt i'r gwrychoedd pella. Cyn i Polmont allu ei holi, cafodd y blaen arno trwy ofyn, 'Dyn slei ar y naw. Sleifio allan o stafell Miss Swinfen-Ann bore 'ma. Paid â meddwl na welis i mohona chdi. Paid â phoeni. Ma' dy gyfrin-ach di'n saff hefo fi . . .'

'Sdim cyfrinach.'

'Nagoes wir? A pham na ddeudist ti wrtha i ym Mharis fod gen ti ddyweddi yno?'

233

Llifodd y cwbwl 'nôl. Cofiodd fast bonbraff yn 'mestyn fry i gorun pigfain a'r faner yn clecian yn y gwynt. Cofiodd groesi culfor Calais yn ôl am Dover. Cofiodd pa mor drist y teimlai; mor llethol drist. Âi'r môr yn ôl ac ymlaen; ar y dde a'r aswy ac o godi ei olygon fry roedd yr awyr o'r un lliw nes peri iddo deimlo ei fod wedi ei gau o fewn rhyw gyflwr na allai fyth ddianc oddi wrtho. Cofiodd gôr y deillion yn canu yn ei glustia. Gwraig mewn du yn erbyn wal wen; hitha'n tawel eistedd ar y fainc bren. Teimlodd rhyw ysictod sydyn yn ei gorn gwddw a llyncodd boer. Doedd o ddim wedi meddwl amdani ers amser.

Titw annwyl. Titw fach ei galon.

Roedd hi eisoes yn darfod o'i emosiyna; mor ddisylw bron â niwl o afael nant. Yr unig adeg y deuai i'w feddwl oedd pan benliniai i weddïo bob nos cyn mynd i'w wely. Synhwyrodd hitha ei dristwch.

'Y fo sy' wedi dy yrru di ata i, dwi'n iawn?'

'Poeni am y llythyr blacmel mae o.'

'Does dim rhaid . . .'

'A rhywun yn bygwth?'

'Bygwth be? Be fasa i'w fygwth 'tasa ni'n priodi . . .?'

'Priodi? Bobol bach! Amhosib siŵr!'

'Pobol erill wedi gneud hynny cyn hyn.'

'Dduw Dad! Os daw pobol i wbod mi fydd 'na sgandal.'

'Dros dro . . .'

'Be am deimlada gwraig Syr William-Henry Hobart?'

'Be amdanyn nhw?'

'Be am deimlada Syr Feltham? 'Dach chi wedi ystyriad hynny?'

'Dwi ddim yn 'i garu fo. Rioed wedi gneud.'

Dechreuodd lawio. Clecian caled ar y to ac yntau'n gorfod codi ei lais. Aeth o ddrwg i waeth a sŵn y glaw fel cerrig mewn padell ffrio.

'Be am Whatton-Henry? Be ddeudwch chi wrtho fo pan ddaw o i oed dyn?'

'Ddim Feltham ydi tad Whatton-Henry chwaith. Fy nghyfrinach i ydi honno. Ond chlywis i mohona ti'n gofyn am 'y nheimlada i? Gofyn sut dwi'n teimlo?' Syllodd ar ei bysedd, 'Pam mae Feltham mor lloaidd? Pam na wylltith o weithia? Pam na neith o rwbath . . .' holodd yn sarrug ddistaw, 'Unrhyw beth yn lle deud yr hyn mae o'n 'i ddeud a gneud yr hyn mae o'n 'i neud! Pam na roith o beltan sydyn hegar imi? Pam na

neith o rwbath – rhwbath dim ots be – i ddangos imi ei fod o'n
'y ngharu i go iawn?'

Y Plas.

Wrthi'n edrych ar forwyn yn codi pwnsh o bowlen i wydryn
ar ei gyfer roedd Syr Swaleside pan glywodd dwrw (a fu'n codi
o'r stafell nesa at stafell ddawns) yn mynd o ddrwg i waeth.
Ochneidiodd wrtho'i hun yn dawel a cheisio dychmygu sut y
gallai dynion fyth fagu egni o'r fath i greu ffasiwn sŵn. Fel
pawb arall doedd o chwaith ddim yn hollol amddifad o chwil-
frydedd – a than sipian ei ddiod – ymlwybrodd draw tuag at y
ddeuborth.

Edrychodd braidd yn ddirmygus ar yr hyn a welodd. Wedi'r
cwbwl, meddyliodd: mi fydda i'n priodi i mewn i'r teulu yma.
Fy nheulu-yng-nghyfraith. Yno roeddan nhw i gyd yn llawn
dwndwr o flaen ei lygad. Parablai ei ddyweddi hefo Mr Francis
a Miss Styal ac Iarll Foston fel rhyw arth yn chwyrnu ar bawb.

Cegiodd Syr Swaleside y pwnsh a'i deimlo'n c'nesu'i galon.

Safai Mademoiselle Chameroi yn ei dagra; yn beichio crio a'i
dau fawd yn gwasgu yn erbyn ei dau lygad. 'Nôl ei harfer
roedd ei ddarpar fam-yng-nghyfraith wedi'i dal hi ond yn
ceisio stondio'n sobor, ond yn methu ac yn baglu ar draws traed
ei phlant wrth – wel, wrth be yn hollol? – cysuro neu roi cerydd
i Mademoiselle Chameroi?

A Monsieur Chameroi ei brawd wedyn: llipryn main, tal
tebyg i nodwydd wlân a thrwyn mawr yn 'mestyn lled cae o'i
flaen. Gwichian fel mochyn mewn lladd-dy roedd o. Neu ryw
sŵn felly a ddeuai allan o'i ena fo, beth bynnag. Chwifiai ei
freichia a stompiai'n lloerig o gwmpas ei chwaer, ac oherwydd
diffyg iaith, yn methu dallt be oedd yn digwydd, a'i lygaid yn
bolwynnu yn ei ben. Crefai rywbeth ar wahanol wŷr bonheddig
a'r rheiny yn rhyw biffian chwerthin i'w llawes. Crafodd Syr
Swaleside ei arlais a gwasgu lleuen. Toeddan nhw'n rhei doniol
i fihafio fel hyn?

Neidiodd; stampiodd Tywysog Cymru ei draed fel hogyn
bach. Pwdodd; gwaeddodd; crefodd; mynnodd rywbeth na
allodd ei gael a chydiodd mewn cyllell agor llythyra a bygwth
ei glwyfo'i hun yng ngŵydd yr holl westeion pe na châi ei
ffordd ei hun.

Cerddodd yr Iarll i gyfwrdd Syr Swaleside â golwg wyllt yn ei lygaid.

'Mae Tywysog Cymru am briodi Mademoiselle Chameroi heno.'

'Heno?' holodd yn fflat.

'Wyt ti'n fyddar ne' be? Ia. Heno.'

'Sut gall o?' holodd tan gegeidio'r pwnsh, 'Mae o'n briod yn barod.'

'Mae o'n mynnu fod ganddo fo'r hawl i neud.'

Galwodd yr Iarll ar ei was a gyrrwyd Rampton ar geffyl i'r nos i mofyn yr Esgob Parva.

Y gola cynnar.

Gwrando yn ffenest fawreddog ei ystafelloedd roedd Iarll Foston ar sŵn yn codi o rywle 'rochor draw i'r llyn. Sŵn pigo o'r pelltera. Adleisia. Lleisia. Ymysg y ffinwydd: coethi. Ymysg y derw: dynion yn graddol dyfu'n dorf nes gyrru esgyll gwyn yr elyrch i fochel o dan friga crog y lan. Trwy wlith y wawr, trwy res y coedydd llwyfen clipian clopian, clipian clopian, pedola'n crensian cerrig mân a haid o fytheiaid yn wall dân wyllt; eu penna'n drymion, eu cynffona'n siglo a'u gena eisoes yn glafoeri.

Clywodd guro ar ei ddrws.

Gwyddai mai hi oedd yno a gadawodd iddi ddisgwyl a churo eto fel y gwnâi bob tro. Agorodd y drws a safodd ei wraig yno. Sylwodd fod ei hwyneb fel y galchen; a phan glosiodd roedd ei gwynt sur yn drewi o ogla diod.

'Be sy'?'

'Mae Polmont wedi clywed am ferch Duvalier le Blanc.'

'Pwy ddeudodd? Fo?'

'William-Henry ddeudodd wrtha i. Ama mai Francis ddeudodd wrtho fo. Ond tydi o ddim yn siŵr. Ydi hi'm yn well ichi siarad hefo'r ddau? I weld be sy' wedi digwydd?'

'Be'n union mae o'n 'i wbod?'

'Fod rhywbeth wedi digwydd. 'Oeddan nhw'n gariadon?' Dyna ofynnodd o i William-Henry neithiwr.'

Chwarddodd Iarll Foston yn ysgafn, 'Pshaw! Oeddan nhw'n gariadon?'

'Ddim y fo ydi'r cynta i ofyn . . .'

236

'Oeddan nhw'n gariadon, wir.'

Digiodd Iarlles Foston wrtho a ffromi, 'Ddeudis i o'r cychwyn eich bod chi'n mentro yn do? Tydi hi ddim yn rhy hwyr i gael gwared ag o.'

'Isio gneud 'i ora er fy mwyn i mae o.'

'Nes daw o i glywed y gwir. Wedyn be?'

'Wedyn be?'

Miniogodd ei lais. Roedd o'n troi arni. Penderfynodd nad oedd fawr o ddiben iddi ddal chwaneg o ben rheswm. Dywedodd 'Dyna ni 'ta,' yn ei meddwl a throi i fynd ond stopiodd yr Iarll hi, 'Ar gyfer heno?' tawelodd; oedodd a rhythu arni a'i anadlu'n flêr, 'Ti'n meddwl y bydda i'n iawn?'

'Byddwch,' atebodd hitha gan wyro'i thalcen fymryn, 'Heno, fyddwch chi'n iawn, dwi'n siŵr.'

Yr Esgob Parva.

Wrth i Iarll Foston gamu i lawr y grisia at y goets eglwysig, diog hepian draw yn nhir y dwyrain roedd yr haul a'i wres gwan yn araf sgubo'r niwl o wastadedda'r stad. Roedd y dydd ar dyfu; y cŵn yn aflonyddu; y meirch yn gweryru a'r gweision yn cynhyrfu.

'Hyp hyp hyp,' dringodd Esgob Parva heibio i Polmont ar ei ffordd i borth y plas, 'Lle mae'r Tywysog druan?'

'Yn 'i wely,' atebodd yr Iarll, 'Ac yno bydd o nes deffro hefo poen yn 'i ben.'

Coethodd cŵn rhwng coesa'r gweision. Coethodd chwaneg wrth heidio at droed y grisia lle safai'r teulu a'u gwesteion. Bytheiriodd y bytheiaid. Yn ei breichia mwythai Iarlles Foston glust ci adar bach tlws rhwng ei bysedd. Daethpwyd â hambyrdda arian allan; gwydra llawnion o siampên ac yfwyd hir oes i'r Brenin.

'Boed iddo bob iechyd a phob llwyddiant!'

Chwarddodd Iarll Foston a'i wyneb trwm yn siglo. Daeth yr Iarlles â chôt felfed goch ato. Tolltodd ei ddiod tros ei glos gwyn a baeddu ei esgidia duon.

Hisiodd dan ei wynt, "Drycha be ti 'di peri imi'i neud, ddynas!'

'Poeni byddwch chi'n oeri ydw i.'

'Ffysian uffar' . . .'

Trodd Iarll Foston i gyfarch Iarll Wellingborough a'i fab dioglyd a edrychai'n gysglyd a'i wedd yn llwyd a gwan a het galed ar lechwedd ei ben yn gwasgu'n galed nes plygu ei glust chwith.

'Sgen ceffyl ddim inclin o'i nerth tu hwnt i'w reddf, Syr Swaleside,' cynghorodd Iarll Foston tan batio gwddw'r march, 'dyna pam mae hi mor hawdd ei drin o.'

Yn gwylio trwy ffenestr fawr y plas roedd Miss Styal, a'i hwyneb main wedi bwrw ei liw. Brasgamodd Miss Swinfen-Ann, yn goch ei bocha, trwy'r cŵn a'r dynion tuag at ei march. Gwelodd Polmont hi'n gyrru anifail yn galed mewn sawl math o dywydd. Yn hynny o beth roedd anian ei thad yn gry ynddi. Edrychodd arni'n datod strap y werthol, dodi ei throed chwith ynddo; cydiodd yn y mwng a'r awena ag un llaw – a hefo un hwb – cododd ei choes dros ei grwper a'i sadio ei hun ar gefn ei cheffyl.

Gwenodd ar Polmont wrth ddal ei edrychiad. Roedd hi'n sibrwd rhywbeth yng nghlust ei march. Er bod Rampton yn dal penffrwyn ceffyl Polmont, mynnai grwydro am draw – ac er bod blocyn pren deunaw modfedd o uchder wedi ei osod i'w alluogi iddo ddringo i'w ben yn haws – er mawr gywilydd iddo roedd pawb yn edrych arno; heibio i'w glustia gwelai'r Fonesig Maidstone-Susanna Royal yn sefyllian ar y grisia tan syllu arno yn methu â dringo i'w ben.

Cwpanodd Guernsey ei ddwylo i ddal troed Polmont; gan roi ei law ar ysgwydd Rampton, llwyddodd i'w godi ei hun ar gefn y ceffyl. Gwenodd Miss Swinfen-Ann pan gafodd ei gwadd i gwmni ei thad a'r rhai a oedd i farchogaeth ar flaen yr helfa; chwarddodd Iarll Foston yn iach a'i geffyl fel pe'n tuchan o dan ei bwysa.

Caniad utgorn.

Coethodd y cŵn. Trotiodd pawb heibio i'r plas a heibio i'r gerddi; heibio i'r winllan fach a heibio i gwr y Tŷ Gwydr mawr. Codwyd carlam a charlamu pawb yn magu nerth, ac ar y blaen, Iarll Foston, yn gefnsyth-hyderus fel postyn llidiart. Marchog-wyd yn galed wedyn; sodli'n gyson, bwrw i lawr y ddôl hyd at yr hen lôn drol, i lôn is rhwng dau glawdd nes lledu allan hyd y maes a chyn hir tros ddolydd y dyffryn, tros olion eiddil rhyw hen gaer Rufeinig, tros bont bum bwa a'r bytheiaid yn sblash-io'r lli.

Ochor yn ochor â Polmont roedd Syr William-Henry yn march-ogaeth â'i ben ôl i fyny, ei wddw'n 'mestyn tua'r blaen a'i ddannedd wedi'u gwasgu'n dynn. Heibio i Polmont rhuthrodd Miss Swinfen-Ann a'i chwerthin yn rhubana ar ei hôl, y gwynt yn ei gwallt brithlaw. O gyrraedd pen eitha'r dyffryn dechreu-odd friwlan a llin o law yn lledu ar draws y pellter. Yng nghwr rhyw lwyni eithin y gwelwyd ei gynffon gynta. Bloeddiodd amryw, canwyd yr utgyrn. Coethodd y bytheiaid. Neidiodd march Iarll Foston tros glwyd a neidiodd y gweddill i'w ganlyn. Ar wib i lawr y llethr ar garlam wedyn. Nid codwm yn hollol a gafodd Polmont ond rhyw lithro, rhyw golli gafael ac wrth drio ei arbed ei hun, rhyw ddisgyn braidd yn drwsgwl wrth geisio dal ei afael trwy gythru ym mwng ei farch. Llwyddodd i'w godi ei hun ar ei draed, i sefyll a sychu ei ddwylo gerbron y glwyd ond ciciodd y ceffyl o yn ei dalcen.

Cofiodd deimlo'r dydd yn bagio i'r nos: disgyn wysg ei gefn – utgorn yn canu'n y pelltera: glaw oer ar glais poeth. Teimlo fel petai trawst tŷ wedi disgyn ar ei war. O gwr rhyw winllan fechan daeth rhyw furgyn blêr â barf lwyd i syllu. Gwasgodd Polmont ei ben yn ei ddwylo: ei deimlo'n chwyddo. Ogla'r pridd yn ei drwyn. Lleisia'n cwhwfan yn nho'r ffurfafen. Disgyn wysg ei ochor ar ei ochor wnaeth o wedyn ac un llygad ynghau a sŵn clebrog yn ei dalcen.

Safodd y burgyn yng nghwr y winllan; heibio i floda'r eira. Gwelodd Polmont o wrth fôn derwen, yn sbecian trwy friga hen ywen felen, yn troi rhyw ddeilen ar ei dafod. Crynodd y ddaear. Sŵn carna. Sŵn anadlu llafurus. Duodd y dydd a phan oleuodd drachefn roedd Miss Swinfen-Ann yn syllu i gannwyll ei lygad. Cododd Polmont ar ei draed fel pe bai neb ffitiach wedi ei geni i'r gwaith. Simsanodd o – ei benglinia'n gwanio oddi tano – ond rhywsut neu'i gilydd llwyddodd hi i'w osod ar ei cheffyl.

'Pwy oedd o?'
'Pwy oedd pwy?'
'Yn y coed . . .'
Doedd neb yno.

Mynyddoedd uchel.
Ogleuodd berthi Mai yn ir a glân ac o flaen ei lygaid roedd dyffryn dwfn a bloda'r eithin yn eurlen hyd y llethra; drain gwynion, helyg a chollen hyd y gwrychoedd a chaea bychain o

239

fewn muria cerrig mawrion a brwyn yn gymysg yma a thraw a grug ac adar gwibiog yn hedeg rhwng llawr a llwyn. Dylifai afon tros erchwyn craig, a honno'n llyfn a thywyll nes powlio gan raeadru'n bwll o ewyn, ac ar ei gwr, a'u clunia gwynion yn y golwg, cwrcydai dwy ferch ifanc tan sgwrio stycia llaeth a graean.

Craffodd Polmont ar y ddwy. Dwy forwyn? Gwrandawai un ar y llall yn siarad. A'u breichia mor wynion a'u gwalltia o dan eu hancesi gleision mor ddu. Dwy chwaer, o bosib? Fel Miss Swinfen-Ann a Miss Styal. Be oedd eu sgwrs? Edrychodd ar y llun drachefn. Llun bychan o waith Mr Sanby oedd o. Craffu'n fanylach. Fel y *Tirlun o Gymru yng Ngolau'r Lloer*. Doedd dim heddwch yn y stafell; stafell lydan loyw ola yn nho'r plas. Igian crio roedd Mademoiselle Chameroi yn dawel i'w hances tra stompiai ei brawd yn ôl a blaen yn hogyn gwyllt cynddeiriog.

Eisteddai Miss Styal yn gefnsyth yn ei chadair â nofel agored ar ei glin a'i bocha yr un mor llwyd ddi-liw â phan safai yn y ffenest oria ynghynt. Safodd Madam Maidstone-Susanna Royal a'r Esgob Parva foch-ym-moch. Astudiodd Polmont eu cefna, a'i braich hi am lostruddyn purddu yr hen ŵr, a'r ddau yn gwyro i lygaid teliscôp.

Eisteddai Syr Feltham Royal tan dawel wthio snyff i fyny ei drwyn.

'Ar 'i ôl o! Ar 'i ôl o! O gweiryn glas! Amdano fo! Amdano fo! Mi collwch o!' Ochneidiodd yr Esgob yn drwm. 'Hyp hyp hyp! Gwestiwn gen i os cawn nhw fo heddiw, bobol . . .'

'Ga i weld?' gwthiodd y Fonesig Maidstone-Susanna Royal ei llygaid yn llawn blys. Bagiodd yr Esgob a throi, 'Miss Styal, 'mechan i, heblaw am ein cyfaill cleisiog, chi ydi'r unig un sy' heb gael tro . . .'

Ni chododd ei phen. Gwasgodd flaen ei hesgid i'r llawr. Tisiodd Syr Feltham Royal tros ei ddwylo, oedi a syllu arnyn nhw fel pe bai'n methu'n lân â choelio iddo wneud peth o'r fath.

'Mae hi'n helfa a hanner a'r hen lwynog yn un stimddrwg ond ma' bytheiaid yr Iarll ar ogla'i waed o.'

'Gobeithio y bydd o'n glyfrach na nhw i gyd.'

Dywedodd Miss Styal hyn heb godi ei phen o'i nofel.

'Does gan lwynog ddim enaid fel sydd ganddon ni – O, wawch! Bron iawn iawn y tro yna – trwch blewyn o'i gael o oedd yr Iarll rŵan, anlwcus ar y naw hefyd – ac am ei fod o'n amddifad o enaid mae'r llwynog fel y ci a'r gath a phob un anifail mud yn ddarostyngedig i anghenion dyn.'

'Lladd cradur mud, diniwad fel'na? I be?'

'Da chi, Styal 'y mechan i, peidiwch â dechra cyboli'ch pen trwy uniaethu'ch hun hefo anifail gwyllt, neu does wbod be ddaw ohona chi. Amdano fo! Amdano fo!' Pesychodd, nychodd, eisteddodd, nes y plygodd i'w gwman, yn fyr ei wynt; ym-drechodd wedyn i ddŵad ato'i hun gan feio rhyw aflwydd clefyd melyn a pheth malaria a gafodd pan oedd yn fugail ym Mharadwys.

Sbeciodd Madam Maidstone-Susanna Royal trwy'r teliscôp, 'Mae bytheiaid yr Iarll wedi'i ddarnio fo'n fân.'

Yn uchel yn y nenfwd gwydr, syllodd Polmont ar bryfyn bach yn bownsio 'nôl a blaen.

'Pa blesar ma' rhywun fel Tada yn 'i gael o'i erlid o?'

'Dyrys ydi plesar yr helfa, 'mechan i,' pesychodd yr Esgob, 'arwydd o gariad dyn at greadigaeth Duw, y mwynhad o fod allan yn yr awyr iach yn teimlo awel fwyn ar foch, glaw ar war, cig byw yn gefnfor oddi tanoch chi, brawdoliaeth yr helwyr yn rhyddid y maes wyneb yn wyneb â gwylltineb natur.'

'Oes rhaid gneud hyn bob tymor?'

'Am fod i bob dim o fewn Natur ei drefn, Styal fach.'

'Does dim rhaid lladd llwynog fel'na'n nagoes?'

'Wrth gwrs fod,' pesychodd yr Esgob, 'ond wrth gwrs hyp hyp hyp,' – pesychodd drachefn – 'ma' perffaith hawl ganddoch chi i'ch barn a rhydd i bawb ei farn ac i bob barn ei llafar a be ydi dy farn di, Feltham?'

Rhoddodd y gora i bigo'i drwyn a chodi'i ben.

'Mmmm?

'Gofyn am dy farn di ydan ni.'

'Am be?'

Tan edrych fymryn yn gam, gwefusodd ei wraig y cwestiwn drachefn. Oedodd Syr Feltham Royal (a'i geg ar hanner ei hagor), ac edrych o wyneb i wyneb gan ama fod rhywun yn tynnu'i goes a holi'n betrus o ara deg, 'Pam? Be sy' o'i le ar hela?'

'Diolch, Feltham,' snapiodd Miss Styal ei nofel ynghau a chrechwenu'n goeglyd tan hanner tynnu ei thafod, 'Mor wreidd-iol ag erioed.'

Cododd ynta ei ysgwydda tan lyfu ei wefus isa, crychu'i dalcen wrth droi at ei wraig a gwefuso'n dawel, 'Be? Be ddeudis i o'i le rŵan eto?'

''Taswn i'n cael fy ffordd mi stopiwn i hela o bob math am byth bythoedd,' cododd Miss Styal.

'O 'mechan annwyl i,' tuchanodd yr Esgob yn boenus i'w draed, 'O, 'mechan 'mechan fach i, o bobol annwyl y byd,' a gwenu'n dirion arni wrth ddal ei gên yn gariadus yn ei ddwy law a syllu i'w hwyneb a'i wedd yn addfwyno â phob gair. 'Be ddeuai o'r tirwedd hyfryd yma 'tasa hynny'n digwydd? A'n gwarchodo ni rhag senedd o ddynion a hudir gan ddrysni a rhagdybiaetha rhagrithiol o foesoldeb. Mae difa anifeiliaid yn hanfodol i les ein hiechyd corfforol ac ysbrydol ni. Fel y fuwch, y ddafad a'r mochyn, onid ydi'r llwynog a'r carw hefyd wedi eu rhoddi inni gan Dduw Hollalluog i'w defnyddio'n bwrpasol?'

Cododd pawb yn sydyn. Cododd Polmont ynta ar ei union wrth weld Tywysog Cymru yn sefyll yno mewn borewisg sidan laes (a sigâr rhwng bys a bawd ei law dde) yn agor ei geg led y pen, ei feddwl ynghwsg o hyd a'i lygaid cochion fel dau dwll o waed. Beichiodd Mademoiselle Chameroi yn waeth a stompiodd ei brawd i fyny ato'n herfeiddiol, stondio'n gadarn ger ei fron – yna oedi ennyd fel petai'n sydyn wedi cloffi rhwng dau feddwl ac wedi bwriadu dweud rhywbeth ond pan ddaeth yr eiliad drosto yn methu cofio be. Stampiodd ei droed ar y llawr, stampio'n galed fel rhywun gwingar yn teimlo fod y byd ymhell o'i le. Gwaniodd yn ei fwriad oherwydd sigodd ei sgwydda fymryn, a dywedodd rywbeth na ddeallodd neb mono, ond bod ei oslef yn swrth a diflas. Wedyn, magodd rhyw benderfyniad newydd a suddodd ei law i boced ei gôt, ei thynnu allan yn chwim a chynnig carn y pistol iddo.

Edrychodd y Tywysog yn hurt wrth gael ei herio i *duel*.

Nosi.

Suai'r gwynt trwy'r coedydd llwyfen yr ochor draw i'r llyn a phenna'r elyrch yn eu plu tan leuad cynta'r mis. Rywle yn nyfnder y plas tybiai Polmont y gallai glywed rhywun yn chwerthin – neu efallai'n wylo; clustfeiniodd a chlywed rhyw sŵn annelwig fel cwyniad colomennod. Clustfeiniodd yn galetach a chlywodd sŵn arall fel dadmer eira'n ara lithro hyd y to i godwm. Dychmygodd fod rhywun tu allan wedi disgyn yn farw.

242

Doedd o ddim hanner da.

Tyfodd ei glais yn lwmp; lledodd y boen ar draws ei dalcen. Cododd gur caled yn ei arlais. Cododd, esgusododd ei hun a mynd i'w ystafell wrth i Lysgennad America godi i ddraddodi araith o ddiolch i'w wahoddwr a'i wraig annwyl.

Eisteddodd Iarll Foston ar erchwyn ei wely wedi i apothecari y teulu alw heibio. Tywyllodd y pnawn yn nos. Yng ngola'r gannwyll, daeth morwyn ato i eistedd yno tan wau a thendiad arno yn ôl y galw.

'Gest ti godwm hegar a chic waeth.'

Cydiodd Iarll Foston yn llaw ei Gofiannydd.

'Be oedd y gweiddi gynna?'

'Tywysog Cymru yn dadla hefo'r Esgob Parva. Mae o'n benderfynol o briodi Mademoiselle Chameroi heno. Sy'n hollol amhosib. Hyd yn oed 'tasa fo'n rhydd i neud, Papistreg ydi hi.'

'Be ddigwyddith?'

'Pshaw! Rydan ni wedi trio dal pen rheswm ond tydi o'n gwrando dim. A pham? Wedi cymryd rhyw chwilan yn 'i ben tydi? Ar ben bob dim mae'i brawd hi'n bygwth 'i saethu fo o ama mai dim ond isio cysgu hefo'i chwaer mae o, heb fwriad arall ond difwyno 'i henw da hi. Dwi inna mewn lle annifyr, o 'nal yn y canol yn trio cadw'r ddesgil yn wastad heb bechu neb.'

Gwasgodd law Polmont yn dynerach.

'Paid ti â phoeni dim. Cysga di er mwyn iti ddŵad atat dy hun.'

Daeth blys tros Polmont i sôn am y llythyr blacmel a dderbyniodd Syr William-Henry. Ond brathodd ei dafod. Wedyn cafodd ei demtio i holi am Syr Walton Royal a Mademoiselle Virginie Le Blanc. Be'n hollol ddigwyddodd? Erbyn iddo hel ei feddylia ynghyd roedd Iarll Foston wedi bwrw yn ei flaen i ddweud cymaint o feddwl oedd ganddo ohono ac mor bles ac mor ddiolchgar oedd o hefo gwaith y Cofiant.

'Ges i awr ne' ddwy i mi fy hun i ddarllen y chwe phennod gynta a mi rydw i wedi 'mhlesio'n arw.'

'Er bod 'na fylcha o hyd.'

'Petha i'w llenwi ar y cyd fydd y rheiny. Ti'n gneud gwaith da.'

'Does ond gobeithio y bydd y gweddill gystal.'

'Dwi'n siŵr y gnei di dy ora er fy mwyn i. O leia ti wedi meddwl amdana i fel dyn.'

243

'Fel dyn?'

'Yn groes i'r rhan fwya. Ma' pobol yn amal hefo rhyw ddarlun hollol groes ohona i yn 'u penna. A pham? Ma' nhw'n 'y ngweld i fel enw ar fusnes. Fel sefydliad. Fel peth sy'n pontio'r gwledydd.'

''Dach chi'n rhoi cynhaliaeth i filoedd.'

'A miloedd chwanag yn elwa ar fy nghefn i, heb sôn am 'u teuluoedd. Cyfandiroedd o fusnes; dega o longa rŵan hyn yn hwylio'r moroedd mawrion o dan fy ngorchymyn i. A pham? Er mwyn codi chwanag o fusnes. Hybu. Lledu. Annog dynion i roi o'u gora. Ddim dros nos mae dyn yn codi busnes fel dwi wedi neud. Ond be am y pris? Be am yr aberth? Does neb byth yn holi am yr oria di-gwsg. Y boen feunyddiol. Yr ing o wynebu methiant. Ac wedyn – ar ben bob dim – yn gorfod da diodda'r sbeit a'r gwenwyn. Y dychanu a'r bychanu. Y dynion hynny sy' am fy nhynnu fi i lawr bob gafal.'

Fel ei efaill ei hun, meddyliodd Polmont. Fel Thomas Hobart. Y gelyn gwaetha oedd y gelyn agosa un. Roedd dagra yn llygaid yr Iarll; chwythodd ei drwyn i hances sidan. Trodd ei ben am draw. Cododd. Aeth o'r neilltu rhag ofn i Polmont ei weld yn ei wendid. Safodd wrth droed y gwely a'i gorff yn cuddio'r nos.

'Be rydw i'n trio'i ddeud ydi . . .'

'Dwi'n dallt . . .'

Ffliciodd Iarll Foston yr awrwydr ar y seidbord ben ucha'n isa a gwylio'r tywod aur yn ara lifo'n dwmpath.

'Be dwi'n trio'i bwysleisio ydi mai dyn ydw inna hefyd – hen ddyn erbyn hyn sy' ond yn trio ei ora glas, hyd yn oed yn ei henaint – a does dim byd mwy annisgwyl yn cripian yn slei bach ar war dyn na henaint, fel cei di dy hun ei brofi rhyw ddydd, os byddi di byw ac iach. Dy lygaid di'n tywyllu, dy glyw di'n trymhau a d'esgyrn di'n gwichian. Ac fel pob dyn arall, mi fyddi ditha hefyd yn edrach 'nôl. Er dy fod ti wedi ennill y pnawn, ti wedi hen golli'r bora. Ennill gaea, colli'r ha. Ennill dyddia, colli nerth. Ennill blynyddoedd, colli prydferthwch. Ennill blindera a cholli cysuron yn union fel pawb a fu byw ers dechra amser. A felly finna. Tydw i'n ddim gwahanol i neb arall. Dyn. Fel pob dyn arall. Dyn sy'n teimlo trueni, yn poeni, yn cydymdeimlo, yn caru a chasáu, yn hiraethu weithia am gael anadlu unwaith eto awelon yr hen ddyddia cynt a chael

244

yn ôl yr hyn a fu. Ond darfod mae o i gyd. Sawl noson eto wela i'n cilio a'r bora'n gwawrio? Sawl gaea wela i'n nawseiddio'n wanwyn a bywyd yn byrlymu, blagur yn agor a ffrwytha'r ha yn toreithio'n gynhaea Medi? Ti'n gwbod be hoffwn i yn fwy na dim? Cael cerdded unwaith eto hefo 'nhad hyd dorlan afon tan friga isel y wern a chlywed ei lais o ar fy nghlust. Ei glywed o'n hymian canu yr hen gan honno *Sibrwd awel ym mrig yr hwyr*. Wyddost ti amdani? Braidd yn sentimental erbyn heddiw, siŵr gen i.'

Sychodd ei lygaid â chefn ei law.

'Mae hi'n chwith garw na chest ti gyfarfod â fy nhad. Chwith meddwl 'i fod o heno'n pydru yn 'i wely pridd. Roedd o'n ddyn hynod; yn ddyn neilltuol; yn ddyn o ddonia arbennig iawn, a ddim y fi 'di'r unig un sy'n honni hynny. Roedd ynddo fo ryw – sut ddeuda i? – rhyw berffeithrwydd ymddygiad oedd wastad yn gwneud da am bob drwg. Dyna oedd nodwedd amlyca un fy nhad; amlycach fyth, o bosib, am ei bod hi'n nodwedd mor llwm yn y rhan fwya o ddynion. A phaid â meddwl nad ydw inna hefyd wedi teimlo edifeirwch; ddim am unrhyw beth a wnes i, cofia, ond yn hytrach, am yr hyn na wnes i, a'r hyn a allwn i fod wedi'i neud oni bai fod rhaid imi gysgu'r nos. Ac eto –'

Oedd ei lais o ar fin torri? 'Eto be?'

Nid atebodd am hydoedd ond pan wnaeth gofynnodd, 'Be ydan i gyd ond petha a ddaeth i fod o ryw nos anhysbys?'

Holodd yn ddyfn o graidd ei enaid a'i lygaid tywyll yn rhythu. Peth cyffredin ymysg y byw ydi sôn am y meirw ond o godi atgofion am ei dad fe sigwyd meddwl yr Iarll a gorfu iddo eistedd yn drwm ar ei emosiyna rhag ofn iddyn nhw ei drechu. Rhythodd yn galed ar Polmont a'i wedd wedi fferru; ei lygaid wedi lled-oeri; rhythu'n hir fel pe bai'n disgwyl clywed ateb, ac yng ngola'r gannwyll, lledodd rhyw wawr las hyd croen ei wyneb.

Pa gysur oedd i'w gynnig? Roedd Polmont yn dallt; yn dallt yn well na neb o bosib, meddyliodd. Dyna pam y teimlai drosto i'r byw. O wybod am ei wewyr dyddiol o orfod byw dan fygythion ei efaill a'r boen a'r briw nad oedd wedi ei serio trwy fwrdro Syr Walton Royal, sut na allai Polmont beidio â chyd-ymdeimlo? A hynny o waelod calon? Celwydd y Seler. Be oedd hwnnw ond rhyw farn yn hongian uwchben yr Iarll. Ynta'n gorfod sglefrio bob dydd hyd lyn o rew brau; ar gaenen dena iawn a allai gracio a'i foddi unrhyw eiliad. Sut y gallai unrhyw un fyw bywyd dedwydd o wybod fod gan ddyn arall y gallu i'w ddinistrio? Roedd y blys i ddadlwytho'r cwbwl bron â threchu Polmont. Roedd hefyd ar dân i rannu baich poen ei noddwr a safai'r geiria ar flaen ei dafod.

Isod cododd llais Monsieur Chameroi yn weddol uchel o ganol rhyw chwerthin gwich a thagfa.

'Diolch ichdi am wrando,' dywedodd yr Iarll yn dawel, 'Well imi fynd. Cysga'n dawel.'

Cannwyll.

Llosgai'n isel. Nid hi a welodd ond y co amdani'n camu'n wlyb a budur oddi ar ei march. Anadlu llafurus. Bocha cochion. A'i llygaid yn ddisgleiriach, ei gwallt yn llywetha hirion hyd at ei gwar. Roedd ei harogl yn braffach, yn gryfach nag a ddychmygodd. Ei chorff yn gynnes, eto'n wlyb; ei chroen yn llyfn ac ynta'n crynu fel deilen yr aethnen.

Oedd o'n drysu? Teimlodd yn ddolurus; ei dalcen yn brifo; eto roedd rhyw ysfa wresog yn magu trwy ei gnawd. Cusanodd gledra ei ddwylo; daliodd arni'n fanwl, a llanwyd ei wely ag ogla chwerlys yr eithin wrth iddi dynnu ei gŵn amdani; crwydrai ei emosiyna yma a thraw . . .

'Miss Swinfen-Ann . . .?'

'Sssssshhh.'

Cusanu. Y ddau. Cusanu fel y gusan gynta erioed. Blasodd ei gwefusa; cydiodd yn ei phen; cwpanodd lawnder ei chlun. Ysgwydodd ei hysgwydda; roedd rhywbeth o'i le; edrychodd i'w llygaid ac roedd hi'n chwerthin. Clepian chwerthin.

'Bora 'blaen . . .'

Chwarddodd. Claddodd ei hwyneb a chwerthin ei hochor hi. Roedd hi'n ei watwar am yr hyn a ddigwyddodd. Tolciodd ei falchder; sigodd o, brifodd o; teimlodd boen ei gleisia'n wayw byw. Bu'r hyn a ddigwyddodd pan gerddodd i mewn i'w stafell a'i gweld yn hollol noeth o'i flaen yn gogordroi'n ei feddwl a'i hogla y bora hwnna – *eau de grunchy* – yn fyw yn ei ben o hyd ond ar ei waetha ni allai dacluso'r cwbwl yn ei go a'i roi o'r neilltu. Nid y fo aeth amdani ond rhywun arall. Neu ai honni hynny roedd o rŵan wrth chwilio am esgus a chyfiawnhau ei

246

hun o 'mosod arni? Teimlai fel 'tai'r cwbwl wedi ei dynghedu; nad oedd ganddo ddewis yn y mater; fod pa bynnag ymdrech a wnâi trwy ei ewyllys ei hun yn hollol ofer gan ei *fod* i fynd amdani a pheth gwirion oedd meddwl fel arall.

Oedd o'n ei charu hi?

Gorweddodd ar draws ei wely, pwyso ei gên ar ei breichia a dywedodd yn ddioglyd, 'Be ddaeth drosta chdi bora o'r blaen?'

Syllodd i'w hwyneb-wedd – syllu i'w llygaid – ond yr unig beth a wnâi hi oedd rhyw wawd-syllu 'nôl arno. *Oedd o'n ei charu hi?* Trodd ar wastad ei chefn a'i gên yn tewhau wrth edrych arno; cododd ei braich a rhwng bys a bawd sylwodd Polmont ei bod yn troi modrwy.

'Ma' nhw wedi priodi.'

Cododd. Datod botyma ei ŵn nos. Dododd y fodrwy ar ei gorn gwddw, ei hara rowlio 'nôl a 'mlaen; methodd lyncu poer; methodd yngan yr un gair a'r aur yn gynnes ar ei groen wrth i'r fodrwy rowlio 'nôl a 'mlaen.

'Ddim go iawn. Cogio. Dyna 'ddaru ni i gyd heno. Mama a phawb a hyd yn oed Esgob Parva. Roedd Tywysog Cymru'n teimlo'n well o feddwl fod Mademoiselle wedi ildio iddo fo. Dyna'r cwbwl oedd o isio. Bechod.'

Rowliodd y fodrwy'n is.

'Eitha doniol a deud y gwir.'

Rowliodd hi i lawr hyd ei fotwm bol.

'Elli di ddychmygu'r Tywysog a'r Dywysoges yn y gwely hefo'i gilydd?'

Rowliodd hi'n is.

Chwarddodd, 'Feiddi di roi hyn yn dy Gofiant? Dychmyga nhw. Cau dy lygad a dychmyga'r ddau yn gorwedd yn noeth yn fa'ma. Mmmmm? Be am inni ddychmygu hances sidan ddu tros ei llygaid hi? Dychmygu 'i fod o'n clymu ei garddyrna a'i ffera hi hefo rhaffa i'r pyst? Wedyn . . . be wedyn? Deud 'i fod o'n penlinio wrth ei hochor hi fel hyn. Hitha'n be? Siarad o dan ei gwynt? Be neith o wedyn? Rhedeg ei drwyn i lawr hyd ei chorff hi fel hyn, ond fydd o byth yn ei chyffwrdd hi chwaith. Mae o am iddi ddiodda. Er ei bod hi'n crefu; mae hynny'n hollol amlwg o'r ffordd mae hi'n tynnu ar ei rhaffa; nes bydd ôl llosg ar ei chroen hi . . . ond yn y diwedd yr un peth neith o iddi hi bob un tro.'

Rowliodd y fodrwy hyd ei glun.

247

'Fedri di ddychmygu be?'

Rowliodd y fodrwy i lawr y glun arall.

'Fedri di?'

Taniodd gwn.

Cyflogi penbyliaid.

'I be dwi haws?' udodd Iarll Foston yn gras, ei lais bloesg yn grug a blin, ei wallt yn sgleinio'n dduach trwy'r gwyllni wrth iddo frasgamu trwy ei weision, 'Heglwch hi allan a cerwch i chwilio eto! Chwiliwch yn iawn tro yma! Pob twll a chornel hefo crib mân!'

Trefnodd Rampton y dynion trwy alw ar bymtheg i'w ganlyn. Trwy'r ffenest agored, poerai awyr oerwlyb i mewn i'r stafell. Fel piod brithion yn ymrithio trwy'i gilydd prysurai'r dynion hwnt ac yma; rhai y tu mewn, eraill y tu allan; lleisia a ffagla tân yn tynnu ar ei gilydd. Hyllach, garwach oedd yr olwg ar Iarll Foston pan welodd Polmont yn cerdded trwy'r drws a chroesodd ato ar ei union.

'Be sy'? Be ddigwyddodd?'

'Dim byd.'

Ogleuodd fwg pylor gwn yn gry fel ogla llwynog.

'Ydi'r Tywysog yn saff?'

Cripiodd Syr Feltham Royal i'r ystafell yn ofnus tan glymu gwregys ei ŵn nos. Edrychai fel dyn ar goll. Diffoddwyd ac ailgynheuwyd canhwylla ac ym mhen pella'r stafell wrth droed y clogwyn tal o silffoedd llyfra, gorweddai corff dyn a'i wyneb tua'r gwyll. Hanner camodd Polmont yn ei flaen i sbecian ond clywodd chwaneg o weision a gwesteion yn gwthio trwy'r drws – Iarll Wellingborough a Syr Swaleside yn eu mysg – i holi a'u lleisia yn mynd a dod ar draws ei gilydd. Camodd Guernsey draw i atal llif y gwesteion. Wrth glywed y twrw, daeth Iarll Foston draw a'i lygaid gwaedlyd yn drymion.

'Foneddigion, boneddigesa, maddeuwch imi.'

Llefarodd yn addfwyn.

'Does dim byd i neb boeni'n 'i gylch o. Mae pob un dim yn iawn. Rhyw leidar, dyna'r cwbwl. Pawb i fynd 'nôl i'w wely a chysgu'n dawal. Sdim byd i neb boeni'n 'i gylch o . . .'

Cymhellodd Guernsey a'r gwas pwyntus, braidd yn foliog, y gwesteion i adael ac ymdrechu i gau'r drysa rhag ofn i chwaneg ddŵad draw i holi a stilio. Camodd Syr William-Henry at Polmont tan besychu a'i wig yn wlyb diferyd ac yn ei sgil heliodd gweision a'u hesgidia gwlybion i forol am gynhesrwydd. Rhuthrodd Rampton i mewn fel rhyw ddyn gwyllt o'r coed. Camodd at yr Iarll ar ei union a symudodd y ddau gam neu ddau o'r neilltu a'r meistr yn clustfeinio'n astud wrth wefusa'r gwas. Adroddodd fod cylch y chwilwyr yn graddol gau am y plas ac os oedd rhywun o fewn eu rhwyd, ac o gael trywydd arno, byddent yn siŵr o'i ddal. Gyrrwyd gweision – holl weision y stad – a gyrrwyd am weision stada cyfagos i chwilio a holi'r wlad yn fanwl, pob twll a chornel ohoni, â phastyna praff.

Dywedodd Polmont o'i gwrcwd, 'Dwi'n meddwl 'mod i'n 'i nabod o.'

Syllodd Iarll Foston i'w lygaid wrth sefyll uwch ei ben.

'Welis i o ddoe. Wrth gwr y winllan.'

Penliniodd Syr William-Henry i graffu'n agosach ar y gŵr marw. Trawodd awrlais y cloc ddau o'r gloch y bora. Dywedodd Iarll Foston yn dawel, 'Ddaeth o o fewn trwch blewyn i'n saethu fi.'

Roedd ei farf yn sglyfaethus; ei groen yn arw, fymryn yn las a llau llwydion yn sboncio hyd-ddi. Fe'i saethwyd trwy ei galon, a lledai'i waed yn bwll o gwmpas ei ben.

'Oni bai fod Rampton wedi bod mor fachog, y fi fasa'n gorwadd yn gelain yn fa'ma rŵan.'

Tapiodd Iarll Foston Polmont ar ei gorun.

'Ti'n gwbod 'i enw fo?'

'Na.'

Cododd twrw erchyll. Llusgwyd rhywun tua'r goleuni. Cododd Syr William-Henry ei lamp. Yn ei llewyrch daliwyd rhyw hen ŵr (â chadach am ei ben) gerfydd ei war, un budur a blêr a rhyw hugan wlân yn hongian tros ei ysgwydda ac am ei draed hen sgidia trystiog.

'F'efaill?' bloeddiodd, 'Ti'n un o ddynion Thomas Hobart?'

O ena Iarll Foston ei hun clywodd lefaru ei enw am y tro cynta erioed. Thomas Hobart. Llofrudd Syr Walton Royal. Ni welodd chwaith y fath gasineb yn wyneb neb. Gwadodd y dyn yn ddu-las. Heliodd pob math o esgus wedyn. Wedi dŵad i hela, pysgota ac ysgyfarnoca gefn nos roedd o. Roedd ogla hen soeg drewllyd ar ei wynt a chrefodd am faddeuant trwy'i ddannedd melyn. Aeth ar ei linia gerbron yr Iarll a gwasgodd bibell glai yn ei ddwrn; bron nad oedd yn ei chynnig fel rhyw offrwm i ŵr y Plas. Fe'i hergydiwyd oddi yno. Camodd Mr Barlinnie o'r cysgodion (o ble y daeth o mwya sydyn?) a cherdded draw at y corff; penlinio; a chraffu; codi ar ei draed a dweud, 'Ddim rhyw botshiar ydi o?'

Nid atebodd Iarll Foston am sbel go lew ond pan wnaeth dywedodd, 'Does wbod pwy ydi pwy erbyn hyn yn nagoes?'

Toriad y wawr.

Daeth Mr Barlinnie o hyd i Polmont ar ei ben ei hun a mynnodd air. Aeth y ddau draw i stafell y Cofiannydd ac eistedd yn y ffenest tan wylio'r gweision yn cribio trwy belltera'r stad. Cyrhaeddodd y Prif Was y Plas am hanner nos y noson gynt.

'Od tydi?'

'Be sy'n od?'

'Mae'r Iarll a'i deulu'n gadael Llundain, a pwy ydw i'n dŵad ar 'i draws o ddwywaith?'

'Thomas Hobart?'

'Wrth imi gamu i lawr grisia Tŷ Cyfri yn Philpot Lane echnos ac anelu am ei goets i 'ngyrru fi 'nôl i Piccadilly.'

Yng nghanol gwynt gerwin, storm neilltuol a dduodd y stryd – gwynt a ddiffoddodd lanterna'r gwylwyr nos, gwynt a chwythodd ganhwylla yn ffenestri swyddfeydd y cyffinia – cerddodd i'w gyfwrdd. Fel sgrech yn disgyn ar ei glyw, galwodd Thomas Hobart arno a'i ddychryn am ei hoedal. Bledodd glaw i lygaid Mr Barlinnie: chwipiwyd ei enw tua'r wybren ac fe'i clywodd yn adleisio rywle uwch ei ben. Dreigiodd mellt nes goleuo'r nos ond nid oedd yno. Wrth gamu i'w goets, meddyliodd nad oedd wedi ei weld o gwbwl, neu os oedd wedi ei weld – yna, gweld ysbryd a wnaeth o.

Ganol cefn ddydd gola y diwrnod cynt oedd hi pan welodd Thomas Hobart wedyn. Llanwyd ei galon â rhyw fraw. Cilffyn o hen ŵr â chob fawr amdano a honno wedi ei chlymu â gwregys lledr cyn dynned ag y gwnâi geneth ddeunaw oed a safodd yno o'i flaen. I Dŷ Coffi Pennsylvania yr aeth y ddau. Yn naturiol doedd gan Thomas Hobart geiniog i'w enw. Pesychai'n afiachus a gwelwdra anga yn lledu yn lladradaidd dros ei wyneb. Ar ei dalcen a'i focha, i lawr tros ei ên hyd at ei wddw disgleiriai chwys oer, ac yn ei lygaid ryw edrychiad dieithr fel edrychiad un yn gynefin â llercian yn y llwyni.

'Be oedd o isio?'

'Chwanag o bres, wrth gwrs.'

'Neu?'

'Ddeud wrth y byd am Gelwydd y Seler.'

Oedodd Polmont ennyd i sad-gysidro.

'Wyt ti wedi deud hyn wrth Iarll Foston?'

'Neithiwr. Dyna pam ddychrynodd o cymaint wrth weld cysgod y burgyn lleidar yn closio.'

Y blacmeliwr.

Be oedd Celwydd y Seler?

Holodd Polmont Mr Barlinnie i'r gwraidd ac er bod y Prif Was yn gwybod am ei bodolaeth, doedd ganddo mo'r inclin lleia o be oedd hi. Dim ond yr Iarll a'i efaill oedd yn gwybod.

Be ddigwyddodd yn Nhŷ Opera Genoa?

Roedd Polmont yn benderfynol o wybod cymaint ag y gallai am efaill Iarll Foston, a doedd ond un ffordd o wneud hynny, sef mynd yn syth at lygad y ffynnon – a dyna a wnaeth.

Holodd Syr William-Henry ganol y bora.

'Pwy ddeudodd am hynny? Francis?'

'Pam celu dim?' holodd Polmont, 'Pam ddim dweud y gwir yn hollol onest? Be sgen ti i'w guddio?'

'Pwy ddeudodd wrtha chdi am helynt Tŷ Opera Genoa?'

'Mr Barlinnie.'

Oedodd Syr William-Henry ennyd i gnoi ei gil; a'i getyn claerwyn hir fel gwn yn ei law.

'Pam wyt ti isio gwbod, p'run bynnag?'

'Er mwyn trio dallt meddwl y dyn.'

'Toedd o ddim yn ddyn da iawn ei iechyd.'

'Ddeudist ti o'r blaen . . .'

'Ar y daith i fyny i Genoa o Pompei roedd o'n pesychu fel 'tasa rhwd hen haearn yn 'i frest o. Fedra i glwad 'i sŵn o rŵan hyn. Pesychu yn y gwesty wedyn; roedd o mor ddrwg nes 'y neffro i'n amal ym mherfeddion nos. 'I syniad o oedd mynd i'r Tŷ Opera; sdim ffwc o ddiddordab gin i go iawn. Roedd y lle yn orlawn a phawb yn gwrando'n astud ac yng nghanol y perfformiad, mi drodd ata i mwya sydyn yn llwyd iawn ei wedd – a wedyn, yn sydyn, dyma fo'n cyffio ei sgwydda; cyffio trwyddo fel hyn. Mi gydiodd yn dynn iawn yn fy mraich i. Ei lygaid o'n stondio a'r rheiny'n agor yn fawr, yn lledu i'r pen yn union fel 'tasa môr o dân yn gweithio gwres o dan ei sedd o. Drawodd 'i ben yn ôl, ei ên o'n gwasgu i fyny ac ynta'n syllu tua'r to fel un ar farw. Gwasgu llaw . . . Rhyw sŵn hyll yn tyfu allan o'i geg o. Wrth ei weld o, mi gamodd y *prima donna* ymlaen. Wedyn y canwr bas a'r ddau yn syllu tros ymyl y llwyfan. Finna'n cochi at 'y nghlustia. O dipyn i beth, mi arafodd y gerddorfa cyn stopio'n gyfan gwbwl. Finna'n fan'no. Elli di ddychmygu sut o'n i'n teimlo? Elli di?'

Plygodd y llythyr blacmel rhwng dau fys.

'Dyna ddangos iti gymaint o ddiawlad all pobol fod. Py! Eidalwyr. Ama weithia 'mod i'n 'u casáu nhw'n waeth na'r ffwcin Ffrancod. A be oedd yn waeth, gan fod yr olygfa lle byddai'r gantores yn cyrraedd uchafbwynt emosiynol gorchestol ar fin dechra, roedd y gynulleidfa yn benderfynol o beidio â cha'l 'i siomi. Lleisia'n codi. Un neu ddau i ddechra. Wedyn chwanag. Lleisia o'r cefna a lleisia uwch ein penna ni. Lleisia Eidalwyr, lleisia'n annog y canwyr, 'Daliwch ati!' 'Ymlaen!' 'Ymlaen!' 'Ewch ymlaen!' F'Ewyrth fan'no. Finna'n gneud be allwn i drosto fo. Datod coler. Holi, ''Dach chi'n iawn?' Ei wedd o'n pylu. Finna'n poeni ei fod o'n marw. Y cantorion yn bagio. Cymeradwyaeth. Y gerddorfa'n ailgydio ynddi a'u sŵn nhw'n llenwi holl synhwyra dyn. O nerth i nerth yr aeth yr olygfa wedyn a f'Ewyrth yn mynd o ddrwg i waeth; yn ochain fel hyn wrth f'ochor i, nes fy nychryn i trwy gyffio'n galad yn 'i sedd. A'r gŵr bonheddig 'ma – y cwdyn hyll 'ma – oedd yn eistedd tu ôl inni – fedra i weld 'i hen wep hwrwg o rŵan hyn – yn gwasgu ei sgwydda fo i lawr a dal arno fo er mwyn ei gadw fo'n ei le.'

'Helpodd neb chi?'

'O 'nghwmpas i yr unig beth welwn i oedd wyneba pobol yn marw mewn perlesmair. F'Ewyrth yn glafoeri; yn cicio'i goesa'n wyllt; yn griddfan. Ooooooo . . . rrrraaaarrrraaa . . . Oooooo . . . Fel gollwng gwynt o gasgen gwrw. Gwasgu'i ewinedd yn 'y ngarddwrn i nes tynnu gwaed. 'Drycha . . .'

Marcia bychain gwynion.

'Gwasgu 'mraich i'n hegar. Yr utgyrn yn grymuso ac uchel noda'r *prima donna* yn boddi ei boen o. Y fo yn troi i rythu arna i . . . Trio yngan rhwbath . . . rhwng cynddaredd tynn ei ddannedd. Wedyn tros ei wefus, roedd o'n gwaedu . . . Hyrdd-

252

iad arall yn dirdynnu'i gorff o nes peri iddo fo gicio cefna'r sedda o'n blaen ni. A'r gŵr bonheddig yn gwasgu'n drymach a'r gantores yn esgyn yn ysgafn hyd yr uchel noda, yn uwch ac yn uwch . . . Mi ruthrodd y tŷ i'w draed. Cymeradwyaeth yn tresio tros y llwyfan. Bloda'n byrlymu o'r uchelfanna a fy Ewyrth wedi llwyr ymlâdd, ei ben o ar ogwydd, ei frest yn gwasgu i'w gwman a'i ddwylo oer yn llipa ar ei lin. Trwy drugaredd, fe helpodd dau *gendarmes* fi i'w gario fo 'nôl i'r gwesty oherwydd 'mod i wedi llosgi gwadna 'nhraed mor ddrwg . . .'

Ceisiodd Polmont ei ddychmygu ei hun yn sgidia llanc ugain oed. Yr ofn ymysg dieithriaid; yn methu mynd ar ofyn neb a neb yn fodlon helpu. Fe'i cofiodd ei hun yn ifanc a'i drwyn yn gwaedu wrth gerdded hyd y stryd a gwŷr a gwragedd bonheddig yn ei osgoi rhag ofn iddo faeddu eu dillad. Yntau'n poeni y byddai'n gwaedu i farwolaeth; rhedeg i gyrraedd ei feistr, Mr Hatfield, ond yn gwaedu yn waeth; gwaed yn pistyllio tros ei fysedd a rhyw brentis yn chwerthin am ei ben o ddrws rhyw siop. Mor greulon o ddifalio y gall pobol fod . . .

'Be ddigwyddodd wedyn?'

'Mi gysgodd o fel babi. Drannoeth, mi ddeudodd iddo brofi gweledigaeth.'

'Gweledigaeth?'

'Yn ei ffit. Rhywbeth pur a glân. Ynglŷn â sut i dreulio gweddill ei fywyd.'

'Be oedd hynny'n hollol?'

'Na fedra fo byth eto fyw 'run eiliad ar gnawd a gwaed ei gyd-ddynion. Ei fod o wedi'i buro. Yn teimlo'n sanctaidd.' Chwarddodd, 'Ond stopiodd hynny mohono fo rhag dwyn 'y mhres i i gyd chwaith. Aeth Tada yn gandryll pan ddeudis i wrtho fo.'

Y syniad.

Meddai Mr Barlinnie wrth Polmont wedi swpera y noson honno, 'Rhaid inni ddŵad o hyd iddo fo! Er mwyn yr Iarll! All petha ddim parhau fel hyn hyd byth. Dyn da fel Iarll Foston yn byw mewn ofn beunyddiol rhag rhyw gythral twyllodrus . . .'

'Sut?'

'Dyna'r peth.'

Dododd Polmont ei ysgrifbin o'r neilltu.

'Ŵyr rhywun lle mae o?'

'Cuddio ydi'i betha fo. Ond mae gen i syniad.'

'Be wyt ti'n bwriadu'i neud?'

Â'i wedd mor ddu â'i ddillad atebodd, 'Dŵad â Thomas Hobart at 'i goed, unwaith ac am byth.'

Drannoeth.

Am hanner dydd union dechreuwyd ar y gwaith o chwalu'r plas i'r llawr a phlannu dau gan mil o goed. Dyna fu bwriad Iarll Foston o'r cychwyn cynta un, o'r dydd y prynodd y stad. Codwyd y plas o hen fynachdy a godwyd yn ei dro ar hen faenordy. Doedd y plas fel ag yr oedd o ddim yn ddigon urddasol at bwrpas y penteulu. Yn ei ystafell bersonol ar drydydd llawr ei Dŷ Cyfri yn Philpot Lane taenodd gynllunia'r penseiri tros y bwrdd. Holodd farn Polmont.

Bwriadai godi plas newydd ar y bryncyn nesaf at yr hen un. Ni sylweddolodd Polmont (nes ei bod hi'n rhy hwyr) mai'r gŵr briglwyd, fymryn yn wargam, a duthiai ac a wingai wrth ei ochr oedd y pensaer Mr Samuel Wyatt, roedd pawb yn ei feirniadu am feddwl mor bitw, mor blwyfol ac mor gul.

Wedi iddo adael, disgrifiodd Mr Barlinnie ei gynllun i hudo a rhwydo Thomas Hobart i'w gafael yn fanwl wrth Iarll Foston.

Oedd o'n debygol o fachu'r abwyd? Dyna'r cwestiwn.

'Tydan ni ddim gwaeth na thrio.'

Printiwyd hysbyseb yn y *Daily Advertiser*, y *Gazetteer*, y *Post Boreol*, yr *Herald*, y *Times*, *Yr Oracle*, y *Cronicl Boreol*, y *Ledger* a'r *Argus* yn gwadd Thomas Hobart yn swyddogol i Ginio Blynyddol Cymdeithas Goffa Syr Walton Royal.

Piccadilly.

Dridia'n ddiweddarach, ar fwrdd y llyfrgell roedd llythyr personol yn disgwyl Polmont pan ddychwelodd o Dŷ'r Arglwyddi lle bu'n treulio pnawn yn holi hwn a'r llall ac arall – a Syr Wayland Corton yn fwy hynaws na neb – am gyfraniad a chymeriad gwleidyddol Iarll Foston. Llythyr gen y Fonesig Frances-Hygia Royal (a oedd wedi dychwelyd o'r Ardennes) oedd o, yn trefnu cyfarfod am hanner nos union ond nid yn ei Thŷ yn Sgwâr Hanofer oherwydd bod yr Egni Du yno.

'Be ydi hwnnw? Ysbryd?'

Atebodd Mr Barlinnie, 'Y pylia mae hi'n ddiodda o bryd i'w gilydd.'

'Pa mor amal?'

'Dibynnu.'

'Ar be?'

'Bob math o betha. Od tydi? Does dim mendio arni ac mae'i thymer hi mor oriog. Weithia mi fydd hi'n fêl i gyd, dro arall yn wermod; does dim dal sut bydd hi o awr i awr. Rhaid ichi droedio'n dyner a'i thrin hi yn yr un modd.'

Ger y goets, dywedodd Mr Barlinnie wrth gau y drws.

'Ac un peth arall: gair i gall: os bydd hi'n sôn am Syr Walton Royal yn saethu ceffyl ac yn 'i gorfodi hi i fwyta'r cig hyd at yr asgwrn, y peth caredica ellwch chi 'i neud bryd hynny, ydi awgrymu yn garedig eich bod chi yn mynd at Iarll Foston.'

Trwy'r strydoedd tywyll.

Clip clop clip clop. Heibio i wyldai'r gwarchodwyr nos. Clip clop, clip clop, clip clop a'r tai yn llifo heibio yn Bersia o ddirgelion a'r ddinas fel pob un arall o bob oes o'r byd wedi ei hadeiladu gan wŷr er mwyn eu hanrhydeddu eu hunain trwy eu masnach ac er mwyn cyfleustera bywoliaeth. Aeth rhyw ias – rhyw wefr gynnes – trwy gorff Polmont. Teimlai fod y ddinas mor fyw â fo'i hun. Caeodd ei lygaid, gwthio ei ben i'r nos er mwyn ei hogleuo. Esgyrn ei strydoedd, cnawd ei sgwaria, gwaed ei bancia. Dotiodd ati. Teimlai'n un â hi a chanodd o lawenydd wedyn yr holl ffordd at ddrws yr adeilad llwyd.

Cynheuwyd lamp.

Dilynodd Polmont gysgod morwyn i lawr rhodfa hir. Sleifiodd ei chefn trwy leufer y lloer wrth iddynt fynd heibio i wardia'r meirw. Heibio i dlodion â'u hiechyd yn siwrwd; pobol â'u gobeithion yn deilchion. Ymlaen heibio i wardia a waredai boen trueiniaid, heibio i ddynes yn parablu rhyw eiria ar ei phedwar, yn crafu a chrynu hyd y llawr, '. . . ma'n esgyrn i'n cnoi . . . ma'n esgyrn i'n cnoi . . . ma'n esgyrn i'n cnoi trwy'r cnawd . . .'

Stopiodd y forwyn. Diffoddodd y lamp. Cymhellodd Polmont yn dawel i gamu ati. Syllodd trwy ddrws agored i weld gwraig mewn du â'i chefn tuag ato yn eistedd ar erchwyn gwely, yn gwyro tros ryw glaf. Sibrydodd ryw eiria yn ei glust a'i gusanu'n dyner ar ei foch. Roedd powlen fechan yn ei harffed. Cododd ryw eli melyn ohono; tynnu carthen y gwely o'r neilltu a'i rwbio yn araf ar stwmp ei goes.

Gwraig yn byw o'r galon oedd hi ac nid o'r pen. Roedd hynny'n amlwg. Teimlodd ryw gynhesrwydd yn llenwi ei enaid. Goleuni. Caredigrwydd. A gofal. Mae'n rhaid i rywrai fynd allan i'r byd a charu pobol, meddyliodd. Mae angen rhyw anwyldeb ar bobol o bob oed; angen eu mwytho yn gyhoeddus a gwneud i hyd yn oed y truenusa ohonom deimlo fod gwerth i fywyd; cynnig anogaeth; cynna cannwyll fechan yn y gwyll. Dyma enghraifft fyw o hynny: gwraig yn rhoi o'i hamser, yn ei rhoi ei hun, yn anhunanol, yn bur ei bwriad heb ddisgwyl dim yn ôl. Rhoddai gymaint o ysbrydoliaeth i'r bachgen bach ag a roddai ynta iddi hithau. Anodd oedd i Polmont fyth anghofio ei gwên wrth iddi godi.

Roedd hi wedi troi i'w wynebu.

Y Fonesig Frances-Hygia Royal.

Syllodd ar ei thalcen uchel, llydan, ei chroen rhychiog ac ôl y frech drosto, ei llygaid gwyrddion. (Doedd hi ddim byd tebyg i'r llun a welodd droeon ohoni yn Nhŷ Iarll Foston. Ond wedyn, mae'n rhaid fod hwnnw'n ugain oed a faint oedd hi erbyn hyn? 38? 39?) Cafodd Polmont y teimlad iddo ei gweld hi rywdro o'r blaen. Dyfalodd wrtho'i hun: ymhle tybad? Ni allai ddwyn i go. Edrychodd arni eto wrth iddi hanner troi at y forwyn i sibrwd rhywbeth. Methai'n lân â chofio pryd na lle y'i gwelodd hi. Cymhellwyd o i'w chanlyn. Sibrydai ei gwisg wrth grafu'r llawr. Llais gwan, wylofus oedd ganddi, a'i hosgo wrth gerdded yn awgrymu gwraig yn llawn gofid a galar.

Siarsiodd y forwyn, 'Rhaid i chi fynd adra heno, Madam.'

'Sut galla i?'

'Rhaid ichi gysgu; rhaid ichi fwyta.'

'Hefo'r Egni Du?'

O sgwrsio hefo'r Fonesig Maidstone-Susanna Royal gwyddai Polmont fel y byddai ei mam-yng-nghyfraith yn dychwelyd i'w thŷ yn Sgwâr Hanofer yn oriau hwyrdrwm y nos ac yn cau'r drws wedi iddi fod wrthi yn cysuro ei thrueiniaid. Methai fwyta, methai gysgu ac yn waeth fyth roedd yn methu gwybod sut i wneud y peth pwysicaf un, sef ei chysuro hi ei hun. Dywedodd Mr Barlinnie wrtho unwaith ei bod hi'n wraig mor anhunanol â channwyll gan fod pob cannwyll yn ei haberthu ei hun er mwyn rhoi goleuni i eraill.

Cyflwynwyd o i butain ifanc.

Gwasgodd y Fonesig Frances-Hygia Royal afal i'w llaw, 'Dyma anrheg fechan.'

Atebodd hitha, 'Yr anrheg fwya gwerthfawr ydi'ch cael chi yma, Madam annwyl.'

Cyflwynwyd Polmont wedyn i hen ddyn.

'Dyma Risley.'

Gorweddai yno yn sbecian fel babi tros ymyl y garthen; a'i fysedd yn rhwbio rhwbio yn ddi-baid. Suddodd ei ddau lygad yn ddyfnion i'w ben ac roedd ei wep yn llwm a llwyd. Doedd dim gwefusa gwerth sôn amdanyn nhw ganddo fo a phantiai ei gilddannedd wrth sugno croen ei focha'n dwll a'i anadlu'n gwichian o'i frest. Roedd croen ei focha mor sych â'i beswch. Hen ddyn oedd o a dreuliodd flynyddoedd dramor ym Mharadwys yn araf grino yn y gwres. Methai'n lân â chysgu oherwydd gwayw yn ei glun a honno wedi gwywo'n ddim mwy na'i arddwrn. Dim amdani ('nôl barn llawfeddyg) ond ei thorri i ffwrdd, ond ers i'r Fonesig Frances-Hygia Royal dreulio nosweithia ar ei erchwyn roedd yn grediniol ei bod eto'n magu cnawd ac y byddai yn llwyr wella cyn bo hir.

Dododd Polmont hances tros ei ffroen.

Tan deg droedio'n dawel yn ei chysgod tywyswyd o i ward arall.

'Mae'n rhaid ichi fwyta rhywbeth, Madam,' siarsiodd y forwyn; cyn troi at Polmont i grefu, 'Syr, newch chi ofyn iddi fwyta rhywbeth? Tydi hi ddim wedi bwyta'n iawn ers nosweithia lawer.'

Doedd dim archwaeth ganddi ers blynyddoedd.

'Dim ers claddu fy annwyl ŵr.'

Am dri o'r gloch y bore, safodd Polmont yn un o ffenestri'r 'sbytu, yn pwyso'i law ar y ffrâm wrth drio dal ei wynt a dianc rhag y drewdod. Agorodd y ffenest led y pen a sugno awyr oer y nos i'w ffroena.

'Dwi'n teimlo mor ddiwerth,' llefarodd llais y tu ôl iddo, 'teimlo cywilydd o fethu gwneud digon i helpu i neud y byd yn amgenach, brafiach lle ar gyfer plant fy mhlant. Allwch chi ddeud wrtha i pam mae cymaint o dlodi? Pam mae cymaint o ddioddefaint? Pam mae golwg mor racslyd a diobaith ar bobol? Be sy'n yn gyfrifol am hyn?'

Nid oedd yno.

Diflannodd i'r awyr.

Craffodd Polmont; camodd yn ei flaen i'r fan lle bu a sylweddoli ei bod wedi llithro mewn llewyg i'r llawr.

Y daith.

Pwysodd ei phen ar ei ysgwydd. O dipyn i beth, agorodd ei llygaid a daeth ati ei hun.

'Lle ydw i? Lle ydan ni'n mynd?'

'Mynd â chi adra, madam.'

'Na! Fedra i ddim! Fedra i ddim mynd adra! Stop! Stopiwch y goets! Peidiwch â mynd â fi i Sgwâr Hanofer heno.'

'I lle awn ni?'

'Ewch â fi at fy ngŵr.'

Edrychodd Polmont arni'n ddryslyd.

Dywedodd hitha'n dawel, 'Mae'r gyrrwr yn dallt.'

Clip-clopiodd y goets.

'Mewn coets debyg i hon es i i 'mhriodi,' byseddodd y sedd. 'Cofio'r cwbwl fel 'tasa hi'n ddoe. Diwrnod hapusa 'mywyd i. Tada a finna. Cerddad i lawr at allor Eglwys Gadeiriol Port Royal at yr Esgob Parva, cerddad 'nôl a gweld wyneba pawb; wyneba yn llawn cariad. Cerddad allan i'r haul a chofio fod Syr Walton yn byseddu ei fenyg gwynion; tynnu ei fenyg; chwarae hefo'i fenyg; finna ar ei fraich o. Pam oedd o'n mynnu chwarae cymaint hefo'i fenyg a finna ar ei fraich o? Oedd o'n 'y ngharu i 'dach chi'n meddwl?'

'Dwi'n siŵr 'i fod o.'

'Oedd, mi roedd o; ond ro'n i mor ifanc; deunaw oed o'n i a chwech ar hugian oedd Walton. Finna'n teimlo mor ddibynnol arno fo. Fel o'n i ar Tada yn Neuadd Foston. Llawenydd oedd bywyd priodasol ym Mharadwys. Y palas yn Port Royal. Y palas haf yn Pietonville. Y *bal champêtre*. Ei anwyldeb, ei gadernid a'i benderfyniad yn wastadol i wasanaethu, i roi o'i ora er lles yr ynys.'

'Glywis i mai gŵr di-feind ohono'i hun oedd o.'

'Helpu dynion eraill oedd nod bywyd Syr Walton. Doedd o

ddim yn naïf. Roedd o'n gwybod cystal â neb am droeon y natur ddynol. Am genfigen naturiol gwŷr bonheddig. Dynion hunanol. Dynion erill â'u bryd ar ei dynnu fo i lawr a'i lorio. Hyd yn oed pan oedd o'n cael ei lethu gen broblema roedd o wastad yn siriol. Nid nad oedd hynny'n ei atal o dro arall rhag suddo i bydew dwfn o anobaith. Yn llawn hunandosturi – *au désespoir* fel hen ŵr bach y lloer â baich y byd ar ei gefn. Oedd o'n 'y ngharu i 'dach chi'n meddwl?'

Dwi'n siŵr 'i fod o.'

'Dwi wastad wedi crefu am gariad. Twyllo crebwyll merch wnaiff ei chalon hi bob tro. O edrych 'nôl: alla i ddim llai na gofyn i fi fy hun: oedd gen i rywbeth i'w gynnig go iawn? Neu 'ddaru'r ddau ohonan ni sugno'n gilydd yn sych? Sychu'n hunain yn grimp o bob emosiwn gan adel dim byd ar ôl ond gwacter? Ai caru fy ngŵr o'n i? Neu garu fy safle fel gwraig i Lywodraethwr Paradwys?'

'Dwi'n siŵr ych bod chi'n 'i garu fo.'

''Dach chi'n meddwl? O'n i'n amal yn meddwl 'i fod o'n caru ei filwyr yn fwy na fi. Dyna achosodd y ffraeo. A'r tynnu'n groes. Yr ansicrwydd. Yr edliw. Nes dechra malu llestri. Ac un bore, wyddoch chi be nes i?'

'Be?'

'Gwylltio'n gandryll. Paentio ei geffyl gora fo, march gwyn hardd, yn llinella duon. *Au battre faut l'amour.* Wnaeth o ddim rhoi peltan imi. 'Tasa fo wedi gneud, mi faswn i wedi dallt pam yn iawn. 'Falla 'ddaru o ddim am 'mod i'n disgwyl babi ar y pryd; babi fuo farw lai na blwyddyn wedi'i geni. Merch fach oedd hi; yn felyn hen i gyd. Am be o'n i'n sôn? Am be o'n i'n siarad rŵan?'

'Paentio'r ceffyl . . .'

'Aeth Walton yn dawel dawel. Welis i mohono fo erioed mor dawel. Roedd hynny'n waeth, yn llawer iawn gwaeth na 'tasa fo wedi deud rhywbeth. A be wnaeth o? Tywys y march i ganol lawnt y Tŷ Gwyn a'i saethu o hefo pistol trwy'i lygad. Ei ffefryn. Fy nghosbi fi'n waeth trwy gosbi ei hun. 'Dach chi'n gweld? Mynnu wedyn 'mod i'n bwyta'r cig i gyd. 'Ngorfodi fi i fwyta cig y ceffyl pob un tamaid hyd at yr asgwrn; bwyta ei galon, bwyta ei dafod, bwyta pob un dim.'

'Pam na awn ni i weld Iarll Foston?'

'Tada?' (Edrychodd arno'n hurt) 'Be? Adeg yma o'r nos?'

Y bedd.

Syllodd Polmont arno ym Mynwent Eglwys Santes Margaret a gweithwyr plygeiniol y Bragdy yn cerdded heibio i'w gwaith. Daeth y cwbwl yn ôl i'w go. Dyma lle y gwelodd hi o'r blaen; pan oedd o'n cysgu allan yn yr awyr agored cyn ei achub gan Syr William-Henry ar Bont Llundain. Ai Risley oedd yr hen ddyn meddw a aeth â fo i goets ac oddi yno?

'Uchafbwynt fy mywyd oedd geni 'mhlant. Dwi'n cofio'r teimlad: y fraint o roi etifedd i Syr Walton. Y rhyddhad o weld Feltham yn sugno wrth fron ddu. Rhodd i Baradwys gyfan. Gynna'r llonga rhyfel mawr yn tanio yn yr harbwrdd. Diwrnod o wylia i bawb. Picnic yn y Pafiliwn Seneaidd. Uno'r gymdeithas gyfan. Pawb ym mhobman yn dathlu'n llawen. Pawb yn dawnsio – yn rhydd a chaeth – achos doedd ots am hynny ar achlysur o'r fath; pwy oedd yn malio dim? Hyd yn oed rŵan – drwy gau fy llygaid – mi fedra i glywed drymia tom-tom planhigfeydd y brynia'n curo. Pleser mam fuo un o blesera mwya 'mywyd i. Pa swydd sydd ragorach i wraig ifanc? Yr unig graith o siom oedd geni merch yn lle geni brawd i Feltham. 'Dach chi wedi cyfarfod â Feltham eto?'

'Fuo ni ym Mharis hefo'n gilydd.'

'Tydi o'n hogyn galluog?'

'Ydi, mae o.'

'A theimladwy. Ddyges i Stocken-Letitia a fo i ddeall teimlada pobol. Eu hansicrwydd, eu pryderon, eu gobeithion a'u breuddwydion. Dyn felly ydi 'nhad, Iarll Foston. Dyn teimladwy. Wedi claddu Syr Walton, fo ddysgodd Feltham sut i hela, trin gwn a physgota. Dwi'n fythol ddiolchgar iddo fo. A ma' Stocken-Letitia wedi'i haddysgu'n gwrtais yn unol â'i magwraeth tydi?'

'Ma' ganddi aelwyd hardd iawn ym Mharis.'

'Ma' sôn o hyd am ddechra teulu. Biti 'i bod hi wedi colli cymaint. Sut dad fyddai Syr Walton wedi bod i'w fab 'dach chi'n meddwl?'

'Gwych iawn, dwi'n siŵr.'

'Doedd o ddim yn ddyn i ddangos ei deimlada'n hawdd. Dwi'n cofio llewygu yn y gwres un tro, wrth osod torch er cof am rywbeth ne' rywun yn Port Royal . . . Ges i 'neffro ar f'union. Hefo *sangrée*. A Syr Walton yn deud os o'n i'n mynnu llewygu, y dylwn neud hynny yn dawel ym mhreifatrwydd fy ystafelloedd yn y Tŷ Gwyn. Be oedd hynny? Creulondeb? Ne' gyngor doeth ac ymarferol?'

Ar y ffordd 'nôl tua'r goets, mentrodd Polmont holi, 'Fonesig Frances-Hygia Royal, maddeuwch imi am godi'r matar yn yr oria mân fel hyn: ond roeddech chi'n sôn am ddynion yn trio tynnu Syr Walton i lawr. Pwy'n hollol oedden nhw?'

Atebodd ar ei hunion, 'Monsieur Duvalier Le Blanc.'

Tad Mademoiselle Virginie, meddyliodd Polmont yn syth.

'Sut yn hollol fuo eich gŵr chi farw?'

Edrychodd yn syn, 'Ar faes y gad yn Sans Souci, siŵr iawn. Fan'no fuodd o farw. Ma' pawb yn gwbod hynny. A dyna sy'n fy nyddiaduron i. Pam gofyn?'

'Fasa ganddoch chi unrhyw wrthwynebiad i mi eu darllen nhw?'

Deuddydd wedyn.

Prin y cafodd Polmont gyfle i ddarllen ac astudio'r pecyn a ddaeth iddo o'r tŷ yn Sgwâr Hanofer yn fanwl iawn oherwydd deuai Syr William-Henry draw i fwyta ei amser trwy orwedd-ian ar y *chaise-longue* yng nghwr y ffenest, a smocio ei getyn claerwyn hir am oriau bwygilydd, tra oedd yn trin a thrafod beichiogrwydd y Fonesig Maidstone-Susanna Royal.

'A be sy' waetha: ma' 'nhad wedi dŵad i glwad tydi? O'n i'n gwbod y basa fo'n hwyr ne'n hwyrach. Does 'na'm byd nad ydi o ddim yn dŵad i wbod amdano fo.'

Ei ddau benelin ar ei ddau ben-glin a'i ddwylo tros ei wyneb.

'Sut clywodd o?'

Cododd Syr William-Henry ei ysgwydda. Teimlai Polmont fymryn yn euog o'i fradychu trwy sôn wrth Mr Barlinnie am y llythyr; ond bradychu er ei les o a wnaeth y Cofiannydd; ac er lles y teulu. Teimlai fod ei gydwybod, ar waetha poen a gwewyr Syr William-Henry, yn hollol glir.

'Ydi Syr Feltham Royal yn gwbod?'

'Ddim eto.'

'Ydi Iarll Foston yn gwbod 'mod i'n gwbod?'

'Ddeudis i wrtho fo.'

Doedd dim rhaid rhagrithio chwaneg. Rhagrith, meddyliodd wedyn. Oes y fath beth â rhagrith da a rhagrith drwg? Gallai holi'r Iarll am yr hyn a fynnai rŵan ynglŷn â'i efaill. Gallai ei holi'n hawdd am Syr Walton Royal a Mademoiselle Virginie Le Blanc. A fentrai feiddio ei holi am Gelwydd y Seler?

'Be sy'n mynd i ddigwydd?'

'Does ond un peth amdani. Fydd raid i Maidstone-Susanna fynd i ffwrdd dros dro.'

'I lle?'

'Rhywle digon pell. Geni'r babi a'i roi o i'w fabwysiadu. Dyna'r unig ffordd o osgoi sgandal. Cadw'r cwbwl yn dawel a chadw Feltham yn ddiddig.'

'Pa mor bell fydd raid iddi fynd?'

'Gwaelodion yr Eidal.'

'Pam fan'no?'

'Ddigon pell i ffwrdd.'

Drannoeth.

Cododd Polmont yn gynnar i fwrw i waith. Agorodd ddydd-iadur y Fonesig Frances-Hygia Royal ond agorwyd y drws yn sydyn a Syr William-Henry yn brasgamu i mewn ag ogla noson o ddiota yn rhuthro i gyfwrdd â'r Cofiannydd ar flaen ei anadl.

'Ma' hi'n gwrthod mynd! Goeli di?'

'Gwrthod mynd?'

'Ar ei ben. Ddim dros ei chrogi. Os ceith hi 'i gorfodi gan fy nhad mae hi'n bygwth mynd yn syth at ffwcin Feltham a chyfadda'r cwbwl. Ac all cont mor ddwl â fo ddim peidio â meddwl y gwaetha achos tydyn nhw heb rannu gwely ers dros flwyddyn.'

'Be ddigwydd rŵan 'ta?'

Eisteddodd; cododd; camodd draw a throi.

'Ma' Tada a finna'n mynd i siarad hefo hi heddiw.'

O gael ei dynnu i ganol yr helynt, daeth yr holl helbulon i chwarae ar feddwl Polmont a stompio trwy'i deimlada. Pam roedd o mor agored i wewyr pobol eraill? Pam oedd o mor barod i droi eu poen nhw yn boen iddo'i hun? Er iddo droi at ddyddiaduron y Fonesig Frances-Hygia Royal fwy nag unwaith, methai roi ei feddwl ar waith; methai ganolbwyntio; methai wneud y nesa peth i ddim. Darllenodd ryw bytiau hwnt ac yma . . .

O ran prydferthwch, does unman trwy'r byd i gyd yn cymharu ag araf godi'r haul mawreddog tros Baradwys. – Y llethrau coediog trwchus yn eu hanian byw. – Y creigiau geirwon mor

lleisiog wrth i wres y bore erlid y niwl nes datguddio bwrlwm
arian yn nyfnder y glesni llachar. –

O wybod fod storm ar dorri yn y tŷ yn Piccadilly – ac y
byddai Iarll Foston a Syr William-Henry a'r Fonesig Maidstone-
Susanna Royal ym mhenna'i gilydd – a be pe deuai Syr Feltham
Royal neu rywun arall i'r fei? – doedd Polmont ddim am fod ar
gyfyl y ffradach a allai godi. Wrth groesi'r stryd gwelodd goets
yn tynnu at y drws a Rampton yn neidio i lawr. Camodd y
Fonesig Maidstone-Susanna Royal ohoni, byseddu ei gwisg a
cherdded tros y rhiniog.

Tŷ Coffi'r Bedford Head.

Gadawodd yr helbul teuluol y tu cefn iddo a cherdded i
ffwrdd. Teimlad od o braf. Wedi teimlo felly bwl, o fewn dim
teimlai yn euog. Roedd arno ryw gywilydd na allai ei egluro i'w
hun. Meddyliodd am y Fonesig Frances-Hygia Royal a theim-
lodd ryw gynhesrwydd yn ei galon o'i chofio yn y 'sbyty yn
tendiad ar yr hogyn bach; yn rhwbio'r eli ar ei stwmp; yn ei
gusanu'n dyner. Santes oedd hi.

Cerddodd Polmont y strydoedd am hydoedd. Aeth i lawr
hyd at Dŷ Somerset heb iddo sylweddoli a syllu ar longa'n
hwylio i fyny ac i lawr yr afon. Oedodd i fwynhau'r olygfa ond
gan nad oedd wedi bwyta brecwast, roedd arno chwant bwyd.
Trodd ar ei sawdl wedyn a cherdded yn ei ôl hyd at waelod
Stryd Catherine, ac yn ei flaen heibio i'r mân strydoedd a'r cowt-
iau culion ar y dde – Marygold, Denmark, Coral ac yn y blaen –
nes troi i fyny Stryd Southampton ac ymlaen nes cyrraedd
Marchnad Covent Garden.

Eisteddodd yn Nhŷ Coffi'r Bedford Head.

Cododd ei ben wrth glywed llais roedd o'n ei nabod. Y
daearegydd byddar enwog, Mr Grenock MacFluart, a mab y
Barnwr ungoes Mr Garth MacFluart. Eisteddai 'rochor bella i'r
stafell nesa at ddrws y gegin. Roedd yn sionc a hapus; yn
gweiddi siarad nes boddi bwrdd o wŷr bonheddig. Chwardd-
ai'n uchel. Prin y gallai atal ei lawenydd. Gwelodd Polmont toc.
Cliplygadodd, codi llaw ac ym mhen sbel cododd o hen gadair
freichia dderw ddu (er yn dal i siarad), a chroesi ato i ysgwyd
llaw yn wresog.

'Sut mae Iarll Foston?' holodd. 'Mewn hwylia da gobeithio?'

'Cystal â'r disgwyl, syr. Be 'di'ch hanes chi erbyn hyn?'

Ymhyfrydodd Mr Grenock MacFluart wrth adrodd fel y bu iddo gyfarfod â gwraig weddw o Potsdam pan aeth i'r gynhadledd ar natur daeargrynfeydd yn Berlin. Dechreuodd y ddau ohebu. Trefnu i gyfarfod eto at y gwanwyn ym Mharis. Siarad am oria bwygilydd wrth gerdded ling-di-long trwy'r gerddi a hyd y strydoedd a theimlo eu bod yn closio, nes sylweddoli cyn ffarwelio eu bod wedi ymserchu yn ei gilydd.

'Lai na mis yn ôl mi briodon ni!'

Priodi eto. Ni fu mor hapus. Adroddodd beth o'i hanes. Collodd ei wraig gynta ar enedigaeth ei ferch, Miss MacFluart. Ailbriododd â Gwyddeles, gwraig weddw o Corc, ond bu farw o wenwyn plwm mewn colur a ddefnyddiai i wynnu ei chroen. Priododd am y trydydd tro ond llosgodd honno i farwolaeth. Un noson oer, tasgodd sbarc o'r tân, sboncio ati a chynna ei gŵn mwslin wrth iddi frodio ger y tân. Sgrechiodd dros y tŷ wrth weld y fflama'n dringo i fyny at ei gên. Er i'r gwas a'r forwyn a'i ferch ei rowlio yn yr eira y tu allan, doedd dim posib ei harbed a bu farw o losgiada erchyll.

'A phob blwyddyn hyd awr fy marw, mi fydda i'n neilltuo tridia cyfan er mwyn cofio a myfyrio am rinwedda'r tair.'

'Rhaid bod Miss MacFluart, eich merch, wedi bod yn gysur mawr ichi,' dywedodd Polmont.

'Be?'

Ailadroddodd ei hun (â mwy o lais) ond doedd o'n dal heb glywed. Gwaeddodd drachefn, 'Rhaid bod eich merch yn gysur mawr ichi.'

Roedd Mr MacFluart wedi ei glywed yn iawn y tro cyntaf. Tynnodd oriawr o'i logell ac edrych arni, 'Tydi honna ddim yn ferch i mi.'

Terfynodd y sgwrs. Dychwelodd Mr Grenock MacFluart at ei fwrdd braidd yn swta a di-serch. 'Tydi honna ddim yn ferch i mi?' Be oedd o'n feddwl, holodd Polmont ei hun? Y ferch yn Ascot. Cofiodd ei gweld yn sefyll ar y cae ras â'i breichia fry i atal y meirch a'i thaid yn hopio ati; ei thaid yn hongian arni yn druenus a'r meirch yn rhuo'n nes a nes a Thywysoges Cymru yn ebychu'n ddolurus a'r dorf yn rhuo'i llid a phawb yn ei chasáu.

Y dyddiadur.

Agorodd o ar y bwrdd. Gwaith meddwl geneth ifanc oedd o, roedd hynny'n amlwg ddigon o'i harddull a'i diddordeba.

Y ffordd i lawr trwy'r dyffryn o'n palas haf yn Pietonville yw'r mwyaf rhamantus a picarésg y gellid ei dychmygu. – Dodais fy llyfr gwyrdd ar fy nglin a thynnu braslun, rhyw amlinell fras o'n teithio igam-ogam yng nghesail y mynydd. – Cul oedd y ffordd, a honno wedi'i naddu dro o ddannedd y graig. – Ambell waith o boptu gwyrai clogwyni gorlwythog nes gwasgu'r haul. – Berwedig oedd y gwres a braf o'r herwydd oedd clywed rhu llifeiriant afon, ac yn ei chanol, cerrig mawrion y mynyddoedd. – Gwasgais Feltham ataf ond mynnodd wingo'n rhydd. – Mae'n hogyn craff, deallus, llawn egni a direidi. –

Cofnod manwl. Darlun dyddiol, bron, o fywyd yn Port Royal a Pharadwys oddeutu un mlynedd ar bymtheg ynghynt. Syndod iddo oedd sylweddoli fod cymaint o betha wedi newid a llwydo; enwa dillad, ffasiwn gwisg a gwallt, bwydydd a diodydd (– pwy heddiw, mewn difri calon, oedd yn yfed *sangrée* hefo siwgwr a lemwn?) Roedd blas mor hen ffasiwn i'r cwbwl a'r arddull yn drybeilig felly. Chwilotodd am enw Mademoiselle Virginie Le Blanc.

Galwodd Madame Le Blanc a'i merch, Virginie, arnom heddiw, gan ddod â dwsin o gacennau imi'n anrheg. – Tra oeddem yn mwynhau ymddiddan uwch ein coffi galwodd fy mrawd, Syr Edward-Noël. – Fe'n cyfarchodd yn llawn serchiadau. – Y mae wedi tyfu'n sgrabwth o ŵr ifanc tal, deulath o daldra'n hawdd yn nhraed ei sanau, un rhwydd i ymhoffi ynddo a phob amser yn barod i wrando. – Er imi ei gyflwyno yn llawn canmoliaeth, digon trwsgwl a chwithig fu'r sgwrs rhyngddo a Mademoiselle Le Blanc. – Nid ymserchodd y ddau ryw lawer yn ei gilydd. –

Ac eto – o droi'r dalenna'n frysiog – lai na thair wythnos a hanner yn ddiweddarach, roedd y ddau wedi dyweddïo.

Pam?

Be barodd y newid meddwl? Be ddaeth â'r ddau at ei gilydd mor sydyn? Chwilotodd trwy'r dyddiadur; y tro cyntaf yn frysiog i hela am ei henw a'r eildro'n ara deg. A'r trydydd tro yn ara ara. Sylweddolodd yn fuan fod tudalenna ar goll; ôl rhwygo hwnt ac yma; dim ond hanner dalen; staenia inc yn baeddu'r geiria. Enwa, brawddega a dyddiada a chyfeiriada o bob math wedi eu dileu.

Ar y deunawfed o Ionawr, 1767,

A'm valet-de-chambre addfwyn, Dante, yn gweini arnom,

Dante! Syfrdanwyd Polmont! Dante! Bu'r negro yng ngwasanaeth Tŷ'r Llywodraethwr! Yn gweini ar neb llai na gwraig y Llywodraethwr ei hun! Rhyfedd o fyd! Rhyfeddach fyth o gofio'r holl erchylltera a ddarllenodd yn *Terfysg Dante* Doctor Shotts, ac o bryd i'w gilydd byddai'n dal i ddeffro yn chwys diferyd o hunllefu gweld y negroaid yn llifo'r hogyn bach yn ei hanner rhwng dau ddarn o bren ar draws dwy gadair . . .

Neilltuodd Mademoiselle Le Blanc a minnau i'm hystafelloedd i frodio. – Soniodd am ei bywyd yn Macon. – Bu rhyngom sgyrsiau merched. – Dymunai briodi'n fwy na dim a dymuno gŵr i'w chynnal a'i charu. – Gobeithiai y barnai Monsieur Duvalier Le Blanc, ei thad, yn ddoeth ar ei chyfer. – Pan gododd y sgwrs yn hollol ddiniwed ynglŷn â rhywbeth a ddywedodd Syr Walton fy ngŵr, fe wridodd. – A gwridodd drachefn, yn gochach fyth a swilio'n hynod pan holais hi eilwaith ynglŷn â'i barn amdano &c. – Dywedodd wrthyf yn ddiweddarach ei fod yn ŵr bonheddig o doriad ei fogail, llawn cwrteisi a moesgarwch. – Ymunodd yr Esgob & Mrs Parva â ni i ginio. – Cerddodd y pedwar ohonom ar hyd y lawntiau a'r haul yn taro'n gry a nerthol. – Mademoiselle yn canmol fy

Roedd y ddalen wedi'i rhwygo. O ddal un arall yng ngoleuni'r ffenestr llwyddodd i ddarllen cofnod wedi'i rwbio o'r nawfed o Fawrth, 1767,

Cyhoeddir manylion ynglŷn â darpar briodas f'annwyl frawd Syr Edward-Noël Henry Hobart a Mademoiselle Virginie Le Blanc ar dudalen flaen Gazette Brenhinol Port Royal heddiw. – Cyflogir eisoes nifer o seiri i gerfio drysau mahogani Neuadd Foston ar newydd wedd. – Mae yno baentio prysur ar y galerïau. – Y piazza a'r portico hefyd. – Bydd wrth fodd calon gwraig

ifanc fel Mademoiselle Le Blanc o'i chroesawu yno'n feistres. –
Eisoes y mae'n edrych ymlaen ymysg ein cymdeithas at noson
dathlu eu dyweddïad. –

Dyna'r cwbl o sôn amdani. Ar wahân i hynny, dim. Roedd
Mademoiselle Virginie Le Blanc wedi ei dileu yn llwyr. Darpar-
wraig i Syr Edward-Noël Henry Hobart, mab hyna Iarll Foston
o'i briodas gynta ag Isabella Caroline, ac etifedd Neuadd
Foston, ei deitl a'i sedd yn Nhŷ'r Arglwyddi a'i holl gyfoeth.
Mademoiselle Virginie Le Blanc. Darpar-chwaer-yng-nghyfraith
y Fonesig Frances-Hygia Royal. Darpar-ferch-yng-nghyfraith
Iarll Foston.
Be oedd wedi'i guddio o olwg y byd?

Piccadilly.
'Lle ffwc ti 'di bod?' holodd Syr William-Henry, 'dwi 'di bod
yn chwilio amdana chdi ers oria.'
Ynta wedi bod ymhell i ffwrdd; yn bellach nag y gallai ei ddych-
mygu fyth. Dal i droi'n hen surdan roedd helynt Mademoiselle
Virginie Le Blanc yn ei ben. Noson y dyweddïo. Lle a phryd? Be
ddigwyddodd? Pam wridodd Mademoiselle Le Blanc wrth
glywed enw gŵr y Fonesig Frances-Hygia Royal? A fu'r Ffrances
ifanc a Syr Walton yn twyllo pawb?
'Ti'm isio gwbod sut aeth hi?'
'Sut aeth be?'
'Sut aeth be?' Gwawdiodd, 'Wyt ti'n iawn?' cydiodd ym
mraich Polmont a'i stopio hanner ffordd i fyny grisia mawr y
cyntedd tan ryw ddarn-rythu i'w lygaid, 'Oes rhywun 'di 'mosod
arna chdi?'
'Pam 'dach chi'n holi?'
'Be ffwc sy'n bod 'ta? Pam wyt ti mor wlyb?'
Wedi gwlychu at ei groen heb sylwi dim ar ôl ffagio'r stryd-
oedd yn y glaw. Caeodd Syr William-Henry y drws ar barlwr ei
ystafelloedd. Prin y gallai guddio'i hapusrwydd ac roedd ar
dân i gael dweud y cwbwl.
'Fan'no roedd Maidstone-Susanna a finna yn sefyll o flaen
Tada. Aeth hitha i ddadla yn syth, deud 'i bod hi wedi gneud
camgymeriad mwya'i bywyd drwy briodi Feltham ac mai fi
roedd hi wedi'i garu ar hyd y bedlan. Wfftio 'ddaru o. Deud 'i

267

ddeud. Deud 'i bod hi i bacio heno a'i bod hi i fynd i Dover a gyrru i lawr i Nice ac o fan'no i Napoli a'i bod hi i aros yno nes y bydda'r cwbwl drosodd. Dyna'r unig ffordd i osgoi sgandal a'r unig ffordd i beidio â dwyn gwarth ar y teulu. Syniad gwych. Ti'm yn cytuno?'

'Yr Iarll sy'n dallt be sy' ora.'

'Yn hollol. Oedd hi'n gwrando? Oedd hi ffwc! Drodd ata i a dechra troi tu min. Trio 'nhroi fi'n erbyn fy nhad fy hun; crefu arna i i ddadla'r achos ger 'i fron o. Pan fethodd hynny, be wnaeth hi wedyn ond trio'r hen dric.'

'Pa hen dric?'

'Pres. Dadla y bydda raid iddi gael digon o fodd i'w chynnal hi fel y medra hi fyw ar ben 'i digon os oedd hi i dreulio mis-oedd yn Napoli.'

'Be wnaeth yr Iarll?'

'Dyma sy'n rhyfadd. Hyd at hynny, roeddan ni wedi bod yn hollol onast ein tri. Ateb am ateb, dwi'm yn deud, a deud pob math o betha digon brwnt hefyd. Petha hollol sglyfaethus a bod yn hollol onest. Coc mor fach sy' gen Feltham.'

'Naddo?'

'Naddo siŵr Dduw! Tynnu dy goes di; ond bob dim ond, cofia. Dyma fo'n troi ata i a gofyn imi adal y stafall. Allan es i. Aros wrth y drws yn cicio fy sodla a gwasgu 'nghlust ar y pren i drio clywed pa eiria oedd rhyngddyn nhw. Ond chlywis i ddim. Toc, mi agorodd Maidstone-Susanna y drws ac allan â hi. Roedd hi'n dawel, dawel. Edrychodd hi ddim i'n llygad i hyd yn oed ond mi gydiodd yn fy llaw i a'i dodi hi ar ei boch a'i gwasgu hi'n dyner. A mynd.'

'Be ddeudodd Iarll Foston wrthi?'

Cododd Syr William-Henry ei sgwydda wedi iddo danio ei getyn claerwyn hir a dweud yn synfyfyrgar, 'Dyna'r peth. Be ddeudodd o i gael y ffasiwn effaith, tybad?'

Drannoeth, gadawodd y Fonesig Maidstone-Susanna Royal am y Cyfandir.

Y CINIO COFFA

Tishiodd Syr Feltham Royal.

Tu allan i *Mansion House* ffroenai'r ceffyla'n wylltion. Gwisgai holl feirch y teulu hwsin o sidan gwyn ac arfbais y llinach wedi eu nyddu arno. Rampton a agorodd ddrws y goets, a moesymgrymu wrth i Iarll Foston duchan i lawr, a'r stepiau'n gwyro'n is ac is. Safodd, chwythodd, llyfnodd ei ddillad a chau botwm. Estynnodd law i Iarlles Foston i'w ganlyn tra rhuthrai coetsus eraill i'w cyfwrdd o strydoedd Threadneedle, Cornhill a Lombard. Cyrhaeddodd Syr William-Henry a'i wraig yn y goets nesaf, ac o'r drydedd camodd Miss Swinfen-Ann, Miss Styal a Polmont i sefyll ar y Poultry.

Bu'r daith fer yn artaith.

Tishiodd Syr Feltham Royal i'w hances; chwythu'i drwyn a'i lygaid gwlybion yn gochlyd.

'Biti na faswn i'n cael mynd hefyd,' dywedodd Miss Swinfen-Ann, 'dwi wedi gofyn a gofyn i Mama ond cha i ddim. Dwi mor genfigennus o feddwl amdani'n cael mynd i Napoli. Os na eith Swaleside â fi wedi inni briodi.'

Tishodd Syr Feltham Royal eto.

'Faint fydd hi'n 'i dreulio yno?'

'Y gaea i gyd,' atebodd wrth chwythu'i drwyn, 'A'r gwanwyn. Mynd er mwyn 'i hiechyd . . .'

Doedd fiw i Polmont godi ei ben rhag ofn iddo ddal ei lygaid.

'Ddim wedi teimlo'n hanner da. Ddim ers Paris llynedd. Tydw inna ddim hanner da fy hun chwaith. Aflwydd annwyd 'ma . . .'

Tishiodd i'w law. Bu ar ei draed tan wedi pedwar. Oddeutu dau y bora cafodd ei ddeffro pan glywodd sŵn curo enbyd ar ddrws ei dŷ; wedyn ar ddrws ei lofft, ynta'n gorfod ei lusgo ei hun yn hanner cysgu o'i wely cynnes yn hanner ofni clywed fod rhywun wedi marw'n sydyn yn y nos. Gwas oedd yno wedi ei yrru o'r Ysbyty i ddweud fod ei fam wedi llewygu a'i bod hi'n gwrthod gadael. Gwrthod mynd i'w Thŷ yn Sgwâr Hanofer. Gwrthod mynd i unman.

Gwisgodd Syr Feltham Royal amdano tra rhynnai yn yr hanner gwyll; yn rhincian dannedd; yn tuchan yn yr oerfel a'i drwyn yn rhedeg. Rhuthrodd ati. Penliniodd wrth ei hochor; cydiodd yn ei llaw a honno'n oer fel llechen. Gwrthododd ei fam godi oddi ar y llawr; dim ond gorwedd yno â'i dwylo wedi eu plygu ar draws ei brest a'i llygaid ynghau fel y cerflun carreg hwnnw o hen farchog a welodd Syr Feltham Royal unwaith pan oedd yn hogyn bach, ar feddrod mewn hen eglwys. Dywedodd y Fonesig Frances-Hygia Royal nad oedd posib iddi fyth eto fynd i'w thŷ ei hun. Crefodd ynta arni i wneud hynny rhag ofn iddi andwyo ei hiechyd a gorfod mynd i ganlyn ei wraig i'r cyfandir. Roedd hi'n noson eiriog, oer a rhewllyd a hithau'n crynu.

'Tydi'r Egni Du wedi hawlio'r lle i gyd?'

'Mama, tydi'r Egni Du ddim yn bod.'

'Mae'r Egni Du yn bod! Mae o yno rŵan hyn!'

Llwyddodd maes o law i'w darbwyllo i godi ar ei thraed; llwyddodd i'w chael i gerdded oddi yno ac i mewn i'w goets. Gyrrodd ei fam i Chelsea i dŷ Esgob Parva. Cododd yr hen ŵr o'i wely, gwisgo amdano, ac wedi gwrando ar y Fonesig Frances-Hygia Royal yn bwrw ei chŵyn, doedd ond un peth amdani.

Dychwelodd y tri i Sgwâr Hanofer am dri o'r gloch y bore trwy gawod drom o genllysg a rhyw fymryn o eira a ymlonyddai tros y ddinas. Aeth Esgob Parva ar ei union i mewn trwy'r drws i'r tŷ. O fewn dim o dro, gyrrodd y gweision a'r morwynion allan gan siarsio yn daer (yn yr un gwynt) nad oedd neb – neb o gwbwl ar boen bywyd – i fod ar ei gyfyl tra oedd wrth ei waith.

Safodd pawb yn amyneddgar ar gyrion y parc.

'Choeliwch chi fyth, ond yn yr eira roedd 'na ôl pawen ci mewn ôl traed dyn yn darfod draw i'r düwch,' tishiodd Syr Feltham Royal; a chwythu ei drwyn yn swnllyd.

Tywyll oedd y tŷ ar wahân i fflam cannwyll las a ffliciai'n fyr ar ôl mân oleuo gwahanol ystafelloedd, ond yn sydyn, gwibiodd i fyny'r grisia o flaen cysgodion dulas nes dylifo i oleuo stafell ar y llawr ucha yn llachar am un eiliad fain cyn darfod.

'Ddaliodd Esgob Parva'r Egni Du?' holodd Miss Styal yn glustia i gyd.

'Ydi o wedi methu rioed?'

'Yn y botel hirgron gafodd o'i roi y tro yma hefyd?' holodd Miss Swinfen-Ann.

'A'i osod ar drawst ucha un y tŷ. A'i gorcio'n dynn. O leia mae Mami'n gallu cysgu'n weddol dawal rŵan heb orfod poeni.'

Safai cannoedd yno.

Syllodd Polmont ar Iarll ac Iarlles Wellingborough yn disgyn o'u coets a Syr Swaleside yn eu canlyn. Hebryngwyd hwy i fyny'r grisia dan lygaid y torfeydd a oedd wedi ymgasglu i wylio Tywysog a Thywysoges Cymru a gyrhaeddodd yn y goets y tu ôl i goets Polmont.

Oedd Thomas Hobart yno tybed? Oedd o'n eu gwylio o ryw guddfan?

Cafodd y Cofiannydd gip ar Mr Francis Foljambe yn araf sleifio rownd cefn coets (a'i law yn llyfnu tros yr olwyn) ac yn cerdded draw tuag un o ddrysa ochor *Mansion House*. Oedodd. Sbeciodd o'i gwmpas. Sibrydodd yng nghlustia Rampton. Sibrydodd ynta yng nghlustia gweision eraill.

Camodd Polmont heibio i Iarll Foston, a safai ar y ris ucha ger y porth er mwyn cyflwyno Llywydd Newydd y Bwrdd Masnach i'r Tywysog a'r Dywysoges. Cerddodd hitha wedyn yng nghwmni'r Arglwydd Faer. Oedodd Tywysog Cymru am ennyd i siarad â Miss Swinfen-Ann a Miss Styal. Prin y gallai Miss Styal edrych arno heb gochi at ei chlustia a swilio drwyddi a mynd i'w gilydd i gyd gan wasgu bysedd ei dwy law i'w gilydd. Gwenodd a gwrandawodd ei chwaer gan chwerthin yn gwrtais ar y Tywysog yn ceisio ffraethinebu.

Wrth i Polmont hanner troi i'w canlyn i mewn i *Mansion House*, cyrhaeddodd coets arall wrth droed y grisia.

Ohoni camodd y Barnwr Garth MacFluart.

O ddodi ei droed ar y ddaear, 'mestynnodd am ei fagla. Rhuthrodd dau was mewn lifrai i lawr tuag ato, cydio dan ei ddwyfraich a'i gludo'n ysgafn i fyny at y porth. Safai Polmont ac ynta lai na throedfedd oddi wrth ei gilydd.

'Wala, wala, diolch ichi,' gwasgodd y bagla o dan ei geseilia, 'fydda i'n iawn rŵan . . .'

Ei chorun a welodd Polmont gynta; wedyn ei hwyneb wrth iddi gyrraedd copa'r grisia a chamu at ei thaid.

Miss MacFluart.

Y Cinio.

Galwyd mil a phum cant o westeion ar gais cyhoeddwr bloesg at bump o fyrddau hirion. Safent yn rhesi wrth i Dywysog a Thywysoges Cymru, Yr Arglwydd Faer, Iarll Foston a'r Iarlles a Llywydd y Bwrdd Masnach ymlwybro tua'r bwrdd ucha.

Cerddodd Mr Grenock MacFluart tuag at y fan lle safai Polmont y tu ôl i'w gadair. Ar fraich y daearegydd byddar pwysai braich ei wraig newydd, Mrs MacFluart. Y wraig weddw o Potsdam. Gwisgai diara aur a phlu gleision yn ei gwallt, yn ogystal â'r dillad diweddara: roedd yn wraig ffasiynol er bod croen ei hwyneb yn sgleinio'n gochlyd fel prentis cigydd.

'Fydda hi'n bosib ichi 'nghyflwyno fi i'ch tad heno?'

Cwpanodd Mr MacFluart ei glust at geg Polmont.

'Be?'

Cododd ei lais wrth ailofyn y cwestiwn.

'Ai ai. Wrth gwrs,' atebodd; gwasgu ei ysgwydd a symud tua'i gadair ar y bwrdd ucha.

Yr Esgob Parva a adroddai'r fendith gras (a magu rhyw nerth rhyfeddol yn ei lais wrth fwrw trwyddi), 'Duw a feddwl, Duw a ran a bydded iddo waradwyddo bwriada'r gelynion cartref a'r rhai tramor, gan na ŵyr neb ohonom ond Efe pa rai sy' waetha. Amen.'

Gyferbyn â Polmont eisteddai Syr Swaleside. Hanner gorweddian yn ddioglyd yn ei gadair a wnâi, ei fraich yn hongian yn llipa tros ei chefn tan ddylyfu ei ên, ac o'r braidd y cymerodd unrhyw sylw o'r bwyd. Wrth ei ochr eisteddai Miss MacFluart a'i llygaid yn dduon fel eboni. Yn nifaterwch ymateb Syr Swaleside i unrhyw un llai pwysig na fo'i hun, cyflwynodd Polmont ei hun iddi. Er mwyn cael rhywbeth arall i'w ddweud, tynnodd ei choes mewn ffordd braidd yn 'smala.

'Synnu'ch gweld chi yma ar ôl Ascot . . .'

'Bwysig troi ymysg y gelyn er mwyn nabod 'u castia nhw,' dywedodd tan edrych dros ei hysgwydd at y bwrdd agosa.

Wrth ochor Polmont eisteddai Iarlles Wellingborough. O ran codi sgwrs a chwrteisi, holodd hi ynglŷn â'i hail drip i Nice ond o'r braidd y gwrandawodd ar ei hatebion. Roedd ar ormod o biga drain. Dyfalai be ddigwyddai pe deuai efaill Iarll Foston i'r fei . . .

273

Thomas Hobart.

Gyrrodd lythyr at Iarll Foston. Dywedodd y byddai'n cyrraedd i glywed darlith Mr MacFluart ar *Achosion Daeargrynfeydd*. Ailddarllenodd Iarll Foston ei lythyr lawer gwaith; a bu trin a thrafod arno yng nghwmni Syr William-Henry Hobart, Mr Francis Foljambe a Mr Barlinnie. Oedd o'n mynd i ddŵad? Oedd o'n mynd i gadw at ei air? A phe deuai i'r Cinio Coffa be oedd o'n debygol o'i wneud? Dyfalu. Dyna'r cwbwl a allai pawb ei wneud.

Aeth Iarll Foston i deimlo yn ddigysur iawn; aeth yn dawelach; yn fwy mewnblyg a di-sgwrs. Gwyddai pawb fod rhywbeth mawr ar droed; hyd yn oed morwynion a gweision y gegin, a bu rhai o'r rheiny yn treulio oria yn trin a thrafod y newid yng nghymeriad eu meistr. Lledodd ei felan fel rhyw aflwydd trwy'r tŷ. Methodd Polmont chwaith â meddwl am ddim byd arall.

Beth oedd yn mynd i ddigwydd? meddyliodd. Beth a ddywedai'r ddau wrth ei gilydd? Oedd gan Mr Barlinnie neu Mr Francis Foljambe ryw fwriad arall ar sut i drafod yr efaill drwg?

Wrth edrych ar Iarll Foston yn siarad â Thywysoges Cymru, yn peri iddi chwerthin ac yn cyd-chwerthin â hi, ni fyddai neb yn ama fyth y gallai dim byd darfu ar ei hwylia da. Câi Polmont drafferth i ganolbwyntio ar ei fwyd, trafferth i ganolbwyntio ar lefaru di-liw Iarlles Wellingborough. Heibio i benna'r gwesteion, gwelai'r Fonesig Frances-Hygia Royal, yn ei dillad duon, yn eistedd ar y bwrdd ucha, yn syllu'n wag i rywle rywle uwchben y gwesteion ar ryw fan yn y nenfwd.

Meddyliodd Polmont am Syr Walton Royal ac am Mademoiselle Virginie Le Blanc. Dychmygodd eu gweld yn cadw oed. Y Llyw-odraethwr wedi ei ddenu i ryw lith-le dirgel, rhyw goedlan brydferth neu i lawr i gysgod rhyw fôr-gilfach yn nhywyllni nos Paradwys er mwyn i'r ddau gael cydio yn ei gilydd a chusanu . . .

Miss MacFluart.

Roedd ganddi ei barn ei hun am bob dim. Dyna'r peth cynta y sylwodd Polmont arno. Siaradai'n hyddysg; siarad yn hyderus hollol fel un nad ofnai ddadl deg, nes gwneud ati i barablu'n hunangyfiawn gan dorri ar draws sgyrsia dynion heb hidio dim. Tuthiai Syr Swaleside yn ddiamynedd, ei fawd wedi'i wasgu rhwng ei ddannedd, a syllai'n ddiamynedd tua'r gronglwyd, bôn gwydryn gwin yn pwyso ar ei frest wrth iddo suddo'n is i'w gadair.

'Be wyt ti?' holodd Miss MacFluart Polmont, 'Aelod Seneddol arall?'

'Cofiannydd i Iarll Foston,' atebodd. 'A mwy na hanner ffordd trwy'r ddegfed bennod ac wedi gorffen sgrifennu hanes y teulu ym mlynyddoedd Paradwys.'

'Fuodd fy nhaid yn fan'no.'

'Felly o'n i'n dallt.'

Oedodd, syllodd arno â rhyw ddiddordeb newydd. Torrodd Syr Swaleside wynt yn swnllyd a'i ên yn gwasgu i'w frest.

'Bwysig iti warchod dy ryddid i farnu yn wrthrychol, ne' fel arall, pa bwrpas fydd i unrhyw un brynu dy dipyn llyfr di?'

Roedd herio fel ail natur iddi.

'Rhaid i gofiant, fel unrhyw lyfr, fod yn ddiddorol, Miss MacFluart –'

'Wadis i mo hynny –'

'– ac yn atyniadol i'r darllenydd, ac i'r perwyl hwnnw amcanu at gyfleu natur a phersonoliaeth gyfan gron Iarll Foston yn ei holl amlochredd fydd fy nod.' Clywodd ei lais yn codi; a'i oslef braidd yn hunandybus a mymryn yn fostfawr ond daliodd ati yr un fath, 'A diddordeb yn ei gilydd sy' gan ddynion o flaen pob dim arall; diddordeb ysol yn nhroeon chwithig y natur ddynol sy'n fythol newydd i bob cenhedlaeth; er 'mod i'n cydnabod yr angen i danlinellu'r cwbwl hefo sylfaen gadarn o syniada, yn ôl cais fy noddwr.'

'Petha perig ydi syniada.'

Dyna'r cwbwl a ddywedodd. Yn swta braidd i'w feddwl o. Dyna ni. Roedd hi'n amlwg o'i hedrychiad fod rhyw fater arall yn pwyso'n drwm ar ei meddwl. Edrychodd draw tuag at ei thad ar ben y bwrdd, hwnnw'n sbecian tros ei araith ac yn amlwg yn mwytho ambell ymadrodd. Eto – roedd ynddi dristwch neu angerdd rhyw argyhoeddiad, meddyliodd Polmont. Beth bynnag oedd o, roedd yn edrychiad na welodd erioed yn yr un ferch ifanc arall.

'Wn i am rywun arall sy' wrthi rŵan hyn yn sgrifennu cofiant i Iarll Foston hefyd,' dywedodd a'i hedrychiad yn bryfoclyd.

'Cofiant?'

'Ers o leia blwyddyn.'

275

'Chlywais i 'run si na miw.'

'Go brin.'

'Pam go brin?'

'Ti'm yn troi'n y cylchoedd iawn i glywed.'

Peth od i'w ddweud, meddyliodd. Synfyfyriodd am ennyd cyn gofyn, 'A pha bryd y bydd y Cofiant yma'n y siopa?'

'O fewn dim . . .'

''Dach chi'n siŵr?'

Gwamalu roedd hi. Direidi merch ifanc. Tynnu coes. Fel un o dricia Miss Swinfen-Ann. Doedd bosib ei bod hi o ddifri. Gwyrodd dros y bwrdd, syllu draw ato a dweud, 'Fydd y gwir plaen i gyd yn hwn.'

Daliodd Polmont ei llygaid duon. Ni wenodd. Cododd ei phen a sychodd ei gwefusa â'i llawliain.

'Tynnu 'nghoes i 'dach chi, Miss MacFluart?'

Difrifolodd, 'Ddim o gwbwl.'

'Pwy ydi'r awdur?'

'Efaill y dyn sy'n mynd i siarad rŵan.'

Cododd Iarll Foston ar ei draed i gymeradwyaeth frwd.

Chwalodd meddwl Polmont yn chwil.

Thomas Hobart yn sgrifennu Cofiant? Difetha'r Iarll? Wrth gwrs! Doedd y cwbwl mor amlwg â'r dydd? Rhybuddiodd Iarll Foston fo fwy nag unwaith y byddai amryw byd o bobol yn ceisio manteisio arno i dalu'r pwyth yn ôl; setlo amal i gownt hefyd, mae'n siŵr. Masnachwyr chwerw, bancwyr eiddigeddus, gwragedd milain (yn achub cam eu gwŷr), gweision neu forwynion a daflwyd ar y clwt ganddo o dro i dro . . .

Y diwrnod cynt – ddoe ddwytha yn y byd – wrth iddo gerdded i fyny Stryd Wych ac i lawr i Stryd Stanhope Fach, syhwyrodd fod rhyw gysgod yn llithro ar draws ei gysgod. Wrth iddo igam-ogamu trwy stondina Marchnad Clare, sydyn stopiodd, troi ar ei sawdl a dŵad wyneb yn wyneb â rhyw lynghyryn main o ddyn a glosiodd at ei gesail. Trwy gil ei geg holodd a oedd diddordeb ganddo mewn gwybod hanesyn neu ddau am Iarll Foston. Honnodd yn daer fod ganddo sawl stori werth chweil i'w hadrodd a ddim y fo oedd y cynta i sleifio ato fel rhyw wiwer fechan yn llawn o ryw ddirgelion chwaith. Aeth y ddau i Dŷ Coffi yr Enfys, ger Cornhill. Ac yn naturiol, wedi i Polmont brynu seidar iddo, y dywedodd ei hanes . . .

Tydi o'n beth rhyfedd mor hirwyntog y gall dynion heb fawr o ddim i'w ddweud fod? meddyliodd Polmont. Gwyddai o brofiad am ddynion a oedd yn fwy na pharod i chwedleua am Iarll Foston; yn fwy na bodlon i ymgomio ac ymddiddan am oria bwygilydd am y peth yma a'r peth arall. Maen nhw'n amal yn gwneud môr a mynydd o'r manion lleia; ac yn slotian ei hochor hi'r un pryd. Ond tindroi a wnâi'r rhan fwya trwy fwydro ac ati. Mae pob dyn yn gallu siarad ond faint mewn gwirionedd sy' byth yn dweud dim byd o bwys?

Daeth i ddallt (wedi rhagymadroddi hir) nad gwas i Iarll Foston fuo fo o gwbwl ond gwas i'r Iarlles. Cyfaddefodd iddi ei hel o'i thŷ wedi iddi ei ddal un pnawn yn y gwely hefo'r forwyn. Dyrnodd ar ddrws y llofft. Mynnodd eu dwrdio, a hynny mewn tymer ofnadwy. Maluriodd lestri. Nid oedd gwraig greulonach na hi'n bod. Gorfodai weision a roddodd wasanaeth teilwng iddi yn y tŷ i fynd i weithio yn yr ardd neu adael. Dywedodd mai twyll oedd ei dedwyddwch cyhoeddus a bod ganddi broblem; doedd dim stop ar ei slotian a'i llymeitian . . . Dywedodd Polmont mai lol oedd ei stori; codi ar ei union a gadal.

Os oedd Thomas Hobart wrthi o ddifri – be wyddai o na wyddai Polmont amdano?

Yn bwysicach be feiddia gyhoeddi?

Celwydd y Seler?

Pesychu.

Hidlaid o chwerthin ar y bwrdd nesa yn chwalu'n fân.

'Eich Uchelder, Arglwydd Faer, Llywydd y Bwrdd Masnach. Cyn imi ofyn i Mr Grenock MacFluart godi i draddodi'r ddarlith flynyddol, mi garwn i ddweud gair o brofiad am y sgwrs ola un rhwng Syr Walton Royal a finna ar ynys Paradwys flynyddoedd lawer yn ôl bellach. Sefyll roeddan ni'n dau yn hun a hedd y cyfnos ger porth pabell yn meddwl am y frwydr drannoeth yn erbyn lluoedd Ffrancod Martinique. Ar ganol y sgwrs yn sydyn, dyma fi'n ogleuo rhyw ogla na bu erioed ei debyg, ogla na chlywodd o na fi ei fath yn ein byw erioed.

Ogla a'n llonnodd ni gan mor bersawrus oedd o. Dilynodd y ddau ohonon ni ein trwyna er mwyn ei ganlyn at ei darddiad. Heibio i bebyll y milwyr, heibio i'r magnela llonydd, heibio i ffin y gwersyll, heibio i glwmp o goeden gnotiog lle safai milwr yn ei chysgod, nes camodd y ddau ohonom ni i dywyllwch y goedwig a'r ogla'n cryfhau â phob un cam. Ymlaen trwy'r tyfiant ac ymlaen hyd at dorlan afon a'r lleuad uwchben yn grwn a chlir – ac yna, yn sydyn, darfu. Wedyn dim. O ba le y daeth o? Yr ochor bella i'r afon? I ba le yr aeth o? Y goedwig? Yr awyr? Y pridd?

Dychwelyd yn siomedig tua'r gwersyll a wnaeth Syr Walton Royal a finna tan ei drin a'i drafod, yn ceisio dal ei hanfod, a'i ddwyn i go, ond rhith yn cilio â phob un gair oedd yr ogla a fu gynt mor hollbresennol a heno . . . heno,' caeodd ei lygaid, gwasgodd ei ddeuddwrn ar y bwrdd, ei godi'i hun ar flaena'i draed fymryn a thynnu anadl ddofn i'w ffroen, 'o'r braidd y galla i hyd yn oed ddechra ei ddisgrifio fo ichi. A pham? All geiria holl ieithoedd y greadigaeth fyth obeithio dechra cyfleu ei rin i neb. Gyfeillion, ydi hyn ddim yn profi un peth uwchlaw pob dim arall inni?'

Oedodd; syllodd yn hir i fyny ac i lawr y byrdda; mynwes ar fynwes yn hongian yn ei saib, yn disgwyl gwaredigaeth ei ateb.

'Dirgelwch ydi hanfod bywyd.'

Cododd ei ên, cododd ei lais yn uchel.

'Gochelwch yn wastadol rhag dynion sy'n honni egluro pob un dim; dynion parod eu hatebion ar bob pwnc dan haul y greadigaeth; dynion brwd eu safbwynt ym mhob dadl ar fater byw a bod; dynion hyderus sy'n hyderus honni y gallan nhw egluro hyn a'r llall ac arall; yn waeth, dynion ifanc sy'n cynnig atebion hawdd i broblema'r oes a phob oes sydd i ddod! A pham? Mae dynion felly'n magu hyder! Mae dynion felly'n bod! Mae dynion felly'n canu clodydd rhyddid!'

Oedodd, cydiodd yn ei wydryn dŵr, pwysodd a mesurodd bob un gair cyn eu llefaru yn groyw glir, 'Rhyddid, gyfeillion, ydi'r felltith sy'n lladd.'

Sylwodd Polmont ei fod wedi hoelio ei edrychiad ar ddrysa ym mhen eitha'r ystafell; yn union fel pe bai yn dyheu am weld wyneb ei efaill; yn ewyllysio iddo gerdded i mewn i glywed ei eiriau. Cododd Mr Grenock MacFluart ei ben o bapura ei ddarlith i syllu arno. Ymystwyriodd y byrdda fymryn o feddwl ei fod wedi cael caff gwag, ond cododd ei fraich.

'Pan fo rhywun yn gofyn i mi – ac mae amryw byd wedi gofyn yn eu tro, 'Pam, Iarll Foston, syr, pam mae dynion mor barod i ladd ei gilydd? Pam? Mmmm? Mae o'n gwestiwn y dylem ni i gyd oedi a myfyrio uwch ei ben o bryd i'w gilydd; petasai hynny ond er mwyn lles a iechyd a dedwyddwch ein plant a phlant ein plant.'

Sychodd Mrs Parva rywbeth o'i llygaid â chornel ei hances.

'Yn anffodus, rydw i'n gorfod ateb fel hyn: oherwydd yr hyn sy'n nofio yn eu gwaed nhw.'

Cytunodd rhywun trwy dapio'r bwrdd â'i lwy.

'Mae dynion yn mwynhau lladd ei gilydd! Dyna'r gwir noeth amdani! Mae llawer iawn yn yr oes sydd ohoni yn troi eu trwyna braidd ar yr hen ddihareb, 'Gorau rhyddid, rhyddid mewn cyffion', ond gadewch imi ddeud – a'i ddeud o â phob difrifoldeb hefyd – ei bod hi'r un mor wir heno a'r un mor berthnasol pan godwn ni i gyd bora 'fory ag oedd hi'n nechra amser pryd y'i bathwyd gan ryw hen ddoethwr yng nghwr ei ogof.'

Cododd ei fraich i'r entrychion; cododd ei lais, 'Os dirmygir, os poerir gwawd ar nerth awdurdod, traddodiad a sefydliada ein cymdeithas, –

Ochneidiodd Miss MacFluart yn llaes a rowlio'i llygaid; tinicial ei gwydryn gwin â'i gewin.

'– yna, a'n gwaredo ni!' Taniodd ei lygaid, ''Tasa gan ddynion unrhyw rithyn o grebwyll, unrhyw lygedyn o ddoethineb, fe ddylen nhw garu heddwch a chasáu rhyfel. Mae pob llyfr hanes, a phrofiad dyn, yn dangos yn glir inni mai fel arall yn hollol mae hi. Yn ddwfn yn hanfod ein natur mae yna ryw ddüwch diwaelod . . .'

Cytunodd yr Esgob, 'Clywch, clywch.'

'Achos ein bod ni oll ac un, pob dyn, yn gaeth i'w natur. A be ydi dyn ond creadur aflan, diddeall sy'n trigo yn y cyflwr truenusa tan felltith rhyw erchylltra sy'n mynnu ei waed o. Os na choeliwch chi fi cerddwch i'r dafarn agosa rŵan hyn, ac oni bai fod yno dafarnwr craff (a chorff o ddeddfa'n gefn iddo fo i gadw trefn), buan y basa rhywun yn dechra pwyo rhywun arall. Mor hawdd. Mor ddifeddwl. Mor ddifalio. Gan darfu ar ddedwyddwch a mwyniant pawb arall yno, a hyd yn oed yn yr achosion gwaetha byddai'r twrw yn goferu i'r stryd tan amharu ar ddedwyddwch chwaneg o bobol. Does dim hawsach gorchwyl ar wyneb y ddaear na chymell dynion i ddyrnu ei gilydd, llawer iawn haws na'u cymell nhw i neud diwrnod gonest o waith!'

Chwarddodd y neuadd yn hir. Tawelodd wedyn; disgwyliodd ynta am y distawrwydd llethol.

'Mae un peth yn hollol berffaith saff: dyw rhoi rhyddid i bawb trwy'r holl fyd crwn cyfan ddim yn warant y bydd heddwch yn lledu yn ei sgil fel môr o dangnefedd. I'r gwrthwyneb. Po fwya o ryddid a ganiatéir, mwya ydi blys dynion i ryfela â dynion eraill (ne' i gwffio ymysg ein gilydd). Gwŷr y syniada ffasiynol, gwŷr diddeall sy'n bloeddio byth a beunydd am ryddid o ben toea'r tai – y meddylia plentynnaidd, yr anaeddfedrwydd syrffedus i feddwl y bydd bendithion rhyddid yn newid natur yr hen Adda -'

'Clywch, clywch!' cytunodd Tywysog Cymru.

'– ei newid i'r fath radda fel bo'r awydd i greu llanast a lladd yn darfod fel niwl y bore? Tyfwch i fyny, bendith tad! Aeddfedwch! Os ydi dynion mor ddaionus â hynny, paham y daeth llywodraetha'r byd i fod? Pam y tyfodd sefydliada cymdeithasol? Paham y perchir ffyddlondeb dyn i ddyn? Pam y mawrygir doethineb traddodiad? Paham y pwyslais ar werth diwylliant ac addysg? Paham mae neges efengyl ein hanwylaf Arglwydd Iesu Grist yn ddiamheuol ganolog i fywyda pob un ohonom ni? A pham? Am fod rhaid rheoli natur anystywallt dyn a'i ddarostwng, ac i'r perwyl hwn yr ildiwn ni oll ac un ryw gymaint ar ein rhyddid personol – neu beth a ddeuai ohonom ni fel arall? Dychwelyd i fyd Natur fel y carai rhai inni ei wneud? Penrhyddid barbaraidd sy'n y gors a'r goedwig, a byr a budur fyddai bywyd yno – a dwi'n siarad o brofiad.'

Cododd ei wydryn, cododd y byrdda fel un.

'Eich Uchelder, rydw i wedi ei ddweud o sawl tro o'r blaen, ond mi ddeuda i yma eto heno – ei ddweud o â phob didwylledd hefyd, er coffadwriaeth y gŵr rydan ni wedi ymgasglu yma heno i dalu gwrogaeth iddo – y gŵr a wnaeth ei ran yn fwy na neb tros wir ryddid a gwir gyfiawnder', – trodd i edrych ar ei ferch hyna, y Fonesig Frances-Hygia Royal, a gostegodd ei lais a lledodd rhyw gryndod trwy'i oslef – 'Cyfenw un dyn oedd Royal i gychwyn, ac a ddaeth wedi hynny yn enw teulu; yna, am genedlaetha lawer cariwyd yr enw gan linach nes maes o law cafodd ei anrhydeddu yn enw prifddinas a phrif borthladd ynys. A phwy a ŵyr na ddaw Royal ryw ddydd yn enw gwlad neu'n enw ar gyfandir ac yn enw anrhydeddus ar wir achos Duw yn y byd? Oherwydd allwn ni byth wybod gwerth ei fywyd, hyd nes yr elo'r nef a'r ddaear heibio. A phan ddiflanno holl ddedwyddwch a thrueni amser fel hudoliaeth breuddwyd, yna dwi'n siŵr y bydd miloedd, dega o filoedd, yn diolch am iddo fyw cyhyd ag y gwnaeth, yn wir wasanaethwr i'w Arglwydd a'i Frenin, ac yn offeryn bendigaid eu gogoniant hwy – i'r annwyl ddewr ddiweddar Syr Walton Royal.'

Daliodd wydryn fry, 'Rhyddid yw'r felltith sy'n lladd.'

Bloeddiodd y muria, 'Rhyddid yw'r felltith sy'n lladd.'

Cymeradwyaeth frwd. Sychodd Iarll Foston ei dalcen wrth eistedd. Dododd Tywysoges Cymru ei llaw i orwedd ar ei fraich tan sibrwd ychydig eiria i'w glust. Nodiodd Iarll Foston a gwenu'n wylaidd. Gwahoddwyd Mr Grenock MacFluart i sefyll. Sylwodd Polmont fod Mr Francis Foljambe yn sefyll tu ôl i gadair Iarll Foston; gwyrodd i sibrwd yn ei glust. Esgusododd Iarll Foston ei hun; cododd a cherddodd draw at Syr William-Henry a safai wrth ddrws ochor a chamodd trwyddo.

Cododd Polmont tan lygaid Miss MacFluart a rhuthro i'w canlyn.

Dau ddyn.

Yn yr stafell nesa at y neuadd llanwyd y fan ag ogla *eau de cologne* pan gerddodd Polmont trwy'r drws i weld Iarll Foston yn sefyll yno â'i lygaid yn llonydd.

'Lle ma' f'efaill?'

Rhythodd ar ddau ddyn tlawd a safai yno. Un yn hen a'r llall yn ifanc. A golwg saith tlotach na gwraig y tincer ar y ddau, croen yr hyna wedi melynu a chefn yr ieuenga wedi crymu ac ynta ond ym mloda'i ddyddia. Safodd Polmont wrth ysgwydd Rampton. Safai Guernsey a thri o weision eraill ger y porth allanol.

'Sgynnoch chi dafoda?'

Atebodd yr hynaf toc, 'Tystion ydan ni.'

'Gadwith o at 'i air?'

Safodd pawb yn boenus. Sychodd Iarll Foston y chwys oddi ar ei wyneb bras; sychodd ei wddw a'i wegil; roedd ei hances yn wlyb diferyd. Dygwyd gwydra o win ond ni dderbyniodd neb wydryn. Agorodd y drws y tu ôl i Polmont a chododd llais Mr Grenock MacFluart o'r neuadd.

Gwrandawodd arno'n sôn am ddadansoddi gwneuthuriad

cerrig y blaned. Sôn am ddyfnderoedd o nitr, llynnoedd o olew a allai gynna rhyw fygfaen brwmstan yng ngheudylla'r ddaear, nes peri i hwnnw fynnu lle i wasgu allan wrth fynd benben yng ngwasgfa'r graig â nwyon eraill o groesnatur nes peri ffrwydrad a hollti croen y byd. Nid oedd y daearegydd fawr dicach p'run ai'r man hwn oedd union darddle'r daeargryn, ynta ai ei effaith arwynebol yn unig oedd yr hollt hwn ymysg nifer o rai tebyg.

Caeodd y drws, ciliodd ei lais: a dim ond ei sŵn yn bwmio'n annelwig. Gwthiodd rhywun y drws; camodd Polmont o'r neilltu.

Miss MacFluart.

Safai wrth ei ysgwydd. Llosgai llygaid pawb ar y drws allanol. Pawb yn disgwyl gweld Thomas Hobart yn camu drwyddo. Mwmialodd Mr Francis Foljambe rywbeth o dan ei ddannedd, rhywbeth na ddeallodd neb mohono. Rhwng bys a bawd daliodd Iarll Foston wydryn gwin gwag.

'Gobeithio nad ydi o'n yn mynd i ddechra chwara mig.'

Trodd a sylwi ar Miss MacFluart. Gwenodd. Cododd Iarll Foston wydryn i'w wefusa, ei sipian, ei sgwrio yn ei geg a'i lwyrlyncu.

'Ddaw o ddim heno.'

Trodd pob wyneb i syllu ar y ferch ifanc wrth ochor Polmont. Fferrodd Iarll Foston, araf drodd Syr William-Henry i edrych arni a stopiodd Francis Foljambe chwarae â'i lawes.

'Mi yrrodd o fi yma ar 'i ran o.'

Craffodd yr Iarll arni.

'Be? Gyrru merch ifanc ar 'i ran o? Gŵr yn 'i oed a'i amser?' Gwenodd, 'Ddim yn ddigon o ddyn i ddŵad yma 'i hun?'

''I benderfyniad o oedd hynny.'

'Dyn y mae ei ddyddia fo'n prinhau, a'r bedd yn agosáu? Siawns nad oes dim byd ond anga yn codi ofn ar ddyn felly? Mmm? Yn lle mae o?'

'Ofynnodd o imi beidio deud.'

'Sut mae o?'

'Cystal â'r disgwyl.'

'Ydi o'n dechra colli blas ar fyw? Yn ca'l traffarth cnoi? Sut y bydd o'n gneud? Rhyw how hannar poeri ei fwyd i lawr ei gorn gwddw? Diodda camdreuliad, poena yn 'i gylla?' Cleciodd ei ddannedd gosod ifori yn ei gilydd.' Pâr da yn costio'n ddrud, 'nenwedig rheiny sy'n ffitio'n glên a ddim rhwbath rhwbath o bren sy'n hambygio ceg dyn yn gan gwaeth.'

O gil ei lygaid gwelodd Polmont Mr Francis Foljambe yn chwarae hefo rhywbeth – cyllell? – yn ei lawes. Trechodd surni chwys y sebon sent oherwydd i ryw hogyn cringoch, blin iawn yr olwg wthio ei ffordd i'r fan a gwingo sefyll yno tan rythu'n sarrug. Daliodd Iarll Foston ei ben ar ogwydd, 'Pam mae o â'i lach arna i? Pam y bygythion yma? Be ydw i wedi'i neud? Pam mae o'n 'y nghasáu fi gymaint? Siawns na fedra i ddisgwl atab i hynny?'

'Os 'dach chi o'r farn mai gweithredodd dyn ydi'r hyn ydi o – yna wedyn, ydi, o bosib, mae o'n eich casáu chi.'

'Pan fo dyn yn honni'ch casáu chi, casáu ei hun mae o oher-wydd fod arno fo ofn wynebu'r dryswch oddi mewn. Ond ma' 'nghydwybod i'n berffaith glir, Miss. Deudwch chi hynny wrtho fo.'

'O lwgrwobrwyo etholaeth?'

'Lle mae'r dystiolaeth?'

'Sawl golygydd papur newydd sy'n eich poced chi? A'r ysbyty 'ma sefydloch chi? Er mwyn plant amddifad? Achub merched trythyll? Neu ai ffordd hawdd i borthi'ch llonga hefo morwyr, priodi eich goruchwylwyr yn y planhigfeydd, a chael chwanag o lafur yn rhad ac am ddim?'

'Cyhuddiad difrifol iawn tydi?' difrifolodd; tyfodd rhyw dristwch trwy'i lais; rhyw leddfdod trwy'i ochenaid.

Ni chymerodd unrhyw sylw o neb na dim. (Roedd hi'n mwynhau bod yn ganolbwynt yr holl sylw.) Rhagddi yr aeth yn eofn a hollol ddigywilydd, 'Sawl ffowndri a ffactri sy'n cynhyrchu arfa i'w gwerthu i lwythi yn Affrica yn gyfnewid am gaethion?'

'Ers pryd mae caethwasiaeth yn anghyfreithlon?'

'Pam 'dach chi hefyd yn trio trwyddedu gwerthu i fyddin Ffrainc? Nhwytha byth a hefyd yn brwydro yn ein herbyn ni? Alla gwn trwy law Monsieur Clerent-Languarant ladd eich mab eich hun yn hawdd.'

'A'r cyfoeth dwi'n ei greu sy'n hidlo i lawr trwy weddill cymdeithas? Er fy mwyn i yn unig mae hynny hefyd?'

Bu'r llanc ifanc cringoch yn gwingo ers meityn; brathai ei dafod; aflonyddai, a thrwy ambell air bu'n annog Miss

MacFluart i ddal ati. Yna, daeth rhywbeth drosto; rhyw fileindra erchyll; ac yn sydyn, fe'i chwyrnhyrddiodd ei hun o gwr y grisia, 'Fedra i'm diodda gwrando chwaneg!' bloeddiodd nerth esgyrn ei ben. Gwthiwyd Miss MacFluart o'r neilltu wrth iddo gythru am wddw Iarll Foston; sgrechiodd fel dyn yn diodda o ryw aflwydd diobaith. O drwch blewyn y llwyddodd Polmont i arbed Miss MacFluart rhag cael codwm. Fel dwy fellten, disgynnodd Rampton a Guernsey ar yr hogyn ifanc cringoch.

Gwaeddodd ar Iarll Foston â bloedd o gongol ei geg, 'Rhyddha'r caethion! Rhyddha nhw rŵan!'

Dychrynwyd Miss MacFluart.

Dyrnodd yr hogyn cringoch y gweision; neidiodd o'u gafael. Adlamodd wedyn wrth weld bwlch bachog a'i hyrddio ei hun ar yr Iarll drachefn, 'Y basdad! Y basdad!'

Llusgwyd yr hogyn allan i'r stryd.

Holodd yr Iarll wrth ei dwtio'i hun, 'Pwy yn y byd oedd hwnna? Un o ddynion gwyllt fy efaill?'

Atebodd Miss MacFluart, 'Peidiwch ag edrach arna i. Welis i mohono fo rioed tan heno.'

Clywodd Polmont Rampton yn sibrwd yng nghlust Mr Francis Foljambe wedyn mai enw'r hogyn cringoch oedd Wakefield.

Dadl y ddaeargryn.

Clecian clecian ar hyd a lled yr ystafell wledd; cymeradwyaeth yn torri fel tonna ar draeth; siffrwd, lleisia'n codi mewn murmur, pytia o ddadla, clindarddach anghytuno hwnt ac yma. Agorodd y drysa: gwŷr bonheddig yn stwytho'u coesa, yn llacio'u cyrff a mwg tybaco yn boddi arogleuon y stafell i gyd.

'Miss?' holodd yr Iarll (gan gydio ym mhenelin Miss MacFluart a'i thynnu o'r neilltu), 'Os rhoith fy efaill y gora i'r bygythion yma yn f'erbyn i, deudwch wrtho fo y gwna i daro bargen . . .'

Boddwyd o'n llwyr gan lanw'r dorf ac yn eu mysg Tywysog a Thywysoges Cymru. Clywodd Polmont chwerthin Iarlles Foston o rywle 'rochor draw.

Cynddeiriogwyd yr Esgob hyd at gynddaredd, 'Ynfyd! Ynfyd! Hollol hollol ynfyd ydi trio canfod achosion unrhyw ddaeargryn mewn Natur ar sail wyddonol. Ffolineb o'r radd flaena un. Ma' amgenach ffordd o'r hanner i ŵr o alluoedd dreulio ei amser na gwag-ddyfalu uwch dirgelion y greadigaeth yn y dull yma.'

'Esgob Parva –' dechreuodd Mr Grenock MacFluart a nodiada'r ddarlith yn feddal yn ei law.

'Yr hyn sy'n achosi daeargryn ydi'r Creawdwr yn glân ddigio wrth hiliogaeth o droseddwyr. Duw, a Duw yn unig, a ŵyr beth sy'n llechu yng nghilfacha'r galon yn ogystal â'r hyn sy'n llechu yng nghilfacha'r ddaear. Digwydd daeargryn o fewn ei Drefn i gyffroi dynion i sylweddoli eu bod yn byw mewn gwrthgiliad oddi wrth fendithion y Nefoedd.'

Miss MacFluart a amddiffynnodd ei thad.

'Allwn ni ddim bod yn erbyn Natur nac y tu allan iddi, gan ein bod yng nghanol Natur, yn ddibynnol arni ac eto tydan ni'n deall y nesa peth i ddim amdani. Er lles ein hiechyd y mae'n rhaid inni ddeall yn well y berthynas rhyngom ni a hi.'

'Yr unig beth sy'n rhaid ei ddeall ydi'r berthynas rhyngom ni a Duw.'

'Pam gollodd taid ei goes? Oherwydd Duw? Pam chwipiwyd fy Nain i'r nefoedd? Oherwydd Duw?'

Camodd Esgob Parva ati a chodi ei fys i'w dwrdio, 'Mae goruchwyliaetha'r Iôr yn gymysgedd o drugaredd a barn a'i ddisgleirdeb yn rhagorol. Ond troseddwr ydi dyn, Miss MacFluart. Troseddwr a alltudiwyd o baradwys.'

Trodd hitha'n sydyn at Polmont a gofyn, 'Be ti'n feddwl?'

'Fi?'

Atebodd hitha yn ei rhediad yr un fath, 'Ddeudwn i, Esgob Parva, mai rhan o'n hanhapusrwydd ni ar y ddaear yma ydi'n hanwybodaeth lwyr ni o Natur. Dwi'n grediniol fod astudiaeth ddofn ohoni, astudiaeth wyddonol, yn fodd i oleuo'r natur ddynol, ac yn bwysicach, i oleuo'n llwybr ni tua'r dyfodol.'

Doedd yn dda ganddi'r Esgob na'r gwmnïaeth. A doedd yn dda gan yr Esgob na'r gwmnïaeth hitha chwaith ac aeth rhagddo i sôn am hanfod gwyrthia, hanfod dirgelwch a'r angen am awdurdod ym mywyd dyn gan ryw frith ddyfynnu brawddeg neu ddwy o araith Iarll Foston. Ceisiodd y Barnwr MacFluart gymodi trwy dawelu ei ferch ond methodd. Cododd yr Esgob ei lais a chlywodd Polmont y Barnwr Garth MacFluart yn gorchymyn ei wyres i dewi gerbron ei gwell.

Chafodd y cerydd ddim effaith. Tywysog Cymru a gymod-
odd rhwng y ddau yn y diwedd drwy ddweud fod dadl deg
wastad i'w chymeradwyo, cyn darfod yn annelwig a niwlog a'i
frawddega'n ara hesbio'n ddim ond ambell air ac yna'n ambell
ebwch wrth iddo fynd yn brin o allu i fynegi yr hyn oedd ar ei
feddwl.

Y Cofiant.

Er i Polmont drio canolbwyntio ar waith, roedd y gwaith mor
galed â dringo talcen tŷ â'i winedd. Roedd lleisia yn ei ben yn
tynnu'n groes – llais Iarll Foston, llais yr Esgob Parva, ond yn
bwysicach o'r hanner, llais newydd haerllug a hunangyfiawn
Miss MacFluart. Sut y gallai Polmont ddal ati o ddydd i ddydd
hefo unrhyw hyder os oedd Thomas Hobart yn sgrifennu Cof-
iant arall?

Ailddarllenodd y penoda cyntaf o'i waith ei hun fwy nag
unwaith. Celwydd Mr Francis Foljambe yn sgrechian arno.
Celwydd marw Syr Walton Royal yn troi ei stumog. Methai'n
lân â barnu a oedd y cwbwl oll yn dda ai peidio . . .

Roedd gan Thomas Hobart lawer mantais arno fo. Treuliodd
amser ym Mharadwys. Bu'n byw yn Neuadd Foston. Roedd yn
nabod yr Iarll o'i blentyndod. Doedd Polmont ddim. Roedd o'n
ddiarth i'r teulu. Pam gafodd o ei ddewis ar gyfer y gwaith yn y
lle cynta? Oherwydd iddo fod yn ŵr busnes; yn rhywun a
fyddai'n sgrifennu yn llawn cydymdeimlad. Ond ar waetha pob
rhagfarn o eiddo Thomas Hobart yn erbyn Iarll Foston byddai
ei Gofiant o yn nes ati na f'un i, meddyliodd.

Be oedd o'n mynd i'w wneud? Mynd at Iarll Foston a
chyfadda'r cwbwl? O wneud hynny, a fyddai'n debygol o golli
ei waith? Beth wnâi o wedyn? Penderfynodd gadw'r cwbwl yn
gyfrinach am y tro a bwrw 'mlaen fel cynt. Pendronodd eto.
Rhywsut roedd ei dirlun wedi dechrau newid . . .

Be oedd Celwydd y Seler?

Ar fore Iau, daeth llythyr trwy law Mr Grenock MacFluart. (A
chopi o'i ddarlith wedi'i harwyddo). Llythyr oedd o'n ei wadd i
gyfarfod â'i dad, y Barnwr Garth MacFluart, y Llun canlynol.

Tŷ Coffi y Black Moor.

Yn Covent Garden, gyferbyn â Rhes Tavistock, roedd y man
cyfarfod, a Polmont yn ama ei fod braidd yn gynnar ond roedd

yno o'i flaen. Fe'i gwelodd trwy'r ffenest wrth gamu heibio tua'r drws: ei law yn llwyo llymarchiaid i'w geg. Camodd Polmont ato trwy ogla bara brwd – fel gwynt môr yn codi i'w ffroena – a hwnnw'n boeth o'r popty.

Dyn yn mwynhau ei fwyd oedd y Barnwr.

'Llowcio mae anifail, bwyta mae dyn, ond dim ond gŵr bonheddig sy'n gwybod sut i wir fwynhau.'

Hisiodd fflama'r tân wrth i forwyn droi haearn grindil ar ei ogwydd a thywallt saim ar ddamwain. Ordrodd Mr MacFluart blatiad o bwdin gŵydd a gwenu wrth wylio Polmont yn ei fwyta.

'Y ffordd ora ydi blingo'r aderyn. Tynnu'r croen yn rhydd o gnawd y gwddw, tynnu'n dyner cyn ei rowlio yn ôl arno'i hun a'i droi tu chwithig allan fel plicio maneg.'

Ar y bwrdd nesa, sylwodd Polmont ar hen ddyn yn stwffio yn y modd mwya sglyfaethus; bu wrthi'n malu ei fwyd ers meityn, yn stwnshio ei datws yn ara deg â chefn ei fforc cyn llwytho'r cwbwl i'w geg a'i gnoi'n agored. Holodd y Barnwr am ei waith ar y Cofiant wrth dywallt *Bourgogne Hautes Côtes de Beaunes* i'w wydryn. Siaradodd yn hir am ei hoff winoedd a Polmont bron â hollti o isio'i holi ond yn gorfod gwrando'n amyneddgar a'r amser yn prysur ddarfod.

'Fasa ots ganddo chi sôn am Baradwys?'

'Unwaith fuos i yno. Wala wala. Ac roedd unwaith yn hen ddigon. Flynyddoedd lawer yn ôl.' Edrychodd arno braidd yn gam, 'Pam? Be'n union 'dach chi isio'i wbod?'

'Y cwbwl o'r dechra i'r diwedd er mwyn llenwi bylcha yn fy Nghofiant i Iarll Foston a'i deulu. Pam aethoch chi yno?'

'Dwi'n eistedd yn y llys pen awr.' Sipiodd y Barnwr ei win, 'Prin medra i gofio'r mater yn hollol. Cofio cyrraedd ar y llong. Fy annwyl wraig a finna. A'r gwres. Gwres nerthol, bythol Port Royal yn geiban boeth. O'r harbwrdd cludwyd ni mewn phaeton heibio i'r rhaff-dalwrndai; y cyfeithdai crwyn; y tafarndai; y masnachdai mawrion. A'r negroaid yma'n cyd-redeg â ni yr holl ffordd i fyny i dŷ'r Llywodraethwr. Heibio i'r hofeldai, heibio i'r *cailles-pailles*, heibio i'r geifr a'r ieir a'r cŵn, a heibio tan lygaid yr afiechydon tal, a oedd yn gwylio'r byd yn mynd a dod yng nghanol y drewdod, a mwg chwerw'r golosg a barodd i lygaid fy ngwraig grio.'

'Ar gais pwy aethoch chi yno, syr?'

'Neb llai na Syr Soulden Strangeways o'r Cyfrin-gyngor. Finna ar dân i brofi fy metel. Newydd droi fy mhump a deugain oed. Yr oed peryglus hwnnw, lle mae dyn yn edrach 'nôl ac yn poeni wrth edrach 'mlaen. Wala wala. 'Taswn i ond wedi pwyllo a meddwl cyn cychwyn . . . Cofiwch chi, roedd hi'n brafiach yn y Tŷ Gwyn. Brafiach o'r hanner cael sefyll uwchben y ddinas, a oedd fel gorsedd barn goruwch yr holl frynia, fel deudodd rhyw fardd. A'r aer o'n cwmpas ni'n bur a glân fel basa hi'n nechra amser. Braf fasa ca'l amser i hamddena a darllen, myfyrio a mwynhau; braf iawn fasa bod yno'n treulio'r amser oni bai am yr amgylchiada . . . Fy ngwraig i'n dotio at brydferthwch y lle. Peunod hirllaes llonydd yn pigo yma a thraw a rhes o goed palmwydd hyd ddwy ardd ac o droi am draw, lawntydd gwastad hyd y clogwyn a dwy ferch ifanc wen hefo cnocffyn yn chwarae pêl, trwy ei tharo hi 'nôl a 'mlaen tros rwyd isel. A finna yno ar waith annifyr – ond eto gorfodol – o orfod wynebu'r Llywodraethwr ei hun a'i holi fo'n fanwl . . .'

'Syr Walton Royal?'

'Gwaetha'r modd.'

'Pam gwaetha'r modd?'

'Yn sgil y mwrdrad –'

'– mwrdrad? Pwy fwrdrad? Ddim y ferch ifanc?'

'Dyna chi. Mademoiselle Virginie Le Blanc. Dyna oedd 'i henw hi.' Oedodd ac edrychodd heibio i glust Polmont, syllu'n llawn hiraeth ar rywbeth yn ei go. Sylwodd Polmont ar ei lygaid llwydion yn cymylu (a lleithio fymryn) fel pe bai'n craffu tros ben rhesiad o atgofion a'r rheiny fesul un ac un yn 'mestyn yn bell o flaen ei feddwl. 'Merch un ar bymtheg oed oedd hi. Tlws ryfeddol, 'nôl y sôn. I'r perwyl hwnnw yr es i yno. Dowch imi drio cofio'r cwbwl . . . Wala wala. Roedd Syr Walton Royal wedi'i arestio gan wŷr bonheddig y Cynulliad.'

'Sut hynny?'

'Roedd y grym a'r gallu ganddyn nhw i neud hynny dan hen ddeddf yn dyddio 'nôl i chwarter ola'r ganrif gynt, pan gododd rhyw achos digon tebyg. Roedd Syr Walton Royal wedi gorfod ildio'i gleddyf, ond doedd o ddim dan glo na dim byd felly. Roedd y cwbwl wedi deud arno fo. Mi fedrech chi weld hynny. Roedd Ffrancod yr ynys am ei waed o. Teuluoedd y Duportiaid a'r Jesupiaid. Hen deuluoedd Catholig. Roedd 'na deimlada cryfion; pobol wedi eu hollti; pobol ddim yn gwbod be i'w goelio. Ac roedd ei wraig o –'

'Y Fonesig Frances-Hygia Royal –'

'– wedi mynd 'nôl i fyw at ei thad.'

'I Blanhigfa Neuadd Foston?'

'Os nad oedd gen Iarll Foston dŷ arall yn rhywla. Roedd gan y rhan fwya o deuluoedd cyfoethoca'r ynys dŷ yn Pietonville, lle bydden nhw'n mynd o bryd i'w gilydd mewn coetsus i fyny i gopa'r mynyddoedd er mwyn trochi mewn nentydd oerion.'

'Sut fasa chi'n disgrifio Syr Walton Royal?'

'Dyn mawr, tal hefo ysgwydda llydan, rhywiog a breichia bras. Rhyw osgo yn ei wyneb o – o be fedra i ddwyn i go wala wala – yn rhyw gyfuniad cadarn o synnwyr cyffredin cry ac awdurdod; caredigrwydd, unplygrwydd – fel dyn yn gwbod ei feddwl i'r dim.'

'Oedd o'n euog?'

'Roedd o'n gwadu ei fod o.'

'Ond oedd o? Yn eich barn chi?'

Sipiodd ei win, oedi, craffu ar ei ewinedd.

'Gwadu wnaeth o bob tro. Ac mi holis i o'n fanwl hanner dwsin a mwy o weithia a hynny yng ngŵydd rhai o Aeloda amlyca'r Cynulliad. Newidiodd o mo'i stori unwaith. 'Dach chi'n gwbod y manylion?'

'Ddim o gwbwl.'

'Dawns yn Neuadd Foston, planhigfa Iarll Foston, i ddathlu dyweddïad Mademoiselle Virginie Le Blanc a'i fab hyna fo, hogyn tal o'r enw Syr Edward-Noël Henry Hobart . . .'

'Llywodraethwr Paradwys heddiw . . .'

'Fel sy'n hysbys i bawb. Achlysur bythgofiadwy oedd o i fod, ac yn anffodus, felly y cafodd ei gofio am resyma croes i'r bwriad gwreiddiol. Roedd holl brif deuluoedd yr ynys yno; uchel swyddogion y Milisia; yr Artileri Brenhinol; Llynges; Masnachwyr; Bancwyr; Pennaeth Tolldy Harbwrdd Port Royal; pob aelod o'r Cynulliad. 'Nôl pawb holis i doedd dim argoel fod dim byd o'i le. Pawb yn dawnsio; pawb yn llawen; pawb mewn hwylia da. Mae'n debyg i Syr Edward-Noël Henry Hobart dywys ei ddyweddi mewn dawns; wedyn 'i mam. Eto 'nôl y sôn, roedd hynny'n draddodiadol. Rywbryd oddeutu deg o'r gloch mi ddywedodd Syr Walton Royal wrth ei wraig, y Fonesig Frances-Hygia Royal, 'i fod o'n teimlo'n boeth a bod angen awyr iach arno fo. Mi aeth allan ar y feranda, lle'r oedd Syr Edward-Noël Henry Hobart a Virginie Le Blanc yn cusanu. 'Nôl Syr Walton Royal, fe drodd Syr Edward-Noël Henry Hobart ato fo a gofyn a oedd o wedi mwynhau bodio ei ddarpar-wraig yng ngŵydd pawb? Gwadu wnaeth o. Ac yna . . . Wala wala.'

'Be?'

"Nôl Syr Walton Royal, fe drodd Syr Edward-Noël Henry Hobart at Mademoiselle Virginie Le Blanc, a heb na bw na be ei gwthio wysg ei chefn tros y *balustrade* a chwalu ei phen hi'n siwrwd ar garreg islaw.'

'Ei ddyweddi ei hun?'

'Dyna stori Syr Walton Royal.'

Tynnodd Polmont ei gadair ato – a theimlo braidd yn flin – wrth i was eiddil, esgyrnog wasgu heibio'i gefn wysg ei ochor – rhyw wthio llafurus – a dau blât fry ar flaena bysedd ei ddwy law.

"Nôl Syr Edward-Noël Henry Hobart, fe ddaeth Syr Walton Royal allan ar y feranda. Roedd o'n yfed gwin. Roedd rhyw olwg ryfedd yn ei lygaid o. Cydiodd yn llaw Mademoiselle Le Blanc a sibrwd yn ei chlust hi hefo rhyw dristwch maith, hiraethus ei fod o'n gobeithio na fyddai'r briodas yn torri ar eu trefniant. Gwylltiodd Syr Edward-Noël Henry Hobart yn gandryll; colli ei limpyn yn lân a herio Syr Walton Royal i ailadrodd ei eiria yng ngŵydd ei dad. 'Os na cha i hi, cheith neb arall mohoni chwaith,' medda'r Llywodraethwr a'i gwthio wysg ei hochor tros y *balustrade*. Wrth gwrs, roedd rhai o'r rheiny oedd yno'n honni iddyn nhw glywed rhyw groch hir fel sgrech aderyn y nos yn hollti'r ddawns. Wn i ddim a oedd y peth i'w goelio ai peidio. Tydi pawb mor barod i honni pob math o betha wedi unrhyw ddigwyddiad er mwyn gwneud 'u hunan yn bwysicach nag y maen nhw . . .'

Edrychodd Polmont arno'n hir. Gwichiodd y Barnwr flaenfys ar y bwrdd.

'Ddaeth yr achos fyth gerbron yr Old Bailey. Chafwyd dim cyfle i glywed y cwbwl o flaen rheithgor.'

'Pam? Oherwydd i'r Ffrancod ymosod?'

'O Martinique. Digwydd liw nos; braw ac ofn yn lledu. Panic erchyll. Er bod Syr Walton Royal wedi'i arestio, pwy ddewis oedd gan y Cynulliad ond gofyn iddo fo arwain ei filwyr yn eu herbyn nhw. Ganddo fo roedd y profiad, wedi'r cwbwl. Roedd o'n rhyfel garw. Argyfwng erchyll; dyddia duon iawn. Yn sgil y llanast a grewyd, fe fachodd y caethion ar eu cyfle i godi mewn terfysg gwaeth.'

'Sut cafodd Syr Walton Royal ei ladd?'

Llusgodd y Barnwr MacFluart ei hun i'w draed a 'mestyn am ei fagla.

'Fydd raid inni gyfarfod eto,' ysgwydodd law Polmont yn ysgafn, 'ond rŵan hyn, yn anffodus, mae'r gyfraith yn galw arna i.'

Y mwrdrad.

Wrth ola'r gannwyll yn ei lofft ysgrifennodd Polmont y can-lynol:

Mademoiselle Virginie Le Blanc.

Pam fyddai Syr Edward-Noël Henry Hobart, mab hyna Iarll Foston o'i briodas gynta, yn mwrdro ei ddyweddi ei hun? A fu Syr Walton Royal yn godinebu hefo'r Ffrances? Os hynny, ai fo a'i mwrdrodd hi o genfigen? Ac os hynny, pam roedd Syr Walton Royal yn dal yn gymaint o arwr i Iarll Foston a'r teulu o hyd? Be oedd barn ei weddw am y cwbwl a ddigwyddodd? Pwy oedd y Fonesig Frances-Hygia Royal yn ei gyfri'n euog am y mwrdrad?

Ei brawd neu ei gŵr?

Doedd Polmont ddim dicach.

Darllenodd trwy ddyddiaduron y Fonesig Frances-Hygia Royal drachefn a rhai o'i llythyra caru cynnar – ei bwndel bach o *billetdoux* a rwymid â rhuban pinc. Tri llyfr hanes. Papura newydd y cyfnod hwnnw'n benodol. Pob dogfen bosib o eiddo'r teulu.

Heb ddim goleuni.

Syrcas y Corachod.

Mr Francis Foljame a aeth yno gynta hefo'i fab. O glywed canmol fe aeth Miss Swinfen-Ann a Miss Styal draw hefyd. Wedyn clywodd Polmont ganmol pellach trwy Iarlles Foston, a aeth rhyw bnawn, yng nghwmni Iarlles Wellingborough, i fwynhau'r adloniant. Chwe modfedd ar hugain oedd y corrach tala a'r lleia yn dair ar ddeg. Dau deulu Gwyddelig oedd y rhan fwya a chymysgfa oedd y gweddill o wahanol wledydd Ewrop, a dau o dras Arabaidd, os nad yn ddu. Bychan oedd y meirch a'r llewod; bychan oedd y babell; a phrofiad od oedd eistedd yno'n gwylio'r campa.

Holodd Polmont, 'Sut ddyn ydi dy lysfrawd, Syr Edward-Noël Henry Hobart?'

'Newydd ddathlu'i ben-blwydd yn ddeugain oed mis dwytha,' atebodd Syr William-Henry tan chwerthin wrth weld clownio dau gorrach a'r rheiny'n powlio a rowlio yn y llwch lli tan erthychio. 'Dyn uchel iawn ei barch; ac un sy' wedi gweith-redu ewyllys y Goron yn ufudd ar bob mater yn ôl y galw.'

'O ran edrychiad, ydi o rwbath yn debyg i Francis?'

'Mae rhyw gymaint o'i dad ym mhob mab. Pam ti'n holi am fy llysfrawd?'

'Wedi bod yn meddwl amdano fo ydw i.'

Torrodd cymeradwyaeth. Moesymgrymodd y clownia cyn ysgafnbrancio allan trwy'r llenni cochion trymion. Dododd Syr William-Henry lythyr yn ei ddwylo.

'Darllan hwn . . .'

Llythyr o Rufain o law'r Fonesig Maidstone-Susanna Royal yn gofyn iddo ymuno â hi yn Napoli at ddiwedd y mis.

'Ei di?'

"Drycha ar rhein myn ffwc i! Ha ha!'

Carlamodd triongl o gorachod ar ben dau farch a oedd yn cydredeg mewn cylch o gylch y cylch, a'r corrach ucha yn dowcio 'nôl a blaen wrth drio sadio'i draed ar ysgwydda'r ddau oddi tano tan gydio'n sownd dynn yn y penffrwyn.

'I be? Ers iddi fynd dramor tydw i wedi clywed na bw na be gen y blacmeliwr. Sy'n gwneud i rywun feddwl mai neidar agos i'r aelwyd fuo wrthi.'

'Pwy?'

'Pwy ti'n feddwl? Pwy arall fasa'n gneud? Dim ond dyn chwerw sy'n casáu 'i hun oherwydd mai epil basdad i *mulates* ydi o. Ti wedi sylwi ar y ffordd mae Francis byth a hefyd yn rhythu arno'i hun? Sylwa di. All o ddim pasio darn o wydr neu ffenast siop nad ydi o'n sbecian; weithia'n rhythu tan boeni am 'i hoedal 'i fod o'n dechra duo. Poeni y bydd 'i groen o'n 'i fradychu fo am yr hyn ydi o. Fiw i hynny ddigwydd. Mae o mor uchelgeisiol tydi? Ar dân i etifeddu'r cwbwl. Ffortiwn anferth. Teitl fy nhad . . . Pwy arall sy'n y ras? Feltham druan? Fel wŷr i 'nhad? Pa! Choelia i na cheith o ddim byd byth o natur baich a chyfrifoldeb oherwydd . . . wel, ydi hi ddim yn amlwg?'

Roedd coraches yn marchogaeth ci mawr blewog, a hwnnw'n neidio trwy hanner dwsin o gylchoedd pren.

'Chaiff Mr Francis ddim etifeddu eiddo'i dad naturiol ym Mharadwys?'

'Paid â bod mor naïf! Mae gen fy llysfrawd bedwar mab cyfreithiol. A ph'run bynnag, fasa gwŷr bonheddig Cynulliad Port Royal byth bythoedd yn rhoi sêl bendith i fasdad epil *mulates* etifeddu dim er bod 'i dad o'n Llywydd yr Ynys. 'Tasa fo'n fab i'r Brenin 'i hun, fasa nhw byth bythoedd yn caniatáu. Cheith o ddim. Fi fydd etifedd fy nhad. Fi geith y cwbwl yma . . . Felly ewyllisith Tada ei eiddo . . . Ond am Francis druan . . . Ti'n gweld 'i gyfyng-gyngor o? Y twll uffernol mae o ynddo fo? Dyna pam mai fo yrrodd y llythyr blacmel . . . Pwy arall fasa gen achos i neud? 'Drycha ar y rhein! Ha ha!'

Chwarddodd Syr William-Henry wrth weld dau o gorachod yn ymaflyd codwm hefo arth fawr a honno wedi'i gwisgo fel gŵr bonheddig o'r Gyfnewidfa Frenhinol.

Holodd Polmont, 'Syr Swaleside sy'n ista draw'n fan'cw?'

'Lle?'

'Heibio i'r polyn.'

Gwyrodd Syr William-Henry tua'r dde gan sugno ar ei getyn claerwyn hir.

'Pwy ydi'r tri dyn sy' hefo fo?'

'Cyd-aelod o'r Tŷ Isa 'di un. Fawr o ddim i'w cadw nhw'n y Senedd ganol pnawn fel hyn, mae'n rhaid. Syr Wayland Corton ydi'r llall ar y chwith, ffrind mawr i'r Canghellor; ond wn i'm pwy 'di'r llall sy' ar y dde. Welis i Syr Swaleside echnos, er na welodd o mohona i, yn Covent Garden. Tafarn y Rhosyn. Noson wyllt; gwŷr a gwragedd yn feddw dwll a rhyw gwffas wedi torri allan; pawb am y gora yn pwyo; amryw yn rowlio o gwmpas y llawr a'r ddwy ddynas 'ma'n noethlymun at eu canol wedi rhwygo'u dillad yn sgrechian cripian tynnu gwallt-ia'i gilydd ar gownt rhyw goegyn. Finna'n ista yn mwynhau fy hun. Dipyn o hwyl a sbri. Pwy gerddodd i mewn ond Swaleside a cherdded ar ei union draw ar draws y stafell at droed y grisia culion, cam ac i fyny â fo. Es inna i holi. Y ferch fud a byddar.'

'Mud a byddar? Pam?'

'Pam medda chdi? Pawb at y peth y bo. Oni bai 'i fod o'n poeni am sgandal ac na fydda hitha wedi clywed ei enw fo; ac na alla hi ddeud dim byd amdano fo. Cofia di, mae ganddo fo dri bastad yn barod. Mae o'n cadw dwy ddynes ers blynyddoedd. Ei dad o 'run fath. Iarll Wellingborough yn ferchetwr mawr. Mae'r hanas amdano fo, er na fasa chdi byth yn deud wrth edrach arno fo heddiw: fel mae dynion yn newid a throi fymryn

yn dduwiol yn 'u henaint er mai nhw yn 'u dydd oedd yr hwr-
gwn poetha chwantodd strydoedd 'u hieuenctid. Fydd y dyhead
yn dal yndda i 'taswn i'n byw i fod yn gant? Fydda i'r un mor
gocwyllt, ti'n meddwl?'

I'w hwyneba rhuthrodd corrach sydyn gan chwythu fflama
hirion. Bagiodd Syr William-Henry a thagu wrth hanner llyncu
ei getyn.

'Callia'r basdad bach!'

Poerodd beswch a'i lygaid wedi dyfrio. Atebodd Polmont
wedyn o feddwl am y peth.

'Go brin fod chwant yn cilio.'

'Peth erchyll ydi o,' tapiodd Syr William-Henry ei bibell a'r
llwch yn pupuro tros y llawr, 'Chwalu rheswm dyn yn
deilchion a'i yrru fo ar 'i ben i drybini fel ddigwyddodd i mi
wythnos dwytha. Wrthi hefo'r forwyn ganol y bora. Ro'n i wedi
bod ar 'i hôl hi ers amsar. Hitha wedi 'ngwrthod i. Deud mai
dim ond isio bwrw'n had o'n i. Toedd hi'n graff? Ond wrth 'y
ngwrthod i, roedd hi'n gneud petha'n gan mil gwaeth. To'n i'n
ysu amdani? Toedd hi'n fy ngyrru fi'n wirion a 'ngneud i'n fwy
penderfynol o'i chael hi. A felly fu. Ar y gwely roeddan ni pan
glywis i sŵn fy ngwraig yn closio. 'Cuddia tu ôl i'r llenni,'
medda finna. Ddaeth fy ngwraig i mewn – a gwbod ar ei
hunion wrth 'y ngweld i'n hanner noeth fod rhywbeth ar droed.
A thraed fradychodd fi. Mi welodd bâr o rai noethion wrth gwr
y llenni.'

'Be ddigwyddodd?'

'Ffradach. Gweiddi. Dagra. Ond trwy drugaredd, dynes
gibddall ydi 'ngwraig i; tydi hi ddim unwaith wedi fy nabod i
am yr hyn ydw i er inni fod yn briod ers dros bedair blynedd.
Beio'r forwyn, beio'r ferch bob tro am fy hudo i. Diolch i'r drefn.
Finna'n gneud ati i wyngalchu fy hun trwy grefu maddeuant
trwy honni 'mod i'n ddyn gwan. Moeswers y stori, Polmont,
ydi hyn: paid byth â chyboli dy ben am forwynion hefo traed
mawr. Ma' nhw'n berig bywyd . . .'

Casglodd y corachod yn gylch o fewn y cylch trwy gydio
dwylo yn un gadwyn i dderbyn cymeradwyaeth y babell.
Cododd Syr William-Henry a Polmont i'w traed yn sgil pawb
arall a churo dwylo yn frwd.

'Ti'n meddwl mai fel hyn mae Duw yn ein gweld ni?'

'Mmm?' gwyrodd Polmont ei glust at ei geg.

Iarlles Foston.

Dychwelodd o Theatr Covent Garden yng nghwmni Miss Swinfen-Ann a Miss Styal wedi gwylio perfformiad doniol iawn o *Ffolinebau'r Dydd*. Ni wenodd unwaith heb sôn am chwerthin er bod y bocsus o'i chwmpas yn rowlio llond eu bolia. Parodd ei thawelwch i'w merch benfelen holi yn ystod yr egwyl a oedd rhywbeth yn bod. Gwadodd a gwnaeth fwy o ymdrech yn ystod y drydedd a'r bedwerydd act ond erbyn y bumed roedd mor fud ag y bu hi trwy'r gynta.

Ar ôl dychwelyd i Piccadilly aeth i fyny'r grisia ar ei hunion a chau drws ei hystafell, camu draw at y decanter a thywallt gwydryn mawr o win iddi hi ei hun. Fe'i hyfodd ar ei thalcen nes blasu haearn yn ei cheg ar ôl ei lyncu mor sydyn.

Y Cofiannydd.

Tywalltodd lond gwydryn arall a'i yfed yn arafach y tro yma. Y prynhawn hwnnw daeth Polmont i'w hystafelloedd a bu yno trwy'r prynhawn yn holi a stilio ynglŷn â'r noson y lladdwyd Mademoiselle Virginie Le Blanc.

Noson y dyweddïo.

Y noson honno'n Neuadd Foston.

Â'i wyneb yn ola agored gofynnodd, "Dach chi'n cofio?'

Cofio'n rhy dda o'r hanner, dywedodd wrthi ei hun. Y deuddegfed o Ebrill, 1767.

'Rhyw gymaint,' dywedodd tan wenu a byseddu ei gwegil, 'be 'dach chi am 'i glywed, Polmont?'

Y gwir amdani oedd nad oedd diwrnod wedi mynd heibio nad oedd hi wedi meddwl am y noson honno.

'Yr hanes i gyd.'

Noson dathlu'r dyweddïad.

Cofiodd Iarlles Foston y paratoi a fu a'r stafelloedd a addurnwyd yn hynod o dan ei goruchwyliaeth er mwyn gwneud yr achlysur yn un bythgofiadwy. Roedd hi wrth ei bodd, yn teimlo'n ysgafn lawen wrth feddwl fod rhyw naws braf i bob un dim y gorweddai ei llygaid arno. Yr un teimlad oedd yn llenwi calonna pawb arall hefyd. Yn gaeth neu'n rhydd. Gwyddai fod rhyw ysbryd cytûn wedi cydio ym mhawb, a phobol o bob gradd â'u bryd ar anghofio holl dristwch yr amsera a'r mân helbulon beunyddiol a flinai gymdeithas Paradwys.

Un o'r rhai cyntaf i gyrraedd oedd coets Tŷ Gwyn, Port Royal, tu ôl i osgordd o filwyr a haid o negroaid chwyslyd yn cyd-redeg â hi. Agorwyd y drws a Syr Walton Royal, yn ei lifrai milwrol a'i gleddyf ar ei glun, yn camu i lawr cyn troi i estyn llaw i'w wraig, y Fonesig Frances-Hygia. Cofiodd Iarlles Foston fod ei llysferch yn edrych yn hynod brydferth; â'i braich yn gorffwys ar fraich ei gŵr camodd y ddau i fyny'r grisia i'w croesawu yn gwrtais gan Iarll Foston a hitha.

O fewn dim daeth coets arall, a Monsieur a Madame Duvalier Le Blanc ynddi. Wrth gerdded i mewn i'r tŷ fe'i dilynwyd gan eu merch, Virginie. Mor ifanc ac mor hardd yr edrychai a'i gwallt wedi'i wisgo'n hynod, gwallt duloyw yn crychu'n fodrwya o gwmpas ei chlustia ac i lawr tros ei gwegil. Cofiodd Iarlles Foston fel y cusanodd ei llysfab, Syr Edward-Noël Henry Hobart, law'r Ffrances a gwenu'n annwyl cyn tywys ei ddyweddi i mewn trwy'r drysa mawrion tua'r stafell ddawns y byddai hi ryw ddydd yn feistres arni.

Tyrrodd chwaneg o goetsus nes llenwi'r fan â sŵn gweryru a bregliach caethion yr ynys yn gymysg o dan friga'r coed. Roedd ymhell dros dri chant o westeion wedi eu gwadd y noson honno. Cofiodd ei bod mor boeth a'r gwragedd oll yn eistedd yn sibrwd wrth ei gilydd tu ôl i'w *eventails* wrth drafod gwisgoedd gwraig y Llywodraethwr a Mademoiselle Le Blanc. O beth y gallai ei gofio, agorwyd y ddawns am wyth o'r gloch. Brwd a llawen oedd y dathlu o gylch y stafell a'r stafelloedd cyfagos a gwledd foethus o fwyd a diod wedi'i hwylio i fodloni pawb. Canai'r tŷ o lawenydd er bod y nos yn gwasgu'n glòs.

Yn fawr a mân, âi pawb allan fesul dau a dau i ddawnsio. Cofiodd eistedd i gael ei gwynt ati wedi dawnsio deirgwaith. Cofiodd oruchwyliwr y blanhigfa yn eistedd wrth ei hochor a tharo'i ben-glin â'i ddwrn wrth ganlyn bwa'r ffidil. Daeth dawns arall yn ei thro a chofiodd sylwi ar ei llysfab, Syr Edward-Noël Henry Hobart, yn chwyrlïo Mademoiselle Le Blanc yn ei freichia tan lygaid pawb. Edrychai'r ddau mor hapus; yn chwerthin yn ysgafn braf.

Cofiodd sylwi ar Syr Walton Royal yn cerdded yr ochor bell yn sgwrsio â hwn a'r llall o wŷr y Llynges neu'r Milisia. Yna, gwelodd ei llysferch y Fonesig Frances-Hygia yn diflannu ar wib trwy'r drws ac allan. Byddai wedi mynd i'w chanlyn ond daeth ei negroes, Fortuna, â'i mab saith oed, William-Henry, ati. Bu'n crio am hydoedd wedi iddo gael ei ddeffro gan sŵn y ddawns ac isio'i fam. Cofiodd Iarlles Foston ei gymryd i'w breichia; cofiodd edrych i'w wyneb a'i gusanu a'i gysuro.

Cofiodd yr Esgob Parva yn sgwrsio hefo hi am Monsieur Adrien Desormiere, a oedd newydd ei ordeinio yn Esgob Eglwys Gatholig Damascus. Cofiodd Esgob Parva yn dwrdio ac yn rhybuddio ei fod yn Bapist cyfrwys a dichellgar, llawn geiria teg ond bwriada cableddus. Diweddodd y ddawns a brwd oedd y gymeradwyaeth.

Cofiodd Iarlles Foston Mademoiselle Virginie Le Blanc yn dod i sefyll wrth ei hymyl, yn goch ei bocha a'i hanadl yn fyr. Sylwodd fod ei llysferch, y Fonesig Frances-Hygia Royal, yn sefyll wrth ei hysgwydd ac ôl crio ar hyd ei bocha a hynny'n amlwg i bawb. Sylwodd ei bod yn rhythu braidd ar ddyweddi ei brawd mawr ond rhythu'n hyllach o lawer roedd yr Esgob Parva a ddechreuodd bregethu mai un peth yw'r gwirionedd, un peth yn unig hyd dragwyddoldeb a hwnnw i'w ganfod yn yr Efengyla i'r sawl sy'n tynnu o lithoedd Martin Luther ac athrawiaeth gelfydd Calfin. Hwyr obeithiodd Esgob Parva wrth gydio'n dynn yn nwylo Mademoiselle Le Blanc (a chrefu ar ei linia wedyn) y byddai'r Ffrances ifanc yn troi at wir Gristnogaeth ac yn bedyddio ei phlant yn y ffydd. Be ydi Papist, haerodd, ond rhywun sy'n addoli'r gwir Dduw ond heb eto fod yn wir addolwr Duw.

Wedyn, cofiodd fel y daeth Syr Walton Royal at y cwmni. Cofiodd ei fod yn chwysu a'i dalcen a'i wddw'n sgleinio. Daeth Iarll Foston, ei gŵr, draw a gofyn i Mademoiselle Le Blanc am ddawns; ond bu rhyw ddireidi rhwng y tad a'r mab, y ddau yn rhyw ffug-gwffio amdani a phawb yn chwerthin heblaw am Madame Le Blanc a oedd newydd gael rhyw groeseiria hefo Esgob Parva ac yn edrych yn ddu iawn. Mynnodd y Fonesig Frances-Hygia air preifat â'i gŵr ac aeth Syr Walton Royal a hitha i'w hen lofft i siarad.

Dawnsiodd Iarll Foston a Virginie Le Blanc ac roedd holl osgo a gwên y ferch ifanc mor hyfryd o ddiniwed.

Ar ôl hynny . . .

Cofiodd Iarlles Foston weld y Ffrances ifanc yn camu allan ar y *terrazza* a chofiodd weld Syr Edward-Noël Henry Hobart yn ei dilyn; hithau'n blaen-gydio'n dyner yn ei fysedd wrth ei dynnu i'w chanlyn. Cofiodd ei theimlo ei hun yn anarferol o boeth a chwys wedi hel ym môn ei chefn gan ara dreiglo'n nentydd bychain tros ei phen ôl ac i lawr hyd ei chlunia. Daeth Esgob Parva ati a sôn yn llawn tyndra am ei dröedigaeth; nos hir o wewyr a oleuwyd â thân llachar pan deimlodd yr Iesu yn llenwi ei lofft fel cwthwm o awel braf; yn closio ato i wyro drosto a'i gusanu ar ei wefusa. Ynta'n rhannu ei ing, ei waed, ei anga nes y teimlodd hylif ysbrydol fel goleuni nerthol, mor nerthol ag addfwynder, yn llifo trwyddo. 'Rhoddodd imi goron a gorsedd nef y nefoedd,' bloeddiodd. Pa rinwedd oedd mewn arogl-darthu eglwysi? Neu yn olew enein-flwch y chrism? Neu benlinio i addoli esgyrn a llwch hen seintia?

Bytheiriodd wedyn am fost enbyd y Papistiaid fod eu heglwys hwy wedi parhau ers dyddia'r apostolion a Phedr yn ben arni a bod y Pab mor hanfodol i fodolaeth a pharhad y sefydliad aflan ag yr oedd mab Duw i Gristnogaeth. Ufudd-dod llwyr yr holl offeiriaid, ac yn waeth, ufudd-dod y bobol i'r offeiriaid, yw sylfaen ei ormes. Dyma hanfod grym pybyr pob Pab a fu erioed. O dan sawdl Rhufain ble mae rhyddid?

Gwylltiodd Monsieur Duvalier Le Blanc. Dywedodd yn ddi-flewyn-ar-dafod fod Catholigiaeth yn rhoi rhyddid melys i bawb. Nid caethiwo ewyllys roedd y Pab ond ei ryddhau trwy gymun bendigaid yr Offeren Sanctaidd o fewn yr unig wir eglwys yn y byd sy'n croesawu pob pagan, pob ffŵl, pob Luther, pob Calfin, pob Zwingli o fewn ei chyntedda. Haerodd Esgob Parva na fyddai yn penlinio i gyd-weddïo â'r un Papist fyth; byddai'n well ganddo farw. Gweld y Fonesig Frances-Hygia Royal a roddodd daw ar y dadla. Roedd hi'n fyr ei thymer. Cofiodd Iarlles Foston holi be oedd yn bod, ond nid oedd awydd sgwrsio arni; y gwir amdani oedd nad oedd y ddwy erioed wedi cyd-dynnu ers i'w mam hi farw ac iddi hitha gymryd ei lle.

'Mae rhywbeth yn bod . . . be sy'?'

Cofiodd ei hedrychiad. Gwasgodd ei llaw yn dynn a dywed-odd fod Syr Edward-Noël yn gwneud camgymeriad yn priodi Mademoiselle Le Blanc; na ddeuai unrhyw ddaioni o'r briodas; ac mai eu plant fyddai yn siŵr o ddiodda waetha. Doeddan nhw ddim yn siwtio'i gilydd o gwbwl. Ac yn hwyr neu'n hwyr-ach, byddai poen a dagra.

'Pwy sy'n honni hyn?'

'Priodas wleidyddol ydi hi. Ond priodas fydd yn plesio neb. Mae fy mrawd yn gneud camgymeriad mwya'i fywyd heno. A mae o'n gwbod hynny. Dyna be sy' waetha.'

Cofiodd y Fonesig Frances-Hygia Royal yn mingrachu; cofiodd hi'n chwarae â llain o frethyn bychan rhwng ei bysedd wrth godi a hanner edrych arni'n lled chwithig cyn cerdded at ei thad. Ni welodd ei llysferch wedyn. Aeth at westeion eraill. Cododd Iarlles Foston sgwrs fer hefo *Aide-de-Camp* Llywodraethwr Sant Domingo, Don Joachim Garcia. Croesodd wedyn i sgwrsio hefo Doctor Barbut Shotts, a oedd yn yfed *sangrée* ac yn lolian siarad yn smala a braidd yn chwil. Yr eiliad honno dechreuodd rhywrai sgrechian a chrochweiddi o gyfeiriad y *terrazza* nes chwalu sŵn y gerddoriaeth. Gwthiodd Syr Walton Royal a Syr Edward-Noël Henry Hobart ei gilydd i'r stafell â'u dwylo'n gwasgu am yddfa'i gilydd; rhuthrodd y gwesteion o'u cwmpas fel criw o geirw gwylltion.

Cwestiwn y Cofiannydd oedd yr un cwestiwn a ofynnodd pawb.

''Dach chi'n siŵr mai dim ond nhw'u dau oedd yno?'

'Ar y teras?'

'Dim ond Syr Walton Royal a Syr Edward-Noël Henry Hobart? Neb arall?'

'Na – neb arall.'

'Dyna ddalltis i,' dywedodd Polmont tan edrych arni fel dyn yn llygadu tarw. 'Oherwydd na alla fo ddiodda ei gweld hi'n priodi? Dyna pam mwrdrodd Syr Walton Royal Mademoiselle Virginie Le Blanc?'

Atebodd Iarlles Foston, 'Does wbod.'

Yn ei meddwl, gofynnodd yr un cwestiwn iddi'i hun ag a ofynnodd drwy gydol yr un mlynedd ar bymtheg diwetha: oedd hi wedi sleifio allan yno?

Oedd y Fonesig Frances-Hygia Royal ar y *terrazza* y noson honno?

Iarll Foston.

Wrthi'n cael ei wisgo i fynd i Dŷ Iarll Wellingborough, ac wedyn i Dŷ'r Arglwyddi i drafod darlleniad mesur newydd y llonga roedd o, pan glywodd guro ar y drws. Gwyddai mai hi oedd yno a gadawodd iddi ddisgwyl a churo eto fel y gwnâi bob tro.

Dywedodd, 'O'n i'n meddwl dy fod ti a'r merched wedi mynd i weld *Ffolinebau'r Dydd.'*

Atebodd hitha, 'Ar gychwyn rŵan ydan ni. Ond cyn mynd, dwi isio gair.'

'Dwi inna ar gychwyn hefyd.'

'Mae hyn yn bwysig,' pwysleisiodd yr Iarlles.

'All o ddisgwyl tan 'fory.'

'All o ddim. Daeth eich Cofiannydd chi i 'ngweld i prynhawn 'ma, trwy'r pnawn, yn mynnu cael gwbod y gwir ynglŷn â noson dyweddïo Edward-Noël a merch Duvalier Le Blanc.'

'Be ddeudist ti wrtho fo?'

'Yn union be ddigwyddodd.'

'Os deudist ti hynny, pam wyt ti'n poeni?'

Camodd yr Iarlles ato; camu yn agos at ei war a sibrwd yn dawel i'w glust. Bagiodd gam; yn crynu fymryn.

'Tydi hynna ddim yn wir,' dywedodd yr Iarll yn isel.

'Sut gwyddoch chi?'

'Am 'mod i'n gwbod.'

'Dydach chi'm yn gwbod pob dim.'

Oedodd; tawelodd; rhythodd arni a'i anadlu'n flêr.

'Dwi'n gwbod na fuo Frances-Hygia yn agos i'r *terrazza* y noson honno.'

'Mae 'na si. Mae pobol wedi sôn cyn hyn. Be os daw eich Cofiannydd chi i glywed?'

Cribiodd morwyn wallt Iarll Foston yn dyner. Ciliodd yr Iarlles tuag at y drws a agorwyd iddi gan Rampton. Â'i chefn tuag at ei gŵr, gofynnodd, ''Dach chi am imi wadd Mademoiselle Chameroi aton ni eto?'

'Ddim am sbel. Dwi braidd yn brysur.'

Drannoeth.

Ganol y prynhawn cododd rhyw sŵn rhyfedd yn y llofft oddi uchod. Anwybyddodd Polmont o i gychwyn gan feddwl mai rhyw forwyn drwsgwl oedd yn chwarae mig. Hyd nes y clywodd chwaneg o sŵn. Stopiodd a gwrandawodd. Llais gŵr dieithr. Mr Barlinnie? Chwerthiniad merch a choethi ci.

Cododd a chamu at y drws, ei agor a chlustfeinio.

Tawelwch.

Eiliada ynghynt y gadawodd y Prif Was wedi i Polmont ei holi am noson y dyweddïo yn Neuadd Foston. Ebrill 12, 1767.

'Do'n i ddim yno,' dywedodd, 'y flwyddyn ganlynol ddois i i gyflogaeth yr Iarll, pan adewis i'r Milisia yn Gibraltar.'

'Rhaid bo' chi wedi clywed rhyw sibrydion . . .'

'Sibrydion, do, wrth gwrs. Cant a mil ohonyn nhw. Ond be wnelo hynny â dim?'

'Pwy laddodd Mademoiselle Virginie Le Blanc? Syr Walton Royal? Neu Syr Edward-Noël Henry Hobart?'

Arhosodd Mr Barlinnie yn ei unfan a'i feddwl yn surdan o groesamheuon a'i lygaid duon bach yn llonydd fel llygad sarff. Edrychodd Polmont arno. Pam nad oedd modd didol symylrwydd gonest ac ateb ei gwestiwn.

'Mae'n rhaid fod y naill neu'r llall yn euog?'

'Wn i ddim.'

Teimlodd y Cofiannydd wayw yn ei geg; gwasgodd ei ddannedd yn sownd dynn a'u crensian hyd nes y tasgodd deigryn bach o gornel ei lygad. Roedd o'n magu ddannoedd. Poen dwfn yng ngwreiddia un o'i ddannedd ôl. Doedd dim byd gwaeth. Cofiodd Iarlles Foston yn dweud i wayw torri dannedd ladd ei chwaer yn bymtheng mis oed. Rhythodd yn syth i wyneb y Prif Was a dweud, 'Ar eich llw?'

'Ar fy llw,' oedd y cwbwl a ddywedodd.

Cerddodd Polmont i ben y grisia: isod roedd y cyntedd mawr yn wag. Dringodd y grisia, ac o'i flaen lledai coridor a cherddodd hyd-ddo, heibio i'r llun o *Bwydo'r Trueiniaid, Derbyn Dieithriaid, Rhoi Diod i Drueiniaid Sychedig, Dilladu'r Noethion* a *Claddu'r Meirw.*

Ger drws y llofft, oedodd, a chlustfeinio ond doedd dim siw i'w glywed. Edrychodd ar y llun o *Dröedigaeth Paul.* Dilynodd ei lygaid o: rhai mawrion, rhyfedd yn rhythu arno yn llawn o ryw ofn neu o ryw lawenydd. Penliniodd Polmont a gwasgu ei lygaid yn nhwll y clo i weld coffr derw du, troed gwely a llestr porslein oddi tano. A dyna'r cwbwl. Ni allai weld neb na dim arall.

Tan gilwenu'n slei, cerddodd morwyn heibio, cododd Polmont a chogiodd gerdded i ffwrdd ond unwaith y diflannodd i lawr pen y grisia, dychwelodd at y drws. O'i fewn roedd yno ryw sŵn dieithr fel sŵn dyn dall yn waldio pared â'i ffon. Suddodd drachefn i'w linia a rhythu trwy'r twll. Symudodd cysgod, a gallai deimlo ei esgyrn trwy ei groen, ei anadl yn byrhau, ei dafod fymryn yn sych.

Pwy oedd yno?

Clywodd leisia'n closio. Cododd. Agorodd ddrws y llofft gyferbyn, sleifio i mewn a wardio yno yn ei gil. Bu yno am beth amser a rhyw gosi yn ei glustia, yn disgwyl a disgwyl, ond nid agorodd y drws gyferbyn – ac yna, agorodd, a Miss Swinfen-Ann yno â'i breichia am wddw gŵr, ynta'n ei gwasgu, yn mwytho ei bronna, hitha'n llyfnu ei ddwylo i ffwrdd â'r ddau yn cilchwerthin.

Trodd y gŵr i'w wynebu, caeodd Polmont y drws. Agorodd y drws drachefn i weld Miss Swinfen-Ann yn cau ei drws. Ciliodd y gŵr a'r unig beth a welai oedd ei gefn wrth gerdded heibio i'r llunia, a than chwibanu'n isel wrtho'i hun yn diflannu i lawr y grisia.

Nid Syr Swaleside oedd o.

A'r noson honno, daeth y newydd drwg i'r Tŷ yn Piccadilly fod mab bychan Mr Francis Foljambe wedi marw'n sydyn.

MISS MacFLUART

Y Cofiannydd.

Er iddo drio yn galed, methodd Polmont â chael gwared â Mademoiselle Virginie Le Blanc o'i feddwl. Na Syr Walton Royal. Na Syr Edward-Noël Henry Hobart, Llywodraethwr Paradwys a mab hynaf Iarll Foston o'i briodas gynta â'r Fonesig Isabella Caroline. Na'r hyn a ddigwyddodd noson y dyweddïo yn Neuadd Foston. Be ddigwyddodd go iawn? A pham?

Dyna'r cwestiwn.

Pe byddai'r achos wedi dod gerbron llys barn yn yr Old Bailey, a fyddai Syr Walton Royal wedi ei ddyfarnu'n euog o'r mwrdrad a'i grogi? Pam mai dim ond Syr Walton yn unig a gafodd ei gyhuddo o'r drosedd? O'r hyn a glywodd Polmont o ena'r Barnwr MacFluart, onid oedd llawn cymaint o sail i gyhuddo Syr Edward-Noël Henry Hobart hefyd? Gan na welodd neb be ddigwyddodd allan ar y *terrazza* y noson honno, roedd gair y naill ddyn cyn gryfed â gair y llall. Ond wedyn, o bwyso a mesur y cwbwl . . . go brin y byddai dyn yn mwrdro ei ddyweddi ei hun; y wraig roedd yn dathlu'r ffaith ei fod yn mynd i'w phriodi o fewn 'chydig fisoedd. Roedd cymhelliad Syr Walton Royal yn gliriach o dipyn: cenfigen a chasineb.

Aeth at Iarll Foston ac adroddodd hwnnw'r hanes. Doedd dim yn newydd yn yr hyn a oedd ganddo i'w ddweud; clywodd y cwbwl eisoes o ena Iarlles Foston.

Pwysleisiodd yr Iarll ei bod hi'n noson boeth. Cofiodd fod Syr Walton yn chwys diferyd. Cofiodd Risley, goruchwyliwr y blanhigfa, yn socian wingo wrth gwyno fod ei ddillad yn glytiog. Cofiodd genfigennu wrth y caethion, a oedd yn gweini ar y gwesteion yn hanner noeth. Cofiodd gamu allan o'r tŷ am awyr iach. Cerdded i lawr y grisia, a cherdded i lawr trwy'r llwybr cylchynedig i'r ardd trwy'r ogla iasmin. Cofiodd ei sodla'n crensian y cerrig mân a'r cregyn brau a rhyw ias yn cydio ynddo fel yr ias a deimlai yn nüwch pob eglwys brudd y mentrodd ei phyrth erioed. Cofiodd gyrraedd y ddelw o Herciwles ar ganol y clytir. Oedodd i gael ei wynt ato a syllu ar y cymyla. Syllu ar liwlamp loyw y lloer yn cribo'i lleufer i lawr tros lethra'r mynyddoedd mawr.

Roedd y gwres yn dal yn fwrnaidd.

'Ac yn fan'no, Polmont, ar fainc farmor ddofn yng nghanol clwt bendigedig o dir is sisial y dail palmwydd yn Neuadd Foston y teimlis i ryw lonyddwch na theimlais i na chynt nac wedyn. Tawelwch oedd i'w chwalu am byth o glywed sgrech.'

'Weloch chi hi'n disgyn?'

'Mi glywis i hi'n glir.'

'Be neuthoch chi wedyn?'

'Deimlis i ryw dro yn fy nghalon. A pham? Mi allwn i daeru i'r coed rochio; fod y dail uwchben wedi crochfloeddio; fod rhyw ysbryd drwg wedi codi fel corwynt a rhuthro i sgubor fawr yr awyr. Anodd disgrifio'r teimlad a ddaeth drosta i . . . Ond y noson honno, mi deimlis i bresenoldeb rhyw dywyllwch erchyll; rhywbeth na theimlis i na chynt nac wedyn nes peri imi boethi ac oeri drosta am yn ail.'

Oedodd; tawelodd; rhythodd arno a'i anadlu'n flêr.

'Y diafol? Dyna pwy 'dach chi'n 'i gyhuddo o'i mwrdro hi?'

'Pwy arall wnaeth?'

'Ond sut? Trwy feddiannu corff ac enaid Syr Walton Royal? Neu gorff ac enaid eich mab?'

''Run o'r ddau.'

'O'i ben a'i bastwn ei hun? Y Diafol? Roedd o yno?'

'Wrth gwrs!'

'Os oedd hynny'n *wir*, os oedd hynny'n *ffaith* . . . pam roedd y naill wedi cyhuddo y llall?'

'Pa ddewis arall oedd gan y ddau? Doedd neb ddim callach ar y pryd; does neb ddim callach hyd yn oed heddiw ynglŷn â be ddigwyddodd yn union y noson honno. A pham? Mae dynion wedi dewis dehongli'r hanes mewn ffordd rhy arwynebol. Mi glywis i fy hun rei dynion yn trio mynd i'r afal â chymeriad Syr Walton Royal, trio canfod gwreiddyn rhyw ddrwg – rhywbeth o'i orffennol o, rhyw gamymddygiad neu rywbeth ddeudodd o rywdro i drio egluro'r cwbwl, 'Dyn anodd i'w nabod; dyn anodd siarad hefo fo; dyn anodd closio ato fo; dyn oedd yn cadw 'i wir feddylia o dan glo'. Be wn i be oedd yn mynd trwy'i feddwl o y noson honno? Does neb yn nabod neb go iawn. Bla bla bla . . .'

'Ddeudon nhw 'run peth am Syr Edward-Noël hefyd?'

'Bron air am air yn union, cofia. Ond y gwir amdani: y gwir plaen ydi nad oes neb ddim dicach! Does neb ddim mymryn nes i'r lan. Neb. Dyfalu mewn dirgelwch; cropian o gwmpas yn y tywyllwch wnaeth pawb wrth drio chwilio am ateb *rhesymol*, am ateb *naturiol* tros y mwrdrad. Roedd cyfadda fod y Gŵr Drwg yn bresennol yn rhy ryfeddol o'r hannar toedd? Roedd hynny'n ormod o beth i ofyn i ddynion orfod dyfalu a myfyrio ynglŷn ag o. Sut mae meddwl am y Diafol? Sut mae dygymod o wbod mor hawdd y gall o fwyn dwyllo dynion o'u deall? Sut alla'r un gŵr gysgu'r nos o feddwl y gallai'r Hen Suddas suddo ei fysedd i grombil ei enaid o? Os darlleni di trwy dystiolaeth y ddau, darllen yn ofalus, craffu fel sgolar am y gwreiddia o dan bridd du'r brawddega, mi weli fod hynny'n ffaith. Tywyllwch. Sylwa di pa mor amal roedd Syr Walton Royal ac Edward-Noël am sôn am hynny. Tywyllwch. Goleuni. Goleuni. Tywyllwch. Du. Gwyn. Gwyn. Du. Pa reswm arall all fod? Fel arall, mae'r peth y tu hwnt i synnwyr. Doedd gan Syr Walton Royal ddim rheswm i'w lladd hi . . .'

'Ond os oedd o a Virginie Le Blanc yn gariadon . . .'

'Doeddan nhw ddim. Doeddan nhw yn bendant ddim yn gariadon, Polmont. Ar fy llw. A pham? 'Tasa nhw wedi bod yn caru'n slei, mi faswn i wedi clywed ond chlywis i na siw na miw.'

'Dyna pam ddeudoch chi wrth Syr Walton Royal eich bod chi'n fodlon madda iddo fo am yr hyn ddigwyddodd?'

Oedodd; tawelodd, rhythodd arno a'i anadlu'n flêr.

'Sut gwyddost ti am hynny?'

Aeth Polmont i'w boced a thynnu llythyr allan a'i ddarllen,

'Er bod cymdeithas yr ynys gyfan wedi troi yn f'erbyn, mae dy dad, er ei fod, yn naturiol, yn caru ei deulu ei hun, yn fy ngharu innau hefyd, ei fab-yng-nghyfraith. Dywedodd hynny yn fy wyneb fwy nag unwaith ers i'r erchylltra yma ddisgyn ar ein gwarau. Dywedais y gwir wrtho; crefais arno i roi llwyr goel ar fy ngeiriau – er mor anodd ydi hynny ar hyn o bryd. Edrychodd Iarll Foston arnaf yn hir. Edrych yn llawn tosturi a dweud ei fod yn fodlon madda imi am yr hyn a ddigwyddodd i Mademoiselle Virginie Le Blanc.'

Derbyniodd Iarll Foston y llythyr a rhedeg ei lygaid trosto'n ara deg a mwytho'i fawd tros yr enw ar y gwaelod a dweud yn dawel, 'Cysgodion egwan oeddan ni yng nghysgod rhywbeth llawer mwy. Angylion y tywyllwch ac angylion y goleuni benben

â'i gilydd beunydd beunos mewn brwydra mawrion melltig-
edig fry yn wybren Paradwys a thro arall ar ei daear hi fel seirff
ym môn y meysydd siwgwr. Wn i ddim a wyddost ti ai peidio,
ond fe chwipiwyd gwraig y Barnwr MacFluart i fyny i'r nef-
oedd ychydig fisoedd wedyn.'

'Trwy law Duw?'

'Trwy law Duw Hollalluog, Polmont. Ar waetha'r Diafol a'i
ddrygioni, mi roedd O yno hefo ni hefyd yn yr amseroedd erchyll
hynny.' Ochneidiodd yn llaes, 'Ond ma'r hyn ddigwyddodd
wedi digwydd a fedri di na fi na neb arall droi'r cloc 'nôl.'

Rhoddodd y llythyr 'nôl yn ei boced.

'Be wyt ti'n bwriadu'i gyhoeddi yn y Cofiant?'

Heb wybod y gwir, sut y gallai Polmont gyhoeddi dim ond
chwaneg o sibrydion di-sail? Neu enwi'r Diafol, wrth gwrs. I ba
ddiben oedd gwneud hynny? Dim ond peri chwanag o ofna ac
o boena i'r teulu a wnâi hynny.

Yr unig un i holi Syr Walton Royal yn fanwl a chofnodi'r
cwbwl oedd y Barnwr MacFluart a'r prynhawn hwnnw danfon-
odd Polmont lythyr at ddrws ei dŷ yn Stryd Warwick.

Miss MacFluart.

Cododd Polmont ei ddwrn i guro ar y drws, pan agorodd.
Syllodd arni; syllodd hitha arno ynta braidd yn gegrwth. Yng
ngola dydd edrychai'n wahanol. Ysgwydodd y ddau law; fymryn
yn ffurfiol ac roedd ei hosgo a'i hystum braidd yn wrywaidd,
fel petai yn gwneud ati i sgwario. Cyweiriwyd ei gwallt yn dwt;
ei chudynna wedi eu trin a'u clymu â rhubana gleision.

Doedd ei thad ddim yno; ond derbyniodd ei lythyr. Ar y
ffordd allan roedd hi, ac aeth i lawr y stryd, a phenderfynodd
Polmont gydgerdded â hi. Doedd gan y naill na'r llall fawr o
ddim i ddweud wrth ei gilydd wedi rhyw fân siarad ynglŷn â
darlith ei thad ar natur ac achosion daeargrynfeydd yng Nghinio
Coffa Syr Walton Royal.

Chwiliodd Polmont am ryw dir cyffredin.

''Dach chi wedi darllen Cofiant Thomas Hobart i'w efaill,
Miss MacFluart?'

'Rhyw bytia.'

Atebodd yn swta heb edrych arno. Sychodd y sgwrs; sgrafell-
odd Polmont am chwaneg i'w ddweud.

'Sut beth ydi o? Llawn sbeit a malais?'

'Ddim o gwbwl.'

Cerddodd yn llawn pwrpas i lawr y stryd a chydgamodd Polmont â hi a'r ddau yn brasgamu mynd ar wib.

'Pam mae o'n gwneud peth o'r fath? Er mwyn gwawdio a difrïo'i efaill? Dyna'r rheswm?'

'Deud y gwir.'

''I wir o! Sgwn i pa fath o beth fydd hwnnw?'

'A dy wir di?'

Stopiodd yn stond; edrychodd arno'n herfeiddiol, 'Be fydd hwnnw 'di'r cwestiwn? Tapestri o wahanol brofiada, o ddylanwada a digwyddiada ydi bywyda pawb ohona ni. Rhaid ichdi fod yn ofalus. Mae'r sawl sy'n rhannu bywyd y gŵr yn siŵr o gael ei ddylanwadu ganddo fo.'

'Lol.'

'Lol ydi cadw hyd braich? Lol ydi trio cydio yn hanfod y bywyd o dan sylw yn onest? Lol ydi'i godi fo i'r goleuni er mwyn i bawb ei weld yn wirioneddol am yr hyn ydi o? Does dim byd gwaeth na bwrw celwydd i'r dyfodol.'

'Ma' arna i ddyletswydd i fod yn deg ag Iarll Foston.'

'Am mai fo sy'n talu?'

Oedodd Miss MacFluart i brynu tusw o flodau gwylltion o fasged yr eneth ddall a'u casglodd trwy'u hogleuo yn y meysydd.

'Faswn i'r un mor deg 'tasa fo ddim.'

'Cynnal safbwynt ma' pobol sy'n honni bod yn ddisafbwynt.'

'Chi sy'n gwthio geiria i 'ngheg i rŵan.'

Gwahanodd y ddau o boptu hen wraig dlawd yn segur swnian o'i charpia am gardod i'w chynnal ar gongol y stryd.

'Hyd yn oed 'tasa fo'n un o'r dynion gwaetha a droediodd wyneb daear erioed fel mae amryw ohonon ni'n 'i honni, fasa chdi yr un mor driw a theg wedyn? Does ond isio holi 'mhell i weld sut gwnaeth o ei ffortiwn yn nagoes?'

Sawl gwaith y clywodd Polmont yr edliw tila yma? Ebychodd a thytian yn uchel i ddangos ei anfodlonrwydd, 'Tydi'r fasnach gaethion ddim yn anghyfreithlon, Miss MacFluart.'

'Am mai fo a'i debyg sy'n ei chynnal hi trwy bob ystryw?'

Doedd Polmont ddim yn ffŵl.

Gwyddai bellach mai codi ei wrychyn oedd ei bwriad hi. Wrth ddadla hefo'r Esgob Parva yn *Mansion House*, sylwodd mai dyna oedd ei hystryw. Ond doedd o ddim yn mynd i gamu i'w thrap; a doedd hi ddim yn mynd i gael rhwydd hynt i leisio ei rhagfarna chwaith, a phenderfynodd daro'n ôl ac achub cam ei noddwr.

'Pam 'dach chi mor drwm eich llach ar ddynion sy'n llwyddo i wneud rhywbeth gwerth chweil ohoni mewn bywyd?'

Chwarddodd hithau'n uchel, 'Gwerth chweil, wir!'

'Dynion o benderfyniad, dynion sy'n amal yn fodlon mentro'r cwbwl, eu harian, eu heiddo, eu hiechyd hyd yn oed i godi busnas er lles cyffredinol eu cymdeithas? Peth hawdd iawn ydi bychanu a dychanu fel mae Thomas Hobart yn 'i neud, ond matar arall ydi dyrchafu a chanmol lle mae dyn yn haeddu hynny. Fuoch chi erioed yn yr ynysoedd siwgwr?'

'Naddo.'

'Wyddoch chi'm am be 'dach chi'n siarad felly.'

'Fuo 'nhaid yno. A fy nhad. Mi gollodd fy nain ei bywyd ym Mharadwys. Trwy sgwrsio hefo nhw mi wn i am be dwi'n sôn.'

'Miss MacFluart, tydi petha ddim hannar mor ddrwg ar y negro ag yr ydach chi a'ch bath yn 'i honni.'

'O, nag'di?'

'Wrth gwrs nag ydi hi.'

'Pwy sy'n deud? Foston a'i debyg?'

'Ydi annog negroaid – paganiaid anwybodus – i fyw yn wâr o dan arweiniad llywodraeth o wŷr goleuedig, gwŷr y gellwch chi eu hefelychu a'u mawrygu, ddim yn rhinwedd? Nid caledi ydi darostwng i awdurdod o'r fath ond braint a bendith.'

'Drygioni ydi caethwasiaeth,' siaradodd yn wastad, 'Drygioni y mae'n rhaid ei sgubo oddi ar wyneb y ddaear.'

Chwarddodd Polmont yn ysgafn, 'Ym marn amryw byd o bobol mi glywch ddeud hefyd mai drygioni ydi talu trethi!'

'O, lol-mi-lol 'di siarad fel hyn . . .'

'Chlywais i neb yn ei lawn bwyll yn dadla tros ddiddymu hynny ne' sut arall fydda pobol yn eu diogi a'u difaterwch yn cynnal eu hunain? Diddymwch chi gaethwasiaeth a dyna chi'n bwrw pawb ar 'u penna i drybini.'

'Sut?'

'Yn un peth, fyddai gan y meistri ddim hawl i lafur eu caethweision. Yn ail, fyddai gan y caethion ddim hawl i fyw ar dir eu meistri. Buan iawn y basa'r meysydd a'r gerddi yn mynd â'u penna iddyn a'r caethion di-waith yn methu cynnal eu hun-ain, yn llwgu ar drugaredd y plwyfi ac yn chwannog o ddwyn neu godi twrw o laesu dwylo. Pam yn y byd mawr ma' isio chwalu trefniant sy'n llesol i bawb?'

Tawelodd ennyd ac ynta'n meddwl ei fod wedi ei darbwyllo o'i hynfydrwydd trwy ddadl deg.

'Dwi'n dallt yn iawn pam 'dach chi'n meddwl fel hyn, Miss MacFluart; gwraig ifanc deimladwy ydach chi a –'

Gwylltiodd; gwylltio a harthio nes maeddu poer, 'Paid ti byth bythoedd â meiddio 'nhrin i fel ynfytyn. 'Mots gin i amdana chdi na dy noddwr na neb ond nei di'm siarad hefo fi fel taswn i'n blentyn.'

Gwenodd Polmont.

Oedd rhywbeth mwy anhyfryd na merch ifanc yn gwylltio? Yn wahanol i ddyn fe gyll degwch ei hwyneb. Dysgodd Mr Hatfield o mai pwrpas merch oedd defnyddio ei gwedd naturiol a'i rhyw i leddfu a lliniaru; cymodi a chreu heddwch. Does undim mwy di-chwaeth na merch chwerw a chas; un sy'n codi ofn ar bawb; un gegog, llawn tân a thwrw wrth geisio cystadlu â dynion. Dyna roi ei fys o'r diwedd ar natur Miss MacFluart. O'i deall yn well gallai Polmont gydymdeimlo.

Addfwynodd ei lais i geisio cymod.

'Does bosib fod petha cynddrwg â hynny ar y negro. Ma' dynion, hyd yn oed y rhai mwya goleuedig a diragfarn, yn cael eu llowcio gan genfigen o bob math a hynny'n amal yn ddiarwybod iddyn nhw'u hunain. Waeth gen i be ddeudwch chi ond mae 'na ragfarn yn erbyn dynion fel Iarll Foston.'

'Am reswm da!'

''Falla fod dadl tros ddweud fod y fasnach yn ddrwg ond diniwed ydi'r planhigwyr. Trwy hap a damwain y daeth llu i berchnogi neu etifeddu eu planhigfeydd. Ac amryw heb hyd yn oed fod yno ac yn ymddiried y cwbwl i ofal goruchwylwyr ne' geidwad cyfrifon. Dwi'n bersonol yn meddwl mai gwenwyn ydi llawar o hyn.'

Ochneidiodd, 'Ddim yr hen hen ddadl yna eto?'

'Mae pob teulu trwy'r deyrnas gyfan â pherthynas neu gydnabod sy'n rhan o'r fasnach. Ar y mater yma, mi rydan ni i gyd wedi'n plethu'n dynn i'r un gynfas. Os ydi'r planhigwyr yn euog, wel yna, wedyn mi rydan ni i gyd yr un mor euog.'

'O leia 'dan ni'n cytuno ar rywbeth.'

'Miss MacFluart, mewn difri calon; hefo pob tegwch rŵan; deudwch yn hollol onest . . . ond 'tasa hi mor enbydus o ddrwg â hynny ar y negro oni fyddai pawb trwy Ewrop benbaladr yn datgan hynny? Ma' cymaint o fynd a dŵad – faint? saith neu wyth gant o longa o'n heiddo ni bob blwyddyn yn unig? – dywedwch fod yr un faint gan y gweddill – miloedd o wŷr addysgedig, swyddogion y goron, y gwasanaeth suful, y llynges, y fyddin, gweinidogion yr efengyl wrth y cannoedd, yn mynd a dŵad bob blwyddyn. Dynion da fel yr Esgob Parva. Ydi'r rhain i gyd yn honni fod y negro yn cael ei gamdrin yn y modd creulona posib? Yn cael ei orweithio, ei gamdrin a'i ddarnlwgu a'i chwipio i farwolaeth?'

'Ma' fflyd o bamffledi wedi 'u cyhoeddi sy'n honni hynny.'

'A fflyd o bamffledi i'r gwrthwynab hefyd.'

Rhaid fod Polmont wedi codi ei lais neu wneud rhyw osgo ychydig yn fygythiol neu rywbeth oherwydd – o rywle – (lle ni sylwodd) – daeth wyneb yr hogyn cringoch blin i'r fei.

Tan rythu ar Polmont, holodd yn warchodol, ''Dach chi'n iawn, Miss MacFluart? 'Di hwn ddim yn 'ych hambygio chi ydi o?'

'Nac ydi. Dwi'n iawn, diolch, Wakefield.'

Edrychai yr un mor filain yng ngola dydd ag a wnaeth wrth ei hyrddio ei hun ar Iarll Foston a gweiddi arno â bloedd anglefol o gongol ei geg i ryddhau'r caethion yng Nghinio Coffa Syr Walton Royal. Ni chiliodd; ond arhosodd i gicio'i sodla yn y cyffinia.

Camodd Miss MacFluart tros riniog swyddfa'r Gymdeithas Lenyddol.

'Ots gen ti aros eiliad?'

'Ddim o gwbwl.'

Aeth i mewn; dychwelodd o fewn dim a rhoi pamffledyn iddo.

''Falla y bydd hwn o help. Rhywbeth sgwennis i ryw dri mis 'nôl.'

Darllenodd Polmont y teitl mewn llythrennau breision:

'Y Grefydd Gristnogol a'r Fasnach Gaethion: ateb Miss MacFluart i Bamffledyn yn Dwyn yr Un Enw o eiddo yr Esgob G. Parva, Cyn-Esgob Port Royal (ac awdur Holl Hanes Erchyll y Babaeth, Bywyd a Gwaith y Diwygwyr, Mawredd yr Anfarwol Martin Luther, Y Merthyron Protestannaidd, Gras yw Dechrau Gogoniant &c &c).

Addawodd Polmont y byddai'n gyrru ei ymateb iddi; nod-iodd hitha ac am y tro cynta, cododd hanner gwên. Wedyn arhosodd y Cofiannydd i wylio Wakefield a Miss MacFluart yn mynd o'i olwg.

Yr angladd.

Roedd hi'n bwrw glaw; tresio bwrw drwy gydol yr amser a hynny yn y modd mwya melltigedig. Cynhaliwyd y gwasan-aeth yn Eglwys Westminster, a honno bron yn llawn. Oherwydd salwch y Deon galwyd ar hen gyfaill y teulu i weinyddu a gweddïodd o waelod ei fod; gweddïodd yn llawn angerdd tan grefu trugaredda.

'Pan fo hi'n bwrw glaw mor felltigedig â hyn, bobol: onid wylo mae y nefoedd ar drueni'r byd?'

Mynnodd Mr Francis Foljambe gadw'r arch fach ar ei lin. Gwasgodd hi ato'i hun fel clustog drwy gydol y gwasanaeth a'r Esgob Parva, o dan deimlad, yn tagu ar ei eiria. Canodd côr yr eglwys; cododd y gynulleidfa ar ei thraed a chyd-ganu ar wahân i Mr a Mrs Foljambe a eisteddodd yng ngwendid eu galar.

O gyrraedd porth y fynwent roedd hi'n bwrw fel o grwc; y glaw yn pistyllio'n llifeiriant rhyferthol ar wynt tymhestlog a chwythai'n chwyrn o'r gogledd-ddwyrain. Bu hon yn storm bum diwrnod o barhad a'r waetha yng ngho y rhan fwya o bobl. Llusgodd rhes faith o alarwyr draw at sgwâr bychan a agorwyd o dan gysgod yr hen gastanwydden fawr. Mynnodd Mr Francis Foljambe osod yr arch ar waelod y bedd; er i Syr William-Henry gynnig ei helpu, gwrthododd. Disgynnodd ar ei benglinia yn wandymer o gorff, yn eiddil a braidd yn nychlyd; gwthio un goes tros ochor y bedd a chamu iddo; crafangodd yn y clai gwydn a oedd fel pyg a phridd yr ochra yn baeddu'i ddillad. Tynnodd yr arch tuag ato, ei dal i fyny a'i chusanu, a diferion glaw yn gymysg â'i ddagrau.

Wylodd Miss Swinfen-Ann a Miss Styal. Gwthiodd Syr Feltham Royal snyff gwlyb i fyny ei drwyn. Safodd y Fonesig Frances-Hygia Royal dan warchodydd Iarlles Foston er na thorrodd yr un o'r ddwy air â'i gilydd unwaith. Camodd Iarll Foston at Mr Francis Foljambe i gynnig llaw, er mwyn ei godi allan o'r bedd ond arhosodd yno yn syllu ar arch ei fab am hydoedd.

Dyna pryd y sylwodd Polmont heibio i'r galarwyr ar wraig

mewn oed a saith o blant tlawd yn edrych draw at y teulu. Safai ym mhorth y fynwent a'r plant yn gwingo; dau neu dri yn rhedeg yn wyllt gan neidio tros y bedda ond ni wnaeth hi (na neb arall) ddim oll i'w nadu nhw. Sgubodd y wraig dlawd gudynna gwlyb o wallt brith o'i hwyneb (ac ôl y frech arno fel ar wyneb y Fonesig Frances-Hygia Royal), ond nid edrychai mor hen o ailgraffu arni. Gwraig ifanc oedd hi, ond ei bod hi wedi heneiddio cyn ei hamser.

Yn y bedd, llwyr gollodd Mr Francis Foljambe arno'i hun.

'Pam ges i 'ngeni fel hyn?' cododd ei ben gan udo ar y nefoedd, 'Pam ges i 'ngeni fel hyn? Do'n i'm isio cael fy ngeni fel hyn!'

Cymhellodd Iarll Foston y gweision i'w 'morol.

'Gadwch imi farw! Marw yn 'i le fo!'

Rhofiodd y pridd i'w ddwylo a'i bledu tros y galarwyr.

'Cerwch o'ma! Cerwch!'

Llwyddodd Guernsey a Rampton a thri o alarwyr eraill i'w dynnu allan. Gwthiodd Mr Francis Foljambe ei ffordd trwy'r dorf a'i gôt bombasin laesddu yn hongian arno'n wlyb diferyd. Hegar ysgwyddodd y galarwyr yn ddifeddwl nes peri i fwy nag un golli eu parlas. Wrth iddo frasgamu trwy'r porth sylwodd Polmont ar y wraig dlawd yn estyn ei llaw i'w gyffwrdd; neu i fegera; roedd hi'n anodd barnu. Hanner oedodd Mr Francis Foljambe – penlinio'n sydyn, tynnu clust ei esgid a chau ei fwcwl arian – ond nid arhosodd ac aeth yn ei flaen, a'r plant yn ei ganlyn yn un haid tan sblashio'n ddi-hid trwy'r pylla dŵr.

Y pamffled.

Ni ddaeth Mr a Mrs Francis Foljambe yn ôl i Dŷ Iarll Foston er bod cannoedd wedi galw i gydymdeimlo. Fel pawb arall, gwlychodd Polmont at ei groen ac aeth i newid ei ddillad. Wrth sefyll o flaen y tân teimlai'n llonwych ac i radda yn llond ei groen wrth ddiosg ei ddillad a thynnu rhai cynnes glân amdano. Galwodd Guernsey i hel ei ddillad gwlybion a mynd â nhw i'w sychu. Ond magodd Polmont beswch yr un fath; a dechreuodd rynnu a theimlo'i esgyrn yn oeri.

Aeth i'w wely'n gynnar.

Darllenodd Y Grefydd Gristnogol a'r Fasnach Gaethion. Doedd ateb Miss MacFluart i bamffled yr Esgob Parva ond cwta bum tudalen ar hugain. Mor fyr â hynny, meddyliodd tan duthian wrtho'i hun. Roedd ei hyfdra yn rhyfeddol. Darllenodd yng ngola'r gannwyll ond buan yr alarodd. Pesychodd Polmont a thaflodd ei phamffledyn o'r neilltu. Gorweddodd yn ei wely wedi plethu'i ddwylo o dan ei ben a syllu ar y nenfwd. Gwenodd wedyn; gwenu'n dawel wrtho'i hun wrth weld Miss MacFluart yn plygu'n ddwys, ei thalcen wedi'i grychu a blaen ei thafod yng nghongol ei cheg, yn ymlafnio i fwrw ei meddwl ar bapur.

Ac ysgrifennu be? Mewn difri calon! Chwarddodd – rhyw gyfarthiad sydyn yn ei gorn gwddw – o sylweddoli mor hawdd oedd chwalu ei dadleuon; mor rhwydd y gallai ei hateb – ateb am ateb yn hyderus hollol ac ennill pob un ddadl yn hawdd ar waetha pa mor danbaid y teimlai ac y siaradai o blaid 'rhyddhau' y caethion.

Druan ohoni.

Druan fach ohoni hefyd yn mentro herio gŵr o swm a sylwedd fel yr Esgob Parva. Yn meiddio herio'r canrifoedd o ddoethineb a thraddodiad a orweddai'n garreg sylfaen gadarn i ddeall dyn o'r fath. Hitha'n codi ei thŷ ar dywod; yn cracio wya clwc; yn ailbobi hen syniada ail-law; sothach ffasiynol y pamffledi diweddara un a'u llyncu fel gwirionedd. Be barodd iddi ddechra mwydro a mwydo ei meddwl bach yng ngheudy'r *philosophes*? Y radicaliaid anradical (glywodd Polmont â'i glustia ei hun eu rhefru a'u bytheirio wrth y bwrdd bwyd ym Mharis) a'u hen hen gri arwynebol am godi chwyldro a'u dyngarwch meddal nad yw'n ddim ond creulondeb: yr ymwadu llancaidd â Christ a Duw: y cabledd bwriadol: y diffyg parch: y baganiaeth newydd. Blys adolesent i sgytio yng ngwar cymdeithas er mwyn ysgwyd y gwerthoedd sy'n ein gwneud yr hyn ydym. Dyna hanfod ei phamffledyn hi ei hun. A'r bwriad? Tanseilio ein cyfiawnder, ein cyfraith, ein cyfrifoldeba, ein synnwyr cyffredin, ein gwir ddyngarwch, normalrwydd byw a bod bob dydd wrth gyfarch ein gilydd ar y stryd: bywyd ei hun!

Bywyd ei hun!

Sydyn gododd ar ei eistedd – a theimlo ias o bendro yn ei wthio 'nôl – a gorfu iddo sodro ei ddwy droed yn solet ar y carped a'i ddau ddwrn ar y gwely er mwyn ei sadio ei hun.

Wrth gwrs! Bywyd ei hun!

Teimlodd ras o binna bach yn rhedeg hyd ei groen; a'i wegil yn oeri mwya sydyn. Cafodd gip ar ryw weledigaeth ryfeddol; rhyw ddarn o sylweddoliad a'i lloriodd yn llwyr. Yn yr eiliad roedd y cwbwl mor glir; mor hollol berffaith glir ag y gall undim fyth fod mewn bywyd. Fe'i siglwyd i waelod ei fod; i lawr i fân wreiddia ei enaid. Sylweddolodd Polmont fod yma frwydr fawr. Nid brwydr ennyd awr mo hon ond brwydr gosmig o blaid y gwir ac yn erbyn y gau.

Brwydr Bywyd ei Hun!

Ni allai aros yn llonydd.

Adeilada'r Llynges.

Trwy'r dywyllnos brasgamodd yn ei flaen ar wib. Cafodd ei erlid am bwl gan gi bach llwyd â blewyn garw. Roedd yn rhaid iddo gerdded; roedd yn rhaid iddo sbydu rhyw gymaint o'r egni a lifai trwy'i gorff. Cerddodd yn frysiog; cerdded yn llawn cynnwrf. Teimlai fel dyn dall a fendithiwyd eto â'r gallu i weld. Brwydr Bywyd ei Hun! Sut na sylweddolodd hynny ynghynt? Dyna oedd yn y fantol, wrth gwrs! Wrth gwrs! Roedd y cwbwl mor hollol amlwg! Nid oedd y gwrthdaro yn ddim llai! Pe câi pamffledwyr 'radicalaidd' fel Miss MacFluart a'i thebyg eu ffordd, yna Duw a'n gwaredo!

Bu ond y dim iddo gael ei waldio gan goets hacni – a'i lamp yn siglo – wrth iddi droi i Gwrt Crag gan sbydu pibiad o faw yn ei sgil. Mewn cyfnod fel ein cyfnod ni, meddyliodd, mae llawer iawn o falu awyr ynglŷn ag arwyddion yr amsera, yr angen i resymoli ac ad-drefnu natur ein llywodraeth ar ryw newydd wedd er mwyn y mwyafrif di-lais, di-gefn, hawlia dyn, hawlia gwragedd, didol cyfiawnder a rhyddid, rhoi llais i'r tlodion &c &c ac yn y blaen ac yn y blaen.

Ond o dan y cawdel cecru yma yn ymrithio ym mheisia tena tlodaidd credo bitw Miss MacFluart a'i chiwed druenus mae'r burgyn marw mwya drewllyd wedi dechra pydru. Gwaetha'r modd, mae yma i aros hefo ni; i lusgo'i ddrewdod hyd ein strydoedd, i fwyta wrth ein byrdda, sibrwd yng nghlustia ein hieuenctid, drysu'r gwan eu meddwl. Pregetha'r grymustera mwya ffiaidd a pheryglus gan fagu maeth a nerth yn ein mysg, a hynny heb i ni hyd yn oed sylwi! Petai Miss MacFluart ond yn sylweddoli hynny!

Sut y gallai Polmont ei hargyhoeddi fyth? Ei darbwyllo o naïfrwydd y gredo o feddwl: O, wel, os cawn ni chwyldro trwy Ewrop benbaladr a sgubo'r drefn yma o'r neilltu a ddaw trefn well yn ei lle hi? Bobol bach! Caewch y llenni, steddwch i lawr yn dawel a myfyriwch am y peth yn hir hir iawn. Ewch i ffwrdd am dro; dewch 'nôl a meddyliwch eto. Am amser maith. Ydach chi'n sylweddoli y galla petha droi'n llawer gwaeth, yn wir yn waeth na gwaeth, yn gan mil gwaeth yn sgil llanast felly?

Datod rhaff ein cymdeithas a'i throi'n llinynna i chwyrlïo ar y gwynt. Agorwch y llenni eto, teimlwch yr haul ar eich talcen, a diolchwch eich bod chi'n byw mewn cymdeithas mor ogoneddus â hon. Rhowch eich balchder o'r neilltu; penliniwch; byddwch wylaidd a gweddïwch. Ia! Dodwch eich dwylo ynghyd a gweddïo yn llawn aberth moliant. Gwrandewch ar leisia'r plant yn chwarae; ogleuwch brydferthwch y rhosod; rhin y coed . . .

Oedd hi wedi dwys ystyried pen draw yr hyn roedd hi a Wakefield a'i thebyg *wir* yn ei ewyllysio yng nghilia'r galon?

Safodd Polmont ar Bont Llundain eto a theimlo ias gaeaf-wynt. Syllodd ar ola gwan rhyw long yn darfod yn y niwl fel lantar gannwyll ar noson ddu yn cilio i bellafoedd byd. Daeth drosto ryw gryndod rhyfeddol mwya sydyn: fel petai dau groes-deimlad yn rhwbio yn erbyn ei gilydd: fel dyn yn caru a chasáu yn yr un gwynt. Daeth drosto ryw awydd i'w chusanu, awydd i'w hanwesu hefyd, awydd i'w gwarchod rhagddi hi ei hun; awydd i'w dwrdio hefyd. Druan fach ohoni.

Penderfynodd gyflawni ei ddyletswydd tuag ati hi a thuag at y ddynoliaeth gyfan trwy ei Gofiant i Iarll Foston.

Yr esgus.

Penderfynodd Polmont ddychwelyd pamffled Miss MacFluart iddi drannoeth, nid er mwyn sgwrsio hefo hi ond, yn hytrach, yn y gobaith o weld ei thad, y Barnwr, nad oedd byth wedi ateb y llythyr a ddanfonodd ato. Yn ei feddwl, dechreuodd ama a oedd ei ferch wedi ei roi iddo ai peidio. Wrth nesáu at y tŷ yn Stryd Warwick, pwy welodd Polmont yn dod i'w gyfwrdd ond neb llai na Miss MacFluart yng nghwmni Wakefield.

Cusanodd y ddau; sibrwd rhyw eiria wrth ei gilydd; gwenu'n gariadus a braidd-gyffwrdd dwylo – blaen eu bysedd yn hong-ian ennyd cyn gwahanu – ac wedyn croesodd Wakefield y stryd a diflannu i lawr stryd lai. Wrth weld Polmont yn closio ati, ffromodd Miss MacFluart ryw fymryn. Cyfarchodd y ddau ei gilydd yn gwrtais a dywedodd hi mai siwrnai seithug oedd o'i flaen gan fod ei thad yn yr Old Bailey.

'Ond ma' llythyr ar y ffordd ichdi medda fo wrtha i.'

Dychwelodd Polmont ei phamffledyn.

'Cadw fo.'

'Dwi'n ama'n gry a fydda i'n 'i ailddarllen o.'

'Rho fo i Iarll Foston.'

'Go brin.'

'Neith fyd o les iddo fo.'

'Darllen gwenwyn?'

Doedd Miss MacFluart ddim yn un i fân siarad a dywedodd, 'Gwenwyn ydi dadla yn erbyn hawl dyn i gaethiwo dyn arall? Troi cnawd a gwaed yn ddim byd ond peth i'w brynu a'i werthu?'

'Dadleuon naïf sy' ganddo chi, Miss.'

'Naïf? Ma'r peth yn sylfaenol anfoesol. Does dim dadleuon; does dim dwy ochor ar y mater yma.'

'Ma' dwy ochor i bob dadl. Neu os na allwch chi weld hynny, tydach chi'm yn 'nabod y natur ddynol.'

'Nabod y natur ddynol, wir! Be 'di'r natur ddynol i chi, syr?'

'Be ydi hi i chi, Miss?'

'Y natur ddynol i mi, gan bo' chi'n gofyn, ydi rhywbeth sy' mor ansafadwy â dŵr; yn rhywbeth sy'n nofio o flaen ein llygaid ni; yn ddi-ddal, yn gwyrdroi o awr i awr, tan bwyso ffordd hyn heddiw, ffordd acw 'fory a weithia yn troi 'nôl arni hi ei hun. A wela i'm 'mod i wedi deud dim i godi gwên ar wyneb neb.'

Ar draws ei rwdlian cofiodd Polmont yn sydyn am rywbeth a ddywedodd Iarll Foston wrtho yng ngerddi'r Plas am y gwahaniaeth rhwng gŵr a gadwai gaethion ac un dieiddo, a chymaint o ofal, ac yn wir o gariad, a oedd gan y naill at y negro o'i gymharu â'r llall a dueddai i fod yn ddihitio o'i les, os nad yn ddifater hollol, a hynny'n profi nad oedd materion fel hyn bob amser mor ddu a gwyn ag y carai rhai pobol iddyn nhw fod.'

Atebodd hitha, 'Mae o o fantais i'r tacla ofalu am eu caethion tydi? Wedi'r cwbwl, ma' nhw wedi gneud buddsoddiad mawr.'

'Sydd eto, mewn ffordd annisgwyl, yn ddadl gre tros ddio- gelu hawlia eiddo preifat tydi? O'i ben a'i bastwn ei hun, pwy aeth ati erioed i frwsio dail o lwybr cyhoeddus?'

"Mots gin i sut y troi di 'ngeiria i, na stumio 'nadleuon i, ond dwi'n gwbod un peth – a'i wbod o'n mêr fy esgyrn – fod yn rhaid i'r genhedlaeth yma ddileu caethwasiaeth.'

Pleser rhyfedd a chwithig oedd clywed ei safbwyntia ffasiynol.

Po fwya y siaradai, mwya y tyfai rhyw swyn rhyfedd ynddi na allai mo'i esbonio.

'Fel 'tasa fo'n fater mor syml â phrynu torth?'

'Mater o ddeddfu'n y senedd – a dyna ni.'

Dywedodd a throdd Miss MacFluart i borth mynwent.

'Wir? Be am y Ffrancod? A'r Isalmaenwyr? Y Sbaenwyr? Y Portiwgeiaid? Ein cefndryd Ewropeaidd?'

'Ers i ni gerdded y strydoedd 'ma rŵan ma' 'na gannoedd o negroaid wedi marw. Rhaid inni ddechra'n rhwla!'

"Tasa ni'n stopio 'fory nesa – fasa nhw? Wedi'r cwbwl Miss MacFluart, allwch chi'm gwadu nad ydan ni i gyd bellach yn byw mewn marchnad gyffredin?'

'Marchnad sy'n bwydo lladd-dy. Cyfandir o arian, o fasnach, o werthu gynna a grym a'r cwbwl yn cael ei gynnal gan rethreg rhyw rith celwyddog o goel-grefydda. Does dim gwarineb yn perthyn i Ewrop – ac mae'r sawl sy'n honni hynny un ai'n ffŵl neu'n lloerig.'

Cawodydd Mai ar sypia Ebrill. Roedd rhyw wynfyd od mewn closio ati, i wrando ar ei llais; syllu ar ei stumia; gwenu ar ei hyfrydwch a'i deimlo'i hun o dipyn i beth yn meddwi'n ei phryd-ferthwch.

'Mae 'na wirionedd na allwch chi na neb arall mo'i wadu.'

Dechreuodd Polmont fagu blas; dechreuodd wir fwynhau dal pen rheswm â hi.

'O? Be felly?'

'Llwyr hawl pob meistr i chwipio ei negro neu ei negroes at y byw a hynny 'nôl ei fympwy.'

'Cosbi oherwydd rhyw gamwri neu drosedd mae meistri fel arfer. Pwy all wrthwynebu hynny?'

'Cosbi dyn sy'n eiddo iddo fo'n hollol groes i'w ewyllys?'

'Cosbi morwyr? Fasa chi'n gwrthwynebu hynny hefyd? Wedi'r cwbwl, eu pres-gangio gafon nhw. Ond alla'r un llong godi angor heb fod awdurdod a threfn a phawb yn cydnabod ei le.'

'Mae gan y negro ei hawlia.'

'Mi ddwedwch nesa fod gan ferched hefyd?'

'A phlant.'

318

'Ac anifeiliaid, mwn?'

'Anifeiliaid hefyd.'

'Coed a phlanhigion?'

'Hyd yn oed flodau bach y maes.'

Chwarddodd o; ond gwgodd hi.

'Yr unig hawl yn y byd yma,' dywedodd Polmont mor wylaidd fyth ag y gallai, 'ydi hawl Duw Hollalluog tros ei deyrnas.'

Aeth hitha ar ei glinia a dweud yn drist, "Dach chi'n amlwg yn Gristion.'

Talcen cofeb fedd ei mam.

Syllodd Polmont ar Miss MacFluart. Yng nghanol ei holl rethregu, synhwyrodd mor wag oedd ei geiria o wir ystyr. Mor dila a bychan oedd ansawdd ei meddwl: mor llwm oedd ei henaid bach, mor llawn yw'r Iesu. Tydi Duw ddim yn bod, mae Duw wedi marw – dyna gri'r radical ffasiynol fel Miss MacFluart – ac felly (os oedd yn dallt ei dadl yn iawn) ni allai alw ar unrhyw rym amgenach na'i chydwybod hi ei hun? Darfod fesul ennyd awr a wna pob dim o'n heiddo. Yn wyneb amser onid gwan ac anobeithiol ydi'n nerth grymusa ni?

O, wel, medd y radical yn sinicaidd – anghofiwch am drefn a phwrpas felly, na phoenwch am neb na dim go iawn: be felly sy'n weddill? Wel, chi eich hun, wrth gwrs! Be felly newch chi? Be arall sydd i'w wneud ond mwynhau, mwynhau'r awr! Dyna yn y diwedd fyddai gwerthoedd yr oes newydd. Dyna yn y diwedd fyddai pen draw ei rhesymeg, druan. Esgus tila yn unig oedd pwffian ynghylch achos y negro i roi iddi hi ei hun ryw ruddin o werth ac o ystyr yng nghanol ei drysni: rhyw angor mewn môr nad oedd hi ei hun hyd yn oed wedi dechrau ei amgyffred.

Syllodd arni'n gosod bloda ar fedd ei mam.

Neu ai pleidio 'rhyddid' roedd hi er mwyn gwneud iddi deimlo ei bod hi'n uwch ac yn well na phawb arall? Yn ddoeth-ach merch, yn amgenach person? Yn offeiriades ag allwedd i ddrws rhyw fewn-welediad i'r cyflwr dynol, rhyw ddealltwr-iaeth uwch ac ardderchocach nag oedd yn eiddo i ffyliaid dwl fel ni? Rhyw benucheldra hunangyfiawn? Rhyw falchder hunan-dybus? Ai dyma oedd yn ei gyrru ar gyfeiliorn? Y naill ffordd neu'r llall gwyddai Polmont fod dyfnach rheswm nag roedd hi'n ei adnabod neu'n dewis ei gydnabod tu hwnt i'r un arwyn-ebol o 'ryddhau' y caethion. Petai hi ond yn sylweddoli hynny!

Petai hi ond yn gallu ogleuo drewdod y domen dail y safai arni!

'Os ydyn nhw mor fodlon eu byd, pam fuo caethion fel Dante a Plato yn gwrthryfela byth a hefyd?' gofynnodd Miss MacFluart.

'Am yr un rheswm â rydach chi'n gwrthryfela o'u plaid nhw.'

'Oherwydd eu cyflwr gormesol.'

'Naci, Miss MacFluart. Oherwydd eu cyflwr cynhenid.'

'Capten llong oedd tad fy mam, gŵr o'r enw Mr Samson Littlehey. Gŵr â halen y môr yn ei waed o; un â morwra yn ail natur iddo fo. Yn ddyn ifanc roedd o'n bleidiol iawn i'r fasnach, er ei fod o'n poeni fod cymaint o'r morwyr yn marw ar bob mordaith, marw o afiechydon erchyll. Nabodis i mohono fo erioed achos mi fuo farw cyn imi gael fy ngeni. Does gen i ddim co am fy nain chwaith. Mewn storm 'ddaru hi golli ei bywyd; a ddaeth neb o hyd i'w chorff hi. Tri deg wyth oed oedd hi. Pam fasa Duw isio gneud hynny? A hitha ond newydd ddechra ymgyrchu yn Port Royal yn erbyn caethwasiaeth? Os ydi Duw wir yn drugarog pam na fasa fo wedi cosbi'r rheiny oedd yn cynnal y drefn?'

Piccadilly.

Eistedd yn darllen rhanna o'r Cofiant roedd Iarll Foston. Roedd dwy forwyn wrthi'n lliwio ei wallt, ei aildduo yn huddug a thrydedd forwyn yn irhau ei aelia trwy eu byseddu'n ara deg.

Disgynnai'r dalenna rhyddion fesul un yn llipa tros y llawr. Closiodd Syr William-Henry, gan smocio'i getyn claerwyn hir, a sefyll i wrando ar sŵn tuchan bob hyn a hyn, gweld gwenu ambell dro, a thro arall, wg.

'Sut mae o'n darllen, Tada?'

'Fel basa rhywun yn 'i ddisgwyl.'

Wedi i'r morwynion gael eu gorchymyn i adael, cododd yr Iarll a sefyll ar y gwaith. Syllodd i lawr o'i ffenest ar Iarlles Foston, Miss Swinfen-Ann a Miss Styal, yn camu o'r goets a siopa o ddillada yn cael eu dadlwytho o goets y tu ôl. Wedi pendronni'n hir, dywedodd, 'Be mae'r Cofiannydd isio ydi hwb yn 'i flaen. Hwb mawr yn 'i flaen hefyd. Rhwbath roith dân yn 'i fol o. Mae o wedi mynd i ogordroi gormod; rhygnu am ryw fanion ym Mharadwys o hyd yn lle cyflawni yr hyn mae o i fod i'w neud. A pham? Y drwg ydi 'i fod o wedi mynd i ama yn lle derbyn.'

Oedodd; tawelodd a rhythodd arno a'i anadlu'n flêr.

'Hefo pwy fuo fo'n siarad wythnos yma?'

'Mama eto. A Miss MacFluart . . .'

'Honno? I be? Be oedd o'n gobeithio'i glywed gan ryw hulpan felly? Mmm? Mae o wedi hen golli golwg ar nod y gwaith.'

'Be 'dach chi am imi neud, Tada?'

'Fydd rhaid imi gael gair hefo fo.'

Yn eistedd yr ochor bella i ddrws parlwr preifat Iarll Foston roedd Mr Grenock MacFluart. Bu'n disgwyl gyhyd nes mynd i gysgu. Ar ei ffordd i'r llyfrgell roedd Polmont a synnodd wrth weld y daearegydd byddar enwog yn eistedd yno. Closiodd ac eistedd nesa ato. Roedd dau lygad Mr MacFluart ynghau, ei freichia wedi eu plethu ar draws ei fynwes a rhwng ei ddwy droed gwasgai gwdyn lledr. Rhigolwyd croen ei wyneb gan amser neu'r tywydd – neu efallai fymryn o ôl y ddau. Roedd ei drwyn yr un ffunud â thrwyn ei ferch.

Gwaeddodd Polmont i'w glust.

'Breuddwyd melys?'

Deffrôdd Mr Grenock MacFluart o'i gyntun a chwythodd anadl yn ara tros ei wefus.

'Melys dros ben. Ddeuda i ddim be oedd hi chwaith. Fydda i'n lecio cadw 'mreuddwydion i mi fy hun.'

Wedi peth mân siarad, dywedodd, 'Disgwyl i weld Iarll Foston ydw i. Mae o'n chwilio am ddyn i neud arbrofion daearegol. Rhyw fenter fusnes newydd yng Nghymru o bob man.'

'Cymru?'

'Dyna ddalltis i gen Syr William-Henry. Ai ai. Be ddeudoch chi? Pryd? Dwi'm yn hollol siŵr, pryd . . . ond mae blynyddoedd o waith os daw'r cwbwl i drefn. 'Dach chi'n meddwl fod gobaith gen i?'

'Gwell na neb faswn i'n meddwl.'

'Be?' cwpanodd ei glust.

'Gwell na neb faswn i'n meddwl.'

Bwriodd Polmont ei feddwl yn ôl i'r sgwrs a gafodd y ddau ar y cei ym mhorthladd Calais wrth ddisgwyl am eu coetsus.

Y sgwrs honno ynglŷn â'i dad, y Barnwr Garth MacFluart a'r llythyr a yrrodd at ei fab o Port Royal i Goleg Balliol ynglŷn â'r hyn ddigwyddodd i'w wraig. Holodd Polmont a oedd y llythyr yn ei feddiant o hyd ac wedi cael ar ddallt ei fod, gofynnodd.

'Fasa ots ganddoch chi 'taswn i'n cael ei weld o?'

'Ar bob cyfri.'

Safodd Mr Francis Foljambe yno. Nid oedd Polmont wedi ei weld ers yr angladd. Safodd yno'n ddu ddi-wig o'i gorun i'w sawdl, ei ben mawr moel, ei lygaid yn felynion a phan hanner cododd ryw wên wan, sylwodd ar fwlch ei ddeuddant blaen a'r ddwy rych ddofn o ledai o'i ffroena i lawr hyd ei ên. Dduw Dad, roedd o'n ddyn hyll. Syllodd ar Polmont nes peri iddo ofyn, 'Be sy?'

Agorodd drws y parlwr a chymhellodd Syr William-Henry Mr Grenock MacFluart i mewn ac aeth Mr Francis Foljambe i'w ganlyn.

Y llyfrgell.

Tuag at ddiwedd y prynhawn, trwy gyd-ddigwyddiad rhyfedd, derbyniodd Polmont ei lythyr hir-ddisgwyliedig gan y Barnwr Garth MacFluart.

Fy Annwyl Syr,

Diolch ichi am eich llythyr. Maddeuwch imi am beidio ag ateb cyn hyn. Mwynheais ein sgwrs yn Nhŷ Coffi'r Black Moor a chododd ynof lawer o atgofion. Yn ddiweddar, cefais hamdden i ailddarllen fy hen nodiadau ynglŷn ag achos llofruddiaeth Paradwys. Yr oedd pawb a holais yn gytûn ynglŷn â'r fan a'r lle a'r amser y digwyddodd. Beth a ddigwyddodd, ni allwn fod yn siŵr hyd yn oed heddiw.

Mae'r ffeithiau fel a ganlyn:

Cyhuddodd Syr Walton Royal ei frawd-yng-nghyfraith, Syr Edward-Noël Henry Hobart, o fwrdro Mademoiselle Virginie Le Blanc. Ar y llaw arall, cyhuddodd Syr Edward-Noël Henry Hobart Syr Walton Royal o'r un drosedd yn union.

Ni wyrodd y naill na'r llall air oddi wrth eu tystiolaeth.

Sylwaf i Syr Walton Royal a Syr Edward-Noël Henry Hobart gael eu galw i gyfri a derbyn gwrandawiad gerbron y Llys Suful yn Port Royal ar Fai 6, 1767, pryd y cofnodwyd eu tystiolaeth er mwyn ei yrru at Bumed Iarll Chelmsford, yr Arglwydd, a oedd, bryd hynny, â gofalon tros faterion Rhyfel a Threfedigaethol.

Galwyd ar yr unig dyst, sef Goruchwyliwr Negroaid Neuadd Foston,
gŵr o'r enw Risley –

Stopiodd Polmont yn stond. Risley? Yr hen ddyn gorweddog
yn sbyty'r Fonesig Frances-Hygia Royal? Ai'r un un oedd o?

. . . i adrodd yr hyn a welodd wrth iddo groesi tuag at ei dŷ. Trodd
wrth glywed rhyw groeseiriau ar y feranda –

– roedd Risley'n dyst yn Neuadd Foston noson y dyweddïad!

. . . yng ngolau'r lloer gwelodd ddau ŵr bonheddig ac un wraig.

Fe welodd Mademoiselle Le Blanc! Fe welodd y cwbwl! –

Gan ei fod braidd yn bell i ffwrdd ar y pryd, ni ddeallodd union
natur y gynnen. Gwyddai wrth glywed y sŵn fod rhyw ffrae yn bwrw
trwyddi – ac rwy'n dyfynnu – 'a thymer dau Goromatyn gwyllt'.
Clywodd Risley sgrech a dywedodd iddo droi i weld rhyw ysbryd
gwyn yn disgyn. Dywedodd wedyn iddo glywed rhyw sŵn tebyg i
forthwyl caled yn waldio sach yn llawn siwgwr. Bloeddiodd un o'r
ddau ŵr bonheddig rywbeth. P'run o'r ddau yn hollol a wnaeth, ni
allai farnu; na dweud i sicrwydd beth yn hollol a lefarwyd. Rhuthrodd
(gorau ag y gallai, oherwydd roedd braidd yn gloff oherwydd crud-
cymalau ym mhen-glin ei goes dde) a chodi Mademoiselle Virginie Le
Blanc i'w freichiau. Dywedodd iddi fwngial rhyw ychydig eiriau
(Ffrangeg) ond roedd ei phen yn gwaedu'n enbyd a'r asgwrn wedi'i
hollti fel cragen fôr ac erbyn i Iarll Foston a gwŷr bonheddig eraill
gyrraedd, roedd hi wedi marw.

Pe byddai'r achos wedi ei draddodi i'r Old Bailey, Risley fyddai'r
prif dyst.

A'r unig dyst.

Yn fuan wedi'r gwrandawiad yn y Llys Suful, ymosododd llynges a
lluoedd arfog Ffrancod Martinique ar Ynys Paradwys trwy borthladd
Damascus ar fore Awst 15, 1767. Ar gychwyn y rhyfel, bu fy ngwraig
a finnau yn llochesu mewn gwesty yn y dre. Aeth yn rhy beryglus.
Llethwyd nerth gwarchodwyr y clogwyni tan gawodydd o belenni
haearn poeth o longau'r bae. Dan gysgod y nos gwelais lusgo milwyr
wedi'u clwyfo a'r rheiny'n griddfan yn isel wrth gael eu rhoi ar
droliau i'w tywys tua'r hen faracŵn a drowyd yn ysbyty. Rhuthrodd
milwyr Martinique o'r môr gan ledu allan hyd y traeth. Sefais i'w
gwylio o ardd ar gwr y clogwyn (yng nghanol oglau melys y coed ac
oglau sur y pylor) nes y dechreuodd lawio, a'r dre ei hun yn poeri tân
a'i thoeau'n hisian.

Drannoeth, gyrrwyd fy ngwraig a finnau (a channoedd o ffoadur-
iaid eraill, gwragedd a phlant gan fwya) tua'r bryniau. Tros Bont

Amser yr aethom a'i phren yn ratlo ein hesgyrn. Ymlaen wedyn ar hyd y ffordd, heibio i Lyn Cysegredig ar hyd Heol Achos. Yn uchel yn yr wybren cofiaf fod lleuad oer o Rwsia yn rhynnu uwch y coedydd mango. Gyrrwyd neges gan Iarll Foston i'n gwadd i'w blanhigfa. Aethom yno. Tyfodd gwayw yn fy nhroed; gwayw yn fy nghoes a ledodd hyd fy nghlun. Oherwydd fod si wyllt ar led bod y Ffrancod yn lledu allan o Ddamacsus doedd dim posib mofyn doctor.

Aeth fy nghoes o ddrwg i waeth, ac ar waetha eli, dechreuodd dduo. O'n cwmpas ni roedd sibrydion rhyfela yn dew ym mhobman. Cymydog yn lladd cymydog. Meddyliais y byddwn yn marw. Mae fy niolch hyd heddiw i Iarll Foston am achub fy mywyd oherwydd llifiodd fy nghoes i ffwrdd â'i ddwylo ei hun. Bu cyfarfod brys o Gynulliad Port Royal y diwrnod cynt lle cytunwyd yn unfrydol i alw ar Syr Walton Royal i gyflawni ei ddyletswydd.

Arweiniodd y Milisia tua'r gad. Galwodd Syr Walton Royal heibio Neuadd Foston ar ei ffordd tua Damascus ar Awst 15. Daeth adroddiadau o garsiwn y porthladd yn datgan eu bod o fewn dim i ildio'r dre i'r Ffrancod. Yng nghanol ei brysurdeb, daeth Syr Walton at erchwyn fy ngwely. Penliniodd yno. Pwysleisiodd ei fod yn ddieuog o ladd Mademoiselle Virginie Le Blanc. Dywedodd ei fod yn fodlon tyngu hynny ar fedd ei fam ei hun.

Ar flaen ei fyddin gadawodd liw nos, Awst 16. Dyna'r tro ola imi ei weld a'i glywed ar dir y byw. Trwy'r rhwyd moscito a daenwyd uwch fy ngwely fe'i clywn trwy fy ffenest agored yn annerch ei filwyr a'r planhigwyr. Siaradodd Syr Walton Royal yn ddewr ddiysgog tan ymegnïo'n wresoglym er mwyn cynnal pob braint a bri wrth annog y gwŷr i ymladd am einioes yr ynys annwyl yr anadlodd ohoni pan y'i ganed gyntaf o groth ei fam. Ni allaf ddwyn i gof y cwbwl oll o'i araith ond arhosodd rhan ohoni hefo fi hyd heddiw.

'Pa hyfryd bethau a beryglir pan fo'ch ynys mewn perig? Pethau ydynt, filwyr, na ellir rhoi pris teilwng iddynt. Nid sefyll y mae awdurdod y Ffrancod ar iawn a chyfraith, ond ar draisfeddiant a chreulondeb a chwant di-wala. Beth heddiw sy'n y fantol? Ddim llai na'ch cyrff a'ch eiddo. Eich tai a'ch caethion. Eich ceraint a'ch cyfeillion. Gwragedd eich mynwesi a genethod glân eich calonnau. Rhieni oedrannus a phlant mân ynghyd â ffrwyth eich llafur a'ch moddion cynhaliaeth. Eich crefydd sanctaidd. Eich llywodraeth gyfreithlon, eich breiniau a'ch cyflawn ryddid. Nid concro er llywodraethu Paradwys yw amcan pennaf y Ffrancod ond concro ein crwyn, ein gewynnau, ein hesgyrn, ein mêr, ein gwaed er diferu'n heneidiau i grochan Rhufain!'

Felly y siaradodd a chymeradwyaeth y milwyr a'r planhigwyr yn fyddarol uwch sŵn y drymiau a gurodd nes byddaru fy nghlyw. Syr, chwi a ofynnoch imi sut y cafodd ei ladd. Dywedir yn llyfr enwog Doctor Barbut Shotts, Terfysg Dante (ac rwy'n cyfeirio at yr ail argraffiad, 1774, y trydydd paragraff ar dud. 172) iddo gael ei wenwyno gen negro yng ngwasanaeth y Tŷ Gwyn rywdro yn ystod mis Ionawr, 1768. Oni bai fod rhyw dystiolaeth sy'n profi i'r gwrthwyneb, nid oes gen i reswm i gredu fel arall.

Tyfodd si gre fod rhai o Ffrancod Martinique wedi trechu gwŷr Damascus ac yn closio at ffin y plwyf ar waetha ymdrechion gwrol y Milisia. Siarsiwyd ni gan amryw i adael ar ein hunion am Port Royal, a hynny hyd y ffordd fyrraf tros Fwlch Bedydd. Aeth fy ngwraig a finna ar ddau farch. (Gwaith erchyll anodd i ddyn a amddifadwyd mor greulon o'i goes, a bu'n rhaid fy rhwymo). Po uchaf y marchogwn i fyny'r Dyffryn, mwyaf y tywyllai'r awyr nes y llanwyd yr wybren â chymylau trymion. Roedd gorwel y môr yn fwrllwch oerddu a rowliai'n nes ac yn nes gan rusio'r gwylanod o'i flaen. Wrth inni fynd yn ein blaenau, gwyrai'r awyr o'n blaenau a chododd rhyw chwiban isel tros y tir. Wedyn cododd gwynt nerthol, nes hollti trwy'r cymylau tan ruo a chwyrndroi . . .

Dechreuodd fwrw. Gwahanwyd meirch fy ngwraig a finnau yn rhannau ucha'r Dyffryn. Tywalltai'r glaw i'm hwyneb. Dechreuodd yr wybren ruo yn llawn twrw mellt a tharanau. Nid oedd golwg ohoni. Oherwydd nerth y gwynt ni allwn weld na chlywed ei llais. Chwiliais yn hir amdani; gweiddi ei henw ond gwaethygodd y ddrycin. Aeth o ddrwg i waeth. Barnais mai doethach fyddai imi fynnu lloches ond wrth geisio canfod llwybr yn sydyn gwelais islaw ryw weiryn gwyn yn erbyn y nos. Marchogais ar garlam trwy ddyfroedd melltigedig i lawr yn is i oleuni glas. Rhuai'r greadigaeth. Dawnsiai'r coed yn lloerig. O'r llethrau tywyll rhuthrodd rhyw anifail coll ar draws fy llwybr . . .

Closiais at fy ngwraig.

Gwaeddais arni ond ni chlywodd fi. Ai hi oedd yno? Yn y llwydwyll pwy a all wahaniaethu rhwng ystlum ac aderyn? Ciliodd y byw o'r golwg. Deuthum wyneb yn wyneb â mellten a ddychrynodd y coed. Hyrddiwyd y ddaear tua'r wybren. Ceisiais groesi'r afon ond gwrthododd fy march y lli. Chwalwyd pont o 'mlaen mor fân ag esgyrn cyw. Codai'r gwynt o galon y byd ac ar dalcen y brasgreigiau chwipiai glwyfau dyfnion nes gwargrymu'r bryniau o dan ei lid.

Rhuthrais ar ôl fy ngwraig. Bloeddiais ei henw ond ni chlywodd fi. Tasgai'r glaw fel cenllysg ymysg y mellt.

Dryswyd ei march. Ni allai ei feistroli. Gwaeddais arni. Ni chlyw-
odd fi. Rhuthrodd am gysgod tŷ. Cyn ei gyrraedd fe'i chwalwyd yn
briciau tân yn nerth y corwynt nes eu poeri allan yn nodwyddau mân.
Yn fy myw ni chlywais erioed y fath sŵn. Fel petai Duw ei hun yn
rhuo o frig y palmwydd. Gwaeddais arni. Gweiddi nerth esgyrn fy
mhen. Sefais yn hurt tu mewn i'm tŷ o eiriau fel dyn yn cael ei erlid
gan rym tu hwnt i reswm. Mellten mor llyfn ag asgwrn yn goleuo'r
nos. Aeth yn ei blaen ar garlam wyllt. Bloeddiais drachefn. Bloeddio a
bloeddio. Chwalodd ei march yn chwil, disgynnodd hithau, codi a
rhedeg. Marchogais inna ar wib i'w chyfwrdd, ond mewn chwyrndro
sydyn, estynnodd ei breichiau tuag ataf gan grefu ar rywun i'w
hachub cyn ei chwipio'n fyw i'r nefoedd.

Y glaw.

'I lle wyt ti'n mynd yn y fath dywydd?'

Trodd Polmont wrth glywed llais Iarll Foston ar draws y cyntedd mawr. Cyd-gerddodd yng nghwmni'r Iarlles a Miss Swinfen-Ann a Miss Styal, a'r pedwar wedi eu gwisgo ar gyfer yr opera.

'Allan . . .'

'Yn y glaw 'ma?' holodd yr Iarlles.

Closiodd yr Iarll a'i wallt yn dduach nag erioed.

'Cawoda ma' hi.'

Aeth y gwragedd tua'r goets, 'Dwi wedi darllen dy Gofiant di,' stopiodd yr Iarll gan astudio'r edrychiad disgwylgar yn llygaid ei Gofiannydd, 'ond mae 'na un neu ddau o betha garwn i 'u trafod hefo chdi . . .'

'Faswn i wrth fy modd, syr.'

''Fory?'

'I'r dim.'

Heliodd Polmont ryw esgus a gadael ar dipyn o frys. Sylwodd Iarll Foston arno'n diflannu i'r nos; closiodd cysgod ato, 'Cer ar 'i ôl o.'

Yr ysbyty.

Erbyn i Polmont gyrraedd y clwydi roedd hi'n dywyll. Cafodd ei wylio gan Mr Francis Foljambe o dan gysgod derwen wrth dalcen yr Eglwys Ffrengig yn agor y porth. Camodd Polmont i mewn fel dyn yn gynefin â gwneud hynny. Cerddodd heibio i'r wardia a throi trwy ddrws a thrwy ddrws arall nes yr aeth ar goll yn lân. Gwelodd y butain ifanc yn crwydro trwy'r hanner gwyll a brasgamodd ati a'i gorn yn grin wrth deimlo'r düwch yn cau amdano; ond aeth hi â fo i stafell Risley lle'r oedd y gwely'n wag.

O droi ar ei sawdl bu ond y dim i Polmont faglu ar draws gwraig ar ei phedwar yn griddfan hyd y llawr, '. . . ma'n esgyrn i'n cnoi trwy'r cnawd.'

Gwelodd lamp yn y pellter a brysiodd tua'r goleuni. Roedd rhyw newid yn osgo'r Fonesig Frances-Hygia Royal a rhyw afrwydd-deb yn ei llygaid. Safai'n ddiamynedd. Roedd hi'n fyr ei thymer ac yn swta ei hatebion; neu efallai mai wedi blino roedd hi. Cerddodd yn ei blaen a dilynodd Polmont hi at wely'r hogyn bach.

'Does ganddo chi ddim hawl i fod yma yn y nos fel hyn.'

'Dim ond isio gair hefo Risley ydw i.'

Feiddiai fo ei holi am fwrdrad Mademoiselle Virginie Le Blanc?

'Dydi o ddim yma.'

'Lle mae o?'

'Allan hyd y ddinas.'

'Yn rhywle yn arbennig?'

'Wn i ddim. Mi eith ar y nos Iau gynta ym mhob mis. Rampton fydd yn galw amdano fo. Mynd am fwyd; a hel i'w bolia a hel atgofion trwy hel diod ac yn amlach na heb ei feddwi fo wedyn yn chwil ulw. Nid bod angen llawer o berswâd arno fo. Mi fydd Rampton wedyn yn troi am adra a'i adael o i ganlyn ei ffordd ei hun yn ôl yma. Mi grwydrith y strydoedd am oria bwy gilydd. Ond yn hwyr neu'n hwyrach, cripian i'r un fan neith o bob tro.'

'At fedd Syr Walton Royal ym Mynwent Eglwys Santes Margaret?'

'Bob un tro.'

'Pam?'

'Be 'dach chi'n feddwl, pam?'

'Pam eith Risley yno bob tro? Oherwydd euogrwydd? Cyd-wybod drwg?'

Edrychodd arno'n chwithig, 'Ro'n i ar fai yn rhoi 'nyddiad-uron ichi; a fy llythyra; fy *billetdoux*; 'nhwyllo fi naethoch chi mewn eiliad o wendid. Finna'n teimlo'n isel ac yn emosiynol.

Brisons la! Dwi isio nhw 'nôl i gyd y peth cynta un ben bora 'fory.'

Doedd gan Polmont ddim dewis ond gofyn yn blwmp ac yn blaen; ac wrth fwrw trwyddi, teimlodd yn annifyr; teimlo rhywsut yn fudur ac yn fach. Oedd hawl ganddo i dresbasu ar ei hemosiyna?

'Noson y dyweddïad, mi welodd Risley be ddigwyddodd ar y *terrazza* yn Neuadd Foston, yn do? Gweld Mademoiselle Le Blanc yn cael ei gwthio i'w thranc?'

'Nid Walton wnaeth.'

Atebodd y weddw ar ei ben â'i llais fel gordd.

'Eich brawd oedd y llofrudd? Dyna 'dach chi'n ddeud?'

''Run o'r ddau.'

'Ond y nhw'u dau oedd yr unig ddau oedd yno.'

Rhythai hitha arno'n hir â'i llygaid stond nes peri i Polmont deimlo fel rhyw fulddyn ansicr.

'Ydw i'n iawn? Oedd y naill neu'r llall wedi'i gwthio hi. Ellwch chi na fi na neb arall wadu hynny. Mae o'n ffaith. Pwy welodd Risley'n gwneud?'

'Yr un sy'n symud trwy bob dim.'

'Symud trwy bob dim?'

'Heb siw na miw yn dawel yn y nos.'

'Pwy?'

'Yr Egni Du.'

'Be ydi hwnnw?'

'O ddarllen trwy 'nyddiaduron i, mi wyddoch chi am be dwi'n sôn.'

Pont Llundain.

Cerddodd Polmont yno o'r ysbyty. Roedd lleuad uwchben y ddinas ac uwchben y lleuad brigai sêr; roedd miloedd ar filoedd ohonyn nhw ar draws y ffurfafen. Wrth gamu i syllu tros ochor y bont – a'r afon yn clwcian tano fel erioed – sylwodd ar ei gysgod yn ymestyn trwy'r lleufer. Mor llonydd oedd yr wybren. Ond faint o fydoedd dirifedi oedd yn britho'r eangdera tybed? Beth ddigwyddai pe disgynnai'r cwbwl yn gawod ryferthwy o'r uchder maith? Toddi'r mynyddoedd? Sychu'r moroedd? Creu canrif o storm? Neu fferru pawb a phob dim byw mewn mynwent o ddiamwntia?

Wyddai Risley'r gwir?

Y weddw druan. Druan ohoni. O ddarllen trwy'r dyddiad-
uron gwyddai'n union am yr hyn a ddigwyddodd i'r Fonesig
Frances-Hygia Royal yn ystod Terfysg Dante. Bu bron iddi golli
ei bywyd. Cael a chael a wnaeth hi i gyrraedd ceg yr ogof gan
droi i gip edrych tros ei hysgwydd i lawr o gwr y graig i weld
Neuadd Foston yn llosgi i'r llawr. Ar ei phen ei hun rhuthrodd
yn fyrwyntog trwy'r afon feddal. Rhedeg trwy golofna brau yr
haul o dylla meinion y dydd. Rhedeg am y gwyll. Bu yno lawer
tro yn ferch yn chwarae, ond dyrys ac annelwig oedd y llwybr i
berfedd y graig.

A Dante ar ei hôl.

Rhedodd yn is ac yn is. Goleuni eiliw'r dydd yn darfod tu
cefn; hitha'n rhuthro hyd droedle serth, llithro ar glwstwr tyf-
iant, crafangu tros gerrig rhyddion is bwa uchel caregog. Baglu
o gam i gam hyd ymyl y graig a dim byd ond clyw a theimlad
cynefin yn arwain ei ffordd. Y lleithder disglair yn wiglo fflama'r
ffagla a hitha'n rhuthro i lawr i'r dyfnderoedd du gan wybod
fod y caethion ar ei gwartha.

Heibio hyd ymyl y graig, heibio i lyn cysglyd a'r graig yn
gwasgu o gam i gam yn egwan gildywyniad y goleuni. Nes dod
i ogof a gladdwyd mewn düwch. Oedi, disgwyl; anadlu'n gaeth.
Oedden nhw'n dal i'w chanlyn? Ogla llosgi yn eu ffroena'n
gras. Rhedeg wedyn. Llwybr llithrig afrosgo. Plygu gwar dan
fwa egr o graig.

Dante'n galw'i henw.

I lawr trwy'r cerrig a chwalai o dan ei thraed a'r tu ôl iddi
gwelai fflama'r ffagla yn gwthio'r tywyllwch o'r neilltu. Twm-
path o sŵn wrth i lwyth o gerrig lithro. Rhedeg, rhedeg yn
ddyfnach, ddyfnach. Clecian ffagla yn ysu amdani. Ei chroen yn
boeth. Yr aer yn oer. Turio'n ddyfnach trwy'r gwythienna llaith.
Dechrau crynu â phob cam nes cerdded trwy ddŵr iasoer.
Lleithder mwsoglyd ar fysedd a cherrig mân a sŵn marian yn
llithro'n eco yn y pellter. Cropian yn araf araf i lawr i'r gwael-
odion eithaf.

Wardio tu ôl i garreg. Wardio yn ei harch. Wardio am ei
heinioes. Clywed ei hanadlu'n llenwi'r lle. A disgwyl. Disgwyl
ei diwedd. Lleisia oddi draw, a gwawl o ymyl rhyw ddis-
gleirdeb yn lleueru'n sŵn o siglo symud, nes eu geni'n gryf o'r
graig, dynion duon ac eraill yn darfod, nes gadael dim o'u hôl,
ond sŵn gwag eu traed hyd y to, a chysgod yn lledu a thyfu,
hyd nes yn uchel ar y graig, yng ngola'r tân, trawodd a thyfodd,

hyd nes y lledodd yno'n llond y lle neb llai na Dante yn sibrwd,
'Bydd yn wraig i mi.'

Y dyn ei hun.

Nid y dyn ei hun a welodd gynta ond ei gysgod. Camodd i'w
gyfwrdd trwy ara festyn ei fraich nes peri i ddüwch gripian ar
draws ei lygaid nes dallu'i olwg.

'Pwy sy' 'na?' holodd Polmont wrth glosio a chraffu, 'Syr
William-Henry? Chdi sy 'na?'

Atebodd Francis Foljambe mai fo oedd yno; a phan ofynnodd
Polmont sut y gwyddai ble i ddŵad o hyd iddo fo, atebodd yn
onest iddo'i ddilyn yr holl ffordd o'r ysbyty.

'Pam?'

'Ddoi di hefo fi i'r fynwent? At fedd fy mab bach. Dwi isio
mynd ond feiddia i ddim ar fy mhen fy hun. Does gen i ddim
cywilydd cyfadda fod gen i ormod o ofn. Ond 'nôl be ddeud-
odd Barlinnie wrtha i, mi roeddach chdi'n arfar cysgu mewn
mynwentydd.'

'Ar un adeg . . .'

'Ddoi di?'

Teimlodd Polmont yn flin na chafodd sgwrs â Risley.

'Dwi'n fodlon talu ichdi.'

'Sgen i'm isio mynd.'

'Enwa dy bris.'

'Ddim heno.'

'Cyfrinach. Os ddeuda i gyfrinach wrtha chdi,' closiodd ato
nes teimlo'i anadl ar ei foch, 'Ddoi di hefo fi?'

'Pwy gyfrinach?'

A'i lais mor wastad ag awel yr hwyr.

'Y fwya rioed. Un sigith chdi i'r byw.'

Sibrydodd yn ddistaw ddistaw.

'Un newidith chdi i'r bôn am byth.'

Drannoeth.

Ni chysgodd Polmont ddim; ni chysgodd yr un winc tan
berfeddion dua'r nos. Bu ar ei draed am hydoedd yn ffagio o
gwmpas ei lofft. Wedyn gorweddodd ar ôl ei flino'i hun yn lân
a suddo i gwsg dryslyd a'r cwbwl a glywodd gan Mr Francis

Foljambe yn mynd a dod trwy'i ben, yn golchi trosto. Ei eiria wedi'u cadwyno am ei galon ac ynta'n llawn aflwydd gwres nes glafoeri tros ei ên. Cododd yn gynnar. Clywed gwichan chwerthin plant yn rhuthro heibio i'w ddrws a'i deffrôdd. Cododd ei glustia, codi o'i gadair, agor y drws a gweld Iarlles Foston yn fyr o wynt yn rhuthro ar eu hola. Cymerodd arni ei bod wedi glân ddiffygio, a chwythodd anadl wrth wasgu ei llaw yn wastad ar ei brest. Chwarddodd; a sylwodd Polmont ar res o ddannedd duon fel pyst môr yng nghefn ei cheg.

'Tydyn nhw'n gnafon drwg?'

Rhuthrodd merched Syr William-Henry heibio i ddrws drachefn o gael eu dychryn gan Miss Swinfen-Ann a Miss Styal ym mhen arall y grisia. Rhuthrodd y plant heibio ar wib ar ôl cael eu rhusio a'u sgrechian yn diflannu rownd y tro.

'Ydi Iarll Foston ar ei draed?'

'Ers meityn.'

'Ydi o hefo rhywun?'

Cyn iddi allu dweud ei fod yn brecwasta hefo nifer o Aeloda Seneddol roedd Polmont wedi mynd ar ei drywydd.

Y gwir.

Siglodd y ddau ddrws ar agor pan frasgamodd i mewn yn dalog a cherdded i fyny at ben y bwrdd, sefyll yno yn trio dal gafael yn dynn ar ei dymer ei hun.

'Syr, dwi isio gair.'

Stondiodd pob sgwrs. Ogleuai'i stafell o goffi cry'; a mwg tybaco a bara brwd a hwnnw'n boeth o'r popty. Sylwodd Polmont fod ei fodia a'i fysedd yn dduon: fel petai wedi llyncu rhyw wenwyn a hwnnw wedi treulio trwy'i gorff i'r pen. Wedyn sylweddolodd ei fod wedi baeddu ei ddwy law wrth wasgu ar bentwr o bapura newydd a osodwyd yn docyn ar ben y bwrdd. Tynnodd Iarll Foston sleisen dena o dost o'i geg; cnoi a llyncu'r darn a frathodd.

Pesychodd Iarll Wellingborough. Rhythodd Syr Wayland Corton, braidd yn hurt, ar Polmont, ond blasodd pawb y tyndra ac anesmwytho yn eu cadeiria.

'Allan â chdi,' dywedodd Iarll Foston.

'Ddim nes y siaradwn ni.'

Oedodd; tawelodd a rhythodd arno a'i anadlu'n flêr.

Ystafell wisgo.

'Ydi o'n wir?'

Disgwyliodd Polmont i lygaid yr Iarll oleuo; disgwyliodd weld arwydd o onestrwydd; y llygedyn lleia ohono ond ni welodd ddim.

'Ma' gen ti'r wynab i edliw'r gwir i mi!'

'Ydi o'n wir?'

'Pam na fasa chdi wedi sôn fod cofiant arall?'

'Pam na fasa chi wedi deud y gwir wrtha i?'

'Pam na fasa chdi wedi sôn wrtha i?'

'Ydi o'n wir?'

'Cofiant dy dad!'

Tawelodd y ddau. Agorodd y drws a chamodd Mr Barlinnie i mewn. Cododd o'r stafell islaw ffitia o chwerthin plant a llais Miss Swinfen-Ann yn gweiddi fod yn rhaid i bawb fod yn dawel os oedd y gêm yn mynd i lwyddo. Roedd meddwl Polmont wedi drysu'n lân.

'Be arall wyt ti'n 'i guddio o 'wrtha i? Mmmm?'

Gwasgodd y Cofiannydd ei ben.

'Faint mae dy dad wedi'i sgwennu ydi'r peth? Mmm? Dyna'r ofn sy' gen i. Ar wahân i'r ffaith 'i fod o'n sgwennu o gwbwl.'

Ceisiodd Polmont siarad, ond methodd. Roedd ei feddwl yn driog.

Tuchanodd Iarll Foston.

'Hyd yn oed os llwyddwn ni – a ma hwnnw'n 'os' mawr iawn – i stopio'i Gofiant o, nadith hynny mohono fo rhag sgwennu llythyra bygythiol i'r wasg. A gneud gwaeth petha o lawer fel cyhoeddi pamffledi i fynd o law i law trwy'r tai coffi, a Duw a ŵyr be arall. Pshaw! A nawn ni ond 'i gythruddo fo trwy fygwth achos enllib a'i lusgo fo gerbron llys barn a rhoi'r llwyfan gora iddo fo i neud fel fyd fynno fo a deud pob math o betha amdana i. Ond llys barn ydi'i le fo; lle dyla fo fod wedi sefyll ymhell cyn hyn 'tasa 'na ryw ystyr i'r gair cyfiawnder, a 'taswn i wedi rhoi 'nhroed i lawr flynyddoedd 'nôl a bod yn gadarnach hefo fo yn lle'i warchod o ar hyd y bedlan. Na. Mae'n rhaid inni fod yn gyfrwysach o'r hanner. Rydw i o'r farn fod yn rhaid 'i stopio fo'n y gwraidd . . .'

'Fy nhad,' sibrydodd Polmont yn dawel.

'Newid 'i feddwl o. Dyna'r peth; dyna'r nod.'

'Trwy ddadl deg,' siaradodd Mr Barlinnie am y tro cynta.

'Trwy ddal pen rheswm. Ei ddarbwyllo fo i ildio, i roi'r gora i'r casineb erchyll 'ma'n f'erbyn i. A chdi, Polmont, ydi'r dyn i neud hynny. Fel mab dy dad.'

'Pam na fasa chi wedi deud wrtha i cyn hyn?'

'Pwy ti'n meddwl ofynnodd i Francis ddeud wrtha chdi neithiwr. Mmmm? Fi? A pham? Achos mai dim ond rŵan ma' dy waith di'n dechra o ddifri . . .'

Lanasa.

Prin y gallai Polmont ddidol ystyr y geiria ar ei glustia.

'Gwranda gynta cyn deud dim byd. A pham? Gei di ddi-gonadd o amsar i holi wedyn.'

'Morwyn,' dywedodd Mr Barlinnie.

'Pa ots am hynny? Hogan debol. Gwraig abal i'w gwaith. Mi alla hi gribo gwlân a'i nyddu fo'n hosana neu'n fenyg 'nôl y galw, yn ogystal â thrwsio menyg cau, ffedoga breision, darnio a phastio hosana gwlân trwchus hefo lledar . . .'

Cyfrannodd y gwas, 'Trwsio coleri ceffyla hyd yn oed.'

'Hynny am hanner pris. Fuo hi farw pan oeddat ti'n hogyn tair oed. Mis Mai, 1764.'

'Sut?'

'Hap a damwain.'

'Hap a damwain? Be 'dach chi'n 'i feddwl?'

'Hisst! Gei di holi wedyn. Gwranda gynta. Lladdwyd hi mewn daeargryn yn Port Royal. Wal tŷ – y talcan i gyd – yn chwalu am ei phen hi. Ei chladdu hi'n fyw. Doedd dim gobaith. Dwi'n cofio clywed am y trychineb. Rhuthro draw mewn coets. Dynion gwynion a chaethion yn morgruga tros y rwbal. Gwragedd yn dal ffagla yn y nos. Dy dad ar ei fol yn gweiddi a chlustfeinio am yn ail am sŵn bywyd o dan y bricia. Finna'n rhuthro at y fan lle gynt roedd y drws yn arfar bod. Roedd y tŷ cyfa wedi mynd â'i ben iddo erbyn hynny – yn sgil ail 'sgytiad llawer gwaeth a suddodd gei yr harbwrdd o'r golwg dan y dŵr. Dy dad yn crafangu fel anifail ymysg y coediach a'r cerrig. Cofio fel 'tasa hi'n ddoe . . . ac ogla iau a nionod wedi'u ffrio i'w glywed. Dy dad yn torri ei fys ar ddarn o wydr ond sylwodd o ddim. Turio a thurio trwy ddüwch y llanast wrth dy glywed di'n crio . . .

Cafwyd chdi a dy chwaer yn fyw. Blwydd oed oedd hi. Er dy fod ti'n llwch ac yn fudur fel plentyn begar. Doedd f'efaill ddim am roi'r gora iddi; roedd yn rhaid iddo fo ddŵad o hyd i

Lanasa. Mi fu yno oria wedyn yn tyrchu a chrafu a'i wyneb a'i ddillad o'n waed hyd nes y daeth o o hyd iddi hi. Doedd dy dad ddim yn ddyn da iawn ei iechyd. Roedd o'n wan ei feddwl. Byw'n afradus; mynd trwy'r cwbwl byth a hefyd a dŵad ata i i grafu chwanag o bres; byw o'r llaw i'r gena. Nes i 'i rybuddio fo fwy nag unwaith fod y tŷ ddim hannar saff ond doedd o'n gwrando dim. Mi nes i hyd yn oed gynnig tŷ arall iddo fo. Er mwyn Lanasa ac er dy fwyn di a dy chwaer.

Ergyd fwya'i fywyd o oedd colli ei wraig. A finna wedi deud a deud nes ro'n i'n sych o lwnc, yn hollol hesb o eiria ond do'n i ddim yn mynd i edliw i ddyn mewn galar. Mi nes i bob un dim o fewn fy ngallu i'w helpu fo; trefnu angladd; trefnu'r cwbwl oedd i'w neud; trefnu dy fod ti yn cael pob gofal. Wedi claddu dy fam, mi suddodd iddo'i hun. Eistedd am oria yn dawel, myfyrio o flaen y tân yn slotian piwtar ar ôl piwtar o *rum* garw. Mi nes i 'ngora glas i'w gadw fo'n iach o gorff a meddwl. Ond roedd ei feddwl o'n gwanio . . . Ganol nos mi clywn i fo'n udo yn lloerig; ffagio o gwmpas y tŷ yn crafu ei hun at waed a deud fod ei groen o'n cracio, fod seirff yn chwantu'i gnawd o.

Aeth i yfad a gamblo. A mynnu mynd â chdi i'w ganlyn hyd strydoedd a sgwaria Port Royal; gwrthod dy adael di o'i olwg o; ofn i rywbeth ddigwydd ichdi; rhyw niwed fydda'n mynd â chdi oddi wrtho fo. Neu dyna feddylis i. Wedyn mi aeth o i ddyledion. Finna'n gyrru gwas i dy warchod di – Mr Barlinnie 'ma yn un – a dŵad â chdi 'nôl ata i bob cyfla gallwn i. Ond wedyn . . . Un noson, mi collodd Thomas chdi.

'Colli? Sut?'

'Ddim colli'n hollol . . .'

'Be?'

'Oes gwaeth pechod ar y ddaear 'ma na mab yn casáu 'i dad? Wn i ddim os dyliwn i ddeud hyn ai peidio . . .'

'Mi werthodd fi?' '

'A dy chwaer.'

Chwarddodd y plant wrth ruthro trwy'r stafell agosa.

'I fasnachwr o Jamaica.'

Fy nhad fy hun?

Yr atgo cyntaf: Paradwys? Ni allai Polmont gofio dim ond llwch a düwch a lleisia'n galw o bell. Eco egwan o'i dad. Wedyn, hen hofel o weithdy a gŵr yn crafu byw er mwyn cadw'i wraig a'i blant trwy bannu hetia brethyn a gwneud ysgubella hefyd a mân gelfi i'w gwerthu ar hyd a lled marchnadoedd llai y ddinas. Llundain oedd hynny. Ei werthu i brentisiaeth gan ei dad ei hun i glirio dyled gamblo? Ei werthu i nychu a newynu ar fara llwyd a llaeth tena, blawd gwlyb cyn sured â chrebsyn anaeddfed, caws gwydn a chaled fel gwadna esgid. Yn crio a chrio; ei ysbryd bach wedi disgyn i eigion anobaith; yn teimlo'n wan ac yn amal yn wael, yn hanner byw a marw tan glefyd gwaed.

'Be ddigwyddodd i fy chwaer?'

'Fuo hi farw o'r clefyd melyn yn Jamaica.'

Tyfu trwy'r blynyddoedd yn hogyn bach ofnus; yn hanner gobeithio gwell ac yn dyheu am ryw angel tynergalon i ddisgyn o'r cymyla a'i godi o'i drueni. Treulio blynyddoedd yn diodda nes methu diodda ei gamdrin chwaneg gan y wraig. Ei bwyo; ei guro; ei felltithio; ei ffustio a'i ddarn-ladd. Hitha'n ei gasáu am ddwyn bwyd o ena ei phlant ei hun.

Rhedodd i ffwrdd. Rhedodd y gŵr ar ei ôl. Mynnodd ei lusgo 'nôl ond rhedodd i ffwrdd ar y cynnig cynta wedyn. A rhedeg droeon wedi hynny hyd nes alarodd y gŵr a'i roi tan ofal gwneuthurwr papur wal yn brentis. Mr Hatfield. Blynyddoedd ei ieuenctid. Roedd o'n ei barchu. Yntau'n magu cnawd, yn magu hyder, yn tyfu mewn nerth o dan lygaid mwyn.

Tyfu mewn awdurdod wedyn.

Graddol ddringo o ris i ris. Torrodd iechyd ei gyflogwr; aeth yn gaeth i'w wely ac o fan'no y rhedodd y busnes am dair blynedd a mwy a Polmont yn cyfryngu ar ei ran. Aeth anfadwch ei feistr o ddrwg i waeth ac yn Ebrill y briallu, bu farw.

O agor yr ewyllys roedd y cwbwl yn eiddo iddo fo. Aeth y busnes o nerth i nerth.

Codai Polmont yn llawn egni bob bora. Chwibanu'n braf. Gwisgo yn dandi yn ei ddillad hoen. Y dyddia'n disgleirio'n loyw fel llewyrch yr haul ar wyneb yr heli; y byd yn mynd o'i blaid. Cyfarfod â Miss Sharpin. Dechrau ei chanlyn. Y dyweddïad. Wedyn, dechreuodd petha fynd o chwith. Y busnes yn gwanio. Doedd y farchnad ddim yn chwarae mig ac eto roedd o'n methu cael dau ben llinyn ynghyd a'i golledion yn mynd yn drymach wrth y mis. Hyd at y dydd yr aeth yr hwch trwy'r siop. Methdalu. Colli bywoliaeth. Colli ei dŷ. Colli'r cwbwl.

Nes iddo un noson ar Bont Llundain fynd i drio gwneud amdano'i hun. Ond yn lle hynny cafodd ei gofleidio gan gariad.

Cariad.

Ni theimlodd Polmont erioed y fath gymysgfa o deimlada ag a deimlai y prynhawn hwnnw. Ond sut y gwyddai Iarll Foston mai Polmont oedd ei nai?

'Gwaed sy'n dewach na dŵr,' atebodd, 'Nes i ddim stopio chwilio amdanat ti.'

Gosododd hysbyseb mewn papura newydd am flynyddoedd lawer. Cynigiodd ddecpunt am wybodaeth nes un dydd daeth gŵr tlawd i guro ar ei ddrws. Y gwneuthurwr hetia brethyn. Hawliodd y pres trwy ddweud fod Polmont bellach yn brentis i Mr Hatfield. Aeth Iarll Foston i weld yr hen ŵr. Gwelodd Polmont. A gweld ei fod yn hapus. Nid ymyrrodd.

'Fy enw iawn i? Be ydi o?'

'Walton.'

Blasodd yr enw.

'Enw roddodd fy mam imi? Neu 'nhad?'

'Dy fam.'

Dychmygodd ei fam yn ei sibrwd wrtho. Teimlai fel dyn a oedd wedi cerdded yn hir trwy wres trwm. Ei ysgwydda'n faich a'i ben yn blwm. Â throediad ysgafn, cyn ddistawed â chysgod, bu angel gwarcheidiol uwch ei ben, yn angel a wnaeth cymaint er ei fwyn.

Cydiodd Polmont yn nwylo Iarll Foston a'u gwasgu ato, eu gwasgu'n dynn – a diolch iddo. Diolch i'w Ewyrth am ei warchod; am ei gadw; ac am ei arbed rhag mynd i garchar y drwg-ddyledwyr.

Ei Ewyrth.

Wrth noswylio.

'Sut alla i fyth dalu 'nyled ichi?'

'Trwy dy Gofiant.'

Ynta'n addo. Byddai gyda'r gwycha a gyhoeddwyd erioed.

Gwenodd yn addfwyn.

'A hynny er clod inni'n dau.'

Pe byddai felly, bid a fo, dywedodd: gwych. Pe bai ffrwyth ei lafur ond yn lleddfu a lliniaru rhywfaint ar ragfarn rhai dynion yn erbyn planhigwyr India'r Gorllewin, byddai hynny'n ddigon i lonni ei galon.

Ei Ewyrth.

'Pam na ddeudsoch chi wrtha i 'nôl ym Mharis?'

'Do'n i ddim yn gwbod sut. A pham? Adag hynny, wyddwn i ddim am fwriada dieflig dy dad. Na sut y byddat ti'n ymateb o ddŵad i wbod y gwir. Y cwbwl oedd yn bwysig oedd dy achub di o drybini ariannol.'

'Ond roeddach chi'n bwriadu deud?'

'Rhyw ddydd, o'n, wrth gwrs fy mod i.'

Gŵr a siaradai o brofiad oedd ei ewyrth, gŵr a wyddai am beth y siaradai, a siarad o hir brofiad un a oedd wedi treulio blynyddoedd lawer ymysg y negro; yn nabod eu hanian a'u tymer; yn gwybod hefyd am yr angen am barch a threfn i gynnal bywyd. A'i dad? Y dyn a fwrdrodd Syr Walton Royal â chyllell mewn sgarmes feddw. Y dyn oedd â'i fryd ar ddinistrio ei efaill ei hun.

Yn sydyn, teimlodd Polmont ias o ddicter gwirioneddol filain. Teimlo'n gandryll ddig fod yn rhaid i ddynion daionus fel ei ewyrth hyd yn oed drafferthu eu hamddiffyn eu hunain a'u cyfiawnhau eu hunain wrth neb; llai fyth wrth ferched penchwiban fel Miss MacFluart a'i thebyg. Ac yn enwedig dyn mor ddiddaioni â'i dad!

'Fy nhad!' meddyliodd, 'Be wnaeth o tros neb erioed?'

Bradychu ei fab ei hun. Heb feddwl dwywaith am y peth. Ei adael ar drugaredd eraill, i fyw neu farw – (yn union fel y gwnaeth y dyngarwr mawr arall hwnnw, Monsieur Rousseau, â'i blant ei hun mae'n debyg). Oedd ots ganddo ei fod yn llwgu? Yn crio'r nos? A chrefu pres oddi ar ei efaill wedyn? Ac eto bu'n fwy na pharod i'w amharchu a'i feirniadu. Roedd y peth yn gywilyddus.

'Yr unig beth ofynna i iti'i neud drosta i ydi gofyn i dy dad i oedi fymryn. A pham? Er mwyn pwyllo a phwyso a mesur yn ddwys iawn be fydd effaith y cofiant yma o'i eiddo arno fo yn ei gael arna fi.'

'Be ydi Celwydd y Seler?'

Oedodd; tawelodd a rhythodd arno a'i anadlu'n flêr.

'Fiw imi ddeud wrth neb. Ddim hyd yn oed wrtha chdi. Dyna'r un peth mae'n rhaid imi 'i gadw i mi fy hun.'

Gwasgodd ei law yn dyner.

'Alla i dy drystio di?'

'Dwi'n addo ichi heno ar fedd fy mam y bydd o'n newid ei feddwl.'

Yr addewid.

Yn ei lofft closiodd Polmont at y gannwyll a gynhaliai fflam fechan las ar lestr glaswyrdd wrth erchwyn ei wely. Cwpanodd ei ddwylo amdani a theimlo'i gwres yn gwthio heibio i'w fysedd.

Penderfynodd na fyddai neb na dim yn ei atal. Câi y maen i'r wal, er mwyn ei ewyrth, ei feibion, ei fusnes, er mwyn synnwyr cyffredin ac achos gwir gyfiawnder a thrugaredd. Pe byddai gelynion bywyd yn ennill y dydd, a'r senedd yn 'rhyddhau' y caethion – pwy fyddai'r cyntaf i ddioddef canlyniad alanastra o'r fath? Y caethion eu hunain, wrth gwrs! Roedd hynny mor hollol amlwg i bawb o galon dyner. A ph'run bynnag: be ydi rhyddid?

Rhyddid.

Fel deudodd ei ewyrth droeon, does mo'r fath beth tan haul y greadigaeth. Chwedl goeg sy'n drysu crebwyll dynion da ydi dyheu am beth o'r fath. Celwydd ydi meddwl fod rhyw hudlath draw dros y brynia'n rhywla sy'n sgubo ymaith holl ddrygioni'r byd, ac mai afiach neu hen ffasiwn ydi mwytho geiria fel 'trefn', 'pwrpas', 'parch' ac 'awdurdod'. Mae'r ddadl mor syml a theg! Chwalwch chi gynsail cymdeithas ac mi chwalwch y cwbwl!

Tydi rhyddid a gwareiddiad – mwy nag ydi gwareiddio – ddim yn gyfystyr. Mwy nag ydi'r gri ffasiynol ddiweddara o Baris am ddemocratiaeth. Oes rhinwedd mewn peth o'r fath? Ai ffrwyth gwareiddiad democrataidd a roddodd Aristotl inni? Plato? Cicero? Dante neu Shakespeare? Be fasa Ewrop heddiw heb y rhain? Be fasa ni yma rŵan hyn?

Ni fyddai Polmont yn siomi neb. Ni fyddai'n bradychu'r caethion. Roedd yn rhaid i rywun yn rhywla sefyll i fyny a dadla'n gadarn glir o blaid buddianna'r negro. Roedd yn rhaid iddo ynta bellach ymroi gorff ac enaid, sefyll yn gadarn ar ei

338

draed a chael ei gyfri trwy ymroi i neud ei ran yn y frwydr fawr fyd-eang o blaid Bywyd a Rhyddid ac yn erbyn Caethiwed ac Angau. Ni fyddai yn siomi'r planhigwyr; y llongwyr na'r masnachwyr na'r seneddwyr chwaith a oedd yn dadla'n ddyddiol o blaid synnwyr cyffredin. Ond yn bwysicach na dim, ni fyddai yn siomi ei ewyrth.

Doedd fiw iddo.

A chymaint yn y fantol.

Walton Hobart.

Mr Francis Foljambe oedd y cyntaf i'w alw'n gefnder. Gwasgodd ei freichia amdano'n dynn; gwasgodd o am hydoedd yn ddidwyll ac yn llawn emosiwn tyner. Ond o fewn deuddydd roedd yr un mor elyniaethus iddo â phan gyfarfu'r ddau am y tro cynta ym Mharis. Roedd ei gasineb greddfol yn gasineb dwfn.

Trefnwyd *soirée* arbennig gan Iarll ac Iarlles Foston i'w wadd yn ôl i gymdeithas weddus. Teimlai ynta fel dyn yn dŵad yn ôl i'w le wedi alltudiaeth hir; teimlai fod y teulu drwyddo wedi graddol newid a'u bod wedi dechra ei dderbyn fel un ohonyn nhw.

'Fydd raid imi droedio'n ofalus,' pwffiodd Syr William-Henry ar ei getyn claerwyn hir ar y ffordd i'r ystafell fwyta, 'na fyddi di'n mynd â'r cwbwl o ffortiwn fy nhad o dan 'y nhrwyn i. Mae ganddo fo feddwl y byd ohona chdi.'

'A finna ohono fo,' atebodd Polmont yn ddidwyll. 'Ond mae'n gas gen i fy enw . . .'

'Pam diodda rhywbeth ti'm yn lecio? Newid o.'

O'r noson honno, fe'i galwyd gan bawb wrth ei enw bedydd, Walton.

O gylch bwrdd bwyd y *soirée*, roedd y teulu oll ynghyd â hanner cant o westeion. Nesa at Iarll Foston eisteddai Iarll Wellingborough, Syr William-Henry, Syr Feltham Royal, Syr Swaleside. Oherwydd yr angen i wynebu a herio ei dad bu Walton Hobart yn canlyn ei ewyrth fel ail-gysgod am ddyddia lawer; yn byw a bod yn ei gwmni am oriau bwygilydd; byw a bod mor hir nes y teimlai Syr Feltham Royal allan ohoni braidd a chwyno wrth ei fam. Dysgodd Walton fel yr oedd ei dad, Thomas Hobart, yn gwneud cyhuddiada difrifol yn erbyn Iarll

Foston. Ffieiddiodd fwyfwy ato am greu'r fath dristwch a helbul.

Ei ewyrth.

Ei dad.

Ei dad.

Ei ewyrth.

A'r geiria'n sboncio 'nôl a blaen yn sŵn newydd ar ei dafod. Ei enw. Walton. Weithia teimlai'n hurt wrth feddwl amdano'i hun. Bu am bwl fel dyn poethwyllt stryd y ffair yn llawn blys i'w frolio'i hun wrth bawb. Walton Hobart. Dro arall byddai'n teimlo fel rhywun hanner meddw; yn methu'n lân â choelio fod ei fyd wedi newid cymaint; a newid mor sydyn; a newid mor llwyr mewn cyn lleied o amser. Pwy oedd o? Pendiliai rhwng pylia o hapusrwydd mor llethol nes ei lorio a thro arall byddai'n teimlo mor rhwystredig a chwerw a chas. Walton Hobart, dywedai wrtho'i hun o flaen ei ddrych. Walton Hobart. Dyna pwy ydw i. Blasodd berthynas agosach nag erioed ag Iarlles Foston. Siaradodd ei fodryb ac ynta yn fanwl am bob dim. Dywedodd mai gamblwr truenus a meddwyn brwd oedd ei dad; yn ddyn gwarthus a chywilyddus.

Y *Soirée.*

'Sut fasa chi'n ateb y cyhuddiad fod gyrwyr y caethion ar y planhigfeydd yn eu gweithio nhw'n greulon yn y meysydd siwgwr, Iarll Wellingborough?' cododd Iarll Foston y pwnc a fu'n poeni Walton Hobart y prynhawn hwnnw.

'Hawdd iawn,' gwenodd y gŵr bonheddig yn ysgafn wrth ddodi ei wydryn gwin i lawr ar ôl ei sipian a'i flasu'n dyner. 'Negro ydi pob gyrrwr siŵr.'

Trodd ei ewyrth at Walton tan godi ael, 'Pa isio ateb gwell? Mmm?'

'Yn ŵr yn ei oed a'i amser, fel arfer,' siaradodd Iarll Wellingborough yn bwyllog, 'ei wallt yn frith, ei gefn fymryn yn grwm. Prin fod gan y rhan fwya y nerth i disian heb sôn am chwipio neb. Llygad a chlust y goruchwyliwr ydi'r gyrrwr. Er enghraifft, 'tasa un o'r caethion yn dwyn, yna 'i waith o fasa deud . . .'

Holodd Walton wedyn, 'Ellwch chi'm gwadu nad ydi'r gyrrwr yn cario chwip?'

'Hen arferiad. Mae ganddo fo hefyd ffon i bwyso arni. Hirben

340

ydi'r rhan fwya, y doetha a'r calla o gaethion y blanhigfa – ac fel arfar, y rhai ucha eu parch. O 'mhrofiad i roedd y gyrwyr oll ym mhlanhigfa 'nhad ers talwm yn annwyl ac yn dirion iawn wrth y negroaid dan eu gofal.'

'Ma'n ddrwg gen i rygnu 'mlaen am hyn, Iarll Welling-borough, syr –' pwysodd Walton yn ei flaen fymryn, 'ond *mae* gan bob un gyrrwr chwip?'

Holltodd Iarll Foston y sgwrs.

'Fel arwydd yn unig o'i awdurdod, Walton. Yn union fel y mae gan y cwnstabl ei bastwn.

'Ond mae ganddo fo berffaith hawl i gosbi'r caethion dan ei ofal, a'u chwipio nhw i'r byw?'

'O, na, na, na, na,' cododd Iarll Wellingborough ei gyllell a'i fforc. 'Os oes rhyw gamwri – ac yn anamal iawn y gwelis i un-rhyw gamfihafio pan o'n i'n hogyn yn Antigua – er enghraifft, deud rŵan fod caethwas wedi'i ddal yn bwyta'r siwgwr yn lle 'i drin o – nid yn y fan a'r lle y byddan ni'n cosbi, ond drannoeth. Er mwyn i bawb, y ddwy ochr, gael cyfle i ddweud eu dweud yn hollol deg. Peth annymunol iawn – fel bydda fy nhad druan yn arfer 'i ddeud – oedd gweld dyn yn chwipio mewn tymer wyllt ac os chwipio o gwbwl – ac nid bob amsar y bydda ni hyd yn oed yn chwipio chwaith – yna gneud hynny'n ystyrlon ac yn bwyllog o fewn y ddeddf.'

'Gora rhyddid, rhyddid mewn cyffion,' gwenodd Iarll Foston.

'Hyd yn oed wedyn,' ceisiodd Walton ddwyn i go y brif ddadl ym mhamffledyn Miss MacFluart wrth ateb pamffledyn yr Esgob Parva, 'fedrwch chi na neb arall ddim gwadu mai eiddo ydi'r negro – nid dyn ond peth y gallwch chi ei brynu a'i werthu a gwahanu teuluoedd yn ôl clec morthwyl.'

Teimlai Iarll Foston fod y sgwrs wedi mynd ymlaen yn rhy hir a'i bod hi'n bryd trafod rhywbeth arall.

'Â'm llaw yn gorwedd yn dawel ar Feibl agored, mi dyngwn gerbron Duw Hollalluog ei hun fod y teuluoedd welis i wedi eu gwerthu hefo'i gilydd bob amser, ac yn amal iawn, roeddan ni mor ystyriol fel y bydda ni hyd yn oed yn gadael iddyn nhw ddewis eu meistri.'

'Wir?'

'Wrth gwrs,' a chododd Iarll Wellingborough ei gyllell a'i fforc, 'Ydi hynna ddim yn rhoi gwedd wahanol iti ar y matar, Walton?'

Yr arwerthiant.

Gwichiodd y goets pan ddringodd Rampton i'w phen. Gyrrodd y meirch ar garlam. Symud eto. Teimlad od wedi eistedd yn y llyfrgell gyhyd, meddyliodd Walton. Yn eistedd wrth ei ochr roedd Iarll Foston, a gyferbyn roedd yr Iarlles a Mademoiselle Chameroi. Cyrhaeddodd o Baris y noson gynt yng nghwmni gwas a morwyn. Roedd ei brawd wedi ymuno â'r fyddin ac wrthi'n gwasanaethu yn y gaer yn La Rochelle. Symudwyd i lawr y stryd ac i strydoedd eraill a theimlai yn gynnes benysgafn. Wrth eistedd hefo'i ewyrth yn trin a thrafod teimlai Walton ei fod wedi graddol fagu rhyw hyder newydd.

"Drycha, paid ag anghofio cofnodi hyn pan ei di 'nôl. Ond camgymeriad amla dynion fel dy dad ydi meddwl am deulu'r negro yn y modd arferol. Mae hi'n chwith garw gen i orfod deud hyn, ond, ar y cyfan, creaduriaid digon di-foes ydyn nhw, a hynny, yn anffodus, ar waetha'r gwaith gwrol ar ran cenhadon Crist. Dwi'n cofio ymdrech lew yr Esgob Parva. Cofio fo'n gweddïo bron at ddagra, bron at orffwylledd, nes gwneud ei hun yn sâl o geisio'u cael nhw i newid eu ffordd anfoesol o fyw. Mae hi'n well gan y negro gywestachu hwnt ac yma, yn hytrach na bodloni ar eu byd, a does ryfedd yn y byd wedyn eu bod nhw mor ddi-hid o'u hepil. Ychydig yn wir o sentiment cariadus sydd yn eu mysg nhw.'

'Be 'tasa planhigfa yn methdalu?'

'Be ti'n drio'i ddeud?'

'Fasa hynny wedyn yn gorfodi gwerthu'r caethion a'r stoc i rywun cyn gynted ag y bo modd er mwyn arbed dyledion?'

'Basa yn anffodus. A pham? Pwy ohonom ni all ragweld y dyfodol ond Duw Hollalluog ei hun? Deud yn onest: be sy' ynghadw inni? Mmm? Be sy' ynghadw? Ŵyr neb ohonan ni. A dyna'r atab gonesta i'r cyflwr meddwl gwaetha sy'n ein blino ni i gyd ar hyd taith bywyd. Fel deudodd Esgob Parva, 'Boed f'ewyllys yn felys a gwna fi'n deilwng i gyflawni ewyllys Duw. Ewch pawb mewn hedd.' Achos fedrwn ni ond gweddïo am ei ras a'i drugaredd er mwyn atal trueni.'

I lawr Stryd Leaden Hall yr aeth y goets ac yn ei blaen wedyn hyd nes y daeth i stop tu allan i Dŷ Affrica. Ar gais ei ewyrth eisteddodd y ddau yn y pen blaen. Bu bidio rhwydd; bidio fel ail natur i'r rhan fwya; bidio mor gyflym a di-stŵr â'r ddoe na ddaw 'nôl. Tros ei ysgwydd gwelodd Polmont fysedd meddal

342

yn codi am yn ail am *Yr Esgyniad o'r Groes,* Sebastiano Veneziano Del Piombo. Rhedodd y bore rhagddo a heidiodd chwaneg o bobol i wasgu i mewn nes yr aeth yn orlawn a chymerodd yr ystafell gyfan ei gwynt ati – a Mademoiselle Chameroi yn fwy na neb – pan dalodd Iarll Foston rai cannoedd yn fwy na'r pris wrth fynnu cael *Crist yn Disgyn Is y Groes,* Rubens, ar gyfer ei osod ar wal ei stafell wisgo.

Banc Lloegr.

Rhai dyddia'n ddiweddarach, eistedd yn y goets roedd Walton yn rhoi trefn ar ei holl nodiada, yn barod ar gyfer y frwydr fawr rhyngddo a'i dad ar fater ei Gofiant maleisus a thwyllodrus. Yn ei ddwylo roedd copi o lythyr a ddaeth iddo'r bore hwnnw gen Mr Grenock MacFluart. Yr unig lythyr a yrrodd ei dad, y Barnwr Garth MacFluart, ato o Port Royal un mlynedd ar bymtheg ynghynt.

F'annwyl Grenock,

Mae yr awyr yma heno yn llawn tiwn y pryfed tân. Clecian yn ddi-baid a wnaiff Natur nos a dydd, yn llawn trychfilod anweledig. Ers amser bu cymylau'r pellter yn bygwth glawio tros y culgymoedd poethion. Mae'r tywydd yn ddyddiol annioddefol. Yn ddiweddar, bûm mor wael fy iechyd fel yr amheuais fod rhywun wedi fy ngwenwyno – ond erbyn hyn rwyf yn llawer iawn gwell. Yr unig beth y gallwn ei dreulio oedd afocado â halen a phupur a'i flas yn dyner, eto'n foethus, hawdd ei lyncu; mae yn ffrwyth cysurus. Mae rhywbeth drwg wedi digwydd imi . . . Rhywbeth drwg iawn. Rydwyf wedi fy amddifadu o 'nghoes. Cafodd ei llifio i ffwrdd bythefnos union yn ôl. Ond mae rhywbeth gwaeth o lawer wedi digwydd i dy annwyl fam. Y mae hi wedi croesi i'r ochor draw. Nid wyf yr un dyn â'r un a'th adawodd di am yr ynys yma. Fe geisiaf egluro mor fanwl ag y gallaf yr hyn a deimlaf yn fy nghalon.

O'r eiliad y cyrhaeddais, roedd rhywun yma am fy ngwaed. Ac fe egluraf yr amgylchiadau iti. Y noson gyntaf y cyrhaeddais Port Royal penderfynais gerdded i lawr hyd ei phrif sgwâr, heibio i'r gofgolofn, y ddelw efydd o Syr Edward Royal, hen hen daid y Llywodraethwr presennol, Syr Walton Royal (a'i fraich wedi ei chodi fry tua'r haul), a hwnnw wedi ei blicio o'i hinfaeddu. Roedd y strydoedd yn orlawn o negroaid a negroesau a'u clustdlysau euraid a'u mwclis gwynion yn clecian tan eu cerddediad. Roedd dwy long Guinea wrth angor yn yr harbwrdd a'r ddwy yn barod i ddadlwytho eu caethion i'r tŷ ocsiwn drannoeth. Byr fu'r begera. O gynefino â thlodion Llundain brasgamais yn bwrpasol heibio ar fy hynt. Canlynais lwybr i fyny bryn ac allan o'r ddinas. Isod gorweddai'r harbwrdd a'i longau'n siglo'n eu hunfan. Fry o'm blaen, yn hwylio'r awyr gan ddisgyn ac esgyn droelli am yn ail, yn chwyrlïo codi wrth chwarae mig, roedd myrdd o adar mân. Disgyn gwyllni nos tros yr ynys hon fel bwyell sydyn ar war dyn. Roedd rhyw glecian a sŵn brwydro yn fy stumog. Eisteddais i gael fy ngwynt ataf gan wylio'r tonnau'n rowlio hyd Draeth yr Esplanada cyn breuo'n denau wrth gilio 'nôl i'r môr.

Dringais ar hyd y ffordd gan ganlyn y llwybr heibio i Erddi Botaneg Meysydd yr Actau. Ciliodd goleuadau'r ddinas wrth i'r wlad dduo o'm blaen. Ar fy ffroenau gorweddai arogleuon mwynion y dydd yn llonydd drymion ac o'm hamgylch closiodd Natur yn nes a nes gan araf wasgu amdanaf. Mae yma Natur o'r fath amrywiaeth aflan. Caeodd amdanaf, a minnau o fwrw iddi yn ddiewyllys i ymadael â hi, yn ddi-rym o durio'n ddyfnach i'w chanol. Ymwthiais trwyddi a hithau'n fy mraidd gyffwrdd, yn ysgafn gripian croen fy wyneb fel pe bai'n fy hudo. Dygai ger fy mron ffurfiau o bob lliw a llun, llawn swyn a sŵn a blas ac arogleuon cymysg. Gam wrth gam, yr hyn a fu yno yn yr eiliad, nid yw – a'r hyn a fu, ni ddychwel o fagio cam. Y cwbwl yn newydd ifanc, eto'n hŷn na hen. Y dail cyfarwydd anghyfarwydd a'u hysbryd mor gynefin ac eto mor galed eu dirgelwch. Mae ymlusgiaid hyllaf y cerrig llwydion, y rhai mwyaf annaturiol, yn hollol naturiol i Natur yr ynys hon sy'n ymguddio ac yn ymhyfrydu yn ei rhith trwy gadw dynion yn nhywyllwch y cysgodion a gwadu iddynt y goleuni i'w llwyr ddeall.

Heno, rwy'n crefu am fy ngwraig. Rwy'n crefu am fy nghoes ond nid etyb Natur fi. Natur a'm lloriodd, Grenock. Dyrnais hi. Poerais arni. Brwydrais. Rowliais yn ei chanol tan gyrnewian a sgrechian amdana fi fy hun yn ôl. Am gael dy fam yn ôl. Am gael bod yn ôl fel roeddwn. Ond safodd yno mor ddifater i'm teimladau ag erioed. Wylais ger ei bron ond ni thosturiodd ddim. Yn drist fy ysbryd, sefais ar ben eithaf Penrhyn Coffadwriaeth heddiw pan godais i fynd allan am y tro cyntaf â'm baglau, hir syllais ar ymchwyddo'r môr tan awel addfwyn. Meddyliais am dy fam a meddyliais amdanat ti. Teimlais gywilydd dwfn a theimlais edifeirwch na allwn ei fesur. O'm hôl, codai magnïod y corstir nes sïo trwy byllau ola'r haul ym mrigau'r coed. A'r gwres melltigedig fel siôl o wlân tros fy ysgwyddau a'r pryfed mân yn

gwau o gylch fy mhen cyn myned tua'r môr, siffrydodd heibio imi rai o
gaethion y planhigfeydd. O droi ymysg fy meddyliau, eisteddais ar
garreg ac wylo amdanaf fi fy hun . . .

Mr Sharpin.

Wrth godi ei ben, gwelodd Walton o'n camu i lawr grisia'r
banc tan sgwrsio hefo Syr Wayland Corton. (Cofiodd ei weld
yng nghwmni Syr Swaleside yn Syrcas y Corachod a'r bore y
rhuthrodd yn ei wyllt i weld yr Iarll). Daeth rhyw flys drosto i
gamu allan a chamu ato. Ond i be? Polmont oedd o iddo fo; y
dyn ifanc a fu unwaith mewn bywyd arall a'i fryd ar briodi ei
ferch; ac roedd Polmont bellach wedi darfod. Fel sarff yn
bwrw'i groen roedd o wedi camu i fywyd gwell o'r hannar; i
fod yn rhan o deulu na wyddai am eu bodolaeth. 'Priodi rwyt ti
er mwyn trio dallt dy hun.' Cofiodd wylltio pan glywodd
hynny gynta o ena Mr Sharpin; wedi'i frifo gymaint ni feddyl-
iodd chwaneg am y peth – dim ond ei fwrw tros go ond erbyn
hyn, fe welai fod rhyw wirionedd yn y geiria. Wrth ei ildio'i
hun mor llwyr i Miss Sharpin, trwy dywallt ei bersonoliaeth i'w
phersonoliaeth hi y gobaith oedd ei chael yn gyfan gwbwl
iddo'i hun ac o wneud hynny, onid oedd o hefyd yn gobeithio
ei ennill ei hun yn ôl ar ryw newydd wedd?

Gan eu braidd gyfarch, cerddodd Iarll Foston heibio i'r ddau
ddyn ac i fyny i'w goets. Roedd wedi cael bora wrth ei fodd ac
yn teimlo'n ddedwydd o gwbwlhau ei fusnes yn y banc. Aeth â
Walton am ginio i Glwb Willis a gorfu i'r ddau wyro fymryn
wrth gamu tan ystol ger y drws oherwydd bod gwas wrthi'n
paentio rhwng y grib a'r bondo. Roedd y lle yn orlawn a siarad
y gwŷr bonheddig fel clegar gwydda. Tywyswyd Iarll Foston
at ei hoff fwrdd. Ar y bwrdd nesa ato roedd Canghellor y
Trysorlys a phedwar o aeloda'r Tŷ Isaf yn siarad yn ddwys ac
ogla mecryll – ogla crasboethi mewn menyn a phupur du – yn
wafftio o'r badell ffrio heibio i ddrws y gegin. Bwytaodd yr Iarll
o'i hochor hi tan foch-lwytho'n farus braidd; yn cegeidio fel pe
bai ar lwgu.

'Fedrwch chi na neb arall ddim gwadu nad ydi'r caethion yn
cael eu harn-nodi?'

Ebychodd ei ewyrth yn llaes.

'O Arglwydd annwyl, ti rioed yn dal i feddwl am chwanag o
wrth-ddadleuon? Sgen ti'm digon bellach?'

'Isio bod yn hollol saff o 'mhetha ydw i.'

Tuchanodd Iarll Foston wrth fwythus fodio ei wegil.

'Nodi caethion? O'n i'n meddwl fod y farwol wedi'i rhoi i'r hen sgwarnog yna ers blynyddoedd lawar.'

'Sut ateba i 'nhad?'

'Tydi o'n dangos pa mor druenus ydi eu dadleuon nhw mewn difri calon? A pham? Bob tro y collan nhw, ma' hon wastad yn cael ei hatgyfodi fel 'tasa fo'r peth gwaetha sy' ar wyneb daear Duw heddiw. 'Drycha – pwrpas graslon sydd iddo fo.'

'Graslon? Sut?'

'Rho dy hun am eiliad yn lle'r negro sy'n cyrraedd ei gartre newydd wedi mordaith hir o Affrica. Yng nghanol cynnwrf unrhyw gyrraedd fel y gwyddost ti dy hun yn iawn pan ddes i i Paris, mae hi'n ddigon hawdd mynd ar goll, neu'n waeth byth yn achos y negro, i gael ei hudo i ffwrdd gan ryw dacla drwg. Be ddigwyddai wedyn? Mmmm? Cael ei ddal a'i fwrw ar ei ben i wyrcws mewn rhyw blwy pellennig. Yno bydd o'n pydru. Ynta'n swil, yn brin o eiria, yr iaith fymryn yn ddiarth hwyrach. Ynta'n pryderu, yn poeni fod ei feistr cyfiawn hefyd yn poeni amdano fo. 'Falla hefyd ei fod o'n crio'r nos ar ôl colli ei ffrinda bach o fwrdd y llong, yn colli clydwch ei hofeldy cyfforddus ar y blanhigfa. 'Falla basa fo'n edifarhau am ddisgyn ymysg caethion isel a dichellgar y wyrcws. Ŵyr neb ddim oll amdano fo. Na pwy ydi o. Nag i bwy mae o'n perthyn oherwydd ei fod o'n hogyn di-nod. Dyna'n syml darddiad yr arferiad.'

Sgrifennodd Walton y cwbwl.

''Tasa dy dad yn mynnu gwbod sut mae nodi caethion (er ei fod o'i hun wedi gneud y peth fwy nag unwaith), ateb o fel hyn: ar yr ysgwydd yn fa'ma trwy rwbio mymryn o olew olewydd. Wedyn – ti'n cynhesu'r llythrenna ar flaen y nodwr, sy'n ddim mwy na maint swllt, mewn tân, ei roi o mewn mymryn o win. Blaen ewin o gyffyrddiad yn yr olew a mae o'n gadael ei ôl heb hyd yn oed friwio'r croen. Does dim poen. A pham? Mi ddylswn i wbod yn well na neb, achos mi rydw i wedi'i weld o â'm llygaid fy hun ddega, ugeinia, os nad gannoedd o weithia – a tydi o'n ddim gwaeth na phigiad nodwydd neu frathiad moscito. Mi fasa chdi'n meddwl o ddarllen rhai o bamffledi'r bobol yma fod y caethion yn cael eu llosgi i'r byw â phrocer gwynias . . .'

'Basach yn bendant.'

'Sdim byd gwaeth na brasbwytho emosiyna pobol yn frethyn

calad; yn frethyn mor galad fel nad ydi o'n da i ddim ond i'w luchio allan. Peth creulon iawn. Peth hawdd iawn hefyd; sdim byd hawsach yn y byd nag ysu a chynhyrfu teimlada pobol. 'Drycha. Y cwbwl dwi'n gofyn amdano fo ydi iddyn nhw gyflwyno'r ffeitha yn union fel ag y maen nhw er tegwch i bawb.'

Tŷ ei dad.

Dwy noson yn ddiweddarach. Mewn ymateb i lythyr gan Mr Walton Hobart i Miss MacFluart cafodd gyfeiriad tŷ yn Sgwâr Stryd Lyme (tu cefn i sgwâr mwy Billiter oddi ar Stryd Fenchurch). Gweryrodd y ceffyl pan ddaeth y goets i stop.

Dododd ei ewyrth ei law ar blyg ei benelin, 'Cyn ichdi fynd, cofia un peth. Mae tuedd mewn dyn ers ei alltudio o Baradwys i fyw celwydd ar draul y gwirionedd. Cadw hynny mewn co wrth sgwrsio hefo dy dad. Gonestrwydd yn y diwedd sy'n ennill y dydd. Trwy nosweithia duon dwi wastad wedi dal at hynny, a choelio'n gry yn hynny. Dyna un o fy meini prawf i drwy gydol 'y mywyd. Os maddeui di i mi ddeud – a'i ddeud o'n wylaidd hefyd – ond gwendid dynion yn yr oes yma ydi culni. Maen nhw'n gwrthod ymateb yn llydan aeddfed i'r greadigaeth yn ei holl ogoniant. Mae dynion fel dy dad yn union fel rhyw gythraul neu ddaeargi uffern, yn cydio a brathu mewn un asgwrn o gorff mawr bywyd nes hidlo chwaeth ei feddwl wedyn i syllu'n syn ar yr un asgwrn bychan yma ac esgeuluso'r gweddill. A pham?'

'Rhagfarn?'

'Rhagfarn. Dyna chdi. Yn hollol.'

'A chenfigen?'

'Cenfigen hefyd, gwaetha'r modd. A blys a chwant tan gochl rhyw ffug-ddyneiddiaeth. Cam a gwyrdroëdig ydi natur pawb a hunanol ydan ni o'r bôn i'r brig ac er bod dynion yn amal yn meddwl eu bod nhw'n llwyr ddeall eu cymhellion eu hunain, yn amlach na heb maen nhw ar drugaredd rhyw gymhelliad arall, rhywbeth dwfn a chudd a llawer iawn duach.'

Camodd Walton allan o'r goets a dywedodd, 'Os mynnith o gyhoeddi'r Cofiant budur yma, mi ddeuda i iddo fo 'ngwerthu i a'm chwaer fach a thrwy hynny, ei lladd hi. Dyna gyhoedda i i'r byd. A'i dynnu fo i lawr. Does dim isio ichi boeni dim.'

'Da hogyn.'

Cydiodd Iarll Foston yn ei law a'i dal yn dynn.

'Fi fyddai'r cynta i gyfadda fod pob sefydliad dynol ymhell o fod yn berffaith. Sut all o fod? A ninna'n byw mewn byd amherffaith? Tydi caethwasiaeth ddim yn berffaith o bell ffordd – mae ynddo ei ochor dywyll yn ogystal â'i ochor ola yn union fel pob priodas – ond fel y sefydliad priodasol, mae iddo fwy o fantais nag o anfantais. 'Drycha. Does dim yn cadw rhei dynion yn fwy mewn ffolineb na'u doethineb nhw'u hunain. Yn mynnu rhoi lliw da ar betha drwg a lliw drwg ar betha da. Ond gras ydi dechra gogoniant a gogoniant ydi gras wedi ei berffeithio. Dyna pam mai brwydr o blaid Bywyd a Rhyddid ac yn erbyn Caethiwed ac Anga ydi'r frwydr yma. A chofia, er gwarchod Ystyr, Gwerth a Phwrpas Bywyd yn erbyn Lluoedd y Tywyllwch, mae'n rhaid i ninna fod yr un mor benderfynol â nhw.'

Y CYFEILLION

'Ma' Thomas Hobart yn gorffwyso.'

Gwraig wanllyd a siaradodd. Bu rhyw gryd poeth yn cerdded strydoedd y cyffinia heb arbed neb o hen bobol y tai. Teimlai Walton Hobart ei fod wedi ei synsyfrdanu; ei feddwl yn penglwcio. Cymaint wedi digwydd; cymaint wedi newid mewn cyn lleied o amser. Tad. Ewyrth. Cefndryd. Cyfnitherod. Teulu. Ynta'n teimlo iddo ei ennill ei hun yn ôl; ennill ei go; ennill ei fywyd a'r hyn a fu hyd hynny mor anial . . .

Tywyswyd o i ganol ogla llwydni. Craffodd trwy'r gwyllni. Heibio i gil drws clywodd ddadla lleisia cryfion: cytuno/anghytuno. Lleisia'n taeru a thorri'r tawelwch: roedd rhyw anhunedd mawr yn magu nesa ato. Cafodd gipolwg ar wep Wakefield. Safai ym mhen y bwrdd yn codi ei lais fel rhyw wrechyn yn crochlefain am ei rotan.

'Cadwch draw; peidiwch â chlosio gormod . . .'

Roedd cannwyll byg yn llosgi'n isel tan waedu rhyw ola melyn gwan i'r stafell. Prin y medrai siarad. O gamu ato, hanner dychmygodd ei weld yn ei nychdod. Gorweddai ar wely wedi'i lorio gan ryw aflwydd ac ogla piso llygod yn codi'n gry o'r carped brau roedd ei ymylon wedi raflio. Edrychai'n hen a musgrell. Gwasgai hances tros ei geg. Edrychodd Walton arno: rhythu ar ei dad. Llwm a diaddurn oedd ei stafell a'r aer wedi ei godro o bob cysur ac o'i hanadlu teimlai'n chwithig a thrist. Chwysai ceseilia Walton yn boeth a blin, a'i ben yn brifo fymryn. Pesychodd ei dad, pesychu hyd nes y crynodd ei ysgwydda. Caeodd ei lygaid ac ymdrechodd ymdrech deg i wasgu ei wichian ac o dipyn i beth daeth ato'i hun.

Ei dad.

Pesychodd nes crachboeri i'w ddwrn. Sych a garw oedd ceg Walton; sipiodd ei wefusa; roedd cymaint o gwestiyna, cymaint o emosiyna, cymaint o hen gosi sigl-di-sionci hyd ei groen fel na fedrai roi trefn arno'i hun yn iawn. Y dyn a fwrdrodd Syr Walton Royal; y dyn a werthodd ei chwaer ac ynta i glirio dyled gamblo. Ei chwaer fach; ei unig chwaer.

'Ydi o'n wir bo' chi'n mynd i gyhoeddi cofiant sy'n pardduo Iarll Foston?'

Roedd ei ddau lygad ynghau, anadl ei frest yn tawel donni. Cododd lleisia mewn dadl trwy'r pared. Bu tawelwch hir hyd nes y gofynnodd Thomas Hobart heb agor ei lygaid, ''Dach chi wedi gweld chwipio negroes 'rioed?'

Fflicodd y gannwyll.

'Diolchwch na fedrwch chi ddechra dychmygu corff wedi hanner ei lwgu a'i orweithio yn sgrechian wrth i'r gwaed dasgu ohono fo.'

Apelio at f'emosiwn, meddyliodd Walton. Penderfynodd godi'r drafodaeth i dir tipyn uwch hefo hyder cadarn ond eto gwylaidd.

'Os chwipir caethwas ar gam, mae ganddo fo berffaith hawl o dan y gyfraith i ddwyn ei gŵyn gerbron Ynad Heddwch.'

'Digon gwir.'

'Sydd o'r herwydd yn gwarantu cyfiawnder.'

Caeodd ei dad ei lygaid, dodi ei ddwylo tros ei fynwes a gofyn, 'Be sy'n digwydd pan mae caethwas yn dychwelyd i'w blanhigfa? A'r goruchwyliwr neu'r meistr â'i flys ar ddial oherwydd iddo fo achwyn yn y lle cynta?'

'Mi fydda hi'n anodd iawn, os nad yn hollol amhosib, iddo fo neu'r goruchwyliwr neud dim.'

'Pam?'

'Byd bach ydi byd y blanhigfa a phawb yn byw ar gefn plesera clebran a buan iawn y basa rhyw gam yn cyrraedd clustia gŵr y tŷ.'

Ochneidiodd ei dad yn dawel dawel.

'Be am y meddyg sy'n ymweld â'r clafdy'n gyson? Os clywa fo am chwipio ar gam, buan iawn y basa fo yn codi'i lais mewn protest. Wedi'r cwbwl, eilradd ydi grym pob goruchwyliwr a buan y basa un creulon yn colli ei le.'

Chwyrnodd neu chwarddodd Thomas Hobart cyn pesychu'n gas a dyrnu ei frest.

'Yr hyn ddyla beri pryder i ddynion gonest ydi y gall pob caethwas fanteisio ar Ynad Heddwch i ddwyn camachos yn erbyn ei oruchwyliwr. Mi all caethwas cyfrwys greu llawar o ddrwgdeimlad. Stimddrwg ydi'r natur ddynol o'i hanfod a chwannog ydi dynion bob gafael i weithredu er eu lles eu hunain. Allwch chi hyd yn oed ddim gwadu fod gan y caethwas cymaint o awdurdod i nodi ei gŵyn ag sy gan gyhoeddwr i gyhoeddi; a chymaint o hawl i annerch rheithgor ag sy' gen farnwr ar ei orsedd.'

Â'i lygaid pŵl yn syllu ar Walton holodd, 'Be 'dach chi'n mwydro?'

'Ddim mwydro ydw i. Ma' amal i enghraifft . . .'

'Rhowch un imi.'

'Un tro ar Blanhigfa'r Drindod ym Mharadwys, mi adawodd tros bedwar cant o gaethion yn hollol ddirybudd. Am dros wythnos a mwy wyddai neb i lle'r oeddan nhw wedi mynd er holi hwnt ac yma ar hyd a lled y plwyfi . . . hyd nes y daeth y gair i'r drws eu bod nhw wedi mynd i fwrw eu cwynion gerbron Mainc Ynadon Port Royal. Daeth pump neu chwech o wŷr bonheddig i wrando. Gawson nhw oedfa hollol deg, a phob un a fynnai fynegi ei farn yn groyw yn cael pob hawl i neud hynny a'r cwbwl yn cael ei gofnodi'n fanwl. Er cadw twrw a swnian, buan y sylweddolwyd mai di-sail oedd eu cŵyn. A wyddoch chi be oedd gwreiddyn y drwg?'

'Deudwch wrtha i.'

'Fod caethwas yn mynnu codi tŷ yn ôl ei hawl ar safle tŷ blaenorol a losgwyd i'r llawr. Fuo ond y dim iddo fo ddifa Tŷ'r Meistr un noson wyntog stormus am ei fod o'n rhy agos. Mynnai'r negro hawl i'w ailgodi yr yr union fan – yn hollol groes i bob rheswm. Dyna oedd achos y cwbwl a fu gerbron yr Ynadon. Ond wedyn – yn ddiweddarach – y daeth y gwir plaen i'r amlwg, a wyddoch chi be oedd o?'

'Deudwch.'

'Esgus oedd helynt ailgodi'r tŷ er mwyn i holl gaethion y Drindod fwynhau hoe o dreulio 'chydig ddyddia yn Port Royal a thrwy hynny amddifadu eu meistr o'u llafur. Oedd peth fel'na'n iawn? Sut fasa unrhyw gyflogwr yn teimlo 'tasa ei weithwyr o'n codi pac yn hollol ddirybudd a mynd am bwt o wylia ar ganol wythnos waith? Fasa chitha ddim yn gwylltio'n gandryll wrth weld y cynhaea yn pydru a'r siwgwr yn suro? Mae'r peth yn hollol warthus. Ac yn waeth fyth roedd gan y rhain y rhyfyg i wastraffu amser prin y llys yn ogystal â chreu chwanag o gosta a gwastraffu amser eu meistri.'

Cododd Thomas Hobart ar ei eistedd a gwthio'i goesa tros erchwyn y gwely. Roedd arno ryw benysgafnder; troediodd Walton hanner cam tuag ato, cydiodd yn ei fraich. Cydio yng nghnawd ei dad. Ni wrthododd ei help. Edrychodd arno; syllu fry i'w lygaid ac am eiliad, tybiodd Walton ei fod wedi ei adnabod. Cydiodd yn ei law a chododd o i'w draed . . .

Tystiolaeth.

Roedd bwrdd trwm ar ganol y llawr a phentwr o lyfra yn goferu drosto. Pesychodd, pwysodd y dyn nychlyd ei ddwrn ar fwthyn o bamffledi a llithrodd amryw i glepian hyd y llawr. Teimlodd Walton gysgod ar ei war. Wakefield oedd yno yn y drws a'i wallt cringoch fymryn yn aflêr. Dododd ei dad broflenni yn ei law. Pesychodd yn hegar. Yn sydyn, rhuthrodd y cochyn gan weiddi, 'Basdad! Y basdad budur!'

Baglodd Walton, disgyn ar draws traed ei dad a chythrodd y llanc yn ei goler a'i hysgwyd.

'Wakefield! Wakefield! – Pwylla!'

''Sglyfath fel hwn – dio'm yn haeddu cael byw!'

'Gollwng o!'

'Basdad yn gweithio i Foston!'

Ciliodd oddi wrth ei wyneb. Aeth draw drwy'r drws ar ôl iddo gael ei dynnu gan ddau lanc.

Miss MacFluart.

Safai yno yn edrych ar Walton. Ni phallodd dicter Wakefield a daliai i ruo nerth esgyrn ei ben.

'Sut fasa chdi'n lecio bod yn eiddo i ddyn arall am dy oes gyfan? Sut fasa chdi'n lecio hynny'r basdad budur?'

Patiodd Walton lwch oddi ar ei glun.

'Sgin ti'm atab i hynna'n nagoes yr uffar'?'

'A'i ddim i ddadla hefo neb sy'n harthio arna i.'

'Am na sgin ti'm dadl – dyna pam!'

'Allwn ni bwyllo a thrin a thrafod fel gwŷr bonheddig yn lle gweiddi a chicio fel criw o baganiaid?'

Siaradodd ei dad yn dawel.

'Wakefield – mae o'n iawn: ti'n gneud dim lles i'r achos, felly rho gyfla iddo fo atab.'

'Atab! All o'm atab siŵr!'

'Ateba i unrhyw un.'

Llyfodd y llanc ei wefus, 'Am mai eiddo, am mai peth ydi'r negro o fewn y fasnach, does ganddo fo ddim hawl i hyd yn oed amddiffyn ei wraig ei hun rhag cael ei gorfodi trwy chwant rhyw fochyn gwyn sy'n mynnu cael ei ffordd hefo hi.'

Yn y tawelwch, gellid bod wedi clywed pin yn taro'r llawr. A Miss MacFluart â'i llygaid arno; a'i dad â'i lygaid pŵl, dywed- odd, 'Mi ateba i fel hyn – (gan geisio dwyn i gof union eiria ei ewyrth) – i'r rheiny ohonoch chi sy'n mynnu honni peth mor aflan yn erbyn dynion eraill, mi garwn i ichi yn gynta edrach i mewn i'ch calonna eich hunain, oherwydd dim ond meddylia llygredig allai feiddio awgrymu peth o'r fath yn y lle cynta.'

Bloeddiodd Wakefield.

Bloeddio dros y tŷ.

Fe'i hyrddiodd ei hun tuag at Walton a Miss MacFluart yn gweiddi arno i sadio a'r forwyn yn sgrechian fel sgwarnog mewn rhwyd. Penderfynodd Walton na fyddai'n ymladd ag o na hyd yn oed yn ei amddiffyn ei hun rhag llid ei ddyrna. Troi'r foch arall a'i gynddeiriogi'n waeth, a waldiodd Wakefield o'n galed â'i ddyrna moelion ar draws ei wyneb nes y blasodd Walton waed ar ei dafod.

Poerodd Wakefield i'w lygad ond teimlai Walton ryw nerth rhyfeddol o beidio ag ymateb iddo. Teimlai ryw brydferthwch yn llenwi ei galon a rhyw sancteiddrwydd yn llifo trwy'i gnawd er bod ei foch yn boeth a'i asgwrn yn wayw. Edrychodd yn syth i lygaid y dyn cringoch; trodd Wakefield ar ei sawdl a cherdded allan ar frys. Sychodd Walton ei geg â hances. Byseddodd Miss MacFluart ei foch, 'Gei di chwydd neu glais. Mae'n ddrwg gen i.'

Aeth i forol desgil o ddŵr. Penliniodd ei dad yn drwsgwl a chodi'r llanast o lyfra a phamffledi a'u dodi'n daclus ar y bwrdd. Dychwelodd Miss MacFluart a thynnu cadair nesa ato. Rhoddodd gadach oer ar ei dalcen.

Holodd ei dad o'r cysgod, 'Ydach chi'n perthyn iddo fo?'

Fy nhad.

Fy nhad, meddyliodd Walton. Clywodd ei lais wrth iddo orffen darllen rhagymadrodd Cofiant ei dad i'w frawd. Oedodd; ai dyma'r fan a'r lle a'r awr i gyfadda'r gwir? Edrychodd Miss MacFluart arno.

'I Iarll Foston? Ydw.'

'O'n i'n ama.' Tan besychu, dywedodd, 'Ma' rhyw debyg-rwydd.'

Gwasgodd Miss MacFluart y cadach uwchben y ddesgil; sylwodd Walton ar waed yn hidlo trwy'r dŵr. Pesychodd ei dad; anadlai'n drafferthus – rhyw wichian yn ei frest. Yng ngola egwan y gannwyll darllenodd Walton chwaneg ond roedd yn ei chael hi'n anodd hoelio ei sylw ar y brawddega a nofiai ar hyd y ddalen.

Holltwyd tywyllwch di-dor yn ei ben gan lewyrch annaearol; yn union fel pe bai Walton wedi bod yn cerdded hyd lwybra tywyll a'r briga'n cau amdano'n dwnel du nes dŵad i oleu-fwlch – fel camu mwya sydyn trwy adwy i bwll tanbaid o haul mewn llwyn o goed. Darllenodd hanes cwynion caethion y Drindod. Enwa'r ynadon heddwch oedd Mr Wandsworth, Mr Coldingley, Mr Wetherby, Mr Whitemoor, Mr Winchester a'r Cadeirydd oedd neb llai nag Iarll Foston.

Darllenodd Walton ar wib.

Sgrialodd trwy'r brawddega; sglefrio darllen. Doedd dim sôn am hawl i godi tŷ, mwy nag yr oedd sôn am awydd i dreulio oria segur yn Port Royal. Gwrthodwyd eu tystiolaeth. Aeth y bennod rhagddi i sôn am orweithio caethwragedd beichiog hyd eu nawfed mis.

Am weithio caethion hanner noeth mewn hen garpia ym mhob tywydd.

Am farw plant mewn cwt llawr pridd a elwid yn glafdy.

Am dorri clustia.

Torri trwyna.

Torri gwefusa.

Am harn-nodi merched a phlant â phrocer gwynias.

Am hanner eu llwgu.

Cadwyno caethion mewn stocs a rhwbio'u briwia â mêl er er mwyn denu pryfetach y nos i'w bwyta'n fyw.

Claddu negro'n fyw.

Llosgi negroes mewn popty am iddi losgi'r cig.

Hongian negroes ifanc gerfydd ei bysedd wrth gangen a'i gadael i sychu yn yr haul.

Chwipio negroes feichiog ar draws ei bronna.

Chwipio eraill hyd at ddau gant, tri chant, pedwar cant, pum cant o weithia.

Treisio plant.

Gorfod negro i gachu i mewn i geg negro.

Claddu ugain negro hyd at eu gyddfa ar y rhol-borfa i chwarae bowls â'u penna â pheli magnel y milisia er mwyn difyrrwch gyda'r hwyr ...

A chwaneg ...

Cysgod ar ei war.

'Yn ôl y bennod yma,' yn drefnus a rhesymol, dywedodd Walton, 'wnaeth Mainc Ynadon Port Royal ddim hyd yn oed gwrando ar dystiolaeth caethion y Drindod?'

'Naddo.'

'Pam?'

'Does gan negro ddim hawl i neud hynny yn erbyn unrhyw ddyn gwyn.'

'Ydi o'n deud y gwir?'

Amneidiodd Miss MacFluart.

'Ar eich llw?'

'Ar fy llw.'

Oedodd Walton ennyd; synfyfyrio a hitha'n edrych arno â chadach gwaedlyd yn ei llaw.

Holodd, 'Oedd caethion y Drindod yn Gristnogion?'

'Pa bwys am hynny?'

'Y pwys mwya. Oeddan nhw?'

'Fedra i'm deud,' atebodd ei dad, ''falla eu bod nhw. 'Falla nad oeddan nhw. Does dim dal. Mi fasa'r meistri yn naturiol yn frwd o blaid eu bedyddio nhw; ac yn frwd iddyn nhw glywed pregethu Efengyl y Groes er mwyn eu cadw nhw'n wasaidd. Mater arall ydi gwbod i ba radda y byddai'r caethion wedi deall dim. Gweddol baganaidd ydyn nhw o hyd.'

'Dyna'r rheswm, mae'n rhaid.'

'Rheswm be?'

'Pam na dderbyniwyd eu tystiolaeth nhw'n y llys.'

'Be ti'n feddwl?' holodd Miss MacFluart gan wasgu gwaed o'r cadach.

'Sut y gall pagan dyngu llw ar y Llyfr Dwyfol? I ddeud y gwir a dim ond y gwir ac ynta ddim yn proffesu deall hanfodion Efengyl ein hannwyl Arglwydd Iesu Grist? Oni ddywedodd Mr Hume ei hun fod ymysg ein hynafiaid barbaraidd ni lawer mwy o gelwydda nag sy' oddi ar y dydd y daethom yn Gristnogion? Wrth ddychmygu fy hun ar y fainc a fyddwn i'n fodlon derbyn cabledd a chamddefnydd o lw sanctaidd?'

Holodd Thomas Hobart, 'Sut yn union wyt ti'n perthyn i f'efaill?'

Teimlodd Walton gosi ar ei war. Doedd dim rhaid darllen chwaneg. Darllenodd ddigon. Roedd y llyfr yn ddamniol a byddai ei gyhoeddi'n achosi niwed mawr – niwed difrifol iawn – i enw da Iarll Foston a chymdeithas planhigwyr India'r Gorllewin.

Ond oedd o'n wir?

Be os mai dim ond chwerwedd, rhagfarn, neu'n waeth, ryw ysbryd maleisus ac anghristnogol oedd ynddo? Roedd cariad yn air prin iawn rhwng cloria Cofiant ei dad. Sylwodd hefyd nad oedd yn ffeithiol gywir; roedd llu o walla a'r print yn flêr a gwael.

Be oedd sail eu gwrthwynebiad?

Siwgwr.

Dadl ei dad oedd mai baich a cholled a dim arall oedd ynysoedd poethion India'r Gorllewin i gymdeithas, a bod Mr Adam Smith ac eraill wedi camfarnu'n arw trwy honni fod prynu, gwerthu a masnachu ymysg dynion yn mynd i gyfoethogi'r ddaear drwyddi draw. Doedd hynny ddim yn wir; hyd yn oed os oedd yn wir, onid oedd ein gwareiddiad yn gorfod gweithredu ar gost ddynol rhy enfawr? A phwy oedd yn gorfod talu'r pris am gyfoeth ein bywyd beunyddiol?

Rwtsh!

Dododd Walton y proflenni o'r neilltu. Onid oedd yn hollol amlwg i bawb fod y fasnach wedi dwyn bendithion di-bendraw i'r byd? Onid oedd rhanna helaeth o Affrica wedi eu hagor a'u gwareiddio i Grist? Masnach yr Iwerydd wedi creu cenedl newydd yn America (a hynny trwy ordinhad Duw gan mai dim ond Duw sydd â'r gallu i greu cenhedloedd). Tir yr ynysoedd siwgwr yn cael ei drin a'i drafod a'i wareiddio i bwrpas daionus? Onid yw bywyd heddiw lawer iawn yn uwch ac yn amgenach nag yr oedd ganrif, neu hanner canrif, neu hyd yn oed ddeng mlynedd, yn ôl? Roedd hyd yn oed Walton – yn ei oes fer – wedi gweld newidiada na ddychmygodd eu bod erioed yn bosib.

Ydan ni'n fodlon ildio'r holl fanteision yma tan fygythion arwynebol llond dwrn – a llond dwrn oedden nhw hefyd! – o bobol genfigennus? Os honnai ei dad nad oedd y Fasnach Gaethion yn ddim ond bwystfil drygionus a lowciai bob moesoldeb, pob milwr a morwr trwy haint ac afiechyd – pam nad ymosododd hefyd ar amaethyddiaeth sy'n lladd llawn cymaint o bobol bob tymor? Neu weithio mewn pyllau glo neu waith alcam?

Dwy law.

Yn tyner wasgu ei 'sgwydda.

Dywedodd ei dad, 'Cod.'

Teimlodd wefusa ar ei gorun. Safodd. Troi i'w wynebu. Sychodd ei dad ei ddagra ond craffodd Walton arno â llygaid diwyd, gofalus; gwelodd fel y siriolodd ei wedd ac fel y bywiogodd ei ysbryd.

'Chdi ydi o'n 'te?'

Dododd ei freichia am Walton. Anwesodd o'n llawn cariad. Bu felly am hydoedd, a Miss MacFluart yn syllu. Ni allai Walton ei gofleidio.

'Fel dy fam. Fel Lanasa druan. Madda imi,' sibrydodd yn ei glust, 'madda imi am bob dim nes i.'

Sychodd ei ddagra, pesychodd, ac am rai eiliada roedd yn hongian arno yn fudan gegagored. Teimlodd Walton yn llawnach o hyder ac yn benderfynol o ffureta am wreiddyn y dyn. Ni fyddai yn gwbwl fodlon nes y byddai wedi ei ddinoethi ei hun ger ei fron: dim ond wedyn y gallai ddechra meddwl am fadda iddo. Llithrodd ei dad i'r llawr a gwasgodd ei freichia am ei glunia; a'i ddagra'n erlid ei gilydd, beichiodd tra oedd yn llechu wrth ei draed, yn tuchan a chrafu am ryw iawn yn y llwch.

'Cod o,' gorchmynnodd Miss MacFluart.

Teimlai Walton yn ben-daer ben-galed. Llofrudd Syr Walton Royal. Y dyn a'i gwerthodd o yn hogyn pedair oed a'i chwaer yn ddwy yn troi yn sentimental yn ei henaint?

'Dwi wedi 'nhynnu tu chwithig allan,' crefodd ei dad am ei gariad, 'Tydw i mo'r un dyn ag o'n i – rydw i wedi newid.'

'Cod o ar ei draed,' closiodd Miss MacFluart.

Cydiodd Walton yn ei garddwrn a'i blwcio.

'Os diddymwch chi'r Fasnach 'fory nesa – pwy fasa'r cynta i ddiodda? Y planhigwyr? Goelia i fawr – y caethion! Ond tydi o'm wir ots ganddo chi a'ch tebyg amdanyn nhw yn nag ydi?'

'Cod o nei di!'

'Nid lles pobol, nid lles cymdeithas gyfan, na lles y byd sy'n bwysig i chi ond tynnu dynion da fel f'Ewyrth i lawr! Dychanu. Bychanu. A'i neud o heb ddim! Difa bywoliaeth pawb o'r planhigwyr a'r masnachwyr a'r bancwyr – a be wedyn? Be ddigwyddith i'r byd pan fydd pawb yr un mor dlawd a'r un mor chwerw-sinicaidd â chi?'

'Ti'n ddall i'r hyn sy'n digwydd!' tynnodd ei braich yn rhydd.

'Na! Wedi gweld ydw i, gweld yn rhy glir o'r hannar hefyd be'n union rydach chi'n trio'i neud! Grym – dyna be 'dach chi isio go iawn. Ond ddim ar chwara bach y cewch chi o!'

'Nid grym ond cariad sy'n ein gyrru ni!'

'Casineb ydi'ch cariad chi!'

'Nid cariad at y gorthrymedig yn unig ond at y gorthrymwyr hefyd. Ti'm yn gweld dy fod ti yr un mor gaeth â'r caethwas isa? Ti wedi caethiwo dy hun i gelwydd.'

'Chi sy'n gaeth i gelwydd! Os ydach chi gymaint yn erbyn caethwasiaeth – pam werthoch chi'ch plant eich hun?'

Dryllio calon.

Sgwrfa hegar o emosiwn yn ei sigo a rhedodd o olwg y stryd i stryd arall a stryd arall wedyn. Sgyrnygodd Walton, rhegodd, poerodd mewn rhwystredigaeth tra gwagiodd ei goesa o'u nerth a cherddodd yn ddiamcan wedyn; cerdded am hydoedd trwy'r oria mân a glaw creulon yn tywallt rhwng y tai. Cerddodd hyd nes y lledwawriodd ac yna ciliodd y gwyllni a gwandywynnodd rhyw oleuni ac erbyn hynny roedd wedi gwlychu at ei groen. Dannedd-rinciodd a'i gorff yn crynu ac wedi fferru . . .

Ac ynta'n 'mochel mewn porth, agorodd y drws a chamodd trwyddo, nes sefyll mewn oerni llwyd hen arogleuon. Ymlwybrodd trwyddynt ac eistedd ar sedd bren a gwrando ar ei feddylia ei hun yn ffraeo ymysg ei gilydd. Suddo wedyn i gwsg blin yn llawn gweiddi blêr; yn hanner deffro bob yn ail, yn troi a throsi. Yn wyneb y wawr, cododd ar ei eistedd, ei gorff wedi cyffio trwyddo ac oerni hyd fodia'i draed, gwayw ym môn ei gefn; yn teimlo'n ddryslyd.

Beth yw'r gwirionedd? Pwy sy'n iawn?

Ei ewyrth neu ei dad?

Yr Eglwys.

Cododd Esgob Parva'n blygeiniol o achos iddo deimlo rhyw newyn yn ei enaid. Pan benliniodd ger yr allor cyffrôdd wrth glywed rhyw siffrwd a dychrynodd wrth weld Walton yno. Poenai yn ei gylch a holodd ei hynt a'i helynt. Gwrando trwy boen a wnaeth yr Esgob Parva oherwydd bod y ddannoedd arno fo, a daliai ei ben ar ogwydd, ei foch yn ei law.

Tywalltwyd coffi iddo yn y tŷ; dwy lwyaid o siwgwr, llefrith a llwy arian fechan i'w droi yn felys. Bara poeth; menyn hallt. Teimlai Walton yn euog o fanteisio ar ei garedigrwydd, o fwyta yn ei ŵydd ac ynta'n methu cnoi dim byd. O dipyn i beth aeth tros ddigwyddiada'r noson gynt; cyfaddefodd y gwir am ei ach.

A'r gwir am ei enw.

'Mab i'r penboethyn di-ras yna? Cyfeillion y Caethion wir! Hyp hyp hyp!'

'Be wna i?' holodd yn onest, 'dwi newydd sylweddoli pwy ydw i ond yn teimlo fwy ar goll nag erioed yn fy mywyd.'

'Cableddwr ydi o. Mi fydd yn llosgi yn uffern dân. Mi welis i o â'm llygaid fy hun yn rowlio'n feddw hyd strydoedd Port Royal flynyddoedd lawer yn ôl yn gwatwar fy ymdrechion i ymysg y negro. Mae'n chwith gen i ddeud hyn . . .'

Oedodd a gwasgu ei foch, gwasgu ei lygaid ynghau, cyn dweud yn dawel, 'Mi wyddoch nad ydi o'n 'i iawn bwyll?'

'Dyna ddeudodd Iarll Foston.'

'Dwi'n cofio trio dal pen rheswm hefo Thomas Hobart ym Mharadwys unwaith pan oedd o newydd ganfod anffyddiaeth, os gwelwch chi'n dda! Canfod anffyddiaeth, wir! Anffyddiaeth ydi cyflwr naturiol dyn nes iddo gael ei ddaeargrynu gan Grist. Ond dyn ifanc, brwd oedd o bryd hynny, un byrbwyll ddigon ac yn llawn dop o ryfeddod ei allu ei hun ac wedi meddwi'n chwil ulw ar nerth ei reswm, fel y bydd dynion ifanc yn chwannog o'i wneud. Roedd o'n gaib o hunangyfiawn. Wedi hyn a hyn o wrando'n gwrtais arno fo'n rhyw hen segur swnian am 'i syniada newydd mai dyn yw tynged dyn a rhyw godl felly . . . wyddoch chi be? Ddim bod dynol, ddim dyn o gig a gwaed a welwn i'n sefyll o 'mlaen i'n y gwres ond pryfetyn tân ar ochor clawdd y nos, un a chanddo ddigon o oleuni i ddangos ei hun i'r byd, ond dim oll at ddangos llwybr troed i eraill.'

'Y dyn a 'ngwerthodd i i ddyn arall yn hogyn bach.'

Tuchanodd yr Esgob yn dyrfus.

'Ma'n rhaid eich bod chi wedi'ch styrbio'n arw ar ôl syl-weddoli pwy'n union, ac yn waeth fyth, be'n union ydi'ch tad?'

'I'r byw. Ac yn waeth o lawer, mae o â'i fryd ar niweidio f'Ewyrth trwy gyhoeddi pob math o gelwydda erchyll amdano fo.'

'Be'n hollol felly?'

'Am 'i lwyddiant o. A'i garedigrwydd o wrth drueiniaid. A honni mai celwydd a thwyll ydi'r cwbwl.'

'Oes pechod gwaeth?' holodd Esgob Parva trwy boen ei foch, 'Ymchwydd balchder yn tyfu o anwybodaeth – dyna ydi hanfod dynion fel eich tad; dynion â'u bryd ar derfysg o wasanaethu eu chwant eu hunain. A lol-mi-lol anonest ydi unrhyw siarad arall. Cenfigen. Dyna sy' wrth wraidd hyn i gyd. A chofiwch mai pydru'r esgyrn wnaiff peth felly.'

Ger ei fron llanwyd dau gawg arian â dŵr; un yn oer, y llall yn glaear. Yfodd o'r bowlen glaear, dal y dŵr yn ei geg hyd nes y cynhesodd, a'i boeri allan; sychu ei wefusa â hances sidan.

Safai ei forwyn fach wrth gefn ei gadair yn rhwbio ei groen y tu ôl i'w glustia yn araf drwm. Rhoi ei bysedd yn y dŵr oer a thylino ei arlais a'i focha a'i holl wyneb.

'Mae un peth yn berffaith saff, na ŵyr dyn sy' yng nghrafanc gythreulig cenfigen ddim oll am gariad. A buan mae cenfigen yn gwreiddio'n ddyfn yn enaid dyn i fod yn beth mor gry ac mor gyndyn ac mor gyffredin â rhedyn.'

Y weddi.

'O Dduw, tynn ymaith genfigen tad truenus y gŵr ifanc hwn, a bydd eiddo'r naill yn eiddo'r llall. Tynn ymaith hefyd boen fy nant. Bendith fawr inni yn wastadol yw cael calon lân i dy fendithio Di am roddi bendithion yn rhodd ac yn rhad i'r byd cyfan. Diolch iti amdanyn nhw, Iôr. Am y gŵr cenfigennus, sefyll a wna yn ei ola ei hun; ni all lawenhau yn ei drugaredda oherwydd ei flys am eiddo ei efaill. O Dduw, erfyniaf arnot heddiw i roi iddo'n ddifalais y gallu i fwynhau holl lawenydd a chysuron eraill; mwynhau eu rhoddion a'u gwaredigaetha; mwynhau eu hiechyd a'u tangnefedd; mwynhau eu cyfoeth a'u llawnder; mwynhau eu donia a'u cwmpeini, ie, a hyd yn oed fwynhau eu gras pan allo yn ddidwyll a gwirioneddol, ac i'w enaid ei dderbyn yn llwyr ac yn llawen. Amen.'

'Amen,' murmurodd ynta.

Coffi.

Hwnnw'n boeth ac yn dda. Taenodd hances ar ei lin. Brathu tost a mêl a'i gnoi ag arddeliad a wnaeth yr Esgob Parva a'i wyneb a'i fochau'n llawn archwaeth llwglyd wedi ei noson hir o boen. Gwenodd Mrs Parva ar ei gŵr; cydio law-yn-llaw a wnaeth y ddau a diolch yn llawn aberth moliant i Dduw am ateb y weddi. Ni fu gŵr tirionach na hawddgarach na lletach ei groeso na'r Esgob. Bu'n gyfaill calon i Walton ac nid yn unig iddo fo ond i laweroedd a ddeuai i guro ar ei ddrws. Ni faliai rannu ei geiniog a'i damaid â'r burgyn mwya drewllyd a fyddai'n begera ar ei riniog ac nid elai neb ar ei ffordd yn ddigroeso neu heb air da yn ei glust.

'Naw wfft i hunanoldeb bydol,' oedd un o hoff ddywediada ei wraig ac ni fu gwraig addfwynach na charedicach ei hanian na Mrs Parva chwaith. Cymhellwyd Walton i fwyta, a bwyta a wnaeth o'i hochor hi – llowciodd lond treiswrn o datws a chig moch a wya wedi eu ffrio a faint a fynnai o dost a menyn a llestriad tebol o gwrw – ond roedd yn gythryblus ei feddwl o hyd. Teimlai fod heidia o bryfed y dail yn cosi ei ben a blinder yn ei lethu nes peri iddo ddyheu am ddisgyn i'w wely . . .

Penderfynodd fentro ei ddedwyddwch, mentro ei ddyfodol trwy fynd ar ofyn Esgob Parva a'i holi ynglŷn â moesoldeb y fasnach gaethion o'r bôn i'r brig.

Sefyll rhwng ei dad a'i ewyrth.

Sefyll yn noeth rhwng y gau a'r gwir.

Y gwirionedd.

'Ewrop ydi crud gwareiddiad. Dim ond ffŵl fyddai'n mynnu dadlau fel arall. Gwareiddiad a sugnodd faeth ei ddoethineb hir o Roeg a Rhufain, ac wrth gwrs o ddysgeidiaeth aruchelaf ac ardderchocaf yr Un a droediodd wyneb daear ei Dad. I ateb eich cwestiwn chi, y cwbwl sy'n rhaid i mi – rhaid i chi – rhaid inni i gyd ei wneud – ydi pwyso ar awdurdod y Gair. Does dim rhaid edrych ymhellach i ddeall dim.'

Eisoes agorodd Esgob Parva ddrysa gwydr ei gwpwrdd. Nesa at y set ledr goch o chweched argraffiad ar hugain o'i *Holl Hanes Erchyll y Babaeth,* cododd y Beibl mawr i'w freichia.

'Mae gwreiddyn y cwbwl yn Genesis –' a'i agor ar y bwrdd ar ddwylo pren pwrpasol a wnaeth saer iddo – 'yng ngweithredoedd mab ieuengaf Noa, hogyn du ei groen – 'dach chi'n gynefin â'r hanes?'

'Mi wawdiodd ei dad,' atebodd Walton.

'A'i waradwyddo a thrwy hynny ei felltithio, y fo a'i holl hil, drwy boblogi cyfandir Affrica a pharth o Asia tua'r gorllewin. Yn anffodus, yn groes i'n cyfandir bendithiol ni, fe fu hi gyda'r hiliogaeth fwyaf llygredig, anfoesgar ac eilun-addolgar o holl drigolion daear, yn rhygnu byw o dan dywyllwch dudew heb oleuni'r Efengyl.'

Fe'i mwythodd ei hun i'w gadair, codi ei sbectol a'i dodi ar bont ei drwyn.

'Meibion hil Ham a'u holl fywyd dan gaethiwed fel sy'n ysgrifenedig yn yr Ysgrythura. Mae'r Iôr trwy ei Air Sanctaidd ac yn ei fawr ddoethineb yn datgan yn glir mai peth llesol ydi caethwasiaeth – ei fod yn iachus gyson â Chyfraith Natur a'r Gyfraith Gristnogol – y mae'n rhan annatod o Ragluniaeth, yn gysegredig i'n Llywodraeth Ddwyfol a ddysgodd trwy ei daioni i wareiddio anwariaid.'

Tywalltwyd chwaneg o goffi ond roedd y bowlen siwgwr yn wag.

'Fydda i'n amal yn meddwl fod llawar iawn gwell byd ar y caethwas na'r llafurwr druan yma sy'n gorfod crafu bywoliaeth.'

''Dach chi'n meddwl?'

'A siarad o brofiad un a fu flynyddoedd yn cenhadu dramor, anghyfiawnder â'r negro fyddai ei amddifadu o'i hapusrwydd presennol a'i orfodi i gaethiwed. Hyp hyp hyp! Does ganddo mo'r gallu i ofalu amdano'i hun na'i deulu bach. Yn hwyr neu'n hwyrach mi fyddai'n diodda cyni mawr wrth drio ennill ei damaid ac yn siŵr o lwgu. Mewn difri calon, pa synnwyr sydd tros chwalu cymdeithasa ffyniannus yr ynysoedd poethion? Os bydd dynion fel eich tad yn mynnu dadla trwy swnian – 'ond tydi'r negro ddim yn rhydd!' Pwy sy'n rhydd? Mae cadwyna amdanon ni i gyd a da o beth ydi hynny hefyd. Gochelwch yn wastadol benboethiaid sy'n bytheirio ym mhenna'r strydoedd am 'achosion rhyddid', gan mai buan y try hwnnw'n ben-rhyddid i hwrio.'

Teimlai Walton ias hyfryd o adnabod yn golchi trwy'i gorff.

'Difeddwl ydi'r chwyldroadwr yn amal, plentyn ydi'r radical. Y ddau'n anaeddfed, heb eto ddirnad ystyr byw a bod a dod i lwyrach adnabyddiaeth o'r natur ddynol, natur cymdeithas, natur hanes hyd yn oed a gwir ystyr arfaeth Duw sy' ar waith yn y byd. Eto' – a gwenodd yn addfwyn – 'does neb yn gwadu nad oes rhyw ddidwylledd yn eu pryder ac nad balchder noeth ydi o i gyd. Onid ydan ni i gyd yn cydymdeimlo ag anffodus-ion? 'Dach chi'n cytuno?'

Ac ynta'n siarad mor ddoeth? Sut y gallai unrhyw un beidio?

'Mewn cymdeithasa gwâr ym mhob oes mae'r haena isa wedi bod yno erioed – boed y rheiny'n cael eu galw'n gaethion neu'n dlodion – a phrin fod neb yn gwadu nad oes llaweroedd o feichia ar eu hysgwydda. A gwyn eu byd! Mae arnyn nhw fawr angen ein tosturi. Mae arnyn nhw hefyd angen cymorth i gynorthwyo eu hunain i godi o'u trueni a chyfrannu'n abal iachus a pheidio â bod mor ddibynnol. Nid cadw teuluoedd mewn cyni parhaol ydi pwrpas didol elusen. Diogi – ie, yr hen elyn marwol hwnnw sy'n peri i laweroedd fod mor ddi-glem, yn enwedig mewn tiroedd Papistaidd.

Lle bo cyfoeth mae tlodi: dyna'r gwir amdani. Dyna hefyd allwedd i ddrws gwaredigaeth. Mawredd cymdeithas Grist-nogol aeddfed ydi ei bod hi'n cydnabod gwerth pob dyn yn ddiwahân, fod parch i bawb o'u graddio yn ôl eu donia, i gyf-rannu'n urddasol yn ôl eu gallu. Dyna rinwedd gras. Dyma'r hyn na allai undyn o'r *philosophes* ddod o fewn can milltir i hyd yn oed dechra ei amgyffred.

Difwyno parch at Natur a wnân nhw; parch at Dduw a'r mytha traddodiadol sy'n cynnal ystyr, gwerth a phwrpas gwar-eiddiad. Ystyr, gwerth a phwrpas Ewrop. Edrych yn fwriadol o'r tu arall heibio, caledu yn eu calonna a throi clust fyddar i gri oesol y Gwirionedd. A thrwy hynny ddangos inni fychander dyn a dyrchafu ei fân feddylia'n ddwyfoldeb. Gwae ni rhag eilun-addoli cymdeithas ddyn-ganolog neu goed fel meibion Ham. Be fydd ffon fesur daioni a drygioni wedyn?

Gofynnwch chi hyn i'ch tad: Ym mha absoliwt y mae o'n wynebu gwerth? Llyfr? Athroniaeth? Syniad? Plaid? Arweinydd? Neu bori am ganrifoedd llwm mewn gweirglodd ddiffaith o foesoldeb gwneud o ben a phastwn dyn wedi'i sylfaenu ar be? Rhyw 'hawlia' bondigrybwll? Rhyw rith o ddewis wyneb yn wyneb â drygioni a daioni'r byd? Gwae y dyn sy'n dal drych ato'i hun er mwyn syllu ar ei bechod a galw hynny trwy ei hunangyfiawnder yn wirionedd a bwrw o'r neilltu drugaredd Duw. Achos nid yw dyfnder trueni dyn mor ddwfn â dyfnder trugaredd Duw. A'r ffordd ora i Gristion i gadw heddwch gwastadol ar ei enaid yw trwy gadw rhyfel gwastadol yn erbyn ei chwanta. Pe byddai pawb trwy'r byd yn newid o'r tu mewn ni fyddai angen cadwyni o'r tu allan i'n cadw i gyd mewn trefn oherwydd Duw a gydweithiodd trwy ein holl natur gariad at fywyd. Dim ond yn yr Iôr y mae doethineb a thrugaredd yn un. Fel deudodd Dante, *E'n la sua voluntade e nostra pace.*

Y Cofiannydd.

Eisteddai Walton yn ei lyfrgell yn Piccadilly; eistedd ar ei ben ei hun yn treulio oria gweigion yn hel meddylia, yn synfyfyrio uwchben yr un hen ddalen wag a phob un dim yn rhyw hen surdan droi yn ara deg ond heb fynd â fo yn fymryn nes i'r lan. Does waeth peth yn y byd na chodi cwpan i wefusa a sipian corff marw ar lechen oer.

Sylwi hefyd fod yr ystafell wedi tywyllu a bod y dydd yn tynnu ato'i hun; ei bod hi'n fin nos ac ynta eto heb gyflawni'r nesa peth i ddim o'r hyn roedd wedi amcanu ei wneud pan gododd. Trio gwneud iawn wedyn am ddiffyg gwaith y pnawn a bwrw iddi yng ngola'r gannwyll ond heb flas fawr o hwyl ar y brawddega, llai fyth ar y paragraffa. Onid ydi adnabod nes bod adnabod gwynfyd a dedwyddwch yn amgenach, doethach peth i ddyn na rhydd-ddewis rhwng drygioni a daioni? Ydi'r chwant am ryddid cydwybod yn beth i'w gymeradwyo? Rhyddid i be? I boenydio'r meddwl ac i ama o hyd? I ormesu pobol tan iau dewis? Yn anffodus, os mai anniddigrwydd ac ansefydlogrwydd ydi hanfod ein natur: a ellir fyth gobeithio newid hyn?

Cododd ar ei draed, sythu bôn ei gefn a datod fymryn ar

glespyn pres y strap lledar a wisgai am ei ganol. Roedd arno wynt camdreuliad neu bigyn yn ei ochor. Llaciodd trwyddo o lacio'i wregys a theimlodd yn well o'r hanner. Ymlwybrodd draw at y ffenest a syllu i lawr ar gardotwraig yn begera pres gen ferch benuchel yn ei gosod ei hun yn dda a'i braich ar fraich rhyw sbrigyn o ŵr bonheddig main wrth gerdded min y parc. Cododd ei lygaid a syllu ar y dail. Roedd min y gwynt yn chwarae mig ym mriga'r coed.

Fwy nag unwaith bu'n clandro sut i lunio llythyr hir i'w dad. Ceisio llenwi'r bylcha; ceisio bwrw rhyw gynddaredd; ceisio hefyd egluro'n hollol sut y teimlai ynglŷn â'r hyn a wnaeth, sut hefyd y teimlai ynglŷn â fo'i hun, ynglŷn â'r ddau ohonyn nhw. Gwasgai'r cwbwl arno'n drwm nes bwrw pob dim arall o'r neilltu nes y teimlodd ryw don o dristwch yn ymdaenu amdano. A'i chwaer. Y ferch fach a werthodd. A'r ferch fach a fu farw. A thrwy'r cwbwl oll – yn fwy na dim, yn bwysicach na dim – crefu arno, taer grefu arno i roi'r gora i'w ffwlbri a pheidio â thynnu ei efaill i lawr a'r caethion druan yn ei sgil.

Pa rinwedd oedd mewn peth o'r fath? Fyddai neb ar ei ennill. Pwy a ŵyr mai ei dad ei hun a ddioddefai waetha yn y diwedd o wneud cymaint o ffŵl ohono'i hun? Ceisiodd Walton fod mor deg a rhesymol a oedd yn bosib o dan yr amgylchiada. Rhoi'r gorau iddi wedyn ar hanner brawddeg. Bwrw llythyr ei dad o'r neilltu. Bwrw ei dad o'r neilltu yn union fel y bwriodd o yn hogyn bach.

Ni allai fadda iddo am yr hyn a wnaeth. Ei werthu oherwydd ei chwant am bres. Trwy'r cwbwl a ddigwyddodd iddo bu cefn-ogaeth ei ewyrth mor gadarn â'r graig; hyd yn oed yn gadarnach. Po fwya digalon y teimlai, mwya y byddai yn gefn iddo. A chan na chytunodd ei dad i roi'r gora iddi, teimlodd ei fod wedi ei siomi.

'Nes i rioed ddrwg iddo fo, coelia di fi.'

'Dwi'n eich coelio chi, Ewyrth.'

'Dyn sy'n gneud bob un dim yn onest yng ngolwg pob dyn byw ydw i, a dyn sy'n disgwyl y parch o gael fy marnu'n deg am hynny.'

Os oedd ei dad yn mynnu bod yn elyn iddo, dywedodd Iarll Foston na wyddai beth a allai ei wneud i ennill ei gyfeillgarwch. Roedd enaid ei efaill fel cannwyll wedi diffodd, a'r fflam ymhell o'i gafael. Onid oedd wedi rhoi pres iddo fwy nag unwaith? Ei borthi sawl tro â bwyd? Ei ddisychedu? Rhoi to uwch ei ben, dillad ar ei gefn, rhoi croeso iddo ar ei aelwyd yn Neuadd Foston pan oedd y byd i gyd yn ei erbyn?

'Rhyw siom. Rhyw dristwch sy' wedi cyfyngu ei feddwl o, Ewyrth.'

'Ti'n meddwl?'

'Alla colli fy mam fod wedi difwyno 'i reswm a'i gydwybod o?'

'Hynny'n ddigon gwir. Pwy fasa ddim? Y cradur bach.'

'Neu'r ffit epileptig gafodd o'n y Tŷ Opera yn Genoa?'

'Does wbod nagoes?'

'Nagoes. Does wbod sut mae dynion fel'na'n meddwl.'

Siarsiodd Iarll Foston Walton i fwrw Cofiant ei dad o'i go a rhoi ei drwyn ar y maen er mwyn bwrw ei waith ei hun i brint, ei werthu a'i ledaenu a'i adolygu ym mhob un papur newydd ar hyd a lled cyfandir Ewrop ac America.

Pont Llundain.

Nosweithia'n ddiweddarach dychwelodd Walton at yr union fan lle'r eisteddodd unwaith i wneud amdano'i hun. Dryslyd oedd o 'radeg honno a dryslyd oedd o eto hefyd a chymerodd ei wynt ato a phitïo na fyddai ei Gofiant mor ddu a gwyn a chadarn glir â'r ddadl rhwng gwir Gristnogion a gweddill trigolion y ddaear fel yn *Holl Hanes Erchyll y Babaeth*, Esgob Parva.

Unwaith mae rhywun yn dechrau synhwyro fod mwy na dwy ochor – nad ydi bywyd mor syml ddu a gwyn â dealltwr-iaeth plentyn ohono – ac efallai fod tair neu bedair, pump neu chwech neu hyd yn oed chwaneg o ochra – be sy'n digwydd wedyn? Beth pe bai hi'n bosib cynnal dau safbwynt sy'n groes i'w gilydd yr un pryd?

Ei dad? Neu ei ewyrth?

Neu beth pe bai rhywun yn cytuno ac yn anghytuno ag o ei hun? Sut brofiad ydi camu i ganol llond stafell isel fyglyd o groestyniada yn dadla yng nghefn rhyw dafarn? Weithia byddai ei ben yn troi yn chwil heb iddo hyd yn oed yfed tropyn. Eto – mae disgwyl i awdur llyfr resymoli a chyflwyno mor glir ag y gall, i droi anhrefn yn drefn; tocio drain a mieri'r lawnt i'w throedio'n droednoeth ar gyfer garddwest ganol ha. Beth pe bai, am unwaith, yn gwagio ei feddwl ac yn agor drws y byd led y pen?

Ni allai. Trwy drugaredd, gwyddai Walton trwy ei sgwrs â'r Esgob Parva ei fod yn Gristion. Roedd yn rhaid dal gafael ar hynny. Dyna ei sylfaen. Dyna ei graig. Doedd dim rhaid camu i'r byd go iawn er mwyn ei adnabod am yr hyn ydi o. Wedyn fel pe bai Duw ei hun wedi clywed ei gri, digwyddodd rhyw-beth a ailorseddodd ei argyhoeddiad yn llwyr.

WAKEFIELD

Y *Gazetteer.*

Ar y dudalen flaen rhoddwyd disgrifiad manwl o'r hyn a ddigwyddodd i'r gŵr bonheddig: Syr Wayland Corton. Roedd Walton yn ei nabod yn dda gan ei fod yn gyfaill i Iarll Foston ac yn ymwelydd cyson â'r aelwyd. Roedd o hefyd yn ddiddanwr heb ei ail a chymaint o atgofion yn gwau o'i gwmpas fel y gallai yn hawdd eu plwcio o'r awyr a'u rhoi ar dân; ac roedd ei stôr o straeon seneddol yn ddiarhebol o ddoniol 'yn goelcerth o adloniant', chwedl un newyddiadurwr – a byddai'n eu plith-bentyrru wrth y bwrdd bwyd, un ar ôl y llall yn rhibidires er mawr ddifyrrwch i bawb nes y byddai'r ystafell gyfan yn deulu a gweision a morwynion yn glana chwerthin ac Iarlles Foston hyd yn oed yn ei dybla yn gwichian wrth fygu ei sgrechian tan wasgu ei hances i'w llygaid wrth sychu ei dagra. Roedd ei ddawn i ddynwared aeloda'r Ddau Dŷ o Barliment yn rhyfeddol.

'Twt dam!' dywedai cyn torri i chwerthin, y chwerthin rhyfedda a glywodd Walton yn ei fyw erioed. Byddai'n slapio ei ddau ben-glin â'i ddwy law wrth wyro 'nôl a 'mlaen tan sugno'i anadl trwy drwyn yn donnau wrth 'hi-hio' am yn ail tan weryru a'i war yn crymu a'i gefn yn crynu. Syr Wayland Corton. Yn gorwedd yn nhiriogaeth angof y bedd. Syr Wayland Corton. Y gŵr bonheddig a welodd Walton y tu allan i Fanc Lloegr yng nghwmni Mr Sharpin. Doedd o bellach ddim yn bod. Dych-mygodd ei deulu – fel teulu Iarll Foston – a'i holl gyfeillion yn pensynnu uwch eu gofid a'u galar o ddarllen am yr hyn a ddigwyddodd iddo.

A'r hanes? Yn ôl y *Gazetteer*, gadawodd ei dŷ yn Stryd Great Ormond yn ôl ei arfer. (Roedd yn gymydog ac yn gyfaill myn-wesol i'r Canghellor). Bore oerfelog oedd hi, hen fore llwyd pan deithiodd yn ei goets tuag at y Gyfnewidfa Frenhinol ac yno – oddeutu un ar ddeg y bora – wrth gamu o'i goets wrth y porth gorllewinol yn Alai'r Castell, camodd gŵr ifanc tros riniog drws rhyw dŷ potas – llanc â mwgwd tros ei wyneb, yn ôl y llygad-dystion – a gweiddi rhywbeth na ddeallodd neb mohono.

Deallwyd digon i sylweddoli fod yr hogyn yn ffieiddio Syr Corton yng ngŵydd y byd. Dewisodd ynta ei anwybyddu a dat-droi am draw, ond y cwbwl a wnaeth hynny oedd gyrru'r hogyn yn honco, a pheri iddo weiddi yn waeth. Yn niffyg ymateb pellach o du Syr Corton, fe benderfynodd ruthro amdano; rhuthro yn nawswyllt ei osgo, yn fyrbwyll ei dafod o'i alw'n ddiawl-ddyn (a rhyw eiria tebyg) ac erbyn hynny roedd hi'n hollol amlwg nad rhyw wag fygythian oedd hyn.

Pan ddododd y llanc ei law i orwedd ar ei ysgwydd fe drodd Syr Corton i'w wynebu a'i herio'n eiriol, dadweinio ei gleddyf a cheisio ei waldio ac roedd yn driniwr cleddyf tra medrus ac yn sgut am agor clwy a tharo gwaed. O dystio i'r hyn oedd yn digwydd, rhuthrodd amryw o wŷr bonheddig draw ar eu hunion i gynnig help. Â'i lygaid tywyll yn llawn surni a chasineb, bagiodd y gŵr ifanc tan floeddio rhywbeth na ddeallodd neb mohono. Rhuodd fel asyn wedyn cyn tynnu gwn o gesail ei gôt a'i godi'n uchel a'i glo-drecio. Sgrechiodd y stryd. Sgrialodd y bora mewn panic poeth. Trodd Syr Corton ar ei sawdl a rhuthro i fochel nerth ei begla.

'Cachgi!' oedd y gair ola a glywodd. Taniodd y llanc y gwn a'i saethu yng nghefn ei ben, lai na throedfedd i ffwrdd; a hynny â phistol ceffyl – (pistol ceffyl!) – bledodd y fwled allan trwy ei dalcen nes chwydu ei wyneb hanner ffordd i fyny wal y Gyfnewidfa. Er bod rhyw draws edrychiad od yn ei lygaid roedd ei osgo yn haerllug o hyderus – a hyd yn oed yn ôl y rhai a'i gwelodd fymryn yn slap a dash pan gamodd yn ling-di-long at y corff, plygu drosto a chwilota trwy'i bocedi. Sylwodd tyst ar ei ewinedd budron yn dripian o waed. Bachodd y llanc ei oriawr aur (a'i dal yn uchel a'i llyfu'n ara am ryw reswm!) ond wrth wneud hyn, disgynnodd ei fwgwd am un eiliad a gwaeddodd gŵr bonheddig bochog o gwr cromffenest gyfagos, 'Wakefield!'

Caeodd Walton ei lygaid. Dywasgodd rhywbeth ar ei galon ac am un ennyd cafodd drafferth i anadlu. Oedodd a chymerodd ei wynt ato'n ara deg ac o dipyn i beth daeth ato'i hun. Murmurodd weddi dawel. Diolchodd i Dduw Hollalluog nad oedd ynta hefyd yn gorff. Mor hawdd y gallai Wakefield fod wedi ei ladd tra fu yng nghwmni ei dad a Miss MacFluart. Roedd wedi meddwl amdano erioed fel dyn drwg. Fel dyn di-foes. Fel dyn di-les. Fel dyn chwerw â'i fryd ar godi twrw. Ond

llofrudd? Adleisiodd y gair yn ei ben. Llofrudd. Dyna be oedd
o. Llofrudd gefn dydd gola. Roedd y cwbwl mor glir â ffrwd.
Cododd y papur newydd oddi ar y llawr ac ymdrechodd i
ddarllen yr hanes i'w derfyn ond teimlodd yn wan a gorfu iddo
eistedd ar y gadair elinog a'r llodra am ei glunia yn teimlo'n
anarferol o dynn a phoeth. Roedd warant ar i unrhyw un arestio
Wakefield ynghyd â gwobr hael i'r sawl a wnâi.

Teimlodd Walton reidrwydd i beidio ag anghofio ei dad, er
mor druenus oedd o. Na Miss MacFluart chwaith. Sut y gallai'r
ddau fod mor ddall? Oedd hi'm yn hollol amlwg i bawb be
oedd Wakefield? Oedden nhw'n llochesu chwanag o lofruddion
tebyg? Sut y gallai pobol galedu cymaint yn eu calonna? Peth
hyll ac erchyll oedd byw cenfigen ac atgasedd nes rhwydo
eu meddylia o ddydd i ddydd a'u gyrru i weld lonydd cam
yn lonydd syth. Darllenodd Walton adroddiada eraill am y
mwrdrad. Darllenodd deyrngeda yn ystod y dyddia a ddilyn-
odd a'r ddinas gyfa wedi ei hysgytio. Diflannodd Wakefield heb
na siw na miw; doedd neb wedi'i weld yn unman er bod
cannoedd â'u bryd ar ei ddal a'i ddwyn i sefyll o flaen ei well a'i
gosbi wedyn am yr hyn a wnaeth. Meddyliodd Walton yn hir ac
yn ddwys am yr hyn a ddigwyddodd ger y Gyfnewidfa Fren-
hinol, nes sylweddoli yn fwy nag erioed na allai wadu ei gyfrif-
oldeb. Roedd arno reidrwydd, roedd arno ddyletswydd foesol
bellach i achub ei dad rhag ei ddinistrio ei hun, a thrwy hynny,
ddinistrio eraill.

Does dim twyll tebyg i hunan-dwyll ac nid er ei fwyn ei hun
y dylai Cristion weddïo ond tros ei elynion.

Tŷ ei dad.

Dychwelodd Walton Hobart yno. Wrth gerdded y milltiroedd
ceisiodd dacluso ei feddylia. Ceisiodd osod trefn arno'i hun – a
siaradodd â fo'i hun o dan ei lais – ond teimlodd yn ddryslyd
a chymysglyd. Daeth y glaw i dywallt o bob tu; rhyw gawod
sydyn a gododd yr un mor sydyn er bod y strydoedd wedi eu
baeddu'n stomp. Fel erioed roedd wybren enfawr yr awyr yn
uchel uwch ei ben a rhyw nefliw ysgafn, llwydola wedi dechra
hel ymysg y cymyla na ollyngodd eu llwyth. Mor fychan y
teimlodd yn sydyn; mor hynod o ddi-nod; mor hynod o ddi-
rym.

Pita-pat pita-pat pita-pat. Ar ôl i'r drws agor gwelodd ben bach ar ogwydd a llygaid mawrion yn syllu arno. Agorwyd y drws yn lletach gan ferch fach droednoeth; daeth merch arall i'r fei a babi budur yn gwingo ar ei chlun. Tenantiaid newydd oedd y rhain gan fod yr hen rai wedi ffoi ar frys a gadael y llanast rhyfedda ar eu hôl. Bu'r cymdogion yn blagardio a methu cysgu oherwydd bod cymaint o fynd a dŵad yn hwyr y nos; weithia'n oria mân y bora, doedd dim dal pryd y byddai rhywun yn sydyn ddeffro wrth glywed rhyw guro brysiog ar y drws, dro arall migyrna'n chwaral y ffenast, lleisia isel yn hisian, pedola'n cilio, clepian drysa, lleisia am y pared yn dadlau ac yn tynnu'n groes.

Holodd hi eilwaith, holi'n fanwl a oedd rhyw inclin ganddi o gwbwl ynglŷn â lle'r aeth yr hen ŵr a fu yno? Ni wyddai; nid oedd yn malio chwaith; be oedd o iddi hi? Dim. A pham oedd o isio gwbod p'run bynnag? Pwy oedd o i ddŵad yno i ddechra holi a stilio?

Pwy yn wir.

Piccadilly.

Eisteddai ei ewyrth mewn cadair ger ffenestr uchel a'r gwres yn dywydd i gyd a haul meddal diwedd Medi yn diogi dros y dodrefn; yr ystafell yn fud heb un gwec o sŵn, ynta wedi'i wisgo fel Ymerawdwr Rhufeinig â choron bleth o ddail derw yn gorwedd ar ei dalcen a sanadala aur am ei draed a Mingo'n gorwedd ar y llawr ar glustog borffor. Ochneidiodd yn llaes trwy'i gnawd; bu'n eistedd yno'n hir a bu'n cwyno mai peth caeth yw bod dan wth o oed gan fod ei gorff yn cyffio; ei goesa'n diffrwytho ac ynta'n methu aros yn llonydd yn hir; ni fu erioed yn ddyn diog, hwyr i godi i waith. Deirllath o'i flaen, gan graffu yn angerddol o bryd i'w gilydd, a chrychu'i dalcen, paentiai Mr George Barret o.

Safodd Walton ger y glôb: y belen ddaear anferth y byddai ei ewyrth weithia yn mwynhau dangos enwa'r gwledydd a dinasoedd y byd i Whatton-Henry. Holodd Walton ynglŷn ag angladd Syr Wayland Corton. Roedd yno filoedd ar filoedd ac Eglwys Gadeiriol Sant Paul yn orlawn i'r ymylon. Ni welwyd y fath alar o fewn ei chyntedda erioed a thraddododd y Prif Weinidog deyrnged deimladwy a phawb yn canmol. Dygodd morwyn wydryn gwin i Walton a sylwodd ei bod yn feichiog drwm (a'i hafflog mor fychan nes dangos pais goch gwta a rhipia du a gwyn i bawb) pan ymadawodd â'r ystafell. Am ryw reswm, sugno yfed o soser fel begar a wnaeth ei ewyrth.

Troellodd Walton y ddaear tan ei fys a'i fawd nes y toddodd y moroedd a'r cyfandiroedd i'w gilydd yn un lliw cyn y sydyn stopiodd y byd â'i gledr. Gwasgodd ei ddwy law i lawr tros Affrica. Gwenodd wrtho'i hun wrth gofio'r Esgob Parva yn dweud wrtho rai wythnosa ynghynt fod ar ddarlun o bêl y byd fwy o liw du chwanta a nwyda nag o liw coch Calfaria a lliw gwyn y nefoedd. Yna, sylweddolodd fod ei ewyrth wedi bod yn siarad ers meityn er na chlywodd air. Sôn roedd o am Wakefield; yn melltithio difaterwch pobol nad oedd o wedi ei ddal a'i roi o dan glo. Roedd brys i wneud hynny; brys garw, dywedodd wrth draws-siarad a llymeitian sugno'r soser yr un pryd a Mr Barret yn tuchan ac ochneidio'n dawel am yn ail. Doedd wybod pwy fyddai'n ei ladd nesa. Y bore hwnnw dwblodd Iarll Foston y wobr i £100 yn rhodd i unrhyw un a allai ei ddal. Dywedodd nad lladd Syr Wayland Corton oedd ei fwriad ond ei ladd o.

'Chi?'

'Ia – fi, Walton! Fy lladd i! Dychymyga'r peth! Dychymyga fi yn farw! A f'efaill yn llawiach hefo fo.'

Yn ôl amryw o dystion bu Wakefield yn disgwyl am ddyfodiad Iarll Foston am awr neu fwy, ond oherwydd iddo orfod mynd i ymweld â'i fancar ynglŷn â rhyw ôl-daliadau ar insiwrans llonga aeth i mewn i'r Gyfnewidfa Frenhinol trwy Borth y Dwyrain o Alai Sweeting. Dryswyd cynllunia'r llofrudd. Am ba reswm bynnag wedyn (a oedd yn ddirgelwch llwyr i bawb) penderfynodd Wakefield y byddai'n mwrdro Syr Wayland Corton.

Gwnaeth yr arlunydd – dyn gweflsych, gwepddwys – arwydd blin â'i fys bach; bu'n dwrdio'n dawel ers meityn, ond bellach roedd hi'n amlwg ei fod wedi cyrraedd pen ei dennyn ac yn bygwth rhoi'r ffidil yn y to. Fferrodd yr Iarll ei wddw tra ymweddodd ei wyneb yn llawn o hunanddwyster a chnawd ei gorff i weld yn trymhau â phob anadliad nes llonyddu'n garreg yn ei gadair. Teimlodd Walton yn fwy penderfynol nag erioed fod yn rhaid iddo achub ei dad.

'Be am Miss MacFluart?' holodd Walton yn betrusgar. 'Oes rhyw awgrym fod a wnelo hi rwbath â drygioni Wakefield?'

'Mae hi dan glo,' dododd Mr Barlinnie lythyr i'w arwyddo ar lin yr Iarll.

'Yn y carchar?' cododd Walton ei glustiau.

'Nid carchar yn hollol,' chwythodd Iarll Foston ar yr inc, 'Mewn stafell yn nhŷ ei thaid, y Barnwr Garth MacFluart.'

'Sut gwyddoch chi?'

'Sgwrsio hefo'i thad hi, Mr Grenock MacFluart, echdoe o'n i. Mae o'n poeni'n arw amdani; poeni ei bod hi'n mynd i neud rhywbeth gwirion o focha hefo dynion ffrychwyllt ac yn poeni na fyddwn ni'n ei gyflogi fo o'i hachos hi – fel rydan ni wedi gaddo ei neud . . .'

'Allwch chi'm beio'r tad am gamwedda'r ferch?'

'Na allwn siŵr. Ond ti'n gwbod fel ma' dynion sy' isio gwaith yn mynd i ddechra poeni. 'Nenwedig pan ma' dynion eraill yn tywallt pob math o sibrydion ar led . . .'

Am y tro cyntaf sylwodd Walton fod ei ewyrth wedi taro sbectol ar bont ei drwyn a'i fod yn dal dogfen a ddododd Mr Barlinnie iddo hyd braich tan graffu arni fel dyn llygatbwl. Ceisiodd Walton ryw how godi sgwrs ond roedd hi'n amlwg fod petha pwysicach ar feddwl Iarll Foston. Maes o law terfynodd ei fusnes. Ymadawodd Mr Barlinnie a chau'r drws yn dawel ar ei ôl. Yn sydyn, cododd ei ewyrth ar ei draed a hanner baglu tros Fingo. Roedd hi'n amlwg ei fod wedi anghofio ei fod yn gorweddian yno. Tynnodd y goron bleth o ddail derw a'i thaflu o'r neilltu. Gofynnodd i Mr Barret ei adael ac wrth iddo ddechra hel ei betha at ei gilydd, dywedodd wrth Walton ei fod yn gobeithio gweld cyhoeddi'r Cofiant ar gyfer priodas Miss Swinfen-Ann a Syr Swaleside. Diolchodd i Walton am yr holl waith a wnaeth tan dywallt dau lond gwydryn o win.

Wedyn, holodd ei ewyrth o ynglŷn â'r dyfodol.

Y dyfodol?

Gair rhyfedd meddyliodd Walton wrth ei glywed.

'Sgin i'm math o syniad ar hyn o bryd, Ewyrth.'

Pesychodd Mingo.

''Drycha, dwi wedi deud y cwbwl amdana i – pob un dim i chdi ga'l dallt; petha na ddeudis i wrth undyn byw; ddim hyd yn oed wrth Anna-Maria fy ngwraig na neb. Ddeudis i wrtha chdi achos 'mod i'n dy drystio di. Does 'na ddim cyfrinacha i fod rhyngddon ni.'

Pob un dim ond Celwydd y Seler, meddyliodd wrtho'i hun wrth wylio'i ewyrth yn camu draw at y ffenest gan rowlio ei wydryn gwin rhwng dwy gledr ei law.

'Mae gen i swyddfa newydd yn agor draw yn Boston flwyddyn nesa, misoedd Mawrth neu Ebrill, dechra Mai fan hwyra os bydd Iarll Wellingborough a finna yn dŵad i ddallt ein gilydd cyn hynny; a dwi'm yn gweld pam lai; sdim byd ond cyfeillgarwch rhyngddon ni. Ma' gen i isio dyn go debol i redag y lle drosta i. A pham? I fod yn llygaid, yn glustia ac yn geg imi 'rochor bella i'r dŵr. Fel ti'n gwbod, dwi wastad wedi bod o'r farn fod gwaed yn dewach peth o'r hannar na dŵr ym mhob un achos . . .'

Disgwyliai Mr Barret yn amyneddgar i'r Iarll orffen siarad cyn mentro ffarwelio. Roedd ei frwshus paent i gyd yn un llaw a'r llall yn pwyso ar ei glun. Neu dyna feddyliodd Walton yn reddfol a barnu 'nôl ei osgo, hyd nes iddo sylwi mai dim ond un fraich oedd ganddo.

'Dwi 'di cyflogi gwaethach, salach dynion o'r hannar na chdi ar hyd y bedlan i swyddi llawar caletach – yn do, Barlinnie?'

Trodd Walton a sylweddoli fod y Prif Was wedi dychwelyd i'r stafell heb iddo sylwi a hanner cododd hwnnw ei ben o'r fan lle safai ar ben y bwrdd a gwenu ei wên fewnol dawel.

'Be arall nei di? Be arall sy' 'na ar dy gyfar di? Gweithia i mi yn America. Neu'r dewis arall ydi Cymru. Ond ti'm isio mynd i le felly siawns?'

Cymru? Am le i yrru dyn ifanc ym mloda'i ddyddia i orfod treulio amsar yn rhyngu byw mewn lle o'r fath ac yn waeth fyth ymysg pobol felly. Doedd yno na dinas, na chymdeithas na diwylliant na dim o werth. Mewn gair, doedd yno ddim byd ond ofergoeliaeth, anfoesgarwch a barbareiddiwch. Fel deud-odd rhywun rhywdro, nid gwlad ydi Cymru ond penyd. Be oedd gwewyr meddwl Ofydd druan ar lan y Môr Du ochor yn ochor â gŵr yn cael ei alltudio i Gymru? Byddai'n well gan Walton farw na chael ei yrru yno ond wedi bwrw'r syniad tros go, cafodd ei demtio i dderbyn America, ond ni allai wneud hynny â chydwybod clir.

'Fuo gen i fy musnas unwaith, fel gwyddoch chi – cynhyrchu a gwerthu papur wal – ond mi aeth yr hwch trwy'r siop. Ro'n i'n fethdalwr hefo dyledion trymion. Fentrwn i ddim eto.'

Tosturi oedd yn llygaid Iarll Foston.

'Dwi fel fy nhad yn hynny o beth; 'i anian o sy' gryfa yno i lle mae trin a thrafod pres yn y cwestiwn . . .'

'Es di'm i'r carchar chwaith?'

'Naddo, diolch i chi, Ewyrth.'

Lleithiodd ei lygaid wrth feddwl am ei garedigrwydd.

'Os a i i Boston, dwi'n siŵr na wna i ddim byd ond eich siomi chi.'

'Tydi'r un gaea yn para am byth – cofia hynny.'

'Mae ganddo chi gymaint o ffydd yno i, Ewyrth.'

'Meddwl am y peth a rho ateb buan imi.'

Hen forwyn hir a gwargam.

Hi a atebodd y drws tan edrych yn sarrug; fel un sy'n llwyr gasáu'r ddynoliaeth ac ni ddywedodd air o'i phen ac aeth i ffwrdd mor ddisymwth â'r wên fer a fu ar ei hwyneb. O fewn dim daeth morwyn iau i sefyll ger ei fron, morwyn goch-fochog a'i gên yn gorwedd ar ei brest. Wrth iddo siarad sylwodd ei bod yn swilio fwyfwy a'i bod yn mynd i'w gilydd i gyd. Tra bu'r ddau yn sgwrsio clustfeiniai garddwr, ei ddwylo'n wyrddion o ddeiliach a thyfiant wedi iddo fod wrthi'n plygu gwrychoedd yr ardd.

Tywyswyd Walton Hobart i lawr astell hirgul at ddeuddrws derw a agorwyd i stafell gyfarch a thipiada'r cloc yn mesur amser yn bwyllog. Eisteddodd yno yn teimlo rhywsut fel dyn ar gychwyn taith bell a phwysig; cafodd gip arno'i hun mewn drych. Edrychai'n hurt a'r un mor hyll ag erioed. Stumiodd ei drwyn. Trwy'r ffenest clywodd sŵn hirllaes corn pres y post mawr ar bedwar march a phedair olwyn coets yn chwyrnellu heibio. Wedyn, dychwelodd y tawelwch ar wahân i dipiada'r cloc. Dychwelodd y forwyn iau a dywedodd y byddai'r Barnwr Garth MacFluart yn ymuno ag o yn y man. Yfodd goffi melys. Disgwyliodd tan gwyno'n dawel o bryd i bryd o dan ei wynt, *'Lle mae o na ddaw o?'* Llwyr yfodd ei goffi a chwarae wedyn â'r düwch a orweddai yno ar y gwaelod wrth ogwyddo'i gwpan 'nôl a 'mlaen. Agorodd y drws, hanner cododd ar ei draed (ond gwanio'n sydyn ac aileistedd ar ei union tan fygu pigiad o boen wrth deimlo cwlwm gwythi yn cyffio'i goes). Nesaodd y Barnwr ac ailgododd ynta ac i'w gyfarch gan bwyso ar ei fagla, daeth i'w cyfwrdd, 'mestyn ei fraich ac ysgwyd llaw.

'Chesoch chi mo'n llythyr i?'

'Llythyr?'

'Mi gyrris i o ichi trwy law un o weision yr Old Bailey . . .'

377

'Naddo, mae gen i ofn.'

Trwy'r ffenestr, sylwodd Walton fod y lloer yn ffurfafen y prynhawn. Mor loyw ysgafn. Dechra yn deg a llariaidd a wnaeth tywydd y mis, yr haul yn ddisglair ond yr hin yn od o dwyllodrus. Trodd ei lygaid wrth adnabod rhywbeth arall – tebyg i chwilen ddu? – yn croesi ar draws y pentan. Sylwodd fod y Barnwr MacFluart yn syllu arno'n ddisgwylgar ac eglurodd Walton amcan ei ymweliad.

'Wedi clywed fod eich wyres, Miss MacFluart, ar yr aelwyd o'n i. A rhyw feddwl nes i y basa hi'n gwbod lle galla i ddod o hyd i Thomas Hobart . . .'

Ochneidiodd y Barnwr.

'Peth poenus i hen ddyn ydi gorfod taro'i ben i gysgu'r nos a methu gneud hynny'n amal, o feddwl fod ei unig wyres o'n troi 'mysg llofruddion.'

Teimlodd Walton y gallai ei helpu i'w darbwyllo o'i ffolineb.

'Dal pen rheswm hefo hi? Wala, wala! Dwi wedi trio hyd at syrffed fy hun,' ara ddringodd y grisia, 'ond wrandith hi ar neb ohona ni.'

'Be mae hwn isio?'

Safai Miss MacFluart wrth fwrdd, ei phen ar ogwydd, wedi hanner ei droi at y drws ar ôl ei glywed yn agor. Ar ei untroed (yn droetrwm) a than duchan fymryn (wrth bwyso ar ei fagla nerthol) caeodd y Barnwr MacFluart y drws a throi'r allwedd yn y clo. Er ei bod hi'n gwgu, roedd Walton bron ag ynfydu wrth ei gweld hi eto.

Holodd hitha ei thaid, 'Pryd ga i fynd yn rhydd?'

'Unwaith byddi di'n barod.'

Croesodd ati; tynnu cadair ac eistedd; cymerodd ei wynt ato a threfnu ei ddillad; tynnu hances o'i boced a sychu ei wyneb.

'Dwi'n barod rŵan.'

Cymhellwyd Walton i eistedd. Roedd hi'n harddach nag y cofiai hi; ei llygaid, ei gwedd lawn swyn, ei llais mor felys. Er ei bod hi'n garcharor roedd yr ystafell yn un helaeth, ddymunol tros ben. Sylwodd fod y Barnwr MacFluart wedi ceisio cyffwrdd â'i llaw ond tynnodd hi o'i afael.

'Dwi wedi'i ddeud o unwaith ond mi ddeuda i o eto, a wnelo hynny o werth ti'n 'i roi ar fy marn i, ond does arna i na dy dad ddim isio dy weld di'n diodda. Wala, wala. Ma' bywyd yn ddigon blinderog heb i neb fynd ati'n fwriadol i greu helynt. A dyna ti'n 'i neud. Tynnu'r byd yn dy ben.'

Trodd at Walton.

'Mi fedar hi gael ei charcharu, ei halltudio, neu waeth – does dim dal, rydan ni'n byw trwy gyfnod digon dyrys. Fedar hi ddim gweld hynny rŵan ond 'mhen amsar, pan fydd hi wedi priodi, magu teulu, callio, sadio, dŵad at ei choed, ac wrth edrach 'nôl mi sylweddolith mai o gariad y bu i'w thad a finna ei chadw hi yma'n gaeth.'

Caeodd Miss MacFluart ei llygaid.

Ni fedrai Walton lai na syllu arni a theimlo rhyw iasa'n cerdded ei gnawd. Magodd darlun yn ei ben: y ddau ohonyn nhw law-yn-llaw yn cerdded ar hyd hen lôn drol ddwyrigol, ac yn mynd yn eu blaena trwy borth hen dre, i lawr at y porthladd, cerdded ar hyd y cei ac allan i'r wlad at ffynnon y cariadon ac addunedu i garu ei gilydd am byth. Cusanu'n swil, anwesu'n dyner, cerdded law-law heibio i'r plasa a warchodai eu gerddi trwy frig y coedydd; ymlaen hyd lwybr main tan y coedydd cyll, trwy wlad o feysydd gwyrddion yn dynesu i gysgu, cyn troi 'nôl trwy'r myllni tawel a'r dydd yn britho . . .

Dododd y Barnwr MacFluart yr allwedd ar y bwrdd a chysgodi ei law drosto.

'Gaddo un peth imi rŵan a mi gei di hon.'

Symudodd Miss MacFluart ddim.

'Wala, wala. Be nawn ni hefo chdi?' yn addfwyn wrth guddio'i dristwch fod dim yn tycio, 'Be yn y byd mawr nawn ni?'

Ar waetha ei hanner coes, synhwyrodd Walton nad oedd yn chwerw. Efallai iddo unwaith durio trwy nosweithia duon, ond hen ŵr tawel-fodlon a eisteddai gyferbyn â fo. Ar waetha'r ffaith fod Miss MacFluart fel mudan, tangnefedd oedd bod yn ei chwmni. Gwyddai fod yn rhaid iddo rywsut neu'i gilydd ei chael yn wraig, fel y câi'r ddau gyd-fyw yn ddeuddyn ded-wydd yn Boston.

Prin y cafodd neb gyfle i droi na chlywyd sŵn traed trymion yn rhuglo dyrnu i fyny'r grisia a'r eiliad nesa clywyd sŵn: rhyw lanast yn nhwll y clo.

Mr Grenock MacFluart.

Safai yno gan edrych braidd yn hurt. Roedd rhyw olwg wyllt, amhwyllog hollol lond ei lygaid. Camodd i'r ystafell yn llych-lyd flin ar ôl teithio mewn rhyw goets o Gymru; camu at ei ferch heb gyfarchiad cordial; heb air caredig; heb ddweud dim byd. Hanner cododd hitha i'w wynebu ond cythrodd â'i ddwylo am ei gwddw a'i darn-dagu yn y fan a'r lle. Ymdrechodd y Barnwr i godi ar ei droed ond collodd ei afael a hanner dis-gynnodd wysg ei ochr. Plygodd Miss MacFluart i'w glinia, a'i dwylo wedi eu gwasgu am arddyrna ei thad. Gwasgodd ynta arni â holl nerth ei greu, ei wyneb yn gynddeiriog goch. Rhuth-rodd Walton o gwmpas y bwrdd (gan fwrw cadair drosodd yn ei wyllt) a cheisiodd ei ora glas i dynnu ar Mr MacFluart er mwyn iddo ollwng ei afael ar ei ferch. Dechreuodd ruo yn waeth na dyn gwyllt o'r coed tan ryw bendro wibwrn.

'Ti ddim i gymysgu hefo'r bobol yma byth eto!'

Rhuodd a rhuodd yn orffwyll fel rhywun wedi cyrraedd pen ei dennyn ac yn methu cario ei faich ddim pellach. Egwan ddyrnodd Miss MacFluart ei focha, cripiodd ei dalcen unwaith, ei gicio â'i choesa ond gwasgodd ei ben-glin ar ei brest a gwelodd Walton heibio i'w ysgwydd ei hwyneb yn gwelwi, yr anadl ola yn dianc ohoni.

'Grenock,' pesychodd ei dad wrth ei lusgo'i hun tuag ato, 'Er mwyn Duw! Grenock! Paid!'

Cydiodd Walton yn wig y daearegydd byddar a'i blwcio oddi ar ei ben. Cythrodd yn ei wallt, ond doedd dim cudynna gwerth sôn amdanyn nhw heblaw am ryw fân flewiach agosa at ei war: roedd mor foel ag wy. Gwasgodd Walton ei wyth bys i'w lygaid a'i dynnu'n ôl oddi arni. Bloeddiodd Mr Grenock MacFluart mewn poen: gollyngodd ei ferch. Â holl nerth ei fod llusgodd Walton o draw ar draws y llawr nes disgyn yn erbyn erchwyn y *chaise-longue*.

'Be ddaeth drosta chdi?' holodd ei dad.

'Ysgrifenna lythyr yn datgan dy fod ti'n diarddel Cyfeillion y Caethion!'

'Wna i ddim o'r fath!' atebodd ei ferch.

'Be?'

'Wna i ddim o'r fath beth!'

'Be ddeudodd hi?' trodd yn sydyn i wyneb ei dad y Barnwr, a gododd ei lais wrth ateb ei fab, 'Na neith hi mo'r fath beth.'

Bloeddiodd ynta, 'Gneith mi neith hi achos dwi'n deud wrthi hi am neud!'

Brasgamodd tuag ati a chydio yn ei braich a'i hysgwyd, 'Mi nei di'n union fel dwi'n ddeud! Dwi'm isio colli gwaith ar dy gownt di!'

'Does dim rhaid gweithio i bobol fel Iarll Foston!' atebodd hitha.

Gwaeddodd y ddau i glustia Walton.

'Eich prynu chi mae o wedi'i neud fel mae o'n prynu pawb arall! Ddylsach chi wbod yn well! 'Dach chi'n gwbod sut mae hi ar y negroaid. 'Dach chi'n gwbod sut maen nhw'n cael eu trin! 'Dach chi'n gwbod be 'di'r gwironedd! Sy'n gneud yr hyn rydach chi'n 'i neud yn llawar mwy anfaddeuol!'

Clewtiodd hi'n gwta ar draws ei boch.

'Mi wyt ti yn mynd i ista i lawr, cydio mewn ysgrifbin a darn o bapur a sgwennu llythyr i'r papura newydd rŵan yn diarddel y bobol yma!'

At y bwrdd.

'Mestynnodd at ysgrifbin; ysgrifennu'n frysiog, yn fân ac yn fuan heb fawr o feddwl.

'Mae pawb yn gorfod byw, 'Nhad. Be mae hon yn ddisgwyl imi'i 'neud? Llwgu? Troi'n gardotyn? Begera? Dyna mae hi isio? Fasa hi'n hapusach 'taswn i'n trampio'r strydoedd heb ddim yn gefn imi? Fasa hi?'

Closiodd y Barnwr at y bwrdd a dododd ei law tros law ei wyres a sibrwd yn dyner yn ei chlust, 'Be am inni i gyd bwyllo fymryn?'

Atebodd hitha, ''Dach chi wedi deud hen ddigon.'

'Wala wala. Gad imi ddeud 'y neud a dwi'n addo brathu 'nhafod wedyn.' Eisteddodd nesa ati, 'Mae 'mywyd i'n tynnu tua'i derfyn ond dim ond deunaw oed wyt ti. Mae'r cwbwl o dy flaen di. A wnelo hynny o werth ydi o, dyma i chdi be dwi wedi'i ddysgu.' Oedodd fel pe bai'n gwirebu ei feddylia, 'Ti a nifer fechan o rai tebyg i chdi yn frwd o blaid rhyddhau'r caethion –'

'Nawn ni hefyd –'

'Pam ddim o fewn y drefn seneddol fel Mr Wilberforce a'r saint?'

'Ffyliaid diniwed sy'n cael eu twyllo a'u defnyddio. Tra byddan nhw'n chwara'r gêm seneddol mi fydd miloedd eto wedi marw.'

'Amser a ddengys. Ta waeth, trwy hyn i gyd rwyt ti wedi dŵad o hyd i dy lais a dy hoff gân di ydi annog pawb i weith-redu i ryw bwrpas er mwyn cyflawni nod arbennig. Ti'n dyheu am inni i gyd fod yn rhan o'r un libreto yma o fewn hanes hefo H fawr. Wyt ti ddim?'

'Ydw.'

'Ti'n gweld patrwm –'

'Wrth gwrs fod patrwm! Ma'n rhaid i betha newid!'

'Y drwg nad ydi'r rhan fwya o bobol ddim yn gweld 'run fath. A dwi'n un ohonyn nhw mae gen i ofn. Dwi'm yn meddwl fod hanes yn mynd â ni i ryw oleuach, amgenach dyfodol. Does dim patrwm cosmig. Blerwch sy' 'na ac anamal iawn y bydd hanes yn ailadrodd ei hun. Felly, pam wyt ti'n dyheu am hyn i gyd?'

''Dach chi'n gwbod pam.'

'Y pam ar yr wynab 'falla. Y pam yma dwi isio ichdi'i ddeall,' a dododd ei fys ar ei chalon. 'O ddydd ein geni rydan ni i gyd isio byw hyd dragwyddoldeb a chredu ein bod ni'n dduwia; credu y gallwn ni fod yn rhywun a gneud unrhyw beth. Buan iawn mae bywyd yn ein gwyleiddio ni i gyd. Be wedyn ydi'r ailddewis gora ar ôl methu bod yn dduwia? Caru. Rydan ni'n caru, yn chwilio am gariad, yn mynnu cael ein caru a charu hyd y bedd. Ond hyd yn oed wedyn, sdim dal be ddigwyddith. Mi nes i garu unwaith. Dy nain. Pan wahanwyd ni trwy anga be nes i? Lladd fy hun? Naddo. Wrth gwrs na nes i ddim. Rydw i'n caru fy hun yn fwy na neb.'

Gwenodd y Barnwr arni'n dyner.

'Yr unig beth allwn ni fod yn hollol siŵr ohono fo ydi mwynhau be sydd gynnon ni. Mwynhau'r awr. Yr wythnos. Y mis. Tymhora'r flwyddyn, bob blwyddyn, ac os byw ac iach, cyfri'n bendithion. Ond ti'n anfodlon. Fedra i ddeud o'r ffordd ti'n edrach yn gam arna i.'

Cyffyrddodd â'i boch.

'Newch chi beidio gneud hynna fel 'taswn i'n hogan fach o hyd?'

'Ti wastad yn edrach am rywbeth gwell y tu hwnt i rŵan. Pam hynny sgwn i? Am fod bywyd fel ag y mae o yn rhy gymhleth, yn rhy ddyrys ichdi? Ti isio trefn; ti isio twtio'r blerwch erchyll yma. Ti isio tegwch a chyfiawnder. Ti isio cosbi

pobol fel ni hefyd am ein dylni a'n difaterwch. Ti isio per-
ffeithrwydd. Wala wala. Pam yr anallu yma i dderbyn bywyd
yn y diwedd am yr hyn ydi o?'

'Byth!'

'Neith y byd ddim newid.'

'Na neith. Os na nawn ni rywbeth ynglŷn â fo.'

'Pam rhoi dy fryd ar ryw baradwys yng ngorwel y dyfodol?
Pam ewyllysio'n bod ni i gyd yn hyrddio yn ein blaena fel
praidd o ddefaid trwy niwl rhyw heddiw i wawr rhyw 'fory na
ŵyr neb be fydd hi? Be sydd yno go iawn? Be wyt ti wir yn
gredu ynddo fo? Dim. Achos dim ydi o, 'mach i. Does wbod be
fydd bywyd wythnos nesa heb sôn am fyw a bod 'mhen canrif
neu ddwy ganrif arall. 'Falla bydd pella'n well, 'falla byddan
nhw'n llawer gwaeth ond y naill ffordd neu'r llall sdim unrhyw
ffordd allwn ni fyth bythoedd wbod hynny.'

''Dach chi wedi gorffan rŵan?'

'Dwi am ichdi gofio un peth: pwrpas bywyd ydi bywyd ei
hun. Fa'ma rŵan. Y ni. Dy dad a finna. Y bobol sy'n dy garu di.
'Mots gin Natur amdana ni chwaith, mi ddysgis i hynny yn
y modd creulona posib. Sut gollis i 'nghoes? Finna'n poeni.
Meddwl am flynyddoedd fod rhyw ystyr arall i'r cwbwl. Does
dim. Fuo farw dy nain oherwydd inni gael ein dal mewn storm.
'Tasa hi mewn selar mi fasa'n fyw. Ond wnaeth hi ddim marw i
gyflawni rhyw bwrpas arall. Poen i bobol o bob oes ydi chwilio
am ystyr mewn rhywbeth sydd o'i hanfod yn hollol ddiystyr.'

Dododd y llythyr mewn amlen a heb edrych ar ei thaid,
cododd ar ei thraed.

''Drycha: ti'n meddwl mai pwrpas plentyn ydi tyfu yn oed-
olyn ond 'i wir bwrpas o ydi chwerthin a chwarae, dringo coed
a chwara castia a rhedag yn yr awyr iach. Os ti'n mynnu edrach
ymhellach na hynny, wel, unig bwrpas bywyd pawb ydi marw.'

Rhoddodd y llythyr i'w thad.

'Mae dau bwrpas i 'mywyd i,' dywedodd yn glir, 'y cynta ydi
gweld rhyddid y caethion rŵan, a'r ail ydi priodi Wakefield. A
dyna sy'n eich llaw chi.'

Aeth yn llawer cynt ei thraed na Walton.

Llwyddodd i'w dal fel ag yr oedd ar fin croesi'r stryd. Oher-
wydd iddi fynd hefo'r allt ar y fath frys a'i galon yn curo, llith-
rodd ei droed a briwiodd hi, sigo'i ffêr a chwyddo'i lin. Cropiodd

ar ei linia; ceisiodd godi ond methodd. Oedodd Miss MacFluart, trodd ar ei sawdl a dychwelyd ato, ond roedd yn gyndyn o gynnig ei llaw a safai yno'n wefusdynn gan gadw'i dwylo o dan ei cheseilia tra crafangai ynta hefo'i fysedd i fyny'r wal ond llithrodd eto. Dododd hi ei llaw o flaen ei drwyn, cydiodd Walton ynddi (hongian arni fel ei thaid yn Ascot gynt): teimlo cnawd ei bysedd. Caeodd ei lygaid am ennyd, methai symud ond teimlai'n iach a hapus o fyw dan ei chysgod.

'Ti'n iawn rŵan?'

Ara osododd bwysa ar ei droed. Roedd mor agos ati, nes gallu ei hogleuo. Powdwr melyswych a siwgwr gwyn. Syllodd ar ei chroen a dychmygu ei gweld yn ei olchi bob bore, yn harddu ei gwedd, i dynnu ymaith liw'r haul, brychni a phob anharddwch â sug dail llysia'r gryman. Gwelodd fymryn o fan geni o dan ei chlust, a hwnnw wedi'i guddio dan ei gwallt a chroen ei gwddw'n gochlyd o olion bysedd ei thad. Synhwyrodd hitha fod ei lygaid yn pori drosti.

Holodd yn swta, 'Ar be ti'n rhythu?'

Pam na ddywedai'r gwir plaen wrthi? Cyfadda ei fod bron â hollti o'i hisio iddo'i hun? I feddwl ei bod hi'n mocha hefo rhyw lofrudd fel Wakefield. Cerddodd rhyw lymbar o hogyn heibio hefo brechdan fudur yn ei geg.

'Pam ti'n 'y nghanlyn i? E?'

Ar waetha'r dôn gyhuddgar siaradai'n esmwyth, dawel; ystum ei hwyneb yn ddiymdrech. Llwyd oedd ei llygaid, ac er ei gwaetha, tybiodd fod gwên fach annwyl yn codi hyd ei bocha.

''Wedi colli dy dafod neu be?'

'Mi garwn i weld fy nhad eto,' dywedodd; pallodd, 'ond wn i ddim lle mae dŵad o hyd iddo fo.'

Dododd lythyr yn ei llaw; edrychodd Miss MacFluart arno ennyd; yna'i dderbyn. Trodd ar ei sawdl a heb na bw na be cerddodd i ffwrdd ar frys.

'Miss MacFluart . . .?'

Ochneidiodd, oedi ar ei sawdl a hanner troi. Aeth yr eiliad yn drech nag o a holodd sut y gallai honni caru rhywun fel Wakefield? Ar ôl be wnaeth o i ddyn diniwad yng ngŵydd y byd?

'Pwy ofynnodd i chdi ofyn hynna imi? Dy fistar?'

'Fedra i feddwl drosta fy hun yn iawn.'

'O? Fedri di?' Closiodd ato lai na modfedd oddi wrth ei lygaid, 'Finna wedi ama fod 'na fawr o ddim byd o gwbwl rhwng y ddwy glust 'na 'rioed. Gwreiddioldeb meddwl yn rhinwedd prin iawn yn y rhan fwya o ddynion tydi?'

'O, a 'dach chi'n meddwl eich bod chi'n wreiddiol iawn?'

'Ddeudis i mo hynny.'

'Wela i'm bod 'na fawr o wreiddioldeb mewn saethu dyn yn ei ben.'

'Medda'r dyn sy'n gweithio i'r teulu yna! Wyt ti wedi oedi i feddwl pam y cest ti o bawb y gwaith o sgwennu'r Cofiant? Dewis hollol fwriadol oedda chdi. Does un dim mae'r giwed greulon yna yn 'i neud ar hap a damwain, cred ti fi.'

'*Hwn ydi dyn newydd dy dad?*' Daeth yr hyn a ofynnnodd Iarll Wellingborough i Syr William-Henry ar risia'r Tŷ Opera Hay Market i go Walton mwya sydyn.

'Mae 'na ryw ystyr arall i bob un dim ac os na elli di weld hynny, wel, ti'n fwy o ffŵl na feddylis i erioed.'

Trodd i fynd ond penderfynodd fod ganddi chwaneg i'w ddweud.

'A mae dy dad wedi poeni'i hun yn sâl. I feddwl dy fod ti'n troi yn 'u mysg nhw; yn cael dy wenwyno a dy ddefnyddio. A dy dwyllo. A bo' chdi mor ddall; bo' chdi'n methu gweld be sy'n digwydd o dan dy drwyn di. Pa mor wirion o ddiniwad all dyn fod? Be sy'n rhaid digwydd cyn y gwnei di sylweddoli'r gwir?'

Â'r gwayw yn ei galon yn llosgi'n waeth na'r poen yn ei ben-glin, herciodd oddi yno'n gloff a thrist.

Y BRIODAS

Y BRIODAS

Y wawr.

Trwy grwybr ysgafn yr wybren pelydrai distyll goleuni'r haul tros feysydd gwlithog. Agorodd Walton ei ffenast a sugno'r byd i'w ben. Er ei bod hi'n gynnar iawn a'r nos ond newydd gilio roedd nythlwythi o adar wrthi'n cogar. Gwisgodd a chamu'n dawel i lawr y grisia yn nhraed ei sana rhag deffro neb. Cerddodd ar ei ben ei hun hyd lwybra'r ardd. Aeth yn ei flaen trwy'r winllan fach tan gamu tros gnyda cryfion o floda a dyfai o geseilia boncyffion marw. A'r dail wedi diferu dros ei wallt a'i wyneb, aeth allan i'r caea.

Sarnodd li yr afon. Parodd sŵn ei droediad iddo rusio dau ylfinir o'u nythle rywle yn yr hesg. Cododd y ddau yn flin a bledu i lawr yr afon. Syllodd ar eu hadenydd yn diflannu ac am ryw reswm teimlodd bang yn ei galon heb wybod pam; teimlai fel rhyw dresbaswr a gamodd ar draws dau gariad mewn cuddlwyni. Roedd ei feddwl fymryn yn gowliog. Sbonciodd dros y cerrig. Ymlwybrodd i fyny'r dorlan bella trwy gnwd o floda'r brenin; bloda'r baich; gwinwydd gwylltion; llysia'r hudol a phrysglwyni; ysgall, drain a chwyn. Aeth heibio i adfeilion hen faenordy nes dringo codiad bryn i fyny llwybr troellog trwy drwch o dderw, cyll ac ynn, eithin a banadl melyn. Oedodd ennyd. Roedd braidd yn fyr ei wynt, a mwythodd ei fol yn dyner dyner â'i fysedd, o deimlo braidd yn rhwym.

Ar ben y bryn roedd deildy crwn. Camodd trwy ddail poethion i ganol eiddew a cherdded hyd ei gerrig. Dringo i'w ben i lygaid yr haul lle trawai'r gwres yn gry. Syllodd i'r pelltera, draw y tu hwnt i'r coedydd gleision ar grynu tesni claerwyn. Suo gwenyn yn y crinllys. Clecian gwenith gwyllt yn crino yn y tes. Crasu adlodd a haidd yng nghanol llonyddwch diog. Taro morthwyl ar engan yn y pellter: tinc tinc tinc: ysbaid: tinc wannach, sŵn gwastatach morthwylio hoelion fesul un i bedol a rhyw waldiad terfynol. Ar wahân i sŵn y gwenyn meirch a siffrwd dail y coed roedd y byd yn fud.

Disgleiriai'r wlad tan fôr o wydr.

Merch ifanc wen.

Daliodd hi'n y pellter yn llifo trwy'r meysydd fel deilen ar wyneb dŵr a hada geirwon disglair yn ei chanlyn a gwyliodd hi yn mynd o dan ei pharasol hyd nes y diflannodd a'r haul yn llosgi ei lygaid.

Reis.

A chawoda o floda. Cawod ar gawod. Hyrddiad ar hyrddiad yn tasgu tros eu penna. Lledodd ton arall o gymeradwyaeth; lledu'n gry trwy'r teuluoedd a safai hyd gyrion ucha'r fynwent. Chwiban ar chwiban a rhywun o'r golwg yn rhywla yn canu'r ffidil. Holltodd torf, bagiodd pawb o'r neilltu gan agor llwybr. Magodd y chwibanu nerth. Daeth y ddau i'r golwg o borth yr eglwys a'u haul-ddallu ennyd. Byddarwyd y byd gan sŵn na chlywodd neb ei debyg. Gwenodd Miss Swinfen-Ann ar fraich Syr Swaleside, a edrychai braidd yn stiff a fymryn yn syfrdan. Llygadrythai'n hurt ar bawb ac nid ynganodd air fel pe bai'n methu'n lân â'u deall yn siarad wrth i'r rheiny ysgwyd ei law a'i longyfarch. Trodd y briodferch ei llygaid i lygaid pawb, yn sionc ei hystum, yn cydnabod ac yn adnabod pawb: yn derbyn eu dymuniada a'u bloda i'w breichia: yn derbyn cusana a chynghorion ar bob llaw.

Edrychai'n dryloyw: roedd yn harddweddaidd ryfeddol; ei hosgo mor llunieiddwych a'i phryd a'i gwedd mor drawiadol. Addurnwnïwyd ei gwisg â gemwaith o wyrdd feini ar batrwm alarch a'i dwy lawes fel dwy adain laes yn isel hongian a'i godra meithion yn cael eu cynnal gan Mingo a hogyn negro arall a ddilynai'n ufudd yn ôl ei throed. Araf gamodd yn ei blaen. Camu yn urddasol: fel gwraig ar ddechra bywyd newydd â'i bryd ar gamu'n hir hyd ffyrdd doethineb. Gwyrodd i dderbyn tusw o ddwylo rhyw ferch fach a chododd gwên i'w hwyneb pan sibrydodd rhyw fwyn eiria tawel yn ei chlust. Wrth i Miss Swinfen-Ann gerdded heibio roedd rhai o'r gwesteion wedi dwys gynhyrfu ac ambell un yn neidio i fyny ac i lawr yn wyllt ddireol.

Roedd hi'n hurt o hardd.

Ceisiodd Walton glosio ond methodd oherwydd rhyw ŵr bonheddig bras a safai o'i flaen; gŵr bonheddig â chasgen bum galwyn o gefn ac ysgwydda, ei draed yn sefyll o bob tu a'i goesa ar led. Ni fwriadai symud modfedd er i Walton ofyn yn garedig. Craffodd tros ei ysgwydd. Edrychodd ar Miss Swinfen-Ann a gwenu ond ni welodd hi y wên. Pa faint mae gwynder y lili a chochder y rhosyn yn rhagori ar wyn a chochni'r wyneb hardda? Yn achos Miss Swinfen-Ann byddai'n anodd dod o hyd i'w gwell. A fu prydferthach golygfa ar lygaid erioed?

Gan gamu'n urddasol y tu ôl i'r priodfab a'r briodferch, tywysodd Iarll Foston yr Iarlles o borth yr eglwys. Sylwodd Walton arno'n oedi ennyd er mwyn i'r gwas pwyntus, braidd yn foliog, ymgymhennu ei ddillad yn drwsiadus. Camodd i'r gwres. Oedodd wedyn bob yn hyn a hyn i ysgwyd llaw, i wresog chwerthin, i dawel wrando ar un hen wreigan. Gwyrodd ati: gwrando'n gwrtais a hitha'n bachu ei bysedd gwynion am ei wddw. Sisialodd; gwenodd. Chwerthin chwawiog wedyn.

'Gobeithio y byddwn ni'n dau yn fyw ac iach i weld bedyddio pob un o blant y ddau.'

Sychodd ddeigryn bychan; gwasgodd Iarlles Foston ei fraich â'i braich a sibrwd yn ei glust. Amneidiodd ynta a dweud, 'Ia, ia,' fel petai yn ailwrando ar ryw gyngor blaenorol; sniffian ennyd, codi'i ên yn uchel a gwenu'n llon. Y tu ôl i'r ddau, dilynai'r Fonesig Frances-Hygia Royal; ei hwyneb yn glaerwyn a'i gwisg yn dangos olion ei galar o hyd – nid yn ddu ond fymryn yn llai addurnedig a phlaenach na gwisgoedd y gwragedd eraill. Cyffyrddodd ei hunigrwydd â Walton a theimlodd ryw chwithdod. Yna clywodd ryw sŵn diarth. Ymysg ffrec-ffrecian y dorf, ymysg y ffregodi a'r baldaruo hapus a ledai o'i gwmpas, clywodd sŵn crio tu cefn iddo a barodd iddo droi i weld Madame Stocken-Letitia Clerent-Languarant â'i hances tros ei hwyneb yn beichio yn ddolefus annisgrifiol. Roedd ei llygaid cochion yn waed leisiog.

'Gawsom ni brofedigaeth,' tywysodd Monsieur Clerent-Languarant hi yn dyner heibio, 'gollodd hi fabi arall lai na mis 'nôl. Cael a chael nes i i'w darbwyllo hi i ddod yma o gwbwl.'

Y wlad.

Symudai'r lôn i lawr trwy ddyffryn llydan. Roedd awel gynnes ar ei foch pan syllodd Walton a'i deimlo'i hun yn disgyn i fro wastatach ac ardderchocach. O boptu iddo ar hanner eu cynaeafu, gorweddai meysydd meithion o geirch llwyd a gwyn a gwenith du. Igam-ogamwyd tua'r de. Trwy'r pnawn hirfelyn, lledai caea tua'r brynia; gweision wrth eu gwaith yn hel sofl, yn cywain cynhaeaf ŷd a dyrnaid o hen dlodion yn y pellter draw yn lloffa yn eu cwman. Gyrrwyd trwy rostir o eithin mân a mawr, ac ambell fan lle lledai gwrychoedd hirlas a hyd-ddynt tyfai banadl a phoplys glas-ola.

Ynta'n llawn meddylia duon.

'Hwn ydi dyn newydd dy dad?'

Hyd yn oed yr adeg honno: oedd o yn gwybod rhywbeth? Neu ai cyd-ddigwyddiad rhyfedd oedd iddo glywed hynny? Ond wedyn, fel y gŵyr pawb, braich hir iawn ydi braich pob cyd-ddigwyddiad.

'Hwn ydi dyn newydd dy dad?'

Pam y byddai Iarll Wellingborough wedi gofyn hynny fel arall oni bai ei fod o'n gwbod rhywbeth? Cofiodd Walton iddo ama fod rhywun yn ei ganlyn ar hyd y strydoedd. A'r ogla diarth a fu'n hongian yn ei dŷ? Fuo rhywun yn sbeuna trwy ei betha? Cofiodd gerdded i'w barlwr gwag a theimlo rhyw gosi ar ei war. Ogleuodd ryw surni'n hongian – nid llwydni – ond rhyw ogla digon tebyg, ond yn ddiarth, fymryn yn ddrewllyd ac eto'n felys hefyd. Fel ogla hen gi. Fel ogla Rampton. Ar y pryd anwybyddodd y cwbwl gan feddwl ei fod yn darnddrysu oherwydd ei holl helbulon, a'i holl ddyledion.

Aeth y goets trwy goedle a syllodd Walton ar y cnwd o lysia'r gryman a dyfai'n fras ym mhobman. Sylwodd fod Miss Styal, a eisteddai gyferbyn, yn gwenu arno tan lyfnwasgu rhyw hances boced sidan ar ei glin. Gwenodd arni. Roedd hi'n gwisgo penguwch anhygoel – rhyw gwcwll glasola – â thusw o floda melyn yn ei flaen. Mwythodd awelan fechan ei foch a cheisiodd Walton fwrw ei feddylia duon o'r neilltu. Methodd wneud a mynnodd y gorffennol gau amdano . . .

Wrth fynd ati wedyn i wneud amdano'i hun ar Bont Llundain digwyddodd Syr William-Henry ddod i'r fei yn ei goets. Cyd-ddigwyddiad? Neu a oedd hynny'n fwriadol hefyd? Doedd bosib? Ac eto, wrth edrych 'nôl, roedd y peth mor od. Ceisiodd gofio manylion eu cyfarfod cynta. Be oedd y geiria a fuo rhyngddyn nhw? Pwy siaradodd gynta? *Fo neu fi?* Ni allai gofio. Turiodd Walton yn ddyfnach trwy'i orffennol: ceisiodd ddwyn i go y pnawn yn Ascot. Y torfeydd. Y gwres. Y chwys. Mr Sharpin. Ei weision. Y Babell Frenhinol. Tywysoges Cymru.

Esgob Parva. Blas port ar ei wefusa. Clustog o dan ei ben. Oedd ei ewyrth yno?

Oedd Iarll Foston yno?

Ai cynllwyn oedd y cwbwl o'r cychwyn cynta un?

'Am be 'dach chi'n meddwl?' holodd Miss Styal.

'Dim byd,' atebodd.

Rasiodd y coetsus â'i gilydd a gwŷr ifanc ar feirch yn carlamu heibio tan weiddi a chwifio'u hetia yn llawn rhialtwch: yn herio'i gilydd, yn hwtian yn hurt a bledu geiria ymysg y briga. Hyd ffordd wen unionsyth trwy glwydi duon pell codai rhesiad hir o goetsus lwch yr ha.

Gerddi'r Plas.

O gerdded allan ar doriad gwawr a'r heulwen yn tawel orohïan ar wawn y llwyni, gwyddai Walton y byddai'n codi'n boeth, ond erbyn ganol dydd gwasgai'r haul yn gryfach na ffwrnais chwythu er bod awel ysgafn yn plwcio hwnt ac yma trwy'r winllan afala. Aeddfedai natur nes llenwi ei ffroena a'r coed yn rhuddo min eu dail a'r cwbwl oll yn baradwysaidd cyn cwymp yr hydref. Sychodd chwys ei wyneb â hances laith. Dygodd morwyn hambwrdd arian ger ei fron a llewyrchai goleuni siampên yn donna ar draws ei hwyneb. Cerddodd i lawr y lawnt heibio i Iarlles Wellingborough a nifer o wragedd bonheddig a fwytâi gig crancod.

Ger y winllan gellyg canai gwraig ei thelyn ac wrth ei hochor canai hogyn boldew gân o waith Mr Handel. Pasiodd Mr Barlinnie. Roedd rhyw olwg arno na welodd o'r blaen. Safai'n union fel petai wedi rhoi hoe i'w gorff a hwnnw wedi'i gymryd ar ei air a llacio o gwmpas ei esgyrn. Cerddodd lwybr hyd ymyl mur isel, heibio i res o ryfion cochion a gwynion; heibio i eirin mair a'u canghenna wedi'u tocio. Be sy'n hyfrytach na charped o lygad y dydd ar fynwes dôl? Neu sêr dyrra o fflur arian wrth fôn y coed? Neu lwybr hir o glycha glas y llwyn?

Mor braf oedd bywyd: pam na allai ei fwynhau?

Eisteddai'r Esgob a Mrs Parva ar fainc yn chwarae hefo Whatton-Henry gan chwerthin yn ei wyneb a chwarae â'i fotwm bol. Daliodd Mr Francis Foljambe lygaid Walton. Hisiodd rywbeth na ddeallodd trwy fwlch ei ddeuddant blaen. Ei ddannedd yn felynion a gwythïen ei arlais yn chwyddo a'i ben moel yn ara blicio yn y gwres. Dilynodd Walton o hirbell yr holl ffordd i fyny'r llwybra ac i fyny hanner dwsin o risia nes cyrraedd Syr Feltham Royal a'r Fonesig Maidstone-Susanna Royal.

Hanes Napoli.
 'Hin lesol ac iachusol, diolch ichi am ofyn,' a chiledrychiad.
 'Dwi'n falch o glywed,' atebodd.
 'Fydd rhaid ichi fynd yno'ch hun ryw ddydd.'
 'Finna'n falch o'i chael hi 'nôl ar gyfer y briodas,' gwasgodd Syr Feltham Royal ei llaw a'i dal yn annwyl ar ei foch.
 Rhagrith a chelwydd; celwydd a rhagrith, adroddodd Walton wrtho'i hun. Daear las dan draed ac awyr las uwchben.

Yr arlunydd.
 Safai ei ewyrth wrth ysgwydd Mr Barret. Safai pedol o westeion wrth ei ysgwydd ynta: Tywysog a Thywysoges Cymru, Iarlles Foston, Iarll Wellingborough a nifer o aeloda Tŷ'r Arglwyddi. Ni fu gwychach plas yn unman. Honglad o adeilad cadarn, a hwnnw wedi'i godi a'i addurno mewn dim o dro. Dygodd yr arlunydd un-fraich ei astell at lestr ar fwrdd bychan lle dodwyd ei botia pictiwr i gadw chwaneg o baent. Trochodd ei frwsh main a dechreuodd liwio. Gweithiodd y llun ar y gynfas o'i flaen ac ystum bachog ei fysedd fel wenci yn fflitio hwnt ac yma gan fraidd-gyffwrdd yn ysgafn. Roedd yn grefftwr wrth ei waith a buan y dechreuodd y gynfas anadlu o wir fywyd nes i Miss Swinfen-Ann raddol fagu gwedd a harddu'r plas â'i thegwch. Ger ei hysgwydd tyfodd Syr Swaleside. Ar y cyrion eithaf o boptu i'w gilydd a hambyrdda aur o ffrwytha yn eu dwylo, safai dau hogyn negro.

Yr haul.
 Llusgodd yn fwll-wresog o ara trwy ffurfafen y pnawn gan ori'n chwilboeth ar ben y byd. Aeth Walton i fochel dan friga coeden gastanwydden a safodd yno'n gwylio lindysen fechan yn tyllu deilen goch. Clywodd sŵn traed yn closio y tu cefn iddo. Gwyddai oddi wrth gyffyrddiad llaw ei ewyrth ar ei ysgwydd ei fod am air. Cyd-gerddodd y ddau at y llyn pysgod

lle mynnodd eu bod yn sefyll ar ryw lain fymryn yn sinderog. Rhuthrodd haid o blant o rywla a thaflodd ei ewyrth bres i'r awyr. Sgrialodd y plant tan wichian. Sibrydodd yn ei glust (a'i anadl yn anarferol o boeth ar ei gnawd).

"Drycha arno fo.'

Lled-orweddai Syr William-Henry – a'i wyneb di-wig yn od o glaerwyn – a'i wraig a'u merched nid nepell i ffwrdd; ei wraig yn goruchwylio dwy forwyn a oedd wrthi'n didol diodydd i'r plant.

'Fasa chdi'n meddwl o'i osgo fo nad ydi o'n 'y ngwylio i. Paid â chymryd dy siomi. Does 'na'm eiliad pan nad ydi o'n gwneud hynny.'

Brathodd afal a'i gnoi.

'Fo 'di'r un sy'n llyfu ata i'n waeth na neb trwy gymryd arno beidio. Dyna'i natur o erioed. All o'm bod fel arall. Mae o yn ddyfn ym mêr 'i esgyrn o, yng nghraidd 'i fod o. Ond o 'mhrofiad i, y dynion sy'n gneud sioe fawr o'u gwyleidd-dra yn amlach na heb sgin fwya o feddwl ohonyn nhw'u hunan. Be 'di'r gair dwi'n chwilio amdano fo i ddisgrifio dyn o'r fath? Deud wrtha fi. Chdi 'di'r dyn trin geiria yn y teulu yma. 'Drycha di yma rŵan – sbïa di ar hyn.'

Cododd Iarll Foston ei law. Wedi ennyd, cododd Syr William-Henry ei law'n ddidaro i'w lawengyfarch tan wenu'n hyfwyn, a hynny heb dorri'i sgwrs â'i wraig.

'Slei? Mmmm? Ddim ddoe ces inna 'ngeni chwaith. Mi wn i'n iawn be mae o isio. Camu i'n sgidia fi wedi imi farw. Dyna pam mae o a Francis gymaint am ladd ar 'i gilydd. A'r ddau cystal â'i gilydd am gelcio llond cist o gyfrinacha bach duon i'w defnyddio at 'u pwrpas eu hunan rhyw ddydd. Ond clyfrach dyn o'r hannar geith y cwbwl ar f'ôl i.'

Holodd Walton ei hun pwy oedd hwnnw wrth weld ei ewyrth yn syllu'n syth i'w lygaid ac o'r edrychiad yn ei lygaid, roedd yn ei adnabod yn ddigon da erbyn hyn i wybod ei fod yn prowla ar ôl rhyw syniad yn nwfn ei feddwl. Doedd bosib ei fod yn ystyried cynnig yr etifeddiaeth iddo fo? Cafodd ei demtio gan ffansi'r syniad. Y fath gyfoeth. Cafodd ei demtio'n stond. Pam y dylai dyn na haeddodd ddim mewn bywyd fodloni ar y nesa peth i ddim, pan oedd posibilrwydd arall yn cael ei gynnig iddo? Llifodd sudd tros dagell ei ewyrth ac i lawr i flew du ei frest. Yn sydyn, newidiodd ei osgo. Tinciodd ei lais i gyweirnod ysgafnach a dywedodd, 'Ddeudodd Barlinnie fod dy Gofiant di wedi'i orffen?'

'Bob un gair.'

'Ac wrthi'n cael ei argraffu rŵan hyn?'

'Mi ddaw'r copi cynta ichi prynhawn 'ma.'

'Yn boeth o'r wasg.'

'Yn boeth i'ch dwylo chi.'

Gwyddai Walton fod meddwl ei ewyrth wedi crwydro; nad oedd mewn difri yn gwrando arno a'i lygaid wedi troi i edrych draw tuag at Iarll Wellingborough yn dadla hefo'i wraig ynglŷn â rhywbeth. Torchodd ei lawes a than syllu ar gefn ei law, holodd, 'Ti 'di meddwl chwaneg ynglŷn â Boston?'

'Do, mi rydw i . . .'

'Ei di draw yno ar fy rhan i?'

Cyn iddo allu ateb ysgafnlamodd Miss Styal draw.

'Dada, dowch! Dowch rŵan, ma' Mama isio chi!'

'Isio fi i be?'

'Dowch! Dowch!'

Gwenodd ei ewyrth a mynd yn ôl troed ei ferch a gydiodd yn llaw ei thad a'i dynnu i'w chanlyn. Llwyr wagiodd Walton ei wydryn i lawr ei gorn gwddw a thywallt y diferyn ola i'r llyn.

Siampên.

'Ddim yn yfed?'

'Mynd i 'mhen i mae o mewn dim o dro.'

Ail-lanwodd gwas wydryn y Fonesig Maidstone-Susanna Royal. Cododd Walton ei olygon draw dros y gerddi a thros yr afon lonydd a'r coedydd trwchus a ruddai'n raddol eu brig wrth ara droi eu lliw. Gwelodd Syr William-Henry yn ym-lwybro'n ling-di-long draw yng nghwmni Syr Swaleside at Monsieur a Madame Clerent-Languarant. Roedd ei llygaid brithion yn gochion o hyd.

'Aeth eich merch chi ddim i Paris i'w magu?'

Nid atebodd y Fonesig Maidstone-Susanna Royal.

'Ga i ofyn pam?'

'Fedrwn i'm diodda gweld chwaer Feltham yn hapus.' Sip-iodd, 'Dyna pam. Oes bai arna i?'

'Cael trafferth dallt ydw i.'

'Be sy' i'w ddallt? Fy merch i oedd hi. Fi chwysodd i'w geni hi'n y stafell ddrewllyd 'na. Pobol isio pres yn curo'r drws. 'Signora! Signora!' Roddodd yr Iarll y nesa peth i ddim i 'nghadw i yno dros y gaea. Fy nghosbi i. Be am 'i fab 'i hun? Be am William-Henry? Ddioddefodd o o gwbwl? Pwy fuo'n mygu fy sgrechian ar ben fy hun bach ymhell oddi wrth bawb? I gadw'r cwbwl yn dawel; osgoi sgandal; peidio â gwneud sôn amdana a dwyn gwarth ar enw da'r teulu.'

'Lle mae hi rŵan?'

'Hefo lleianod Rhufain. Cwfaint y Pab. Lle bydd o'n mynd liw nos i ganlyn ei chwant. Pwy ŵyr na fydd hi'n feistres iddo fo ryw ddydd?'

Y gadair olwyn.

Prysurdeb neilltuol a yrrai cynffon o negroesa a llu o lancesi eraill i wibio heibio yn heidia, yn drwst trafferthus; gweision a morwynion yn 'morol 'nôl a 'mlaen. Yng nghanol y gadair o dan y parasol, o dan y carthenni trwchus gorweddai llonydd-wch fel aer ystafell boeth wedi'i gloi am amser hir. Gwthiwyd y gadair mor araf ag Affrica ar draws y lawnt. Araf gerddodd y Fonesig Frances-Hygia Royal o dan barasol melyn a gynhelid gan gawr o negro mewn lifrai gleision a sana gwynion ac esgidia duon.

'Dyma Risley.'

Plygodd Walton i dderbyn llaw. Hanner gwthiwyd hi o'r flanced wlanen. Gwelodd gil ei lygaid, ei groen rhychiog hen, mymryn o geg a honno'n gam. Gwnâi ryw swn. Closiodd i glustfeinio a gwrando'n astud ond methai wneud na rhych na chefn o ddim o'r hyn a ddywedai.

'Be mae o'n trio'i ddeud?'

'Pam na chodi di, Risley?'

Tynnwyd y blancedi i ffwrdd ac fe'i codwyd ar ei draed. Edrychai fel coeden wedi pydru, a honno wedi duo a chrino yn y gwres. Roedd golwg erchyll arno a chroen ei ben yn hanner noeth a brith. Pytia o ddannedd bychain, duon a drigai yn ei geg. Ceisiodd gerdded draw at fainc farmor yng nghysgod y Plas. Llusgodd ei goes dde yn gloff, a gwingai ei fraich wrth hic-hacio geiria wysg eu hochor.

'Paawwwys.'

'Be?'

'Paradwys,' eglurodd y Fonesig. 'Fuo fo fyth 'run fath ar ôl terfysg Dante.'

'Aaaannte.'

Wrth drio yngan, oedai'n flêr ei feddwl. Ei lygaid yn lledu bob hyn a hyn fel pe bai'n dal i glywed clecian y fflama trwy erwa sych y siwgwr.

'Meeeehhhen.'

Pwyntiodd at ei ben.

'Be?'

'Mellten. Mi gafodd ei daro gan fellten.'

Tua'r plas.

Ymlwybrodd Walton draw pan glywodd leisia; rhyw weiddi cras yn codi o'r winllan gellyg. Aeth draw i adwy'r gwrych i weld Mr Francis Foljambe a Syr William-Henry yng ngyddfa'i gilydd.

'Chdi sy' tu ôl i hyn? Dy gastia di?'

Pwniodd y ddau ysgwydda'i gilydd â'u dyrna; gan edliw a ffraeo'n waeth na chath a chi. Unwaith gwelodd Mr Francis Foljambe Walton Hobart yn closio, rhuthrodd yr hogyn moel i ffwrdd ar wib.

Twtiodd Syr William-Henry ei hun, 'Wedi cymryd rhyw chwilan i'w ben . . .' gwenodd wrth sychu'i ddwylo â hances sebon sent *eau de cologne*, 'Meddwl 'mod i 'di gyrru dyn i'w ganlyn o. Fi? I be faswn i'n gneud hynny? Hurt bost . . .' Chwythodd ei drwyn yn dwt, 'Tyd, gefndar – neu mi fydd pobol yn dechra holi amdana ni . . .'

A chysgodion hir y pnawn yn lledu ar draws y lawnt, eis-teddodd Syr William-Henry o dan ganghenna'r dderwen hynafol tan bigo cacamwnci a lynodd hyd frethyn ysgwydda a gwar Walton fel rhyw glwy gwyrdd.

'Elli di daflu dy feddwl 'nôl i'r noson naethon ni gyfarfod am y tro cynta 'rioed?' holodd Walton, 'Y noson honno ar y bont. Chditha'n y goets . . .'

'Cofio'n iawn . . . Mynd â chdi hefo ni i'r opera . . .'

'Cofio'r lleidar?'

'Fuost ti'n fachog . . .'

'Arbed pwrs Iarll Wellingborough?'

'Mmmm-hmmm,' sugnodd ei getyn claerwyn hir.

'Cofio be ddeudodd o . . .?'

'Y lleidar?'

'Iarll Wellingborough . . .'

'Alla i'm deud 'mod i.'

'Hwn ydi dyn newydd dy dad?'

Sychodd Syr William-Henry ei dalcen. Draw ymysg rhyw rialtwch clywodd Walton weiddi merched o ben un o ddrysa'r plas. Wedi sbel, tynnodd ei gyfaill ei getyn o'i geg, crychu ei dalcen tan ateb yn ddwys.

'Sgen i'm math o go.'

'Be oedd o'n 'i feddwl tybed?'

'Fydd rhaid ichdi ofyn iddo fo.'

'Gofyn i chdi ydw i.'

'Dwi newydd ddeud 'mod i'm yn cofio.'

'Tria gofio.'

'Be ti haws? Dwi'm yn ffwcin cofio!'

Sychodd ei dalcen drachefn a syn-sbïodd ar Walton.

'Pam ti'n mynnu codi hyn rŵan? E?' holodd yn swta sychlyd. 'Pam ti'n –? 'Drycha, be sy' 'di dŵad drosta chdi? Fel ffwcin milgi ar gynffon sgwarnog. Dechra mwydro am rwbath fel hyn ar ddiwrnod fel heddiw. Cer i slotian, cer i stwffio dy geubal, cer i fwynhau dy hun! Ac yli, ma' 'na forwyn wn i amdani os ti flys peth'ma . . . heno.'

Cyn ddistawed â mudan, syllodd Walton i gannwyll ei lygaid a syllodd Syr William-Henry yn ôl tan anadlu'n dew ac un llygad yn hanner cau a'r pnawn o'u cwmpas yn llusgo'n boeth ac ara.

'Pam ti'n sbïo arna i fel'na?'

'Roedd Iarll Foston wedi clywed si fod fy nhad yn mynd i sgrifennu Cofiant yn doedd . . .?'

Atebodd yn snaplyd, 'Nagoedd siŵr . . .'

'Ar yr un pryd roeddach chdi ar dân i blesio dy dad trwy lyfu ato fo er mwyn yr etifeddiaeth. Felly mi awgrymist ti mai'r ffordd ora i ddifetha ymdrech Thomas Hobart oedd trwy 'nghyflogi fi. Gosod tad yn erbyn mab. Gyrru ni'n dau benben â'n gilydd. Ond doeddach chi'm yn hollol siŵr ohona i chwaith. Dyna pam fuo Francis Foljambe mor groes 'i 'wyllys i 'ngha'l i at y gwaith. 'Tasa petha'n mynd i'r pen, doedd wbod pa ffordd y baswn i'n plygu yn nagoedd?'

Rhedodd ei ferch ieuengaf at Syr William-Henry a neidio ar ei lin.

'Dadi, ma' Mami isio chi'n y *marquee*.

Cusanodd gorun ei ferch.

'Ti'n bell ohoni.'

Tapiodd Syr William-Henry ben-glin Walton â'i getyn wrth godi.

Y Llywodraeth.

Esgynnodd Walton y grisia a chamu trwy borth y plas a'r cyntedd mawr yn ferw o leisia crug a chwerthin siarad. Gwelodd Iarll Wellingborough yn sefyll hanner ffordd i fyny'r grisia llydan. Closiodd at ei droed i weld ei ewyrth, Llysgennad America, Syr William-Henry Hobart, Syr Swaleside, y Prif Weinidog a'r Canghellor wrth ei ysgwydd yn trin a thrafod achos llys pan benderfynodd capten llong y *Zong*, gŵr o'r enw Mr Collingwood, daflu 132 o negroaid i'r môr 'chydig fisoedd ynghynt oherwydd eu bod yn dioddef o ryw haint; haint a allai'n hawdd ledu a lladd y cwbwl o'r 440 caethwas arall yn yr howld.

Y gwir reswm tros eu boddi oedd er mwyn hawlio £30 y pen am bob caethwas, ar y sail ei bod hi'n orfodol gwneud hynny oherwydd prinder dŵr. Cyrhaeddodd y llong harbwrdd Port Royal â 420 galwyn wrth gefn. Yn ôl telera'r cwmni insiwrans: pe byddai'r caethion wedi marw o achosion naturiol ar fwrdd y llong ni fyddai unrhyw oblygiad i dalu'r perchennog a'i ddigolledu. Gan fod y capten hefyd yn gweithio ar gomisiwn – roedd pres yn y fantol iddo ynta.

'Sut fedra Mr Collingwood 'i amddiffyn ei hun?'

'Dadla wnaeth o mai dyngarwch orfododd o i arbed y criw a gweddill y cargo a'i orfodi fo i wneud yr hyn wnaeth o . . .' atebodd y Prif Weinidog.

Ebychodd Iarll Foston, 'Tydi hynna ddim yn dal dŵr.'

'O luchio cymaint o negroaid i'r môr tros y blynyddoedd y sôn ydi fod ein llonga ni wedi newid patrwm byw siarcia'r Iwerydd . . .' cyfrannodd Iarll Wellingborough yn bwyllog.

Y cwestiwn oedd hwn: doedd neb yn gwadu i'r capten luchio 132 o gaethion dros ochor y llong, ond i ba radda roedd y perchennog yn euog? Oedd o'r un mor euog â'r capten, a gyflawnodd y weithred, gan ei fod yn siŵr o elwa trwy dderbyn pres insiwrans?

Dyfarnodd y Prif Weinidog ei bod hi'n sefyllfa foesol gymhleth.

'Wedi'r cwbwl, talwch bres insiwrans i'r perchennog ac mi fyddai'r capten yn elwa. A phe na bai'r capten wedi gwneud yr hyn wnaeth o, mi fyddai'r perchennog gryn dipyn yn dlotach.

'A hyd yn oed ar ei golled,' ychwanegodd Iarll Wellingborough.

'Busnes drud ydi gyrru llong i Affrica. Cynyddu mae costa rhywun o dymor i dymor . . .' dywedodd Iarll Foston.

Cytunwyd – bron fel un – fod yr hyn a ddigwyddodd yn achos llong y *Zong* yn hollol warthus. Aeth y sgwrs rhagddi nes y cytunodd pawb fod y cwbwl yn waeth na gwarthus, ei fod yn hollol gywilyddus. Aeth y Prif Weinidog mor bell â datgan ei fod yn hollol waradwyddus a'i bod hi'n hen bryd dwyn y mater gerbron y senedd.

Cododd Walton ei glustia.

'Ma' isio trafod y matar yn drwyadl ar lawr y Tŷ a diwygio'r ddeddf ar frys yn ystod y sesiwn nesa. Ma' digon o aeloda yn teimlo yr un mor gry â ni ar y pwnc, a dwi'm yn rhagweld unrhyw wir drafferth neu wrthwynebiad i wthio mesur trwodd cyn gynted ag y bo modd, er mwyn gneud yn siŵr na fydd rhywbeth tebyg i achos y *Zong* fyth yn digwydd eto.'

Yr angen penna un oedd atgyfnerthu'r ddeddf, cryfhau ei grym er mwyn amddiffyn buddianna cwmnïoedd insiwrans: wedi'r cwbwl, cytunai pawb fod eu twyllo o'u harian gan ddynion blysig a diegwyddor yn fater difrifol iawn.

Pan holodd Walton Hobart Iarll Wellingborough yn ddiweddarach, tros bowlen o fefus a siwgwr, ynglŷn â'r hyn a ddywedodd wrth Syr William-Henry ar risia Tŷ Opera yr Haymarket, dywedodd nad oedd ganddo go o fath yn y byd.

Lleuad Fedi.

Un naw nos ola mewn ffurfafen las. Uchod yn y ffurfafen safai afrifed o sêr, rhai bychain disglair. Disgynnodd Iarll Foston i lawr prif risia'r plas, a chrawcian brain o bell i'w glywed ar yr awel, ynghyd â rhusio adenydd ystlumod yn gwau wrth ganlyn gwybed cyn eu claddu eu hunain yn nüwch y wig. O boptu i'r llwybr cynheuwyd canhwylla mewn gwydra'n ddwy res yr holl ffordd i gefn y plas. Sbonciodd gwiwer ar draws y lawnt. Oedi, sboncio; oedi eto i fflicio'i phen fel un yn ceisio didol ystyr o danna'r harpsicord ymysg bregliach a sbleddach o chwerthin o'r *marquee*.

Camodd Walton ato wedi disgwyl yn hir i'w gael iddo'i hun. Stopiodd wrth sylweddoli fod llygaid ei ewyrth wedi'u hoelio fry ar yr wybren.

'Od meddwl tydi?'

Swniai yr un sbit â Mr Barlinnie; goslef ei ynganiad yr un ffunud yn union. Pallodd. Safodd ar untroed oediog a syllodd ar y lloer. Syllodd yn hir ac yna, â'i lawes, sychodd rywbeth o'i lygaid.

'Od meddwl be?'

'Mai'r un lleuad yn union weli di yma heno a weli di hefyd ym Mharadwys.'

'Mi fasa'n odiach 'tasa hi'n un arall basa?'

'Basa am wn i. Weithia mi weli di'r lleuad yn rhedag ar draws wybren las y nos yn union fel 'tasa hi ar hast i ddal banc cyn cau. Dro arall neith hi'm byd ohoni ond sefyll yn stond gan adal amball i gwmwl gosi blaen ei thrwyn hi wrth basio heibio. Dychmyga 'i marchogaeth hi! Ha! Gaflio drosti; sadio dy hun; cydio yn 'i mwng gwyn hi, llond dau ddwrn ohono fo; wedyn 'i sodli hi i ddyfnderoedd dua'r bydysawd. Be sy' i'w ganfod draw ym mhellafoedd y llwybr llaethog? Flynyddoedd maith tu hwnt i Gaergwydion yr angylion? Be ti'n meddwl sy' 'no? Mmm?'

Gwenodd a gofynnodd, 'Ti'm weithia'n teimlo fel newid wyneb natur, Walton? Duo'r haul? Toddi'r sêr? Troi'r bydysawd du ucha'n isa? Pam mai dim ond Duw ddyla gael yr hwyl i gyd?'

Chwythodd anadl ddofn o'i safn, siglodd ei dagell. Heglodd y wiwer hi pan sgrialodd ei labrador du a'i deriar i'r fei a llyfodd y ci mawr gledr ei law; coethodd y bychan.

'Be 'di'r holl sôn 'ma am gynllwynio ddaeth i 'nghlustia i gynna trwy William-Henry? Be ti'n drio'i ddeud wrtha i?'

'Ama eich bod chi wedi 'nefnyddio i ydw i.'

'Dy ddefnyddio di? Pwy ddefnyddio? Am be ti'n sôn? Be ti'n mwydro? Be 'di'r segur swnian yma? Dwyt ti'n hogyn rhyfadd? Be ti'n edliw imi? Mmmm? Pam na throi di'r cwestiwn o chwith i wynebu dy hun a gofyn: pwy ddefnyddiodd fi i gael gwaith? Pwy ddefnyddiodd fi i ennill cyflog? Pwy ddefnyddiodd fi i dalu dyledion er mwyn cael ei hun o drwbwl? Ac arbed carchar? Ac ar ben hynny, dwi 'di cynnig gwaith ichdi'n Boston. Pa mor deg all dyn fod?'

Roedd yn llygad ei le. Fe ddefnyddiodd Walton ei ewyrth ar adeg dyngedfennol yn ei fywyd ac ni allai wadu hynny. Cof-iodd ei hun ym Mharis yn crynu trwy sawl min tywyllnos rhag ofn i Iarll Foston – fel roedd yn ei adnabod yr adeg honno – fethu gweld ei rinwedda a'i gyflogi fel Cofiannydd. Gwyddai ei fod eisoes wedi gwrthod pedwar dyn arall. Roedd ei focha'n boethion a diolchodd ei bod yn dywyll rhag i'w ewyrth weld ei fod wedi cochi hyd at fôn ei glustia. (Teimlai braidd yn ben-ysgafn hefyd oherwydd effaith haul a diod). Doedd dim chwanag i'w ddweud. Be allai ei ddweud? O'r herwydd, caeodd ei geg a thewi.

'Da was, da a fyddlon.'

Cliriodd ei gorn gwddw â phesychiad swta. Tynnodd awyr y nos i'w ffroena a chwibanu i'r tywyllwch. Cerddodd ei ewyrth yn ei flaen a'r cŵn yn ei ganlyn. Ar amnaid, tawelodd rhyw awel a gododd o'r tu draw i rusio dail y coed. Safodd Walton ar y llwybr ennyd fel petai'r nos wedi ei gadw yno i ogleuo'i gerddi ac adar y llwyni bedw wedi hen dawelu . . .

Y *marquee*.

Rhuthrodd y gwres amdano wrth iddo gamu trwy'r porth. Mygwyd Walton mewn lleithder poeth o chwys mor gry nes blasu llond cegiad ohono fo fel brathu darn o'r caws hallta. Suddodd ei esgidia i feddalwch y carpedi Persaidd. O gylch y babell trefnwyd byrdda crynion, ac ar eu canol codai mynydd o ffrwytha hyd at y gannwyll las a oleuai bob copa. Ar ganol y llawr dodwyd llawr gwastad o dderw du hynafol, ac ym mhob un o'i bedair cornel, plannwyd pedair palmwydden.

Pasiodd morwynion a gweision â phenwisgoedd arabaidd, eu lifrai gwynion yn chwyrlïo wrth eu cwt. Suddodd Mr Francis Foljambe ei wydryn yn isel i'r crochan pwnsh; syllu iddo, tynnu darn o afal allan a'i luchio tros ei ysgwydd, cyn clecian y ddiod ar ei dalcen. Cydiodd Miss Styal yn llaw ei thad a'i dynnu i'w chanlyn. Nid aeth ymhell a llond y lle o westeion boddog, chwerthinog yn llawn dwndwr. Mynnai dynion dynnu Iarll Foston i'w cwmnïaeth; mynnai llaweroedd ysgwyd ei law – gwenodd ynta yn llawn cwrteisi wrth geisio bodloni blys pawb amdano.

Daeth Syr Feltham Royal i igian sefyll wrth ysgwydd Walton, ei drwyn fymryn yn gochlyd a'i focha'n sgleiniog.

'Heb weld 'y ngwraig i wyt ti?'

Atebodd nad oedd.

'Be?' gwyrodd ato.

'Ddim ers pnawn 'ma.'

Edrychodd Walton arno'n gwthio'i dafod allan tros ei wefus yn ara a llyfu'i ddannedd ucha a'u mwytho fesul un; roedd ganddo lond ceg o ddannedd da a'i anadl yn felys fel un hogyn bach. Sniffiodd ei drwyn. Teimlodd Walton law ar ei ysgwydd, ac wyneb Syr William-Henry yn ei wyneb, ei grys yn chwys diferyd a'r gwres yn codi ohono'n gry.

''Drycha ar Francis . . .'

Trodd Walton i edrych draw ar Lysgennad America yn bagio wrth i'r hogyn moel bwnio'r awyr o'i flaen â'i fys.

'Meddwl y gall o ennill cytundeb tybaco mawr inni'n Boston ar 'i ben 'i hun. Plesio 'nhad. Ha! Waeth iddo fo grafu'i geillia ddim. Heb yr hen Wellingborough fedrwn ni neud dim byd o bwys. Dyna pam y briodas, ti'n gweld. Mae gen yr hen gwdyn Iarll deulu draw 'no. Hebddo fo mi fasa hi'n amhosib.'

Arbedodd rhyw was bachog Mr Francis Foljambe rhag codwm.

'Waeth faint o ffalsio ac o lyfu neith yr hogyn du, fydd o'n da i ddim. Sut gall o iselhau ei hun, p'run bynnag? Faswn i byth yn crafu i ryw wancars fel'na. Y ffwcin mochyn yna? 'Drycha! Mae fwy o'n hangan ni ar America nag sy' o angan America arnon ni. Hannar dwsin o gwmnïa tila, dyna'r cwbwl ydyn nhw – hannar dwsin i ddwsin ar y mwya – yn galw'u hunain yn genedl! Pa mor ffwcin hy all pobol fod? E? Pa! Llond dwrn o ffwcin ffermwyr yn codi'u cleddyfa i fynnu rhyddid! Rhyddid rhag be? I be? Pan ma' pobol yn rhydd i neud yr hyn fynno nhw, y cwbwl nân nhw'n y diwadd ydi dynwarad 'i gilydd fel defaid. Ffwcin Americanwyr! Ffwcin contiaid anniolchgar. Ddim yn gwbod be' sy ora er 'u lles 'u hunain . . .'

'Dy dad gadeiriodd Gynhadledd Heddwch Paris – cofia hynny.'

'O, haleffwcinliwia!'

Sylwodd Walton fod Tywysoges Cymru yn eistedd wrth fwrdd ar ei phen ei hun. Ascot? Tybed a oedd hi'n ei gofio o'r adeg honno? Ni chymerodd arni wneud hynny pan welodd y ddau ei gilydd yng Nghinio Coffa Syr Walton Royal. Teimlodd ddwrn yn erbyn ei asenna a llais poeth Syr William-Henry yn ei glust, 'Fasa chdi?'

'Faswn i'n be?'

'Yn rhoid un iddi? Fasa chdi? Neu 'i mam hi? P'run o'r ddwy 'tasa chdi'n cael y dewis? Cofia di, ma'r rheiny sy' 'di bod 'na'n deud fod 'i gwynt hi'n ffwcedig o ddrewllyd.'

'Y Frenhines?'

'Naci. Tywysoges Cymru. Ddeudodd Syr Wayland Corton – heddwch i'w lwch, yr hen gradur – 'i fod o wedi gorfod rhoi 'i law tros 'i cheg hi oedd ganddo fo gymaint o ofn chwydu trosti. Hei! Ti'n meddwl mai dyna pam gafodd o'i saethu? Faswn i'm yn synnu. Ma'r Tywysog yn gallu bod yn hen fasdad bach digon sbeitlyd ac yn dal dig fel diawl . . .'

Tynnodd gwas gadair i'r Tywysog eistedd nesa at y Dywysoges. Dododd hitha ei braich i orwedd tros ei fraich; sibrydodd yn ei chlust a gwenodd hithau. Dododd Syr William-Henry ei fraich am ganol ei wraig (a than ryw chwerthin), dywedodd, ''Drycha, Walton. Fi 'di'r dyn i chdi. Achos ti'n gwbod pwy fydd yn camu i mewn i sgidia 'nhad rhyw ddydd. Cadw di'n glòs ata i a mi fyddi di'n iawn . . .'

Gwenodd ei wraig yn addfwyn a'i ddwrdio'n ysgafn.

Y dawnsio.

Wrth igam-ogamu i ddilyn Miss Styal rhwng y byrdda, bu ond y dim i Walton faglu ar draws troed y Prif Weinidog a chwalu plât bwyd yr Esgob Parva. Sadiodd yr hen ŵr o â'i fraich. Wrth gamu heibio i gefn cadair gwraig y Canghellor, daliodd ei gwên uwch llond llwy o hufen iâ a mafon cochion.

Bu Walton yn yfed. Teimlai'n llawn melan. Wrth ddawnsio hefo Miss Styal, ni allai lai na meddwl am Miss MacFluart. Ble'r oedd hi heno, tybed? Hefo Wakefield? Os felly oedd hi'n saff? Neu oedd hi'n pamffleda hefo'i dad yn rhywle? Yn cynllwynio chwaneg o fwrdro? Gwenodd Miss Styal a gwenodd Iarll Foston wrth eu gweld yn dawnsio. Dawnsiodd y Fonesig Frances-Hygia Royal hefo Iarll Wellingborough â'i llygad wedi'i hoelio ar rywbeth tros ei ysgwydd. Wrth droi daliodd Walton Mr Francis Foljambe feddw yn dawnsio â'r Fonesig Maidstone-Susanna Royal. Wrth ei ymyl, hanner disgynnodd Syr Swale-side wysg ei ochor, ei grys ar agor a'i wallt yn seimllyd aflêr.

Wrth y bwrdd.

Yn fyr o wynt, cododd Walton wydryn o bwnsh i dorri ei syched. Gyferbyn ag o eisteddai Syr Feltham Royal, yn edrych braidd yn swrth a chysglyd. Dawnsiai'r Fonesig Maidstone-Susanna Royal nerth ei thraed â Mr Francis Foljambe. Tynnodd Syr William-Henry gadair iddo'i hun, 'Francis yn honni dy fod ti wedi cyflogi dyn i'w ganlyn o.'

Dododd Syr Feltham Royal ei law am ei glust.

'Blagardio dy enw di wrth bawb. Berig bywyd yn 'i ddiod.'

'Nes i'm byd o'r fath,' atebodd Syr Feltham Royal yn llawn braw.

'Tynnu coes,' gwenodd Syr William-Henry. 'Sdim isio cyflogi cynffonnwr i daclo rhywun fel Francis. Mae o'n meddwl ei fod o'n gallach nad ydi o. Glyna di hefo fi, Felt, a mi fydd pob un dim yn iawn. 'Drycha i ar d'ôl di.'

'Nei di?'

'Gwna siŵr iawn.'

Sipiodd Walton ei win. Taflodd Syr William-Henry edrychiad at ei wraig, rhedeg ei fysedd tros ei wig, i neud yn siŵr ei fod yn dal yn ei le ond ni symudodd Syr Feltham Royal fodfedd.

'Pam? Be sy'n digwydd? Oes gen i achos poeni?' holodd yn betrus.

'Nagoes siŵr.' Wrth weld y boen a lechai yn ei lygaid, ychwanegodd Syr William-Henry, 'Dwi'n gwbod sut ma' Tada yn meddwl; gwbod am bob un dim sy'n digwydd pan fydd o wedi'n gadal ni. Fi fydd y mistar wedyn.'

Y datgelu.

Diweddodd y ddawns: disgynnodd breichia Mr Francis Foljambe yn llipa a safodd rhwng y palmwydd, yn unig ar ganol y llawr gwag. Siglodd ar ei sodla, rhythodd yn hurt, troi a cherdded draw at Iarlles Foston a siaradai â gwraig Llysgennad America ger y gerddorfa. Eisteddai'r Fonesig Maidstone-Susanna Royal rhwng Walton a'i gŵr a'i bronna'n megino.

'Ma' 'na ryw egni dychrynllyd yn perthyn i Francis.'

Heb edrych ar neb holodd Syr Feltham Royal, 'Mwy nag sydd gen William-Henry?'

'Mwy o'r hannar.'

Cododd wydryn o sangrée i'w gwefus tan gilwenu ar Walton. Gofynnodd Syr Feltham Royal yn ddidaro wedyn, 'Wyt ti a William-Henry wrthi o hyd? Ne 'dach chi wedi rhoi'r gora iddi?'

Ffaniodd y Fonesig Maidstone-Susanna Royal ei hwyneb.

Prin y coeliai Syr William-Henry ei glustia a chwarddodd yn llydan. Teimlodd Walton yr aer yn glòs a chwys ei gorff yn llifo.

'Dim ond holi o ran diddordeb ydw i,' dywedodd Syr Feltham Royal.

'Nag ydan,' atebodd Syr William-Henry tan danio'i getyn clearwyn hir, 'gan bo' chdi'n gofyn mor blaen, Felt, gei di atab yr un mor blaen. 'Dan ni wedi rhoi'r gora i'r ffwcio ers dipyn go lew rŵan.'

'Chdi ddeudodd bo' chdi'n gwbod y cwbwl ynglŷn â be sy'n digwydd,' atebodd ynta, 'Fydda inna yn lecio gwbod pob un dim hefyd.'

'Fel be?'

'Synnet ti.'

'Synna fi,' pwffiodd fwg.

'Llysgennad America. Ers dau fis union i nos 'fory?'

Cododd Syr William-Henry ei ysgwydda.

'Mama.'

Rhythodd pawb o gwmpas y bwrdd ar Syr Feltham Royal.

'Gwraig y Prif Weinidog? Pwy ti'n meddwl?'

Cododd Syr William-Henry Hobart ei ysgwydda ond gwasgai goes ei wydryn gwin yn galed galed yn ei ddwrn. Chwarddodd Iarll Foston yn uchel ddau fwrdd i ffwrdd.

'A chditha –'

Stondiodd Syr William-Henry a holi'n dawel, 'Be amdana fi?'

'Yn nes adra o lawar 'nôl y dyn dalis i iddo fo dy ganlyn di . . .'

'Â'i lygaid yn disgleirio, llithrodd Syr Feltham Royal tuag ato fel sarff ar draws y bwrdd.

'Ers blwyddyn, pedwar mis a thridia union. Pwy sydd wedi bod yn trin dy wraig di?'

Hyrddiodd Syr William-Henry ei hun i'w draed a malu gwydra'r bwrdd yn deilchion. Bagiodd gam neu ddau, powlio wysg ei gefn i ganol y bwrdd agosa a dwylo amryw o westeion yn ei gynnal rhag disgyn a'i wthio 'nôl i sadio ar ei draed. Boddwyd ei floedd gan sŵn canu cloch efydd Mr Barlinnie. O borth y babell cerddodd yn dalog ar flaen gosgordd o negroaid wedi eu dilladu fel caethion yr Aifft; ac roedd ynta wedi'i ddilladu fel Swltan o Persia. Lledodd cymeradwyaeth yn gry wrth i'r dorf ledu i agor llwybr. Tynnai'r labrador drol fechan euraid ac arni'r gacen briodas ar ffurf union siâp twr Pisa yn ei holl fanylion â negro noeth ar ei gorun. Roedd yn rhyfeddod; ni thrawodd neb yn ei fyw erioed ei lygaid tros gamp o'r fath. Sut y gwyrai fel'na heb ddymchwel?

Yn y nos.

Wedi myllni clòs y babell, sugnodd Walton ei hawyr yn hir. Hiraethai am ias cawod wyllt a chododd ei lygaid fry ond mud a distaw oedd y lloer: lleuad laethwen, gron a chlir. Hyd gyrion eithaf y lawnt llathrai ei lleufer yn wannaidd lwyd o dan friga'r coed. Llwydwelw ei lliw oedd y wlad, yn glasu fymryn hwnt ac yma hyd ei gwastadedd tawel. Rhagddo yr aeth y cymeradwyo a'r chwibanu fel pe bai wedi ei agor yn sydyn o barsel taclus. O gegin y plas clywodd rywrai'n galw ar ei gilydd, rhyw glec-ian teclynna a rhyw grochweiddi pell. Cododd un llais uwch y lleisia o'r *marquee*. Galwyd ei henw. Chwarddodd amryw o'r bwrlwm. Lledodd y lleisia, galwodd chwaneg arni hyd nes y mynnodd y babell hi fel un llais cry yn mynnu ei chael . . .

Siffrydodd dail rhyw lwyni. Wrth fôn hen fasarn, clywodd Walton ryw sisial isel a merch yn mygu'i chwerthin. Hanner craffodd draw i weld rhyw anifail ar ei bedwar, yn cropian hyd y lawnt cyn codi.

Dyrnwyd y byrdda, 'Swinfen! Swinfen! Swinfen!'

Cwynodd hitha fod rhywbeth wedi ei chripio ar draws ei boch wrth iddi gamu cam neu ddau. Llyfnodd ei phriodwisg a brasgamu heibio am borth y babell wrth i un neu ddau o wŷr bonheddig weiddi ei henw yno. O'r tu ôl iddi, yn tuchan fym-ryn, cropiodd gŵr ar ei bedwar ac ara godi ar ei draed a rhyw dwtio'i hun. Aeth heibio i Walton, ond stopiodd, oedi ennyd ar y lawnt, amcanu'n groes wrth hanner troi tuag ato.

'A chdi ydi . . .?'

Chwaraeai â'i lawes wrth fethu cadw'i ddwylo'n llonydd.

'Cofiannydd Swyddogol Iarll Foston, eich Uchelder.'

'A . . . siŵr iawn.'

Fe aeth. Arhosodd Walton i wrando ar y bonllefa a'r cymer-adwyo a chwyddai o'r *marquee*. Teimlai'n boeth o hyd. Dych-mygodd fod y gwastadedda o ddolydd yn ddim ond llyn; yn ddyfroedd oerion. Dychmygodd dynnu amdano a chamu iddo nes nofio'n noeth o dan y lloer. Hyd y llwybr araf gerddodd hen was ar ddistaw droed nes dod i stop a sefyll yno'n ddiorchest.

'Ti'm yn mwynhau dy hun?'

Wrth glywed y llais, dychrynodd.

'Be 'dach chi'n neud yma? Sut feiddiwch chi? Ar ôl be na'th Wakefield. 'Dach chi'n gall . . .?'

'Doedd a nelo fi ddim byd â hynny,' atebodd ei dad.

Rhuthrodd bagad o forwynion a gweision tua'r babell.

'Dos at f'efaill a deud 'mod i isio gair. Fydda i'n disgwyl amdano fo'n y llyfrgell . . .'

Yr araith.

Swil a gwylaidd oedd Miss Swinfen-Ann a'i dwylo wedi eu plethu y tu ôl i'w chefn. Hanner pwysai Syr Swaleside ar drol y gacen, ei ên ar ei frest, a'i lygaid ynghau gan gwyno ei fod yn diodda o ryw ddŵr poeth neu wynt camdreuliad. Ymwthiodd Walton trwy'r gwesteion, gan glosio fesul cam, tan lygaid Mr Barlinnie a anadlai'n hyddal at y blaen i glywed clo araith ei ewyrth yn esgor ar gymeradwyaeth fyddarol. Camodd Iarll Wellingborough at Iarll Foston. Ar y cyrion, yn pwyso'i gefn ar un balmwydden, rhythai Syr William-Henry ar bawb yn hyll. Ni chymeradwyodd; ni wnaeth un dim ond rhythu'n hyllach.

Doedd Iarll Wellingborough ddim yn sobor. Diosgodd (neu collodd) ei wig ac edrychai'n ifanc rhyfeddol, ei wallt melyn yn oleuach. Gwthiodd Walton heibio i ysgwydd Francis Foljambe, a oedd yn igian yn feddw.

'Hyd yn oed 'taswn i'n dymuno – a dwi ond wedi dymuno'r gora i Swaleside erioed – ond a'm llaw ar fy nghalon alla i ddim meddwl am well merch – (cymeradwyaeth) – am well merch-yng-nghyfraith – (cymeradwyaeth rymus) – amgenach gwraig – (grymusach cymeradwyaeth) – na – a daliodd ei fys fry wrth ei glust – yn lin-o-lin, well mam i feibion Syr Swaleside, ŵyr i minna ac etifedd i'r teulu!'

Byddarol oedd y curo dwylo a Thywysog Cymru, yn fwy na neb, yn canmol dawn draddodi'r Iarll yng nghlust Esgob Parva.

'Byddwch wych! Byddwch ddedwydd!' bloeddiodd rhywrai. Chwerthin. Camodd Iarll Foston at Iarll Wellingborough a chodi ei fraich, 'I Swinfen-Ann a Swaleside!'

'Swinfen-Ann a Swaleside!'

'Hir oes!'

'Hir oes!'

Daliodd Walton Syr Feltham Royal (a safai ar ben ei gadair)

yn edrych draw ar ei fam. Syllodd Syr William-Henry ar ei draed a'i wedd yn ddu. Aeth Iarll Foston at ei wraig i dderbyn y gyllell o'i llaw. Daliodd hi i hongian uwchben negro'r gacen. Safodd Syr Swaleside y tu ôl i'w wraig. Gwthiodd hi ei phen ôl i'w fol tan daflu gwên finfelys ar nifer o wŷr bonheddig bochgochlyd. Chwarddodd amryw, heclodd eraill.

Yn sydyn, rhuodd Syr Willam-Henry, 'Aaaaaaagggghhh!'

Tawelodd y babell. Edrychodd Iarll Foston arno'n syn. A rhyw floesgni dulas, uchelwaeddodd drachefn. Tawelodd pawb i'w glywed yn uchelfloeddio wedyn a bwhwman fel pe'n hanner crio neu chwerthin. Derbyniodd Iarll Foston y gyllell gan ei wraig. A'i dalcen, waldiodd Syr William-Henry y balmwydden nes peri i ddwy gneuen goco ddisgyn. Waldiodd yn galed, galed. Sisialodd amryw, siaradgarwch od pobol yn llawn chwilfrydedd yn gymysg â rhyw chwerthin nerfus. Cyffyrddodd ei wraig â'i ysgwydd ond gwthiodd hi i ffwrdd.

Bloeddiodd nes maeddu poer, 'Y ffwcin gotsan ddauwyn-ebog!'

Tan wylo'n llawn dychryn, rhuthrodd y merched bach at eu mam. Oddi ar ei gadair, gwenodd Syr Feltham Royal â golwg ar ei wyneb fel un wedi sydyn fywhau. Hanner camodd Iarll Foston at Syr William-Henry ond ysgwydodd ei hun yn rhydd o afael ei dad cyn rhuthro heibio at Syr Swaleside, a greddfol gododd ei ben, ergydiodd ei ysgwydd a'i hyrddio ei hun ar Iarll Wellingborough tan geisio'i dagu.

'Y ffwcin basdad! Y ffwcin basdad ichdi!'

Baglodd y ddau a disgyn wysg eu hochra, suddodd Syr William-Henry ei fysedd i ganol Pisa ac unioni'r twr. Sgrech-iodd rhai o'r gwragedd, chwarddodd Miss Swinfen-Ann. Rhuthrodd clymblaid o westeion i dynnu'r dynion oddi ar ei gilydd . . .

Yng nghysgod y ffenest.

Ni symudodd. Safodd draw fel rhywun mewn hir lonydd-wch.

'Hyrddiodd 'na dderyn 'i hun yn erbyn y ffenast 'ma a disgyn yn gelain. Wyt ti'n meddwl eu bod nhw'n gallu gweld gwydr? Neu ydi o fel drych iddyn nhw? Nhwtha'n gweld awyr a choed ac yn marw wrth drio croesi i mewn i ryw wlad newydd?

Mwydwyd dillad Walton mewn mwg tybaco. O'i gwmpas gwelodd adar paradwys a nadroedd wedi eu stwffio mewn casa gwydr a'u llygaid marw yn disgleirio yn y lleufer arian.

'Werthoch chi fi yn Jamaica?'

'Do.'

'A fy chwaer fach?'

'Gwilydd gen i ddeud.'

'Chi laddodd Syr Walton Royal?'

'F'efaill honnodd hynny?'

'Neuthoch chi?'

Oedodd Thomas Hobart: edrychodd ar y lloer a'r llyfrgell yn ddistaw drwm. Edrychodd Walton arno a meddwl wrtho'i hun fod rhyw ffin rhwng tad a mab: rhyw fur na ellir fyth ei chwalu yn emosiynol waeth faint o grefu wnaiff y galon.

'Llywodraethwr ieuenga Paradwys erioed. Dilyn yn ôl troed ei dad a'i daid a'i hen-daid a mi welodd fy efaill fantais o briodas rhyngddo fo a Frances-Hygia.'

'Oedden nhw'n caru 'i gilydd?'

'Ddeudwn i 'u bod nhw. Mi fasa bob un dim wedi bod yn iawn oni bai i Brif Ustus Heddwch yr Ynys farw yn sydyn, gŵr bonheddig o'r enw Mr Grange. Ti'n gweld, roedd f'efaill bron â marw isio'r swydd. Roedd hi'n ail i neb ond y Llywodraethwr 'i hun o ran breintia a phwysigrwydd ond roedd Syr Walton Royal yn benderfynol o'i rhoi hi i un o Ffrancod yr ynys er mwyn cadw'r ddesgil wleidyddol yn wastad. Monsieur Duvalier Le Blanc gafodd hi'n y diwedd. Cymydog i f'efaill yn Neuadd Foston. Roedd Henry yn lloerig ac yn pydru o genfigen. Wedyn, mi ddechreuodd gynllwynio'n slei bach . . .'

'Sut?'

'I ddechra trwy wadd Monsieur a Madame Duvalier Le Blanc i Neuadd Foston. Swpera. Ciniawa. Ambell bicnic. A hynny er mwyn llyfu a ffalsio trwy fagu cyfeillgarwch. Roedd o wastad yn hael, wastad yn llawn o ysbryd elusengar a charedigrwydd a fydda Madame Le Blanc byth yn gadal am adra'n waglaw. Roedd rhyw anrheg fach wastad yn cael ei wthio i'w llaw hi neu ei guddio fel syrpreis yng nghefn y phaeton. O dipyn i beth, roedd y Ffrancod yn dotio ato fo; yn meddwl y byd ohono fo. Yn 'i styriad o'n fwy na chymydog da. Roedd o wedi tyfu yn gyfaill mynwesol yn eu golwg nhw ac yn ddigon o gyfaill fel y galla nhw drefnu dyweddïad rhwng ei fab hyna fo, Edward-

Noël, ac unig ferch Monsieur a Madame Duvalier Le Blanc, hogan annwyl iawn o'r enw Virginie. Noson dathlu'r dyweddïad yn Neuadd Foston, fe drefnodd f'efaill ymlaen llaw i Edward-Noël ei lladd hi er mwyn rhoi'r bai ar Syr Walton Royal.'

'Syr Edward-Noël lladdodd hi?'

'Heb os nac oni bai. Roedd fy efaill yn chwarae gêm berig. Cogio cydymdeimlo hefo'r Llywodraethwr pan oedd o dan arest. Fo awgrymodd i Syr Walton Royal mai'r ffordd ora allan o'r picil oedd trwy gychwyn rhyfel hefo Ffrancod Martinique. Sdim byd tebyg i ryfel am uno pobol. Llosgi ambell warws. Suddo ambell long. Trefnu i gymdogion 'mosod ar ei gilydd. Cyhuddo'r Ffrancod, creu drwgdeimlad a hysteria. Aeth petha o ddrwg i waeth. Doedd gen Ffrancod Paradwys ddim dewis yn y diwedd ond mynd ar ofyn Ffrancod Martinique am help i warchod eu heiddo. Dyna ddigwyddodd. Rhyfel erchyll. Anhrefn llwyr. Ac yn sgil hwnnw, fe fachodd Dante a'r caethion ar y cyfla i godi mewn gwrthryfel . . .'

'Iarll Foston yn cychwyn rhyfel? Dyma'r gŵr gadeiriodd Gynhadledd Heddwch ryngwladol?'

'Am reswm da. Ydi hi'm yn bwysig cael heddwch yn America er mwyn rhyfela yng ngweddill y byd? Mantais oedd rhyfel Paradwys i fy efaill. Fe fudodd cymaint o deuluoedd yn sgil y lladd a'r llanast fel mai mater hawdd iawn iddo fo wedyn oedd prynu tiroedd yn rhad a chyfoethogi ei hun tu hwnt i reswm.'

'Sut fuo Syr Walton Royal farw?'

'F'efaill wenwynodd o. Roedd rhaid iddo fo. Roedd o'n gwbod gormod am gastia Henry erbyn hynny ac o gael gwared â Syr Walton Royal roedd y ffordd yn hollol glir i fuddugoliaeth lwyr trwy ddyrchafu Syr Edward-Noël Henry Hobart yn Llywodraethwr yn lle Syr Walton Royal. Lle mae o hyd heddiw yn gwarchod buddianna ei dad.'

'Dyna'r gwir i gyd?'

'Ddim i gyd. Ma' un peth arall . . .'

'Celwydd y Seler?'

'Sut clywist ti am hynny?'

Iarll Foston.

'Braf dy weld di eto, Thomas.'

Safodd Walton yng nghanol eu hedrychiad hir a golwg ar ei ewyrth fel un a fu'n gwrando'n slei bach yn nhwll y clo.

Craffodd Iarll Foston ar ei efaill a sylwi fod ar ei draed hen sgidia rhacsiog. Gwisgai gôt o groen dafad a brin guddiai ei ysgwydda. Roedd ei lodra wedi eu gwnïo o glytia amryliw ac am ei ganol, clymai gortyn garw i'w gynnal. Tros ei ysgwydd cludai gwdyn lledar, budur a blêr. Roedd ei wyneb yn llwyddena a'i wefusa'n fain ac ar ben bob dim, roedd o'n drewi.

'Ddoi di i'r *marquee*? Cyfarfod â'r teulu?'

'Gyrra dy was i forol be ddois i i'w 'nôl.'

Suddodd llais Iarll Foston i ryw boen preifat, ''Nôl be?'

'Y Cofiant ti wedi'i ddwyn oddi arna i, pan dorrodd dy was neu dy weision i'n stafell i echnos. Waeth iti heb â hel esgusion, adawa i ddim hebddo fo.'

'Gadal fydd raid. Tydi o ddim yma.'

'Wna i ddim gadal hebddo fo.'

Clapiodd Iarll Foston ei ddwylo.

'Sawl gwaith s'raid imi ddeud?' Os ydi o'm gen i, sut alla i 'nôl o? Ddim dewin ydw i. Fedra i hyd yn oed ddim gneud pob dim.'

'Fedri di ryddhau dy gaethion.'

Torrwyd yr awyr gan chwerthin o bell.

'Diflas ydi dynion tiwn gron? Ti'm yn meddwl, Walton? Ti wedi bod yn Boston erioed, Thomas? Lle braf; lle ar dyfu; lle sy'n gallu cynnig llawar o bosibiliada i ddyn hefo gweledigaeth. Dacw ichdi ddyn sy'n anelu i fynd yno drosta i.'

Hanner atebodd y Cofiannydd, 'Wel . . .'

'Dipyn o hen ben. Mab gwerth chweil – mi eith yn bell. Ei di hefo fo?'

'Nei di mohona i'n bêl i chdi a dy debyg 'i chicio hi 'nôl dy ffansi, Henry. Bryni di mohona fi.'

'Brynis i neb erioed.'

'Walton, gofyn i dy ewyrth pam na'th o chdi'n fethdalwr yn y lle cynta?'

Eisteddodd Iarll Foston yn fud.

'Be arall wnest ti? 'I yrru fo at ddrws y carchar? Wedyn 'i achub o a'i neud o'n ddiolchgar wrth gynnig gwaith a'i gael o i neud yn hollol fel roeddach chdi isio? Troi fy mab fy hun yn f'erbyn i. Dyna'r gwir. Ydw i'n iawn? Lle ma ffinia drygioni a daioni yn dy fyd di? Ydyn nhw'n bod? Neu gei di neud fel fyd fynnot ti – dim ots be! Fasa fo'n ddim gen ti i farchogaeth ceffyl o ben y mynydd acw yn syth trwy'r cymyla yn na fasa?'

Trodd Iarll Foston i syllu ar y *Tirlun o Gymru yng Ngolau'r Lloer*.

Ebychodd Iarll Foston yn dawel.

"Taswn i'n derbyn dy her di, fasa chdi'n rhoi'r gora i'r bygythiad i gyhoeddi'r budreddi 'ma amdana i?'

Syllodd Thomas Hobart arno'n hir.

'Marchogaeth ceffyl trwy'r cymyla? Fasa chdi?'

'Ar yr amod na chyhoeddi di gelwydda amdana i?'

Oedodd am amser maith cyn ateb ac yna dywedodd yn dawel, 'Iawn.'

Cododd Iarll Foston yn sionc.

'Dyna hynna wedi'i benderfynu. A inna i forol dy dipyn llawysgrif di.'

Caeodd y drws ar ei ôl.

'Fydd o'n siŵr o ladd 'i hun.'

'Chitha'n llwyddo wedyn,' atebodd Walton ei dad.

'Tydi lladd un dyn ddim yma nac acw. Mwy nag ydi protestio. Y drefn sy'n rhaid ei newid a'i newid o'r bôn i'r brig. Achos does dim rhaid i bob grym fod yn ormes. Mae hi'n hollol bosib parchu awdurdod llywodraethol cyn belled ag y bo'r awdurdod hwnnw'n parchu ei gyfrifoldeb ei hun.'

'Celwydd y Selar?'

Holltodd silff o lyfra.

'Be ydi o?'

Camodd Wakefield at Thomas Hobart, clymu croglath fain am ei gorn wddw a'i thynnu ato â holl nerth ei greu. Ar glep galed, slamiodd drws ym meddwl Walton.

Sychu dwylo.

Yn rhydd o'r cnawd tynnodd Wakefield y groglath, tra camodd Rampton at y corff a'i lusgo tan duchan fel pe bai mor drwm â maen. Gwaedai'r cnawd ar ôl iddo gael ei dorri'n ddwfn; ei dorri at yr asgwrn.

Cnoc cnoc.

Cilagor i gysgodion. Sibrydion. Lleisia Tywysog Cymru ac Esgob Parva y tu allan i'r ffenestr, yn torri rhyw eiria â'i gilydd trwy barablu isel.

Cnoc cnoc.

Taenu sacha haidd.

Cnoc cnoc.

Sleifiodd Mr Barlinnie at Iarll Foston.

Cnoc cnoc.

Codwyd y corff a'i osod ar y sacha.

Cnoc cnoc.

Ei rowlio a'i rwymo.

Cnoc cnoc.

Ei ewyrth yn mynd â fo o'r neilltu.

Cnoc cnoc.

Er iddo siarad yn ei glust o'r braidd y deallodd ddim.

Cnoc, cnoc.

Ambell ymadrodd, ambell air.

Cnoc cnoc.

Ambell ystum yn unig fel deffro o drwmgwsg pell pnawn mwll o haf.

Cnoc cnoc.

O ddim dewis o wneud ei orau o aros neu adael o beidio â phoeni o warchod o ddyfodol o Boston o bob dim yn iawn o waed a dŵr o fedd o gariad o beidio â phoeni o addewid o beidio â bradychu o beidio â bradychu o gadw gair o gadw gair o gadw gair.

Cnoc cnoc.

Y llyfrgell yn farw. Heblaw am Mr Barlinnie a ddywedodd yn dawel iddo fod yn ddiwrnod gwerth chweil, nad oedd wedi ei fwynhau ei hun gystal ers na wyddai pryd wrth bwyso yno â'i ysgwydd ar y mur, gan syllu fry ar leuad Fedi naw nos olau.

Y DEWIS

Miss MacFluart.

Ar y pnawn Llun clywodd Walton ei bod yn y carchar am werthu pamffled o waith Mr Thomas Paine. Bu'n byw trwy'r amser rhyfedda a aeth dros ei ben erioed a'i ddwylo'n llawn o nosweithia gweigion. Holodd ei hun yn chwys hyd at yr oria mân a bu'n troi a throsi yng nghanol pwll o boen; yn ei grafu ei hun i waelodion gwreiddia ei enaid a'i feddwl yn mynnu cofio y noson honno mor fyw – mor iasol o fyw nes gwarafun iddo'r rhyddhad o anghofio. O anghofio byddai'n haws iddo allu byw.

Ei fwriad cynta, a'r pwysica o bell ffordd, oedd darbwyllo Miss MacFluart i wrando ar grefu ei thaid, a oedd ar dân i'w thorri'n rhydd. Fe allai drefnu hynny, ond roedd hi'n styfnig ac wedi styfnigo'n waeth ers ei harestio. Ynfydrwydd a dim byd arall oedd aros o dan glo un eiliad yn fwy nag oedd yn rhaid. Dywedodd y Barnwr MacFluart wrth Walton nad oedd ei wyres yn fodlon derbyn dim help llaw er iddo bwyso arni fwy nag unwaith.

Gallai farw. Mor hawdd â chwythu cannwyll. Lledai rhyw aflwydd neu haint trwy welltiach y celloedd mor ddiatal â thro'r tymhora. Bu farw mwy na hanner Newgate, llawer carcharor tebol, llu o ddynion hollol iach sawl blwyddyn ynghynt. Aeth Walton draw i Bridwell.

Gwrthododd hitha ei weld.

Ei ewyrth a'i gwnaeth o'n fethdalwr.

Trwy ba fodd ni wyddai, ond ni synnai. Sut yr oedd ei dad yn gwybod? Oedd ots? Mae'n rhaid ei fod yn wir. Cribodd Walton trwy'i orffennol a chwaneg o amheuon yn gwingo ar ei law.

Mynnodd ei gweld.

Bloeddiodd ei henw ger mur y carchar.

Y Cofiant.

Darllenodd Walton yr adolygiada cynta a theimlo yn swp sâl; cododd y cwbwl bwys arno nes troi ei stumog a pheri iddo grachboeri dros y print. Adnabu ambell ddarn o'i eiddo ei hun; ambell frawddeg, ambell ymadrodd, rhyw bwt neu ddau o baragraff. Ond roedd mwy o ddarna hollol ddiarth a'r arddull anwastad yn awgrymu mwy nag un llaw. Ailsgwennwyd penoda cyfan o'i waith a chafodd eraill eu sensro'n drwm. Bu pwyllgor o ddynion wrthi'n malu ei waith er mwyn moli'r teulu, a thrwy hynny, ganu clod dihysbydd i Iarll Foston.

Doedd enw Mr Francis Foljambe ddim ar ei gyfyl. Rhyfel Paradwys yn erbyn lluoedd Martinique oedd y rhyfel cysona, cyflawna, enwoca a duwiola a enillwyd erioed. Brithai enw Syr Walton Royal, 'arwr enwog Paradwys', y llyfr o'r dechra i'r diwedd. Bu farw ar faes y gad yn Sans Souci wedi iddo gael ei saethu gan negro dienw a'r Iarll gerllaw i sychu gwaed ei dalcen, ei gysuro yn ei freichia a chlywed ei destament ola. Awgrymwyd yn gry mai Monsieur Duvalier Le Blanc a laddodd ei ferch ei hun, gan iddi fynnu priodi Syr Edward-Noël Henry Hobart yn groes i ewyllys ei thad.

Hyn oll a llawer chwaneg yn gymysg hefo rhyw straeon smala am ysbrydion, *voodoo* a phetha dibwys eraill, ysgafn a fymryn yn ddi-chwaeth am wneud pwnsh â dŵr dyn ac ati. Treuliwyd tudalenna lawer yn mwydro am hanes pobol nad oedd a wnelon nhw ddim oll â gweddill y llyfr. Crybwyllwyd sawl gwaith mai'r prif bwrpas oedd i 'adfer colled, llenwi bwlch a chau adwyon hanes,' ynghyd â 'chodi to tros wacter tŷ er mwyn ei lenwi ag atgofion ar gyfer yr oesoedd a ddêl.' I be oedd isio pwyslais ar y trwm a'r ysgafn? Y dwys a'r doniol? Y melys ar gyfer y chwerw a'r llawen ar gyfer y trist? I ledu ei apêl? Gwir fod galw mawr, galw cynyddol, am fath arbennig o lyfra yn yr oes sydd ohoni a rhyw ddyletswydd ar awduron o bob math i fodloni chwaeth y farchnad. Dyma mae'n amlwg gredo'r pwyllgor . . . Be am y gwirionedd? Be am y mater o fyw? Be am ofyn y cwestiyna roedd angen eu gofyn? Be am yr atebion . . .? Pam ddylai llyfr fod yn syml a hawdd a bywyd pawb yn beth mor gymhleth ac anodd i'w ddeall?

Dechra newid.

Mewn dull na modd na feddyliodd erioed y byddai'n bosib. Nid galar ond rhyw wylltineb a gydiodd ynddo; rhyw syched na allai mo'i dorri nes graddol deimlo fod rhyw fod arall, rhywbeth gwydnach, yn codi'n ara deg, yn gwthio ei hen hun o'r neilltu. Peth gwahanol iawn oedd hwn; peth penderfynol, peth a wyddai nad ildio i hunandosturi ac anallu a dryswch galar oedd yr ateb, ond yn hytrach fod yn rhaid troi'r meddwl ben i waered, ei naddu â chalen hogi'n rasal fain i ymladd dichell â dichell.

Magodd y teimlad newydd hwn ei hun mewn hyrddia. Weithiau byddai'n bnawn Sul, yn llonydd dawel, a'r eiliad nesa byddai'n pwyo'i ffordd trwy rialtwch ffair o dafarn. Weithia, byddai'n diflannu am amser maith, ac yna'n sydyn, ganol nos gan amla, teimlai Walton o'n cerdded adra'n ddig, yn stompio i fyny'r grisia i stampio dros ei galon, yn mynnu ei godi i eistedd wrth y bwrdd i weiddi a dadla.

Gwaeddai'r teimlad arno nerth esgyrn ei ben,

'Ond – ac mae hwn yn ond mawr iawn – mae'n rhaid iti ochel rhag mynd yn ysglyfaeth i amgylchiada: y newid gora – yr unig un o bwys gwirioneddol – ydi hwnnw sy'n digwydd yn dy feddwl di dy hun: newid y gelli di 'i bwyso a'i fesur, a, gobeithio, ei reoli neu heb hynny, be ydi ystyr ewyllys rydd?'

'Mi nes i 'ngora o fewn 'y ngallu!'

"Drycha arna chdi rŵan! Paid â beio dy ewyrth! Ti'n gwbod yn iawn dy fod ti wedi dy dwyllo dy hun! Ti'n gwbod dy fod ti wedi cuddio rhag turio i dy hanfod dy hun. Wynebist ti'n onest erioed yr hyn sydd wedi dy greu di?'

'Amhosib!'

'Pam? O adnabod dy hun, mi fasat ti wedi adnabod dyn fel Iarll Foston o fewn eiliada.'

'Dwi ddim mor siŵr.'

'Mae eraill yn llwyddo i gamu tu hwnt i'w hunain, i ddirnad go iawn yr hyn sy'n digwydd er mwyn trosgynnu cyfyngiada a gweld o'r newydd?'

'Sut?'

'Sut, medda'r llo. Ti'n gwbod sut.'

Gwasgai Walton wddw potel win. 'Ond mae'r naid – ma hi'n naid mor enfawr – i gefnu ar yr hyn greodd fi fel ag yr o'n i. Be os dim ond düwch sydd oddi tana i? Oedd o'n camresymu? Oedd o'n gwallgofi? Onid ydi egwyddor rhyddid yn golygu fod yn rhaid ymddiried mewn pobol? Ymddiried mewn pobol? Trugaredd i filoedd! Ymddiried mewn pobol, fel trio dawnsio hefo cysgodion ar furia ogof . . .

'Cer yn dy flaen . . .'

'Heb y Frenhiniaeth? Heb Dŷ'r Arglwyddi? Heb y Senedd? Heb yr Eglwys? Heb Grist? Heb gaethwasiaeth? . . . O dan drefn arall, a allai ein bywyd fod yn well? Oes posib inni fyw bywyda eraill? Ennill cymdeithas arall? Does neb byth yn rhoi rhyddid i undyn: rhywbeth y mae'n rhaid ymladd drosto hyd at anga ydi pob rhyddid, ac o'i gael, peth i'w warchod fel babi blwydd. Sylweddolodd nad dyn arall a dyfodd trwy ei gnawd – clywai lais yn tyfu'n gliriach, eto'n addfwynach ond yn gryfach fyth ac edrychodd ar ei ddwylo a gwelodd mai dynes oedd o a'i enw oedd Miss MacFluart.

Safodd yno.

Hi.

Nid edrychai ddim criglyn gwaeth na'r tro cynt y'i gwelodd. Teimlai fel dyn yn rhuthro i lawr hyd lwybr dieithr, un cul a serth i lawr ar wib i dywyllwch traeth a sŵn y môr yn y gwyll yn closio'n gynt a chynt . . .

Er ei bod hi'n edrach yn sarrug roedd ei gweld yn hedd i'w enaid. Safodd hitha lle'r oedd heb gydnabod ei ystum. Rhythu arno; camodd at ei fasged fwyd; codi afal, ei ogleuo, yna'i frathu. Trodd ei chefn arno.

'Ydi Wakefield yn saff?'

Teimlai Walton fod ei fywyd – ei wir fywyd – yn byw mewn gwlad arall, rhywle y tu hwnt i grib uchel cylch o fynyddoedd gleision. Doedd ceisio ennill cariad rhwng y walia budron yma'n ddim ond un o freuddwydion drwg y Diafol. Ar ei waetha, er iddo drio unioni llwybr tuag ati bob dydd roedd hi mor bell i ffwrdd bob nos ag y gallai fod . . .

'Does dim rhaid aros yma.'

'Ydi Wakefield yn saff?'

'Allet ti adal 'fory nesa.'

'Matar o egwyddor.'

'Be dâl egwyddor mewn arch?'

'Chdi fasa'r dwytha i ddallt.'

Oedd modd iddo byth ei dal? Wrth i rywun gerdded heibio i'r drws, clywodd ryw gadwyna'n singl-sanglo yn erbyn ei gilydd. Weithia mae haul ar fodrwy, dro arall law ar arch – neu weithia'r ddau yn un.

'Sdim byd drwg wedi digwydd i Wakefield?'

'Holliach.'

Llaciodd ei hysgyfaint.

'Fy nhad . . .'

'Pam? Be sy' 'di digwydd?'

'Wedi'i fwrdro.'

'Pryd?'

'Priodas Miss Swinfen-Ann a Syr Swaleside.'

'Sut?'

'Ei dagu . . .'

'Un o ddynion Foston?'

'Ia.'

'Un o'r meibion? Y gweision? Pwy? Deud!'

Dywedodd. Gwgodd. Crychodd ei thalcen. Tynnodd ei gwefusa at ei gilydd.

'Wakefield yn lladd dy dad?'

Ceisiodd ei gicio – blaen esgid hegar ar asgwrn ei goes. Poerodd i'w wyneb; dyrnodd ei gorun wrth iddo blygu o'i blaen.

'Oes 'na ryw hen dric dan din ti a dy debyg ddim yn fodlon 'i ddefnyddio yn ein herbyn ni?'

Cydiodd yn ei dau arddwrn, 'Gwas i Iarll Foston ydi Wake-field. *Agent provocateur.* Mae o wedi dy dwyllo di. Roedd o hefo'r Iarll ym Mharis. Thorp Arch ydi'i enw iawn o!'

Gwasgodd ei garddyrna'n dynn a'i hysgwyd yn hegar ond yn sydyn, fe'i cusanodd – ond brathodd hi fo; brathu ei wefus isa nes y cododd blaen picell fain o boen nes lledu i fyny trwy ei arleisia. Gwichiodd, sgrechiodd yn isel, yna poerodd hi fo allan. Blasodd Walton waed ar ei dafod . . .

'Cer o'ma! Paid byth â dŵad yn d'ôl – y mochyn!'

'Wakefield laddodd fy nhad!'

'O dan dy drwyn di? Pam na fasa chdi wedi'i atal o?'

'Ddigwyddodd o mor sydyn.'

Aeth Miss MacFluart i'w phoced.

Llythyr Wakefield.

– F'anwylaf gariad,

Diolch am dy lythyr a ddaeth imi ar hyd cadwyn o gyfeillion trwy law Thomas Hobart yn dilyn ei ymweliad olaf. Deallaf dy fod mewn hwyliau da; a dy fod yn llawn hyder hefyd. Nid oes eiliad pan nad ydw i'n meddwl amdanat ti. Mae fy nghalon yn eiddo i ti yn llwyr. Rydw

i'n gwybod y byddwn hefo'n gilydd am byth – oni chaf fy mradychu
gan rywun neu rywrai. Deallaf dy fwriad i aros yn y carchar; rydw i'n
cytuno'n hollol. Yno mae dy le. Mae'r ffaith dy fod dan glo yn dangos
yn glir i'r byd a'r betws nad mater o chwarae mig yw'r hawl i
gyhoeddi gwaith o blaid hawliau dyn, a gweithiau gwŷr eraill o'r un
anian. Ymdrech yw ein brwydr ni i agor llygaid dynion i'r gwir-
ionedd.

Bydd dy achos llys yn llwyfan perffaith i ymosod ar y gelyn, cei
ddangos pa mor niweidiol yw crefydd i'n rhyddid a'n hapusrwydd, cei
ddangos peth mor greulon yw'r hyn a elwir yn Gristnogaeth. Dywed
ein gelynion mai cableddwyr ydym: dywedwn ninnau mai cableddwyr
yw cynheiliaid caethwasiaeth a hynny yn enw Crist. Bydd yn ddewr,
bydd yn wrol. Dal ati i gredu a maes o law bydd miloedd yn credu yr
un fath. Fy nghariad, mae fy meddwl yn hedfan atat trwy'r haearn
sy'n dy gaethiwo fel y miliynau eraill, ond er hyn rydw i'n gwbod yn
nwfn fy nghalon y byddwn ryw ddydd yn ŵr a gwraig.

Dy gariad tragwyddol &c &c.

Celwydd.

'Dyna'r cwbwl ydi o!' mynnodd Walton.

'Sgrifen Wakefield ydi hwn!'

'Geiria fy ewyrth bob un.'

'Chdi sy'n palu celwydd!'

'Iarll Foston sy' am dy weld di'n aros yma! Fo sydd am dy
weld di'n cael dy ddirmygu mewn achos llys! Mae o o fantais
iddo fo! Ti'm yn gweld hynny?'

Trodd Miss MacFluart oddi wrtho tan anwesu'r llythyr.

'Ffliwt sy'n canu yn dy erbyn dy hun wyt ti a'r un sydd â'i
wefusa'n dy chwythu di ydi f'ewyrth. Pa ffordd hwylusach o'ch
tanseilio chi? Eich hollti chi, a'ch rhwygo chi a'ch chwalu chi
neith o! Meddwl mewn difri calon pa mor niweidiol fydd yr
achos llys yma i Gyfeillion y Caethion! Rydan ni'n byw mewn
cymdeithas sylfaenol Gristnogol o'r bôn i'r brig! Ma' cabledd yn
drosedd ddifrifol, ddim yn unig yn erbyn Duw a chrefydd, ond
waeth o lawer, yn erbyn y Llywodraeth a Chyfraith y Wladwr-
iaeth. Ti'n taro i'r byw!'

'Ti'n meddwl 'mod i ddim yn dallt hynny? Rydw i isio taro –
a tharo'n galed yn 'u herbyn nhw! Dyma'r ffordd ymlaen!'

'Sneb yn 'i iawn bwyll yn gwadu dysgeidiaeth fawr y ddau
Destament a'r Drindod.'

'Mi rydw i.'

'Dwi'n crefu arna chdi – er dy fwyn dy hun – i beidio!'

'Wel, mi fasa chdi yn basat?'

Fe'i teimlodd ei hun yn sydyn wylltio: pam ddylsai boeni os oedd hi'n rhy ddwl i weld ymhellach na'i thrwyn? Teimlai Walton ei hun yn llithro 'nôl i'w hen hunan. Polmont wirion.

'Twyll ydi'r cwbwl? Sdim rhinwedd mewn Cristnogaeth o gwbwl felly?'

'A'r peth yn gymaint rhan o wead 'u grym nhw? Ti'n syl-weddoli mai dy ewyrth Iarll Foston ydi Llywydd Cymdeithas Gwarchod Eiddo a Rhyddid yn erbyn Gweriniaethwyr a Radical-iaid?'

'Ac ildian nhw ddim heb chwyldro?'

'Ti'n gwbod na nawn nhw ddim.'

'A gneud lle i chdi a dy giwed? A mi fydd eich llywodraeth chi yn llawar mwy rhinweddol nag un Iarll Foston a'i debyg? Fydd hi? Be ydi hanes pob mudiad a gododd o blaid rhyddid, cyfiawnder a heddwch erioed ond ymrannu a checru, troi'n sefydliad a phrysur ddirywio i fod yr un mor llwgwr, difalio a gormesol â'r drefn a sgubodd hi i ffwrdd? A be wedyn? Chwyldro arall yn eich erbyn chi? Wyrion Iarll Foston yn cyn-llwynio o'u halltudiaeth yn Fflorida? Dyna'r dyfodol?'

'Pam ddylswn i wrando arna chdi?'

'Achos 'mod i'n deud y gwir!'

'Os oedd Wakefield wedi lladd dy dad fel ti'n honni – pam na fasa chdi wedi dweud wrth Ynad Heddwch?'

'Hyd yn oed 'taswn i'n cyhuddo Wakefield, does dim un ffordd y galla i bwyntio bys at y gwir lofrudd – a phwy a ŵyr na fasa Iarll Foston yn 'stumio'r cwbwl a 'nghyhuddo i o ladd fy nhad fy hun? Doedd dim tystion erill wedi'r cwbwl ond ei ddynion o bob un. Rown i ddim byd tu hwnt iddo fo. Ti'm yn gweld be sy'n y fantol?'

Oedodd, yna dywedodd yn galed, 'Dwi'm 'di coelio gair.'

'Weli di mo 'nhad fyth eto.'

Curodd Miss MacFluart ar bren y drws.

'Dwi'n dy garu di,' dywedodd Walton, 'dwi wedi dy garu di. Dwi'n sâl o gariad. Methu meddwl am neb na dim ond dy gael di i mi fy hun – er 'y mwyn i paid â gadal iddyn nhw dy wawdio di, dydi o ddim mo'i werth o. Dwi'n crefu arna chdi i bleidio'n euog a derbyn y gosb . . .'

'Ddim Wakefield ydi'r *agent provocateur* – ond chdi. Fo sy'n 'y ngharu fi – ddim chdi!'

Cydiodd yn ei llaw a'i thynnu.

'Gollwng fi!' Ysgwydodd yn ffyrnig, 'Gollwng fi!'

'Be ti isio imi'i neud i brofi 'nghariad? Deud be ti isio imi'i neud a mi na i o!'

Datglowyd y drws. Tynnodd Miss MacFluart ei llaw yn rhydd o'i afael. Wrth iddi ddiflannu, gwaeddodd Walton, 'Mi ladda i Foston!'

Haws dweud na gwneud.

Brithnosai'r ddinas yn araf trwy'r hydref ac iasa cynta'r gaea yn codi oddi ar wyneb y lli. Tyfodd blas llwydrew ar yr awyr a chrwybr ysgafn tros doea'r ddinas yn ei llwydoleuo a'i gwneud yn brudd. Ddiwedd Tachwedd, trodd y tywydd ac roedd gwynt-oedd oerion yn chwipio'n erwin. Llusgai rhew clegyrog yn ôl a blaen ar y llanw a'r trai. Ogleuodd Walton gyrff gwartheg marw yn lladd-dai Southwark. Treuliodd oria'n synfyfyrio, yn pwyso hyd y walia'n gwylio llibia llipa o donna'n chwalu'n fân ond berwai môr poeth lond ei ben . . .

Trwy'r cwbwl roedd o'n llwyddiant! Dyna oedd waetha! Dynion yn camu i'w longyfarch; dynion yn mynnu ysgwyd ei law; ei gyflwyno i ddynion eraill. Llu wedi mwynhau'r Cofiant; llu wedi ei ddarllen ar goedd; llawer ar un eisteddiad. Amryw wedi annog eraill i'w brynu. Anrheg Nadolig berffaith, rhyw-beth yn yr hosan 'leni a llyfr i'w drysori am byth. Ato daeth mwy nag un gwahoddiad i annerch sawl cymdeithas a hyd yn oed i draddodi Darlith Goffa Syr Walton Royal y flwyddyn wedyn! Y dyn a greodd trwy lafur ei feddwl gan roi bod mewn print i un math o gofio, ac o wneud hynny, gwneud anghofio yn bosib. A'r anghofio oedd y peth pwysica un. Yr anghofio oedd yr unig beth gwerth ei gofio a'r cofio ei anghofio. Am lyfr brith-lawn o gelwydda, roedd wedi gwerthu ei enw a gwerthu ei dad i'r gwynt.

Boddodd ei boen mewn diod. Miss MacFluart wedyn. Y ferch a garai yn caru llofrudd ei dad! Mor hollol hurt y gall bywyd fod! Hitha'n ei gasáu yn waeth bob eiliad am ddweud y gwir; yn meddwl ei fod yn is na baw isa'r doman. Sut yr oedd modd ei hargyhoeddi o'i wir deimlada? Sut yr oedd modd gwneud yn iawn am fethu gweld sut y cafodd ei dwyllo a'i gamdrin? Dial.

Roedd rhaid. Roedd yn rhaid iddo ladd ei ewyrth. Roedd yn rhaid iddo ddiodda am y dioddefaint a achosodd o i filoedd.

Ond sut?

Pwy sy'n ddigon gwrol fyth i ganlyn ei reswm i'r pen?

Piccadilly.

Doedd Iarll Foston ddim yno. Gadawodd y diwrnod cynt mewn coets am Gaer, hefo'r bwriad o deithio yr holl ffordd i Gymru. Daeth Walton wyneb yn wyneb â'r Iarlles, ond methodd gyfadda ei boen wrthi.

Aeth i chwilio am Syr William-Henry. Fe'i gwelodd yng Nghlwb Willis, ond roedd yn ddyn isel ei ysbryd; yn ddyn wedi torri oherwydd iddo orfod troi ei wraig tros y rhiniog yn sgil y sgandal hefo Iarll Wellingborough. Mynnodd glust i wrando; mynnodd gydymdeimlad Walton a byddarodd o trwy siarad amdano'i hun yn llawn hunandosturi.

'A pwy ti'n meddwl yrrodd y llythyr blacmel 'na ata i?'

'Sdim syniad gen i . . .'

'Feltham ffwcin Royal. Dyna pwy.'

Doedd Walton ddim hyd yn oed yn gwrando.

'Llawn castia 'stimddrwg. Y cwdyn bach anghynnas iddo fo. Cymryd arno 'i fod o'n ddwl barad. Dyna naeth o ar hyd y bedlan er mwyn gweld gwendida pawb a disgwl a manteisio ar 'i gyfla. Ond cheith o mo'r gora arna i. Geith o ffwcin socsan. Mi wna i'n berffaith saff o hynny. Geith o weld. Geith y cont bach weld. Tyd inni ga'l potal arall . . .'

Yfodd Walton ei hun i waelodion potel ar botel; yfed yn hwyr i ddyfnder y nos; yfed i geg y wawr. Ildio ac ildio hyd nes y tyfodd blas haearn ar ei dafod, yna'n llond ei geg; yn llond ei ben. Pendwmpio yn ei feddwdod, hanner cysgu, hanner deffro yn gogordroi ymysg tafoda clecs, tan lygaid y straeon strae sy'n hel at ei gilydd ar gongla'r hanner celwydda a'r hanner gwir. Tynnu'n groes hefo rhywun ar y stryd. Codi dadl wedyn am ddim byd. Herio pwy bynnag i godi'i ddyrna, doedd ots pwy, doedd ots pam.

Criw wrth gefn a'r stryd chwil yn troi a throi nes disgyn draw i'r düwch. Clebran parotiaid gwyrddion. Crechwen o wynebau fel wal o lyffantod, a gwres eu lleisia'n codi'n uwch ac yn uwch. Ei bwyo'n ddulas a'i adael i boeri gwaed. Ymlwybro; cerdded yn ddiamcan; hanner gorwedd mewn mynwentydd, yn gleisia byw ac esgyrn ei asenna ar dân. Breuddwydio, hanner cysgu hyd wawn ysgafn y wawr – dacw enfys – 'drychwch! – draw'n fan'cw! – dacw hi! – a chodi i'w chanlyn trwy'r smwclaw sy'n ireiddio'i dalcen a thalcen caled y tai.

Dienyddiad Dante.

O bamffled Cyfeillion y Caethion:

– *Dodwyd y negroaid mewn cadwynau. Saethwyd rhai; cynheuwyd canhwyllau tan geilliau eraill. – Maluriwyd esgyrn mwy nag un yn flawd mân ar ôl eu rhwymo wrth olwyn trol.- Mewn casgen dar bu hanner dwsin o negroaid yn crychferwi yn ara trwy gydol y bora hyd ganol y pnawn. – Taniwyd cyrff llu ar ôl eu clymu o flaen ffroen y magnel. – Chwalwyd eu cnawd mor fân ag adenydd moscito. – Malwyd pen plentyn o negro yn erbyn ochor trol. – Clymwyd ambell negroes mewn sach a'i lluchio i'r afon.*

– *Pan gyrhaeddodd patrole mynnodd y Ffrancod ymarfer eu brûler un peu de poudre au cul d'un nègre. – Edrychodd Esgob Parva ar rwymo breichiau un o'r prif lofruddion ar iau tros ei ysgwydd. – Stwffiodd y milwyr bylor i fyny pen ôl Plato a thanio'r ffiws a'i orfodi i redeg ar draws y maes a milwyr yn ei annog i godi gwib tan chwerthin a chwibanu nes y clywyd clec a sbydodd ei gnawd fel toes i'r gwres.*

– *Yn y blanhigfa nesa, gwelwyd y gwaetha. – Negro â'i ben wedi ei dorri i ffwrdd a negroes wedi ei hoelio wrth ddrws y tŷ. – Griddfanai'n isel. – Trwy drugaredd arbedwyd y baban yn ei chroth. – Neu dyna a feddyliais. – Gwelais y baban wedi ei falu gerllaw. – Agorwyd ei chnawd â chyllell. – Gwthiwyd pen ei gŵr i'w chorff a'i wnïo yno. – Ymlaen yr aethom. – Syr Walton Royal a Cornel d'Henin. – Esgob Parva. – Esgob Desormiere o Eglwys Gatholig Damascus. – A'r mil-wyr.*

– *Trwy ludw'r prynhawn. I lawr trwy'r planhigfeydd yn llosgi yr aeth y fintai. – Daeth trol i'n cyfwrdd trwy'r mwg. – Safai'r negro Dante arni'n noeth. – Doedd arno na chadwyn na gwarchodwr, na dim i'w atal rhag dianc. – Gwelais wedyn fod ei draed wedi eu morth-wylio ag wyth hoelen i'r pren.- Penderfynodd Syr Walton Royal ei ddienyddio yn y fan a'r lle a chario ei ben i Port Royal. – Cyd-weddïodd y ddau esgob tros enaid tywyll y terfysgwr. – Tynnodd yr Esgob Desormiere baderau eboni o'i boced a'u cyfri â'i fysedd crynedig mewn llais main, tan furmur yn undonog a'i glocsiau pren yn clecian yn gylch ar gylch o gerdded a cherdded o gwmpas y negro nes y dechreu-*

425

odd siglo mewn perlesmair, nes y dechreuodd Esgob Parva hefyd ruo
yn llawn bendro a'r chwys yn llifo o'r ddau ddyn. – Torrwyd tanwydd.
– Rhwymwyd Dante wrth bostyn a chynheuwyd y tân. –

– Safodd pawb i edrych ar ei draed yn araf dduo. – Gweddïodd
Dante trwy weiddi'n uchel ar y nefoedd. – Disgynnodd yr esgobion
i'w gliniau wrth ei glywed yn crefu am faddeuant Duw. – Udodd
Dante am Allah; crefodd ar Mohamed a'i drugaredd. – Brawychwyd
yr Esgob Parva wrth glywed cri'r Mohametan. – Gwas i'r gau-broff-
wyd, a gododd derfysg i'w herbyn. – Un o Blant y Fall oedd o. – Wrth
i'w goesau losgi mynnodd Esgob Parva wneud ei orau i achub ei enaid
rhag uffern dân.

– Gwrthododd Dante wrando.

– Gweddïodd Esgob Parva'n uwch. – Ymunodd Esgob Desormiere
a'r ddau yn pader-ruo wyneb yn wyneb, ddwrn yn nwrn. – Poerodd
Dante o'r fflamau. – Gweddïodd y ddau esgob yn daerach wrth sôn am
fywyd tragwyddol fel colofn o oleuni nefol; am awr y dyfod a'r byd yn
codi o'u beddau, pawb yn gwthio trwy'r pridd, yn codi'n un dyrfa yn
undeb yr ysbryd, yng nghwlwm tangnefedd, i fyw am byth yn nhymor
yr haf. – Haerodd Dante mai celwydd oedd eu crefydd. – Celwydd
oedd y Drindod. – Proffwyd yn unig oedd Crist, un ymysg y miloedd
a fu mewn hanes. – Ni chafodd mo'i groeshoelio; roedd hynny'n gelwydd.
– Araf dduai ei goesau. – Achubwyd Crist gan Allah, a'i arbed rhag ei
hoelio. – Tan ffrio a sïo, araf losgwyd gwas Islâm i'r prynhawn o lawn
oleuni ond clywyd am oriau ei floeddio tynn o'r tân: bloeddio mai diffygiol
oedd Beibl y Cristnogion gan nad oedd sôn am ddyfodiad Proffwyd Olaf
Duw a'r Gwirionedd Terfynol Un.

Mr Barlinnie.

Stormiodd Walton i mewn i'w ystafell. Cael ei eillio roedd
Prif Was y teulu. Dŵr berwedig a sebon a ogleuodd Walton:
ogla melys croen tan sisial-siasial rasal; crafiad isel yn tynnu ton
trwy'i foch. Gorweddai ei war ar gefn cadair, ei lygaid ynghau;
sylwodd fod ei ben o gylch ei gorun yn hollol foel, a bod yno,
fel rhyw falwoden yn araf gropian o dyfiant, fan geni llwyd.
Nid edrychodd ar Walton hyd nes y sychodd ei wyneb.

'Dwi'n mynnu cael gweld fy ewyrth.'

'Amhosib.'

'Pam?'

Prin y gallai Mr Barlinnie guddio ei ddychryn wrth weld yr

olwg ar y Cofiannydd. Ei wallt yn gagla, ei wyneb yn gleisia a sgriffiada, ei ddillad yn racsiog. Sychodd Mr Barlinnie y tu ôl i'w glustia a syllu ar smicyn bach o gochni ar y llawliain gwyn. Bodiodd ei ên; bodiodd eilwaith, bodio wedyn a syllu ar waed. Heibio i'w glust, draw trwy'r ffenestr, clywodd Walton noda meddal ac wedyn wedi ysbaid ryw ganu hirllaes o ena gwraig o stafell 'rochor draw i'r stryd.

'Mae Iarll Foston yn dal i fod yng Nghymru. A dwi'n ei ganlyn o yno 'fory.'

''Fory?'

Fel clywed gair hollol newydd am y tro cynta erioed. ''Fory? Heddiw? Heddiw? 'Fory? Be oedd ddoe? Rhith o gysgod? Treuliai oria yn ei wely fel claf pendwym yn methu meddwl; methu symud; methu gwneud dim oll ond gwag synfyfyrio; yn colli'r dyddia a'r rheiny'n troi i'w gilydd. Be ddigwyddodd ddoe? Ddoe? Pryd oedd ddoe? Fy myw a 'mod meddyliodd, yn ddim ond rhywbeth sy'n hongian ar ryw edau frau. O'r braidd y gallai gofio be gafodd i swper ddoe, heb sôn am echdoe. Methu'n lân â chofio! Be ydi'r gorffennol ond cofio? Cofio a dehongli. Y buchedd draethawd hir! Cofiwch y Cofiant! Ha! Be ydi 'fory ond ffrwyth dyfalu; ffrwyth dyheu mewn gobaith. Nes y daw; a throi'n orffennol (ond a fu hefyd am ryw hyd yn bresennol (llawn gorffennol hefyd) a orweddai mewn dyfodol yr un pryd . . .) O, mam bach! Be os mai dim ond dychymyg ydi'r hyn a alwn ni'n gof? Be wedyn ydi unrhyw beth? Be wedyn ydw i?

'Dwi'n dŵad hefo chdi.'

'Sdim lle.'

'Rhaid imi gael ei weld o. Ynglŷn â Boston . . .'

'Tydi Boston ddim yn bod. Syr William-Henry ydi'r drwg. 'Mosod ar Iarll Wellingborough fel na'th o noson y briodas. Y ffŵl gwirion iddo fo. Mi bechodd ei dad yn anfaddeuol. A rŵan, ma' cytundeb America allan o gyrraedd yr Iarll ar hyn o bryd.'

'Dwi'n mynnu dŵad i Gymru yr un fath.'

Cymhellodd Barlinnie o i folchi: dododd bowlen o ddŵr berwedig ger ei fron. Doedd dim byd tebyg i olchi wyneb ar dywydd oer mewn siwgwr brown garw. Mae siwgwr yn lliniaru a thyneru'r cnawd, ei wneud yn wynnach a throi'r croen yn sidanaidd.

Miss MacFluart.

Wybren lwyd ac ias o wynt y gogledd yn sgowlio tros y ddinas. Roedd tywydd garw ar ei ffordd. Sylwodd Walton fod Mr Barlinnie yn syllu arno o ffenestr yn y trydydd llawr. Cerddodd i lawr y stryd a glaw oer ar ei glustia a'r dydd yn slyrio o flaen ei lygaid. Y noson honno wrth orwedd yn effro gwrandawodd ar ratlo bysedd y gwynt yn nhoea'r tai, tisian glaw ar ffenestri a storm o bell yn graddol fagu sŵn. Gorweddodd yno'n hollol effro tan ysu gweld y wawr yn codi ym mhen draw'r nos. O gau ei lygaid fe'i gwelodd ei hun yn cerdded draw o'r carchar pan wrthododd Miss MacFluart ei weld. Aeth ar ei union i Dŷ Coffi Jamaica ac ysgrifennu llythyr maith.

Llythyr pur o'r galon.

Llythyr yn addo y byddai'n lladd Iarll Foston.

Sgrechian.

Deffrôdd yn chwys a'r byd yn chwil.

Torrai mellt a tharana trwy'r wybren. Gorweddai ar ddi-hun yn gwrando ar sŵn arth o daran yn crashio'n swrth tua'r de. Gwingodd trwy hunllef arall. Yn hanner meddw, hanner effro, hanner cysgu gwelodd ddyn â'i gefn tuag ato'n ara droi mewn crochan waed esgyrn croen o blant a'r rheiny fel ellyllon cochion yn camu'n noethion tros ei ymyl: Mr Francis Foljambe, Syr William-Henry, Syr Feltham Royal, Mr Barlinnie a Risley yn hic-hacio ar ei ôl . . .

Rhedodd o'u gafael – rhedeg a rhedeg a rhedeg â'i wynt yn ei ddwrn – a neidio trwy ddrws i dŷ lle bwydai meddyg gwefldew wraig hesb â magned. Gorfodai hi i yfed trydan nes y cleciai ei chorff o gwmpas ei lofft . . .

Trwy furia'r tŷ gwenai angylion. Angylion a'i denai i gamu allan. Roedd lleisia'r ellyllon yn closio ar ei wartha a chamodd at wal: cyffwrdd â hi a diflannodd, a symudodd trwyddi rhag ei erlidwyr cochion i ganol grug, a gwynt y mynydd yn oer ar foch, gwlithlaw'r cymyla yn ara wlychu ei wallt; cerdded wedyn i fyny'r grib nes dod at gwr o gerrig, nes gweld ar frig y copa farch du â'i fwng yn sgleinio yn yr haul ac arno ei ewyrth yn sibrwd yn ei glust i fagu adenydd a magu rhai a wnaeth i esgyn trwy'r cymyla . . .

MARCHOGAETH
CEFFYL TRWY
GYMYLAU CYMRU

Y wlad.

Pwy yn ei iawn bwyll sy'n mynd i le o'r fath? Yn hollol onest, fasa chi? Mewn tywydd garw? Gefn gaea? Hyd yn oed 'tasa rhywun yn talu? Gadael fu hanes pawb o bwys erioed, hyd yn oed y rheiny sydd ond â chwarter pwys o grebwyll; gadael ar y cynnig cynta un a hel eu pac i rywla gwell a gadael y wlad ar drugaredd y gweddill truenus sy'n fodlon rhygnu hel eu tamaid yno trwy ba bynnag fodd. Begera byw mae'r rhan fwya yn ôl y sôn. Llundain. Paris. Rhufain. Berlin. Washington. Dyna fanna dynion deallus.

I ba berwyl yr aeth Iarll Foston yno? Oedd o'n bwriadu marchogaeth ceffyl trwy'r cymyla? Doedd bosib; ac eto, o'i nabod o . . .

Llwm a llwyd oedd y caea.

'Fel Gwlad yr Iâ. Hyp hyp hyp! Lle fues i unwaith, amser maith yn ôl. Gwlad ofnadwy na rown i einioes ci am gael byw yno, bobol. Lle dychrynllyd. Erbyn hyn, pan fydda i'n myfyrio am fflama poethion uffern, nid teimlo gwres fydda i, ond rhewynt a hwnnw'n chwipio ar draws cyfandiroedd diffaith o rew a draw draw i'r gorwel gwyn, mae miloedd, cannoedd ar filoedd o bechaduriaid noethion yn gwynlasu.'

'Ydi Dante'n dalp o rew?'

Edrychodd Esgob Parva fymryn yn biwis ar Walton. Pa ots ei herio meddyliodd y Cofiannydd gan deimlo'i ben fel tŷ ben ucha'n isa.

'Lle rhois i fy nofel? Oes rhywun wedi gweld fy nofel i?'

Tra bu Miss Styal yn cysgu taflodd yr Esgob hi allan trwy ffenest y goets. Pan gafwyd hoe rai oria ynghynt i giniawa mewn tafarn ar ffin y ffordd tywysodd Esgob Parva Walton o'r neilltu a sibrwd yn ei glust ei fod yn poeni am Miss Styal ac yn gresynu yn fawr iawn fod ei mam a'i thad yn gadael iddi ddarllen y fath sothach. Y sothach a ddylifai o weisg yr oes yn genlli arswydus i gludo miloedd ar filoedd o ieuenctid i anffyddiaeth a ffieidd-dra'r byd hwn.

'Be ydi nod penna pob nofelydd? Cynhyrfu a phorthi tueddiada'r galon lygredig. Dadsylfaenu safon rhinwedd trwy ddangos arwr yn llwyddo a dedwyddo yn y diwedd ar waetha pob rhwystr a ddaw ar draws ei ffordd o. Achos sylwch chi, ŵr ifanc, fel mae pob un arwr yn cyflawni ei amcan ac yn priodi'r ferch sy' wedi dwyn ei galon o'n y diwedd. Ych-a-fi! Hyp hyp hyp! A thrwy hyn, trwy greu rhyw storïa bach celwyddog, a dyna'r cwbwl ydyn nhw, celwydd noeth y mae disgwyl inni gredu ynddo fo, mae'r cnafon erchyll yma yn dangos petha inni y byddai'n well er lles cymdeithas iddyn nhw fod yn gorwedd tan lenni tywyllwch yr oesa hyd farn y dydd mawr. Mewn difri calon, pa rinwedd sy' mewn paentio drygioni â lliw mor bryd-ferth a thaflu swyn tros aflendid nes temtio darllenydd anwyl-iadwrus fel Miss Styal, druan, i ama priodoldeb ein sefydliada mwya cysegredig ni fel yr Eglwys neu'r Frenhiniaeth neu'n Dau Dŷ o Barliment a hyd yn oed, i betruso ynghylch cyfiawnder y ddeddf foesol ei hun?'

Pawb a'i amcan, meddyliodd Walton.

Pawb a'i gyfrinach.

Pawb a'i gelwydd.

Fel Celwydd y Seler.

Gwastadedda'r gaeaf.

A choets arall yn eu canlyn: coets ddu ddiffenest a dau was ifanc â sgarffia wedi'u lapio am eu hwyneba yn ei gyrru.

'Be sy'n eich tynnu chi i Gymru?' holodd yr Esgob.

'Cyfiawnder,' atebodd Walton.

'Cyfiawnder? Hyp hyp hyp! Dywedir yn yr Efengyla, bobol, mai yn ara ara fel malwoden lwyd mewn cae o wenith y mae cyfiawnder yn symud. Ond o leia y mae i'r gair hwnnw ryw lun o ystyr mewn teyrnas Brotestannaidd. Dwi'n cofio clywed stori unwaith – amser maith yn ôl rŵan – pan o'n i ym Mharadwys a hynny am ŵr o ynys Martinique yn mynd ar goll am amser maith. Chlywodd neb na bw na be o'i hanes o; dyddia, wyth-nosa, misoedd meithion yn darfod heb na siw na miw ohono fo, yn union fel 'tasa fo wedi diflannu un min nos mor derfynol â mwg simdda i'r awyr. Gweddïodd ei wraig serch hynny, gweddïo, yn anffodus, ar ddelw o'r Fam Forwyn yn llawn gobaith y byddai ei gŵr yn dychwelyd ati ryw ddydd. Nid atebwyd ei gweddïa ac roedd ei dau fab hefyd yn taer obeithio y bydda eu tad yn dychwelyd adra ryw ddydd yn holliach.

Aeth misoedd lawer heibio, a doedd dim sôn amdano fo o hyd.

Yna, ar hap ryw bnawn, pan oedd y ddau fab ar eu ffordd adra o farchnad difia Fort-de-France, pwy ddaeth i'w cyfwrdd nhw ond offeiriad y plwy lleol. Papist llyfndew, un a fu'n ciniawa ers canol y bora hyd yn hwyr y pnawn yr yr Hotel de Sucre. Yn naturiol, fel y gallwch chi ei ddychmygu, roedd y ddau fab bron â gorffwyllo ac mewn ing a galar mawr o fethu â deall be oedd tynged eu tad. Fe godwyd sgwrs â'r offeiriad Papistaidd a'r ddau am y gora, yn baglu ar draws ei gilydd wrth sôn am ddyfnder eu profedigaeth, ac yn waeth, yn deud eu bod nhw bron â mynd o'u co o fethu gwybod lle'r oedd o.

Oedd o'n fyw? Neu'n farw? Wedi ei fwrw ar ei ben i garchar mewn ynys arall? Yn pydru mewn cadwyni? Neu'n rhydd yn rhywle? Gwrandawodd y Papist ar eu cwynion a'u cynghori i ildio i Ewyllys yr Hollalluog, gan ryw frith awgrymu yn yr un gwynt fel petai y byddai hi'n bur annhebygol y byddai'r ddau fyth eto'n gweld eu tad ar dir y byw. Ffarweliodd y tri.

Wrth drin a thrafod sgwrs yr offeiriad ar y ffordd adra, daeth y ddau fab i'r farn yn fuan ei fod yn gwybod llawer mwy nag yr oedd yn fodlon ei gyfadda. Hyp hyp hyp! O drin a thrafod yng nghwmni eu mam ar yr aelwyd wedyn, fe ddaethon nhw i'r farn ei fod o'n gwybod yn iawn be oedd tynged eu tad. Roedd rhywun yn rhywle wedi sibrwd y gwir wrtho'n y gyffesgell doedd? Chysgodd y tri fawr ddim y noson honno ac ar doriad gwawr drannoeth, penderfynodd y mab hyna y byddai'n mynd at lygad y ffynnon, trwy ba bynnag ddull neu fodd.

Mi aeth draw i'r eglwys ar ei union. Camodd trwy'r porth a cherdded at yr allor a gweld yr offeiriad ar ei linia o flaen y Forwyn Fair. Cydiodd ynddo gerfydd ei war, ei lusgo allan â phistol ym môn ei gefn a cherddodd y ddau draw tua'r caea ac yno, mynnodd y mab wybod y gwir am ei dad. Gwadodd yr offeiriad ei fod o'n gwybod dim. Wydda fo ddim oll, mynnodd wedyn wrth syllu i lawr baril y pistol. Taniodd y mab fwled heibio i'w glust o a'i fygwth o ar boen ei fywyd fod yn rhaid iddo ddweud wrtho bob un dim a wyddai – a dweud hynny ar ei union hefyd. Wrth raddol sylweddoli fod bygythion y mab o ddifri, gorfodwyd yr offeiriad o dipyn i beth i gyfadda yn union ble'r oedd y bedd.

Llefarodd enw'r llofrudd.

Rhofiodd y ddau frawd bridd wrth fôn coeden jacffrwyth drom. Penliniodd yr offeiriad trwy'r cwbwl, ei lygaid ynghau, ei fysedd yn bodio'i groes ac o'r diwedd, codwyd y corff i'r dydd. Wedi achos llys hir a phoenus, ac oherwydd iddo fradychu Cyffes ei Edifeirwch, rhwymwyd yr offeiriad wrth olwyn trol. Hefo morthwyl wedyn, maluriwyd ei esgyrn o fodia'i draed i fyny hyd at ei gorun fesul un ac un yn ara fanwl. Ei falu'n flawd. Maluriwyd mab y gŵr marw ynta am fynnu gwybod-aeth trwy fygwth bywyd offeiriad Papistaidd. A'r llofrudd?

Ei unig gosb oedd gorfod byw â'i gydwybod gan na allodd undyn brofi mai y fo a laddodd y gŵr.

Dwi'n gofyn yn ddifrifol ichi, bobol, pryd, o pryd allwn ni ddisgwyl gweld y gair cyfiawnder wedi ei brintio yng ngeir-iadur llwm y Pab?'

Caer.

Sbeciodd Walton i'r gwyll. Gwelodd ryw gysgod yn llithro ar draws pen y grisia. Bu'n rhyw hanner cysgu; rhyw hanner breuddwydio iddo fod yn cerdded trwy winllan o syniada nad oedd yr un ymennydd dynol wedi meddwl amdanyn nhw erioed o'r blaen. Yno roeddan nhw'n hongian fel ffrwytha aeddfed, yn barod i'w pigo a'u hel ar gyfar dynion y dyfodol. Syniada beiddgar, syfrdanol hollol ynglŷn â sut i fyw o'r newydd gan fwrw o'r neilltu yr hyn a fu . . . Arhosodd nes i'r cysgod gilio yn gyfan gwbwl. Cerddodd heibio i ddrws Miss Styal, a cherdded yn dawel ar flaena'i draed draw heibio i ddrws llofft Esgob Parva at y drws nesa. Oedodd i glustfeinio; doedd dim sŵn a'r dafarn yn cysgu'n sownd. Agorodd y drws a sbecian yn ei gil . . .

Croeshoeliai Mr Barlinnie gorff oddi tano ar y gwely. Gwasgai ei fysedd mewn bysedd corff arall, ei freichia ar freichia, ei glunia ar glunia. Gwthiai; tuchanai; cusanai war; brathai glust . . .

Safodd Walton i loffa'r cwbwl tan rywbryd eto . . .

Toriad gwawr.

Roedd yn fore rhuddloyw a barrug ysgafn yn disgleirio tros y ddaear pan ffarweliodd Esgob Parva â hwy wrth gamu i fyny i'r goets fawr a fyddai'n ei gludo tua'r Alban.

'Cofiwch fi at eich annwyl dad, 'y mechan i.'

Oherwydd llifogydd y noson gynt gyrrwyd y goets ar draws tir o'r enw Morfa Gronant, gan arafu bron i stop wrth groesi hen bont bren fregus tros afon fudur. Anelwyd ar garlam wedyn hyd lonydd meddal yr arfordir lle gwelodd Walton griw o ddynion yn gweiddi wrth gael meirch o gil y môr.

Cwynodd Mr Barlinnie fod y daith tua Phrestatyn yn flinderog a helbulus, ond i Miss Styal roedd y cwbwl oll yn newydd. Ganol y bore lledodd dyffryn o'r enw Clwyd o'u blaenau. O du'r dwyrain caeai amdano gylch o frynia isel. Aethon nhw heibio i Eglwys Dyserth ar garlam a thrwy dre fechan fwdlyd, fudur o'r enw Rhuddlan, lle'r oedwyd i newid meirch. Syllodd Rampton ar Walton hefo'i lygaid treiddiol a'i wên werdd . . .

Safodd Walton yng nghwmni Miss Styal. Cododd brisin hallt ar ei ffroena wrth ddilyn glana cleiog afon gochlyd a igamogamai draw tua'r môr. Daeth awydd iasol tros Miss Styal i gael gweld adfeilion hen gastell. Roedd y cwbwl a welai mor debyg i'r hyn a ddarllenai'n ei nofela. Roedd y muria mor gothig.

Sut y lladdai ei ewyrth?

Cawodydd.

Ond gwahanol fath o law i ddŵr llwyd Llundain; glaw o flas mwy amrwd, blas hen greigia a llynnoedd duon dyfnion, filltiroedd o dan wyneb y ddaear. Croeswyd pont arall a'r afon fudur mewn lli rhuthrog yn bwrw'i glanna. Araf ddringwyd hyd ffordd fwdlyd. Cododd y cymyla a thywynnodd llygedyn o haul Tachwedd wrth yrru trwy Lanelwy: tref fechan, ddi-drefn a ledai hyd lethr bryncyn a'r Eglwys Gadeiriol yn codi o ganol coed.

Gyrrwyd ymlaen hyd ddyffryn afon Elwy nes croesi Pont yr Allt Goch, pont uchel un bwa, nes bwrw trwy bentre di-nod o'r enw Pencraig.

''Drychwch!' gwichiodd Miss Styal.

Roedd glynnoedd y cyffinia i'w gweld i gyd. Ymlaen yr aethant wedyn heibio i eglwys Tremeirchion, nes croesi afon Clwyd yn uwch i fyny'r dyffryn. Croesi Pont y Cambwll, troi i'r aswy heibio i ystlys bryn hyd ffordd droellog, dyllog a'i chroesi eto drachefn tros Bont Gruffydd.

'Ma'r wlad 'ma . . .' melltithiodd Mr Barlinnie.

O boptu codai brynia coediog moel o ddail, doldiroedd llydan a mynydd cribog o'r enw Moel y Parc. Aeth y goets tros bontydd bychain uwch nentydd llwydion ac ymlaen am rai milltiroedd wedyn nes y daeth i'r golwg ar lechwedd craig: tref a chastell. Roedd hi'n ddiwrnod marchnad a'i strydoedd budron yn llawn o boblach ac anifeiliaid. Syllodd llygaid cymylog y tlodion arnyn nhw fel petai'r tri yn bobol a ddaeth i lawr o'r lloer. Sefyllian tan syllu yn ddigroeso. Ond wedi meddwl, ai dyma oedd croeso pobol swil ac ofnus? Rhyw groeso claear nad oedd fyth yn tynnu sylw ato'i hun?

Rhedodd hen hwch dorrog a chwech o foch ar draws eu llwybr yn glustia i gyd. Dododd Mr Barlinnie ei hances tros ei drwyn i fygu'r baweidd-dra drewllyd. Rowliodd y goets heibio i dai isel, gwael a heibio i fythynnod to gwellt, llwyd a chleiog a heibio i blant yn byw bywyda culion, plant carpiog budron a'u gwalltia'n ddim ond nythod chwain a heibio i gnawd ac esgyrn a bydrwyd gan genedlaetha o dlodi nes dod i stop a'r meirch yn stemio.

Y gwesty.
Isel hisian a wnâi'r tân tywyll pan dasgai diferion glaw i lawr y simdda. Eisteddodd Miss Styal (tan sipian coffi) yn ysgrifennu llythyr at ei mam. Ar y muria a'r trawstia uwch ei phen crogai genweiri, bacha a rhwydi. Carlamai'r dyddia'n fyrrach ac eisoes fe gynheuai morwyn y canhwylla. Trwy'r ffenest gwyliodd Walton y gweision yn dadlwytho bocsus pren trymion, cistia lledr a'r rheiny wedi eu cordio'n dynn. Gwelodd gopi o'r *Times* ar gadair ger y simdda; ar ei dudalen flaen roedd hanes achos Miss MacFluart.

'Be ddaw ohoni?' holodd Miss Styal heb godi'i phen oddi ar ei llythyr. Nid atebodd Walton. Ni allai oherwydd bod rhyw ysictod yn magu'n lwmp yn ei wddw.

'Druan fach, be sy'n gyrru gwraig ifanc i neud rhywbeth fel'na? Mae o tu hwnt i mi.'

Yr adroddiad.
Soniwyd am gyhoeddi a lledaenu cabledd; soniwyd am lyfr Mr Thomas Paine fel ymosodiad ffiaidd ar wrthrych cariad pob un Cristion. Gwadai Efengyla'r Testament Newydd; gwadai'r

gwyrthia; gwadai bwrpas bywyd yr Iesu nes trin y Gwaredwr yn ddim gwell na thwyllwr a'i broffwydoliaetha'n ddim ond lol. Honnodd yr erlynydd: i ŵr sy'n credu y mae'r Arglwydd Iesu mor fyw â'i fam, ac ar adega yn fwy hyd yn oed na hi. Swm cyfraith yr Efengyl yw cariad o'r hyn y deillia ei holl gysuron. Cariad anfeidrol. Cariad nad oes meiddio gwadu ei fodolaeth. Ond ei wadu a wnâi'r llyfr drwyddo draw. A gwadu Crist a wnâi Miss MacFluart drwy ei werthu.

Trodd Walton i dudalen wyth. Y golygyddol: *'Onid dyma'r paradocs o fyw mewn gwlad sy'n parchu gwasg rydd? Gwlad lle caniatéir i bawb fanteisio neu anfanteisio ar y rhyddid hwnnw i'w ddibenion ei hun? Onid oedd hi'n amlwg ddigon i bawb mai peth bendithiol yw Cristnogaeth? Onid bendith a ddaeth i'n teyrnas a'r tiroedd hynny sydd o dan ein gofal? Be sy'n rhoi pwrpas i fywyd? Be sy'n rhoi pwrpas i waith y llys ond Cristnogaeth sy'n sylfaenol waelodol i'r cyfan?*

Syr Feltham Royal.

Cyrhaeddodd hanner awr yn ddiweddarach wedi iddo fod allan yn saethu.

'Biti am y dyn 'ma,' dywedodd gan dynnu ei fenyg a chynhesu ei ddwylo o flaen y tân. 'Roedd o i fod i gyfarfod â ni bore ddoe, ond mi yrrodd negas i ddeud y bydd o yma at amsar cinio 'fory.'

'Pwy ydi o?' holodd Walton wrth synnu gweld y newid yn ei gymeriad.

''Nôl be ddeallwn ni, y meddyliwr mwya a welodd y wlad fach yma ers o leia dwy neu dair canrif. Arweinydd o bwys; 'nôl amryw mae o'n wleidydd goleuedig, ymhell o flaen ei oes a'i farn o'n cyfri,' chwythodd ei drwyn yn siarp, 'Swnio fel llond trol o drwbwl i mi.'

'Fydd rhaid inni fod yn ofalus sut awn ni o'i chwmpas hi wrth 'i drin o,' derbyniodd Mr Barlinnie flwch snyff o law Rampton.

Ymhell o flaen ei oes? Rhedodd meddwl Walton yn wyllt. Oedd gobaith eto? Oedd y gŵr yma'n rhywun a allai ei helpu? Dial ar ei ewyrth a'i sodro yn ei le?

Gofynnodd Syr Feltham Royal am goffi. Daeth gwraig y gwesty i'r fei a hanner ei hwyneb ar goll. Hi fu'n lân, druan, ryw dro, a hynaws, er nad oedd yn hynaws wrth weini, a'i chroen wedi rhyw sych wella tros ei hesgyrn. Edrychai'n erchyll. Adroddodd Mr Barlinnie yr hanes: ar un adeg roedd hi'n hoff iawn o yfed te, yn or-hoff ym marn ei gŵr. Gofynnodd iddi beidio ag yfed cymaint; ond ni wnaeth. Aeth yn ffrae. Un noson wedi iddo ddychwelyd o ffair fawr Henffordd, tywalltodd bylor gwn yn gymysg â'r dail . . .

Iarll Foston.

Clywodd pawb ei sŵn ymhell cyn ei weld. Dwrdiai'r morwynion a'r gweision a sgrialai fel haid o gwningod o gylch ei lais ac astelli'r llawr yn crician crecian o dan ei bwysa. Cerddodd i'w gyfwrdd tan fwyta darn o gig. Gwasgodd Walton i'w freichia mawrion – yn wironeddol falch o'i weld gan nad oedd yn ei ddisgwyl – ac ogla gweithdy'r teiliwr ar ei wasgod newydd grai o hyd. Bedwar neu bum cam y tu ôl iddo roedd neb llai na Mademoiselle Chameroi.

'Sdim byd tebyg i fymryn o gerddad allan yn yr awyr iach i fagu archwaeth bwyd ar ddyn . . . Feltham? Hola pryd y bydd swpar yn barod yn y twll lle 'ma, dwi ar lwgu deud wrthyn nhw.'

'Lle buoch chi?' holodd Walton.

'O gwmpas y castall,' roedd yn fyr ei wynt, 'newydd adal Styal yno. Mae hi wrth ei bodd wrth ddisgwyl os gwêl hi'r Tylwyth Teg ne' ryw gorachod yn dŵad amdani; mor gothig, medda hi.

Wrth iddo ei dynwared, chwarddodd pawb heblaw Mademoiselle Chameroi, a wenodd fymryn. Cododd ei ewyrth ac nid arhosodd i yfed coffi pan welodd Mr Barlinnie yn edrych arno. Neilltuodd y ddau i ystafell gyfagos ac o fewn hanner awr neu lai, galwyd hwy i swper a hwnnw wedi ei hwylio gan gogydd yr Iarll o Turin.

Y sgwrs.

'Dwi wedi gorfod dŵad â 'ngwin fy hun,' cegeidiodd ei ewyrth wedi i Mr Barlinnie adael Walton ac ynta ar eu penna eu hunain, 'toes 'na fawr o drefn ar fwyd a diod yn y wlad wirion 'ma. A deud y gwir, o be dwi 'di'i weld hyd yma, maen nhw'n byw fel moch.'

Rhythodd Walton arno: rhythu mewn anghrediniaeth. Sut y cafodd ei dwyllo gan y dyn yma? Bu'n rhaid i'w dad farw er mwyn agor ei lygaid i'w union natur. Doedd o rioed wedi casáu neb cymaint yn ei fyw erioed ag yr oedd yn casáu ei ewyrth. Doedd fiw dangos hynny: gwenu'n deg a disgwyl ei gyfle; bachu arno wedyn . . . a'i ladd. Galwodd Syr Feltham Royal i sibrwd ddwywaith yng nghlust ei daid. Gwyddai Walton oddi wrth osgo ei ewyrth fod rhywbeth yn pwyso ar ei feddwl a'i fod yn ara glosio ato fesul tipyn.

'Glywis ichdi fod yng ngharchar Bridwell ddwywaith?'

Arhosodd Iarll Foston yn ei unfan ennyd.

'Chwith garw. Ti'n dallt fod Grenock MacFluart, 'i thad hi, yn deud iddo fo neud bob dim i'w darbwyllo hi i roi'r gora iddi? Biti mawr. Hogan ifanc, benstiff . . .'

Arhosodd.

'Cofio fi'n 'mopio mhen un tro hefyd.'

Arhosodd.

'Fel'na ma' rhywun yn rhyw oed, meddwl 'i bod hi'n ddiwadd y byd os na cheith o be mae o isio. Dyheu am weld dy fysadd di'n tyfu'n bryfed cop er mwyn taenu gwe o gariad dros ei chalon hi. Colli dy ben yn lân yn lli rhyw afon ddiamsar sy'n mynd tan bontydd rhyfadd at ryw fan na ŵyr 'run gair amdano fo. Ond 'drycha – nwyda. Pshaw! Be ydyn nhw'n y diwadd? Mmm? Adenydd yr enaid yn ôl Plato. Ti'n meddwl fod hynny'n wir? Bydd yn onast: y ferch na adewist ti'n y cwfaint ym Mharis. Ar un adag roeddach chdi'n rhedag o gwmpas Ascot fel peth gwirion o'i hachos hi. Rŵan ti'n caru hon. Sy'n awgrymu'n gry i mi y gelli di garu rhywun arall . . .'

Be oedd o'n mwydro? holodd Walton ei hun. Pa gastia oedd o'n ei chwarae hefo fo tybed? Aeth Iarll Foston rhagddo i siarad trwy haeru fod Walton cystal dyn â'r un a roes esgid ar ei droed erioed. Aeth i drin a thrafod ei rinwedda; cymaint o feddwl oedd ganddo ohono.

'Ti angan gwraig, Walton. Mae ar bob dyn angan gwraig. Cydnabod dy fod ti'n tyfu'n hen. Sylweddoli na fedri di ddim gwrthryfela'n erbyn amser am byth; fod pawb yn gorfod ildio'n hwyr neu'n hwyrach; mai meidrol ydan ni i gyd, yntê, Mr Barlinnie?'

Roedd wedi ymddangos o rywle heb i Walton sylwi.

'Dysgu hefyd i roi heibio petha plentynnaidd; dysgu sut i

438

amrywio chwaeth yn unol ag aeddfedrwydd; peidio â chywil-
yddio o deimlo iti siomi pobol; rhannu profiada; rhannu byw a
bod . . .'

Gwasgodd ei benelin a sibrwd iddo boeni ar ei gownt am
iddo ei esgeuluso ei hun, codi twrw mewn tafarndai, siarad yn
ei gwrw. Wedyn symudodd Iarll Foston yn sionc, camu at gist
ddu: ei hagor, a phlygu drosti nes ara godi gwn yn ei law.

Y pistol.

Agorodd Iarll Foston fotyma ei grys a chwpanu ei fron dew (a
blewiach du o gylch ei deth goch fel bachau gwialen 'sgota,
bacha bychain geirwon).

'Fedra i ddeud wrth dy olwg di.'

Ei glo-drecio iddo.

'Lleddfu casineb; unioni cam; ymateb greddfol, naturiol.
Drwy fy saethu i rŵan, rwyt ti'n rhyddhau dy hun o ryw faich?
Dyna sut ti'n meddwl? Mmmm? Ydw i'n iawn? Ond mae gen
i fwy o feddwl ohona chdi o'r hannar 'na hynny. Ti'n gallu
meddwl yn ddyfnach o lawar.'

Gwthiodd Walton flaen baril y gwn i galon ei ewyrth nes
teimlo'i churiad ac roedd asgwrn ei ben yn gwasgu arno a'i
lygaid yn dyfrio'n boenus.

'Meddwl fel arall. Cofleidia be ti'n 'i gasáu. Tro fo'n gariad.
Clyma dy hun yn dynnach wrtha i. Caethiwa dy hun i bwrpas
ac ystyr er mwyn canfod gwir werth dy fywyd a thrwy hynny
deimlo gwaelodion eitha y rhyddid melysa. Rhyddid na fedd-
ylist ti alla erioed fodoli. Dwi'n cyfadda fod hynny'n anodd ond
fi 'di'r unig un all gynnig dyfodol ichdi. Sicrwydd pendant.
Gobaith pendant. Yr hyn mae pawb trwy gydol ei fywyd yn
crefu amdano fo. Dyma dy gyfla di. Paid â 'ngwrthod i.'

'Laddoch chi 'nhad.'

'Be wnaeth o dros neb erioed? Deud wrtha i. Dy chwaer fach di.
Alice, druan. Lle mae hi heno? Mmm? Bydd yn onast hefo chdi
dy hun am unwaith. 'Drycha – tydi bywyd ddim yn ddu a gwyn;
byth yn beth mor syml â hynny achos sdim dal sut eith hi.'

Â'i ben yn brifo, sydyn waeddodd Walton, 'Lle mae cyfiawn-
der?'

'Ym mha fan bynnag dwi'n dewis iddo fo fod.'

'Ne' ddim.'

'Ne' be bynnag. Cyfiawnder? Moesoldeb? Daioni? Drygioni? Cariad? Casineb? Geiria sy'n newid yn ôl gofynion yr awr. Ti'n crefu am dad – ti'n crefu am ryw absoliwt. Mae pawb yn meddwl os chwilian nhw'n ddigon hir y down nhw o hyd i ryw wirionedd mawr i egluro hyn i gyd. Ond be os mai anghyfiawnder fydd y gwirionedd hwnnw? Ti 'di meddwl am hynny 'rioed? 'Drycha arna chdi dy hun. Dy feddwl di. Dy farn di. Dy holl fywyd di mor gyfnewidiol â'r tywydd. Ti'n tywallt dy hun i un pwll o feddwl heddiw, llifo hefo afon arall 'fory, plymio i lyn arall drennydd, a phwy a ŵyr pwy fath o raeadr fydd yn dy ddynnu di ato fo dradwy? Paid â chywilyddio. Felly mae'r rhan fwya o bobol yn byw. Cofia ddameg yr ogof. Cofia pa mor hen ydi honno. 'Chydig iawn iawn ohonan ni sy'n magu digon o gymeriad i ddarnio'r cadwyna er mwyn gweld tu hwnt i'r cysgodion a throi'n golygon tua'r haul, Mr Thorp . . .'

Camodd y cochyn 'Wakefield' o'r cysgod a throdd Walton y pistol i'w wep.

'Pshaw! Yr unig wirionedd ydi'r hyn dwi'n dewis ei alw wrth y gair hwnnw.'

'Eich gwirionedd chi! Eich anghyfiawnder chi!'

'Dyna pam na fydd i'r hulpan Miss MacFluart 'na gefnogaeth fyth. A pham? Ma' pawb yn gwbod yn ei galon ei bod hi'n ffŵl. 'Falla gall hi strancio, creu 'chydig o stŵr dros dro a gyrru'n groes i Natur a'i gwir natur hi ei hun 'tasa hi'n alluocach i sylweddoli hynny. Ydi hi mewn gwirionedd wir yn meddwl ei bod hi'n fwy rhydd o gicio tros y tresi fel hyn? Nid rheswm sy'n ei gyrru hi ond afreswm ac afreswm ydi terfysg a chwant a chwyldro, ac o'r herwydd mae hi, druan fach, yn gaethach na neb, ac yn salach na neb ac nid yn unig yn ei meddwl, ond yn ei henaid hefyd gan y bydd caethwasiaeth tra pery'r ddynoliaeth. Y gwir amdani ydi mai dim ond dwy radd o ddynion sy' 'mhob oes ac ym mhob man tan haul y greadigaeth . . .'

'Athroniaeth llofrudd a lleidar.'

'Ac oni ddylid rhoi yn ôl eu haeddiant holl adnodda magwraeth, addysg a chwaeth i'r un radd ag y dylai'r mwyafrif mawr ddysgu ymostwng i'n gwasanaethu ni'n ufudd yn ôl y galw? Dysgu cydnabod eu cyfyngiada; cydnabod eu lle a'u safle a bodloni ar hynny? Ddim deud hyn mewn ysbryd o atgasedd neu o ddirmyg ydw i. Dim ond cydnabod yn deg rywbeth rydan ni oll – chdi, fi a phawb arall – yn ei deimlo'n reddfol yn ein calonna.'

'Tydw i ddim!'

'*Divisio sumdorum herediatariorum iterata?* Does dim rhaid i ryw lynghyryn fel Aristotl 'i ddeud o chwaith er mwyn inni amgyffred y peth.'

'Medda chi.'

'Paid â bod yn sinic. Gas gen i bobol sinicaidd sy'n troi cefn ar fywyd. Paid â mynd i ganlyn dy gariad i gors. Wedi iddi gael ei heiliad o sylw, buan eith hi'n ango.'

'Eith hi ddim!'

'Pan fydd pawb yn gwyro 'nôl ata i a 'nhebyg? A pham? Ymbalfalu gora gall o mae pawb o fewn yr hyn drefna i ar 'u cyfar nhw. Ti ddim yn rhydd, ond yn y manion betha o fewn trefn Rhagluniaeth a dim ond yn rhydd hyd yn oed wedyn i neud yr hyn sy'n orfodol – neu'n waeth, i beidio â gneud dim, achos fydd y byd fel mae o a'r byd fel fydd o'n ddim ond f'ewyllys i o fewn Ewyllys Duw yn cyflawni ei bwrpas. Paid â gneud yr hyn sy'n amlwg a'r hyn sy'n ystrydebol, Walton. Bydd yn wrol a thywallt dy ewyllys i mewn i f'ewyllys i o fewn ei ewyllys O er hedd dy enaid.'

Gwasgodd Walton ato, dodi ei ben i orwedd ar ei frest, cusanu ei gorun tan sibrwd ei fod yn rhoi Miss Styal iddo'n wraig.

Drannoeth.

Aeth Walton heibio i nifer o dlodion yn tywys meirch bychain yn llwythog o fawn at eglwys Dinbych. Sylwodd eu bod wedi eu gwisgo mewn dilladach o frethyn gwlân talpentan; brethyn deuled a brethyn unlled, ac yn amlach na heb, fflachen flew neu garthen wlân yn hongian yn gadacha tros eu sgwydda. Sylwodd hefyd fod tuedd yn y Cambro-Brydeinwyr i syn sefyllian; sefyllian tan edrych arno a'u pryd a'u gwedd mor druenus â'r tywydd. Cerddodd i fyny tua'r castell. Ar frig un tŵr clapiai cigfrain duon eu hadenydd. Dan fwa gothig camodd trwy'r porth lle tyfai coedydd ysgaw gwylltion yn llwm eu brigia. Bylchwyd y muria. Bylchwyd ynta. Syllodd dros y dyffryn a llwydrew gwelw rhwng y coed a thros y gweirgloddia.

Troi casineb yn gariad? Oedd hynny'n bosib? Pam ymresymu fel hyn? Uchelgais? A fedrai garu Miss Styal? Ei phriodi? Ym-dawelu ac ymlonyddu yng nghanol stormydd a chroeswyntoedd ei fywyd ac ymddedwyddo'n y llawenydd a ddymunai ei ewyrth iddo trwy ei yrru i weithio drosto yn rhyw ran o'r byd? Neu ai hunan-dwyll oedd y cwbwl eto? Be os mai dim ond rhinwedd y cyfoethogion ydi'r gyfraith? Be os mai dim ond llwybr defaid ydi traddodiad? Ac mai geiriau eraill am gadwyni ydi addysg, moesgarwch a diwylliant cymdeithas fel hon? Be wedyn? A ddylai ildio i werthoedd ei ewyrth neu ymdrechu'n galed i greu ei werthoedd ei hun? Islaw aeth merch ifanc heibio. Craffodd ond diflannodd ond roedd hi'r un ffunud â Miss MacFluart. Rhuthrodd i lawr o'r castell. Aeth heibio i'r muria, heibio i lwyni noethion a choedydd noethach; rhuthrodd draw a'i gweld yn cerdded i lawr llwybr â'i chefn tuag ato.

'Lle ewch chi mor fora â hyn?'

'I weld rhywun welis i neithiwr,' atebodd Miss Styal.

Allan o'r dref yr aeth y ddau. Dringo camfa wedyn tros ben clawdd cerrig a chanlyn llwybr cul heibio i bylla mawn nes dirwyn ar draws gweirgloddia o frwyn a chyrraedd cromlech lwyd yng nghanol corfrwyn yng nghwr rhyw nant. Rhedodd y ferch ifanc a chwrcydu ymysg tocia o rug deilgoes gan symud rhyw ddeiliach o dan y gromlech a throdd hen wreigan i'w hwynebu. Derbyniodd fara du o law wen Miss Styal. Gan nad oedd dannedd ganddi, câi drafferth i gnoi, a sugnodd arno nes y meddalodd yn ei cheg. Ceisiodd godi, ond roedd yn llawn cloffni, diffyg anadl, yn llawn henaint erchyll.

Sut y gallai fyw fel hyn?

Roedd y tywydd yn ddigon i ladd dynion dewrion, chwaethach gwragedd a phlant yn eu tai, a doedd y gaea ond wedi megis dechra. Syllodd Miss Styal yn llawn rhyfeddod; roedd wedi darn wirioni. Soniai'n frwd am ei darganfyddiad a'r modd yr oedd yn cymuno â'r elfenna, yn un â Natur, yn byw bywyd yn ei holl ogoniant cyntefig ymysg llafna'r bladur a phlu'r gweunydd. O'r braidd y deallodd yr un o'r ddau yr hyn a ddywedodd yr hen wraig. Siaradai yn ei hiaith ei hun a'r Gambro-Brydeineg yn ddiarth ar eu clyw. Cenfigennai Miss Styal wrthi am fyw bywyd o'r fath ymysg y Tylwyth Teg. Sawl tro y gwelodd ysbrydion marchogion ar furia'r castell tybed? Neu Geffyl Dŵr? Neu res o fyneich yn cerdded heibio liw nos?

'O, mi fasa'n dda gen i wbod be mae hi'n 'i ddeud,' ffromodd fymryn; cyn closio i gynnig afal. Ysgwydai'r hen wreigan ei llaw, ei bysedd duon yn araf droi . . . 'Ydi hi'n trio'n rhybuddio ni? Am ddewiniaid? Neu fwganod tybed? Rhyw hen broffwyd-oliaeth Geltaidd?'

Ni allai Walton ddiodda chwaneg. Suddodd ei law i'w bwrs, ond er mawr gywilydd, doedd ganddo ddim ond ychydig bres mân yn ei waelod.

'Paid!' dododd Miss Styal ei llaw ar ei law, 'Paid â'i llygru hi. Ti'm yn gweld mor berffaith ydi hyn?'

Y llofft.

Yn y tywllwch tynnodd Rampton flanced amdano yn sydyn pan welodd Walton yn syllu arno wrth droed y gwely. Trodd Mr Barlinnie i ara edrych tros ei ysgwydd. Disgwyliodd Walton gan odro'r tawelwch er ei fwyn ei hun.

'Wel, wel. Pwy feddylia? Od tydi? Mewn difri calon hefyd. Be ydi hyn tybed? Blacmel?'

'Y cwbwl dwi isio ydi cyfiawnder.'

'A be? Os dwi'n eich helpu chi'n erbyn eich ewyrth? Be fydd y fargen? Addo cadw'n dawel am fy chwant bach i?'

Oedodd Walton a holodd Mr Barlinnie, 'Ond fedra i'ch trystio chi?'

'Cyfrinach y Selar,' dywedodd Walton, 'All honno'i ddifetha fo. Be ydi hi?'

'Gwrandwch yn astud a 'falla dysgwch chi rwbath newydd am y natur ddynol. Amal i noson yn Neuadd Foston ers talwm mi fydda'r Fonesig Frances-Hygia Royal yn methu cysgu. Amal i dro mi fydda hi'n teimlo rhyw bresenoldeb yn ei llofft. Yr Egni Du alwodd un cwac o. Fydda hi'n honni iddi weld rhywbeth yn cwrcydu ar ei brest hi, fel teimlo mwnci a ddringodd unwaith trwy'i ffenestr agored hi . . . Be fu yno? Pwy a ŵyr . . .? Od tydi? Breuddwydio roedd hi? Neu ddeud y gwir? Mygu anadlu roedd hi, ei brest yn gaeth a'i llygaid yn llydan effro.'

Rhwbiodd Mr Barlinnie boer i gledr ei law ac ara halio'i goc i godiad.

'Od tydi?'

Cymhellodd Rampton i benlinio o'i flaen, ei glunia ar led a'i ben ôl i fyny. Closiodd a gwasgodd ei hun arno a griddfanodd y gwas a'i wefus ucha'n codi tros ei ddannedd gwyrddion tra bachodd Mr Barlinnie ei ddwylo tano a'u bachellu am ei ysgwyddau.

'Pan oedd hi'n teimlo fel hyn . . . Teimlo'r Egni Du . . . Mi fydda hi'n diodda o ryw boena yn ei chefn . . . Wedyn mi fydda ei morwyn hi'n tylino'i chnawd hi â'i bysedd fel hyn; yn 'i ireiddio fo hefo rhyw gŵyr-eli melys. Ond pan fydda petha'n mynd i'r pen, pan fydda hi'n methu bwyta wedyn roedd y poena'n mynd yn waeth . . .'

Tuchanodd Rampton; gwthiodd y Prif Was ei hun yn ddyfn-ach i mewn iddo tan grensian ei ddannedd.

'Y poena'n mynd yn waeth . . . Ia? A be wedyn?'

'Closia.'

Closiodd Walton.

'Eto.'

Aeth yn nes.

'Gwyra ata i.'

Lledwyrodd. Dododd ei ben ar ogwydd i deimlo anadl y Prif Was yn boeth ar groen meddal ei glust a gwrandawodd arno'n erthychu a thuchan yn isel cyn sibrwd yn llawn tyndra, 'Rho gusan imi.'

Yr ymwelydd.

Roedd hi'n pluo bwrw eira pan gyrhaeddodd Mr Thomas Jones tan gwyno am beswch, oerfel a thrafferthion; cwynodd fod ei gorff yn llawn musgrellni a hwnnw'n ei lorio a bod ganddo boena yn ei ochor ac y byddai'n rhaid iddo gael mynd dan gyllell y doctor. Gŵr fymryn yn iau na fo'i hun a welodd Walton yn derbyn cwrw o law'r wraig hefo'r darn o wyneb. Doedd o ddim yn hen o gwbwl er bod ganddo ben hengraff ar ysgwydda go ifanc.

Doedd Walton fawr dicach ynglŷn â'i wleidyddiaeth. Oedd o'n pwyso a mesur ei ewyrth? A wyddai eisoes pa mor gyfrwys a chastiog oedd o? Cerddodd Iarll Foston allan o'r gwesty yng nghwmni Mr Jones.

'Ein hudo ni at yr afon yn y ffasiwn dywydd? I be?'

Sibrydodd Syr Walton Royal wysg ei ochor yng nghlust Walton wrth iddyn nhw gerdded yn ôl troed y ddau a'r tu ôl, cerddai Mr Barlinnie, Rampton a Guernsey. Crensian; crensian. Sychodd Syr Feltham Royal ei drwyn coch a chwyrlgododd tusw o eira ar adain o wynt. Clywodd Walton ambell air o eiddo Mr Jones, ambell chwerthiniad o eiddo ei ewyrth yn torri ar ddistawrwydd oer y pnawn. Rhywsut teimlai yn fwyfwy hyd-erus. Er yn ifanc roedd Mr Thomas Jones yn ŵr dylanwadol; yn ôl Syr Feltham Royal, yn ddyn o alluoedd cryfion iawn; yn llenor nodedig ac yn feistr ar y Gambro-Brydeineg, ac yn bwysicach o lawer i glustia Walton, clywodd Syr Feltham Royal yn honni i'w dad ddweud ei fod yn wleidydd goleuedig, ym-hell o flaen ei oes.

Gwleidydd goleuedig, ymhell o flaen ei oes.

Roedd eto obaith.

Roedd eto obaith!

Yr afon.

Eira mân a furmurai ar eu penna a hwnnw'n lluwchio ym môn y llwyni drain, delor yr hesg a'r corsenna. Er nad oedd Mr Jones wedi darllen *Bywyd a Gwaith yr Enwog Iarll Foston*, dywed-odd iddo ddarllen ambell adolygiad a sylwodd Walton na fan-ylodd ddim.

'Does dim rhaid i ddyn fyw oes faith i allu byw bywyd mawr,' dywedodd Mr Jones.

Ymateb di-dda di-ddrwg, meddyliodd Walton. Doedd wybod beth oedd ei wir feddylia.

''Dach chi'n iawn,' atebodd ei ewyrth, 'Cymharol fyr oedd bywyd yr Iesu.'

Gwasgodd Mr Jones ei law ar ei ben a llyfu ei gledr wrth flasu'r eira. Edrychodd fry i'r wybren lwyd a draw dros gopa'r brynia lle rhedai rhimyn o wyn. Tynnodd amdano a daliodd Rampton ei ddillad. Camodd yn noethlymun trwy'r brwyn pabwyr hyd at ei benglinia yn y lili melynion. Gwasgodd ei glunia ynghyd, gwasgu ei freichia am ei gefn, a'i gorff yn crynu'n afreolus. Camodd ymhellach i'r afon a rowliodd Syr Feltham Royal ei lygaid fry.

Lledodd Mr Jones ei ddwylo, 'mestynnodd ei freichia'n syth o'i flaen a chan gau ei lygaid a chymryd ei wynt ato – llond brest ohono – llithrodd ei frest wen yn esmwyth lyfn i'r lli a chladdwyd ei gefn o dan y dŵr. Sblashiodd fel dyn o'i go, gan duchan ac ebychu.

Holodd Syr Feltham Royal ei daid, 'Wel?'

'Mae o'n llawn dop o sôn am godi chwyldro,' atebodd Iarll Foston.

Bydd o 'mhlaid! meddyliodd Walton. Bydd Mr Jones o 'mhlaid! Bydd yn gyfaill imi. Roedd hi'n amlwg nad pobol hawdd eu twyllo a'u camdrin a'u camddefnyddio oedd arweinyddion naturiol y Cambro-Brydeinwyr. Nofiodd Mr Jones ar wastad ei gefn tan eira mawr y byd.

Y swper olaf.

Ychydig a fedrai Mr Jones ei fwyta a Mrs Jones llai byth. Ceisiodd Walton ei holi am ei ddeunydd darllen; am ei ddaliada; am ei safbwyntia gwleidyddol; am ei radicaliaeth. Yn ystod y trydydd cwrs, clywodd Iarll Foston a Mr Jones yn trafod achos llys o gabledd yn yr Old Bailey a theimlodd Walton bigiad yn ei galon.

'Rydan ni'n byw trwy ddyddia duon,' dywedodd Mr Jones, 'a allai maes o law droi'n ddyddia gola iawn, gyfeillion.'

Teimlodd Walton fod yr awr i wneud ei safiad yn prysur glosio.

'Os ydan ni yn caru ein gwlad,' oedodd Mr Jones (roedd yn 'morol am ryw nerth), os ydan ni wir yn caru ein pobol, dyma'r amser i ddangos ein caredigrwydd . . .'

Roedd Iarll Foston mor llonydd â banc.

'Bydd i'w hachos gael blaen ar ein helw –'

Cythrodd y Cofiannydd i'w draed, 'Deudwch chi wrthyn nhw, Mr Jones! Mae hi'n hen bryd i rywun eu gwrthsefyll nhw! Peidiwch chi â phoeni dim! Mi fydd miloedd yn fodlon sefyll hefo chi! Achos mae o wedi mwrdro miloedd yn barod! Fy nhad fy hun mewn gwaed oer!'

'Ista i lawr,' gwenodd Iarll Foston.

'Chewch chi'm tragwyddol heol i neud fel mynnoch chi! Dyma chi wedi taro ar eich mistar o'r diwadd! Chewch chi'm trin y wlad yma fel 'dach chi wedi trin gwledydd erill! Ddim hefo dynion fel Mr Jones a'i debyg!'

'Gad inni'i glwad o'n deud hynny 'ta.'

Eisteddodd; a'i du mewn yn rhuo yn llawn cynddaredd ddall.

'Mynd i ddeud o'n i,' dywedodd Mr Jones gan ddodi ei grawen yn daclus ar ymyl ei blât, 'ar yr awr yma yn ein hanes mor bwysig ydi hi inni ufuddhau i alwad y Llywodraeth ac i gyflawni ei gwasanaeth. I ymroi mewn dyletswydd i sefyll neu i syrthio gyda Chrefydd Crist, gyda'r Brenin a'n Dau Dŷ o Barliament, gyda'n Cyfreithia a'n Rhyddid a chyda Gwir Achos ein Gwlad a'n Teyrnas.'

Disgynnodd Walton i bydew. Rhygnodd Mr Jones trwyddi. Cofiodd y Cofiannydd am ddyn ifanc yr un mor anaeddfed o'r enw Polmont yn dadla'r un hen ystrydeba unwaith hefo Miss MacFluart uwch bedd ei mam. Sionciodd Iarll Foston trwyddo. Canmol ehangder dadansoddiad a gwybodaeth Mr Jones, dyfnder a dwyster ei brofiad, ei gymeriad gloyw a chadarn, ei addysg goeth ac aeddfed a'r ffaith ei fod mor ddylanwadol yng ngolwg cynifer o bobol y wlad.

Agorwyd y gwin gora: potel unigryw o *Château Haut-Brion, 1621.*

Soniodd Mr Jones yn ddifrifol am y grymoedd dinistriol a oedd ar waith fel ag erioed i sugno gwareiddiad Ewrop yn grimp i'r gwraidd.

'Ac os byth y gwacéir yr hen gyfandir yma o'i wir ystyr, foneddigion, ein gwaith ni a phawb arall o gyffelyb anian â ni fydd ailorseddu'r ystyr hwnnw yn ei holl ysblander.'

Dywedodd Mr Jones mai chwyldro ysbrydol oedd ei chwyldro fo, un sanctaidd yn erbyn y trawster a oedd yng Nghymru. Carthu beudy a sgwrio ei loria a sgrafellu ei furia'n lân gan gysegru ei fywyd i herio gwaith y Diafol.

Ni allai Iarll Foston feddwl am amgenach gorchwyl.

Saethu'r Iarll.

Trwy ffenestr isel ar yr aswy disgynnodd eira tros y gadlas yn drwch gwyndwn. Craffodd Walton i'r cysgodion; edrych draw dros y gwastadedda a dychmygu gweld y gromlech wedi'i chladdu rywle yng nghysgod y coed. Du a llonydd oedd y perthi, yn union fel dynion yn disgwyl am air i godi. Crynai ei ddwylo; teimlodd flaena'i fysedd yn oerion a bodia'i draed wedi fferru'n boenus. Oedd hi'n bosib anelu'n syth i danio? Un weithred fechan. Gweithredoedd bychain yn amal sy'n arwain i ganlyniada mawrion.

Cwrcydodd; agor cil y drws, oedi, clustfeinio; chwyrnu tawel. Cropiodd. Ei amddifadu o'i fywyd. Teimlodd yn anllad wrth sydyn sylweddoli na fyddai'n ddim gwell na'i ewyrth. Wrth gwrs y byddai'n well! Doedd o ddim yn gormesu miloedd ar filoedd! Yn eu hamddifadu o'u rhyddid a'u hapusrwydd!

Er mwyn ei dad.

Er mwyn y caethion roedd yn rhaid ei ladd. Eto roedd ei feddwl yn llawn budreddi; teimlodd fel crafu rhyw gosi yn ei afl. Wrth droed y gwely clywodd ei ewyrth yn troi drosodd yn swrth segurus. Magodd benderfyniad. Doedd dim un dewis arall yn bosib. Doedd dim.

Y gist.

Cysgodd y pistol fel babi yn ei grud. Cydiodd ynddo; pwyso'i garn ar ei law; blasu'i rym. Roedd ar fin codi pan hedodd ei olwg tros rywbeth a ddenodd ei sylw a chneitiodd y lloer ei lleufer tros lawysgrif ei dad. Oddi tano clepiodd drws ynghau. Crychneidiodd y dalenna cyn llonyddu; mewian cath. Teimlodd furmur chwyrnu. Rhedodd ewin bys tros yr enw tan ddarllen teitl Cofiant ei dad i'w ewyrth.

Celwydd y Seler.

Ceisiodd Walton fwrw o'r neilltu y siom o siomi ei dad; y cywilydd o fod yn gymaint o ffŵl; i gefnu arno pan oedd cymaint o'i angen i weithredu yn erbyn holl rym y nefoedd, holl rym y ddaear, yr holl bwera sy'n milwrio beunydd beunos yn erbyn bywyd ei hun. Mor anodd fu datod ac anwáu ei feddwl er mwyn dilyn trywydd newydd. Dyna fu her fwya ei fywyd. Dyna'r her i bawb sy'n gaeth.

Cododd i'w draed â'i bistol yn barod.

Syllodd i lawr ar wyneb Mademoiselle Chameroi, ei llygaid meinion a'i bawd rhwng ei gwefusa. Mor ddiniwed yr edrychai. Ar ei min roedd gwên fechan a chwpenid ei bron a'i thitan rhwng bysedd tewion ei ewyrth.

Anelodd y pistol.

Caeodd ei lygad chwith; sadio ei fraich ond methodd ei atal ei hun rhag crynu'n afreolus.

Mr Jones.

Fel cyrff dan amdo yn cysgu'n dawel, heb chwyrnu dim, yr oedd y ddau. Camodd Walton yn ara yn nhraed ei sana gan ara deimlo'i ffordd trwy'r hanner gwyll. Cerddodd heibio i droed y gwely a sefyll yno yng nghanol rhyw dawelwch diarth. Roedd am ddweud y cwbwl wrth Mr Jones am sut y lladdwyd ei dad;

am ormes y caethion; am holl dricia budur lobi ei ewyrth, eu dullia o brynu sedda; twyll a rhagrith y Frenhiniaeth; gohirio trafodaeth ar fater y gaethfasnach trwy bob sut a modd, y blacmel, y bwlio, y bygythion, y ffafra a brynwyd ac yn y blaen ac yn y blaen . . .

Trodd Mrs Jones ar ei hochor tan hanner siarad yn ei chwsg am brynu pwys o fenyn. Penliniodd Walton wrth yr erchwyn a dŵad wyneb yn wyneb â chi a chwyrnai'n isel, isel. Gwyrodd, 'mestynnodd ei law i'w fwytho ond chwyrnodd a chlepian coethi unwaith. Ssssh. Ssssh. Chwyrnodd eto; wedyn coethodd. Agorodd Mr Jones ei lygaid a syllu i lygaid; sydyn ddychrynodd a neidio. Brathodd y ci fraich Walton; brathu'n ddwfn a dal fel gelen. Rhuthrodd Walton am y drws a'r ci yn hongian arno.

Clepiodd ar ei dalen i'r pared caled ar ôl methu'r drws.

Craswichiodd Mrs Jones mewn dychryn.

'Lleidar! Lleidar!'

Tasgodd poen i fyny trwy asgwrn trwyn Walton.

'Tom! Tom! Nadwch o!'

Gwasgodd Mr Jones ei fraich am wddw'r Cofiannydd tan erthychu fel baedd ac ni allai Walton yngan gair. Ceisiodd ei faglu a'i dagu. Pwniodd Walton ei benelin i'w stumog; sathru ar ei draed; ond gwasgodd Mr Jones ei fysedd i'w lygaid. Hyrddiodd Walton ei hun wysg ei gefn a'i daro'n erbyn y cwpwrdd nes y disgynnodd y llestri yn deilchion.

'Tom! Tom! Cymar ofal!'

Gollyngodd y ci; coethi am ei hoedal; cyn neidio ar ei ddwydroed ôl ac anelu ei ddannedd i ganol wyneb Walton.

'Bendith Tad!'

Cododd Mrs Jones ei braich yn uchel a bwrw haearn caled i boethi ar draws arlais Walton. Curodd eto tan floeddian fel plentyn amddifad. Goleuodd y llofft yn frwydas o dân. Gwaniodd; bagiodd Walton tan gynnal ei dalcen a oedd mor drwm â chromlech yn ei ddwylo a'i gorff yn ysgafn esgyn oddi wrtho.

'Mae'r gwirionedd –'

Hanner camodd Walton at Mr Jones a fagiodd.

'Mae'r gwirionedd –'

Mewn gwallgo ennyd, bensyfrdan, sydyn, colbiodd Mr Jones Walton â holl nerth ei greu. Suddodd y Cofiannydd i'w linia. Colbio a cholbio. Chwalodd llawysgrif ei dad hyd y llawr wrth iddo ymdrechu i arbed asgwrn ei ben. Craciodd. Colbio a cholbio. A'i fywyd yn rhedeg o'i olwg draw trwy dwll y clo. Safodd Mr Jones uwch y corff a'r gwaed ar hyd a lled ei ddwylo a'i freichia, ei frest, ei wyneb a'i wallt, ei wraig, ei gi, ei wely, ei furia, ei gronglwyd a'r drws a agorodd. Cerddodd Iarll Foston i mewn, oedi ennyd yn yr hanner gwyll i rythu. Rhuthrodd Mr Barlinnie i mewn i'w ganlyn gan Syr Feltham Royal a Rampton a Guernsey wrth ei ysgwydd.

'Fo!' crefodd Mr Jones fel caethwas truenus yn ymbil am drugaredd, 'Fo ruthrodd fi!'

Gwasgodd Iarll Foston ei freichia amdano, ei dynnu ato, cusanu ei dalcen, gwasgu ei war, ei fwytho i'w fynwes a'i anwesu fel mab afradlon.

Yr wybren.

Mwrllwch du a orweddai'n gap tros gopa'r criba mawrion pan gyrhaeddodd y Fonesig Maidstone-Susanne Royal a Whatton-Henry a'r forwyn drannoeth. Herciodd y coetsus heibio i dai o boptu'r ffordd a bythynnod gwynion y pelltera yn suddo i'r mawnogydd. Gyrrwyd ar draws y gwastadedda gwyn i le o'r enw Cerrig y Drudion: gyrru dros y gweundiroedd moelion, ar hyd lôn igam-ogam faith heibio i frwyn a rhedyn, crydwellt garw a brigwellt main, heibio i fythynnod isel, cwthwal llwydion o dai; corlennydd o walia cerrig cryfion, heibio fesul un i'r cerrig milltir mudion nes cyrraedd lle o'r enw Pentrefoelas.

Gwasgai cymyla oerdrwm llawn llwythi eira o'r wybren. Ara dynnu i'w cyfwrdd o'r uchder pell yr oedd rhesiad o forgrug duon; closio yn nes a wnâi'r rhes nes tyfu'n griw o wŷr meirch. Er mwyn Whatton-Henry (a oedd wedi darn wirioni a'i focha'n gochion a'i fenyg yn wlybion) cododd Miss Styal a Mademoiselle Chameroi ddyn eira.

Teimlai Walton yn ddrwg ddiobaith. Dywedodd Iarll Foston wrth ei deulu iddo ddychwelyd ar frys i Lundain yn gynnar y bore hwnnw ar ryw fater a fynnai ei sylw ac yn y blaen ac yn y blaen. Derbyniwyd ei ymadawiad sydyn mor naturiol â dŵr yn tywallt o bistyll.

Plymiodd madfall dŵr balfog i'r lli wrth i'r march cynta groesi'r rhyd. Ara glosiodd y gwŷr i fyny tros y gweundir. Camodd Syr William-Henry a Mr Grenock MacFluart i lawr oddi ar eu ceffyla a'u coesa wedi cyffio a chamu tros y rhiniog;

closio at dân y dafarn i gnesu dwylo a derbyn croeso bwthlan o wraig.

Y Tylwyth Teg.

Camodd Miss Styal tros gamfa lechi. Tros ddaear galed grimp tan farrug cerddodd draw at nant a phlygu i'w chwrcwd i olchi ei dwylo ond buan y sylweddolodd fod y dŵr yn llonydd hollol tan glo o rew. Ehedodd ysbryd Walton ati gan glosio'n wingar at ei gwar a dweud ym môn ei chlust ei fod wedi ei lofruddio.

Nid oedd hi'n ei glywed.

'Agor y gist ar do'r chweched goets i chdi gael gweld 'y nghorff i,' mwythodd ei hun i mewn i'w phen i geisio hawlio'i meddwl.

Syllodd y ferch ar y mynyddoedd gwynion uchelgribog. Roedd bodia ei thraed wedi dechra fferru ac yn yr oerni pliciai croen ei gwefusa'n grachlyd. Trodd ei phen wrth glywed sŵn, a gwelodd, yn uwch i fyny, was yn cario sypyn o danwydd o gefn y dafarn, yn tuchan tan bwysa llond coflaid o flocia coed a'r rheiny wedi'u llwytho i fyny hyd at ei ên.

Yn camu tuag ati roedd Syr William-Henry, ei wyneb yn glaerwyn a'i drwyn yn gochlyd a'i anadl yn pwffio'n dew o'i ffroena. Pwysai un llaw ar ffon bengam fachog er mwyn ei sadio'i hun ac arbed ei draed rhag llithro. Pan ddaeth i sefyll nesa ati cydiodd yn nwy law ei chwaer a'u rhwbio yn ei ddwylo ei hun nes gwasgu'r oerni o'i chnawd.

'Dyma lle mae Cylch y Bobol Fach,' dywedodd hitha.

Edrychai Syr William-Henry fel dyn â'i du mewn wedi ei dynnu allan a'i werthu am y nesa peth i ddim. Chwythodd ei drwyn yn dwt a sbecian ar ei hances.

'Ti'n dallt be mae Tada wedi'i drefnu ar dy gyfar di yng Nghymru 'ma yn dwyt ti, Styal?'

Llwydodd yr anadl o'i ffroen ond nid oedd Syr William-Henry yn siŵr a oedd Miss Styal wedi ei glywed o ai peidio gan iddi droi ei phen wrth weld aderyn y bwn yn codi uwch y corstir cyn diflannu i gwmwl eira. Edrychodd hitha wedyn ar fwyd yr ellyll a luniai ffin y cylch a cherdded yn ofalus ar hyd ei ymyl, oedi gyferbyn a chodi ei llygaid tua'r dafarn wrth glywed chwerthin ei thad.

'Ydw,' atebodd; sniffiodd ei thrwyn, 'wrth gwrs 'mod i: mi ddeudodd Feltham y cwbwl wrtha i neithiwr.'

Pylodd y goleuni yn llygaid ei brawd a chododd ei goler wrth deimlo gwyntoedd croesion y glynnoedd yn chwipio rhewi ei groen. Dyn achgrwm, fymryn yn wargrwm a ymlwybrodd draw oddi wrthi tuag at y gamfa a sŵn dŵr yn soeglan yn un esgid.

Y dafarn.

Tywallt cwrw o dap hen gasgen roedd y tafarnwr a hwnnw'n glyg-glyg-glygian ac o dan ei wynt roedd yn hanner hymian wrtho'i hun yr hen bennill *'Gwywa'r gwelltyn, syrth y blodeuyn/ Onid rhyfedd ac ofnadwy y'n gwnaed?'* Gorweddai un llaw ar ei ben-glin a'r llall am glust y jiwg lwstwr – y jiwg gora a oedd ganddo yn y tŷ ar gyfer Iarll Foston a'i westeion.

Wrthi'n sôn yr oedd Mr Grenock MacFluart am natur ddaear-egol crib o greigia a welodd y bora hwnnw. Safodd ar ganol y llawr a loriwyd â llechfeini a'i ena'n glafoeri fymryn wrth iddo siarad cymaint â chi trwyn smwt, wyneb sarrug a fu'n rhyw fudur goethi arno ynghynt, ond erbyn hyn wedi dechrau sirioli ac yn ysgwyd ei gynffon yn hapus wrth iddo fwytho'i glustia.

Gwrandawodd Iarll Foston yn ddwys o'i gadair dderw pan soniwyd am welyau clai yn derbyn ac yn gollwng gwres yn ara iawn; hylif tanllyd, rhanna o galetwch, ac am fesur dyfnder-oedd o gloddfeydd. Soniodd y daearegydd am haena llawn cregyn a physgod fel ag a geir ar wely'r môr; soniodd am rugolion a chwympiada trymion o gerrig yng nghrombil y ddaear . . .

Roedd Iarll Foston ar fin gofyn cwestiwn pan gododd twrw a siffrwd traed yn rhuthro heibio i'r ffenest trwy'r eira gwastad-lyfn a oedd newydd ddechra pluo.

'Whatton-Henry!' crochleisiodd morwyn.

'Be amdano fo? Be sy' wedi digwydd?'

Methodd y gwas pwyntus braidd yn foliog ag ateb. Roedd wedi dychryn gormod a chrynai tan glapio'i ddwylo mewn ofn. Agorwyd ceg yr hogyn bach a thynnwyd milddail a chwys mair allan.

'O, Whatton-Henry! O, ych, ych, ych!'

'Mae o wedi llyncu mwy! Mi gwelis i o'n gneud!' criodd y forwyn.

Cynhyrfwyd y dafarn drwyddi. Dechreuodd Mademoiselle Chameroi grio tra cwrcydodd Syr Feltham Royal a dodi ei freichia ar ysgwydda ei fab, syllu i'w lygaid, a gofyn a oedd wedi llyncu rhywbeth tebyg i gaws llyffant. Ara syllodd yr hogyn o lygaid i

lygaid a graff-rythai arno'n ofnus. Holwyd gwraig y dafarn
ynglŷn ag apothecari.

Torrodd ei gŵr ar ei thraws. Atebodd fod un mewn tre o'r
enw Llanrwst ond bod gan y doctor – er yn ddigon medrus at
drin bob math o beswch ac anfadwch a mendio coes neu fraich
ac yn wych am gymysgu ffisig o bob math – un bai, sef ei fod
o'n chwil ulw gaib pan fydda rhywun yn galw arno at y gyda'r
nos . . .

Mewn lle o'r enw Llandygái roedd un arall; doctor gonest,
ond fymryn yn ddrud ei wasanaeth er yn ŵr ifanc digon hwylus;
yn dad tyner; yn briod hawddgar ac yn arweinydd côr na wel-
wyd mo'i debyg erioed. Gorfodwyd Whatton-Henry i grachboeri
ar ôl gwthio bys i lawr ei gorn gwddw. Fe'i daliwyd wyneb i
waered wedyn gan Rampton a Guernsey: ei blwcio i fyny ac i
lawr gerfydd ei ffera. Ond ni chwydodd. Gwelwodd ei wedd;
aeth i gysgu; oedd o'n mynd i farw? Mynnodd Syr Feltham
Royal fod yn rhaid mynd â fo at rywun a oedd yn dallt ei betha.
Berwodd gwraig y dafarn ffisig cartra o beradyl geirwon, pib
garan y weirglodd a llond dwrn o fân ddail a mwsog a siwgwr . . .
Roedd hi'n tywyllu.

Holwyd y tafarnwr ynglŷn â'r ffordd hwylusa o gyrraedd
Llandygái. Dywedodd fod rhaid anelu tua lle o'r enw Bangor
yn gynta. Ond haerodd wedyn y byddent yn ffyliaid i fentro
Dyffryn Ogwen yn y fath dywydd. Roedd hi'n aea caled; y
gwaetha ers blynyddoedd.

'Nid fel llynadd,' dywedodd yn hirwyntog (ac erbyn hyn
roedd pawb wedi diflasu arno) – 'roedd hi mor dyner yn y topia
'ma fel bo mwy nag un ohonon ni'n meddwl ei fod o'n fwy fel
hannar gwanwyn yn gadal amball i flodyn i wenu ar ei ôl.'

A sŵn y gwynt yng nghorn y simdda, penderfynodd Iarll
Foston y byddent yn cychwyn ar eu hunion . . .

Yr Ysbryd.

Ym min y nos cododd y gwynt gerwin a llethwyd y wlad gan
dywyllwch oerllyd. Roedd blas rhewynt yn ffroena Rampton a
Guernsey wrth i'r ddau ddyrnu'r ddaear galed a methu suddo
dyfnder rhaw i'r pridd caregog. Oedodd ysbryd Walton i'w
gwylio ar lecyn tawel yng nghysgod y graig heb 'run egryn o
wynt. Teimlai ysbryd ei dad yn yr awyr . . .

Ryw filltir yn is i lawr y dyffryn wedyn, chafwyd fawr gwell lwc ar agor bedd i'w gladdu. Dychrynodd Rampton a Guernsey wrth feddwl fod rhywun yn eu gwylio fry ar lepen o greictir. Crafangodd Rampton i fyny i ddod wyneb yn wyneb â buwch gyflithiog yn cnoi ei chil. Mud-hedodd ysbryd ei dad i'r fei . . .

'Celwydd y Selar? Be ydi o?' sibrydodd y mab o'i unigrwydd distaw.

Methwyd claddu corff Walton wedyn ar gownt dynion busneslyd: gwŷr y tollbyrth, ffermwyr, melinwyr, coedwigwyr a mawnwyr. Erbyn i'r goets gyrraedd pen y daith yn hwyr y bore drannoeth, roedd Whatton-Henry yn rhedeg o gwmpas yr ystafell gyfarch yn tynnu pawb i'w ben.

Celwydd y Seler.

'Pan oedd Frances-Hygia Royal yn ferch fach, roedd hi'n diodda o ryw wendid yn 'i choluddion a doedd neb na dim yn gallu rhoi unrhyw gysur iddi ond fy efaill. Fydda fo'n ei rhoi hi i orwedd ar ei bol er mwyn tywallt dŵr cynnes i fegin gan ara wyro trosti, camu ar y gwely, gosod y pig yn dyner rhwng ei chlunia hi a wedyn ei wthio fo'n ara ara a chwythu'r cwbwl. Mi fyddai hi'n llacio trwyddi ac yn cysgu'n well. Drwy gydol y blynyddoedd mi aeth petha 'mhellach nes bydda fy efaill yn tynnu amdano i orwedd arni er mwyn lleddfu ei thyndra trwy ei leddfu ei hun trwy ei yrru ei hun mor bell i fyny cnawd ei ferch nes y bydda ei had o'n berwi'n boeth o dan ei choluddion hi . . .

Hyd yn oed pan briododd hi, amharodd hynny ar ddim. Dim ond iddo fo ei thrin hi'n fwy brwnt. Ei thrin hi nes y bydda hi'n difaru iddi gael ei geni, yn crefu am drugaradd. Ynta yn ei wthio'i hun yn galetach i mewn iddi, yn brathu i'r byw, yn crefu a chrafu am wreiddia ei henaid hi nes y bydda ei ferch o'n gorfod sgrechian enw Isabella Caroline . . .

Y creigia.

Penlinio fry 'mysg eithin y mynydd, a thurio o dan ddail bychain cwyraidd clychau'r grug y bu Mr Grenock MacFluart tan gynnal arbrofion daearegol a bu ddyddia yn olrhain gwahanol lwybra hyd anwadalrwydd y llethra; yn dringo i gynefin y prysgwydd a'r creilys, y mwsog a'r cen. Gwlychodd hyd at ei groen fwy nag unwaith wrth fod allan yn chwilio am ogofâu ac ar waetha popeth, mynnai ddal ati; mynnai godi allan a bu wrthi'n ddygn o hyd yng nghanol llethr o gerrig rhyddion ar natur y llechi.

Walton.

Mewn gwinllan ar gwr y gerddi claddwyd o'n y diwedd a diferion gwlith y nos ar y llwyni rhosod. Ei gladdu nesa at gŵn yr Arglwydd yng Nghastell y Penrhyn. Ehedodd ei ysbryd tros Eryri. Gwrandawodd ar Mr Grenock MacFluart yn dweud wrth Whatton-Henry fod pedwar math o bysgod yn rhyw lyn: gleisiaid, gwyniaid, crothell dri phlisgyn ond eu bod i gyd yn amddifad o lygad chwith ac o dan y llyn; o dan y corsydd; yng nghrombil y mynyddoedd roedd canrifoedd o gyfoeth . . .

Dechreuodd yr eira ddadmer.

Cerddodd Iarll Foston a Mr Pennant i fyny'r llwybr ac ymlwybrodd pawb ar eu hola. Oedodd a syllu fry tua chopa'r mynyddoedd mawrion a ffurfiai derfyna lle o'r enw Nant Peris. Siriolodd llygaid Iarll Foston, cododd flaen ei ffon tua'r wybren wrth i ryw gynhesrwydd ddringo trwy gnawd ei wyneb hyd at ei dalcen.

'Dychmyga sefyll ar ben y grib uchel acw rŵan. Mmmm? Does dim byd tebyg i ddringo mynydd ar doriad gwawr a gadal tarth y bora ar dy ôl; troedio i fyny'r llwybra nes ymlacio ar y copa ac oedi yno i gael dy wynt atat; dy 'sgyfaint di'n canu'n iach a syllu islaw i weld afon ymhell bell i ffwrdd yn disgleirio'n ara tua'i haber yn y môr. I mi dyna ydi'r olygfa fwya ogoneddus yn y byd i gyd.'

Ymlwybrodd y ddau ddyn yn eu blaena a sefyll i syllu tros grib wal o gerrig mawrion. Bu'r Iarll yn hynod o dawel ers amser a rhywbeth yn amlwg yn pwyso ar ei feddwl.

'Am be ti'n meddwl?' pwysodd Mr Richard Pennant ar ei ffon heb edrych arno.

'Meddwl mor druenus fasa hi ar y lle 'ma.'

'Mmmm?'

''Drycha o dy gwmpas di. Fel Conemara creigiog tydy? Dyna ma' nhw isio? Rhygnu byw fel rhyw foch budron am byth a llaw drom tlodi yn gwasgu pob nerth ohonyn nhw? Ma' isio dangos iddyn nhw be fedar dynion fel ni gynnig, Richard. Be fedrwn ni 'neud trostyn nhw gan na fedran nhw neud dim trostyn nhw'u hunain. Nid na fydd rhei pobol – rhei penna bach – yn siŵr o gega a chwyno; yn siŵr o bigo beia a bwydo amheuon y tlodion; eu dychryn nhw a'u cynhyrfu nhw i wrthwynebu newid a'r newid hwnnw 'tasa nhw ond yn ddigon hirben i weld, o les iddyn nhw'u hunain. Fel cau'r tiroedd. Er mwyn codi pentrefi, trefi, codi cenedlaetha ar eu traed mae'n rhaid wrth weledigaeth lydan, aeddfed o ystyr, gwerth a phwrpas bywyd – ond fyddan nhw'n diolch inni? Fydd y tacla diddiolch yn diolch inni? Fyddan nhw o ddiawl!'

Chwarddodd Mr Richard Pennant.

'Un garw wyt ti, Henry. Garwach o'r hanner na fi.'

Gwenodd Iarll Foston a rhwbio'i dagell.

Hedodd haid o hwyaid gwylltion i ben y dyffryn.

'A nacw ydi'r Wyddfa, medda chdi?'

'Llall wrth ymyl.'

'Yn fan'na?' craffodd.

'Hon'na.'

O'u hôl yn uchel powliodd carreg dila yn dibyn-dobyn.

''Fory, Richard.'

Chwarddodd, 'Ti rioed o ddifri?'

'Ydw i'n ddyn sy'n torri'i air?'

'Marchogaeth ceffyl trwy'r cymyla?'

A dyna a wnaeth; ond cyn adrodd sut yn union . . .

Yr Old Bailey.

Ehedodd Walton dros fynyddoedd Cymru, dros y gweundiroedd, dros Gaerwys, dros Amwythig, dros y gwastadedda moelion gan oedi ennyd pan oedd wedi blino i gael hoe ar gwmwl gwallt y forwyn, nes gweld, yn closio yn y pellter, ddinas Llundain; sgubodd tros yr afon, tros y strydoedd, tros y sgwaria, tros benna'r bobol nes glanio ar y to. Oddi tano, cyn iddo lithro i lawr drwy'r nenfwd, clywodd glebran a llolio'r llys . . .

Yr erlynydd.

Honnodd nad oedd *Oes Rheswm* a werthwyd gan Miss MacFluart o waith Mr Thomas Paine yn ddim byd ond modd o ledaenu anlladrwydd a dull dichellgar o ddifwyno meddylia darllenwyr â budreddi aethistaidd. Oedodd a syllodd yn ddirmygus ar gefnogwyr Miss MacFluart yn gwrando arno o'r galeri gyhoeddus.

'Pe caniatéid ei werthu'n agored heb i'r llys erlyn: be fyddai pen draw hynny? A oes gan bawb bellach benrhyddid i gyhoeddi a gwerthu unrhyw lyfr yn ôl ei fympwy heb ystyried y canlyniada?'

Traethodd i'r llys gorlawn. A oedd gan y ferch ifanc yma yr hawl i werthu cabledd yn enw rhyddid? Rhyddid? Be ydi rhyddid? Onid ydi rhyddid rhai pobol yn golygu caethiwed i eraill? Ac onid ydi Miss MacFluart yn cadwyno dynion yn gaethach i'w chwanta a'u haflendid cynhenid? Onid ymdrech fwriadol a digywilydd oedd llyfr Mr Paine i danseilio crefydd yr Arglwydd Iesu Grist?

'Dyma'r cwestiwn roedd yn rhaid i'r rheithgor ei ofyn iddo'i hun,' dywedodd ar untroed wrth edrych i wyneb pob un o'r deuddeg gŵr wrth gamu'n bwyllog o'u blaena.

Na, doedd *Oes Rheswm* ddim yn llyfr gonest a geirwir fel ag yr honnwyd gan gyfreithiwr Miss MacFluart. Gwnaeth ei ora i ddarbwyllo'r deuddeg ei fod mor beryglus â haint marwol. Doedd dim dwywaith nad oedd hi'n euog. Doedd dim unrhyw amheuaeth nad oedd hi wedi troseddu gan fynd ati'n hollol fwriadol i lygru crefydd – dyrnodd y bwrdd – a moesa deiliad y deyrnas a thanseilio Heddwch y Brenin.

Be ydi heddwch?

Heddwch ydi parchu trefn llywodraeth trwy ufudd-hau i awdurdod gwlad ac eglwys, ond ar y gora rhaid cadw mewn cof mai rhywbeth brau a chain ydi heddwch cyhoeddus hefyd, rhywbeth y gellir ei ddifetha heb ddefnyddio grym arfa, gan y gall un gair – un gair yn ei bryd – un gair anllad ddifetha heddwch mewn man cyhoeddus. Beth fyddai'n digwydd pe byddai un gŵr mewn tŷ coffi yn cyhuddo gŵr arall o fod yn Bapist? Dychmyger yr anhrefn a'r anheddwch a'r alanastra a fyddai'n dilyn o ganlyniad i ynganu'r un gair aflan yma. A moesoldeb?

Be ydi moesoldeb?

Be ydi'r ateb i un o gwestiyna mawr yr oesa? Difetha hedd-wch y llywodraeth a wna anfoesoldeb, felly dysgu sut i'w barchu a'i gadw ydi moesoldeb oherwydd be ydi llywodraeth ar ddiwedd y dydd ond dynion cymhenbwyll yn cadw trefn ar y drefn gyhoeddus a'r drefn gyhoeddus, yn y diwedd, ydi llinyn mesur moesoldeb mewn cymdeithas. A be ydi sylfaen ein cymdeithas ni ond hynny?

Onid ffydd ydi angor pob moesoldeb? Onid ydi pawb yn y llys yma heddiw yn ei ystyried ei hun yn Gristion Pro-testannaidd? A'n teyrnas ni yw calon Protestaniaeth. Onid ydyw'n dilyn mai'r ffydd Gristnogol yw hanfod ein dirnadaeth ddyfna ni bob un o'r hyn sy'n dda a'r hyn sy'n ddrwg? Mae'n rhaid arbed dynion rhag eu haflendid eu hunain, sef y drygioni sy'n gynhenid yn eu calonna. Dyna paham roedd trosedd Miss MacFluart yn niweidiol i foesoldeb cyffredinol ac yn niweidiol i les deiliaid ei Fawrhydi, ac yn drosedd yr haeddid ei chosbi'n hallt.

Yr amddiffyniad.

Prif fyrdwn ei ddadl – fel yr erlynydd – oedd fod yn rhaid diffinio geiria fel 'moesoldeb', 'rhyddid', a 'heddwch' a 'chab-ledd'. Tuthiodd yr erlynydd gan bwyso'i gefn i'w gadair fel dyn wedi slacio a bagio gam neu ddau yn ôl i edrych o'r newydd ar ei fywyd. Honnodd yr amddiffynnydd mai petha ydi geiria i adeiladu pontydd i fynd â ni i diroedd newydd a rhyfeddol yn amal. Iaith sy'n pontio'r gorffennol a'r presennol a iaith hefyd yn ei thro sy'n mapio posibiliada'r dyfodol. Rhaid cofio hefyd mai twyllodrus ydi geiria ar y gora, ac anodd ydi dal gafael ar eu hanfod. Yn amlach na heb, maen nhw mor amwys â'n hemosiyna ac mae gan y galon ei chilfacha nas gŵyr y deall ddim oll amdano. Dyna baradocs iaith. Ei gwendid a'i chryfder.

Be ydi emosiwn?

Be yn wir ydi teimlo? O sylwi yn wrthrychol, gellir honni fod rhywun mewn rhyw stad arbennig neu'n ymddwyn fel a'r fel. Ond o brofi'r peth eich hun, mae emosiwn yn eich gorfodi i weithredu ar amrantiad o'i gyferbynnu ag ymarfer rheswm, sef ymarfer iaith lle pwysir a mesurir gweithred a'i chanlyniada. Gall ein hemosiwn ni chwarae mig â'n hiaith ni'n amal, yn amlach nag y carem ni ei gyfadda i ni'n hunain. Pwy a ŵyr na fydd geiria fel 'moesoldeb', 'rhyddid', 'heddwch' a 'chabledd', yn golygu rhywbeth gwahanol iawn i bobol o dan wahanol amgylchiada yng ngwareddiad y dyfodol?

Meddyliwch am y peth, foneddigion y rheithgor, ydach chi'n teimlo yn union yr un fath heddiw ag yr oeddech chi ugain mlynedd yn ôl? Yn siarad yn wahanol? Yn meddwl yn wahanol am betha? Amdanoch chi eich hun? Eich teulu? Y gymdeithas o'ch cwmpas? Y byd a'i betha yn gyffredinol? Yr unig gyfraith ddigyfnewid ym mhrofiad y ddynoliaeth ydi'r gwahaniaeth rhwng un genhedlaeth a'r nesa. Y presennol a'r dyfodol. *Tempora mutantur, nos et mutantur in illis.* Mae'r oes yn newid, gyfeillion. Mae syniada newydd ar droed. A feiddiwn ni eu hatal nhw â geiria hen ddeddfa sy' ond yn cyfiawnhau y drefn ohoni?

Efallai yn wir y gallwch chi ddadlau – fel y gwnaeth fy nghyfaill yr erlynydd bore 'ma – a haeru mai cabledd a gyhoeddwyd gen Mr Thomas Paine ac a werthwyd yn hollol agored gen Miss MacFluart ond o fewn wythnos, efallai y byddwch yn meddwl mai llyfr clodwiw yn gofyn cwestiyna o bwys ydi o. Neu efallai y cewch eich hollti sawl ffordd wrth ddarllen *Oes Rheswm,* heb wybod i sicrwydd be rydach chi'n ei deimlo a'i ymresymu. Ac efallai – pwy a ŵyr? – pwy yn wir all ddweud na fydd y llyfr 'mhen canrif yn cael ei ystyried yn glasur?

Y Barnwr.

Crynhôdd trwy ddweud fod cyhuddiad a ddygid yn erbyn person am danseilio'r grefydd Gristnogol a moesoldeb y drefn suful yn un difrifol iawn ac iddi oblygiada pellgyrhaeddol. Serch hynny, roedd yn fodlon cytuno â'r amddiffyniad nad oedd llyfr Mr Paine yn ei dyb o yn enllibus i wŷr eglwysig – fel ag y dehonglid y gair hwnnw tan ddeddf 1564 – ond ei fod yn llyfr cableddus. Aeth yn ei flaen weddill y pnawn i ddyfynnu o araith yr erlynydd a'r amddiffynnydd gan eu pwyso a'u mesur cyn gorchymyn y rheithgor i fynd i ystyried eu gorchwyl ddwyfol.

Y rheithgor.

O fewn llai na phymtheng munud, dychwelodd y deuddeg.

Y ddedfryd.

Gofynnodd y Barnwr a garai Miss MacFluart ddweud gair.

'Caethiwed Affrica yw'r hyn sy'n gwarantu'r rhyddid i gen-hedloedd Cristnogol Ewrop i fynd ati i ormesu'r byd. Dyw'r negro'n ddim ond peth i'w brynu a'i werthu gan ladron a llofruddion. Heddiw mae un cyfandir yn byw ar gefn cyfandir arall gan ei flingo er ei fwyn ei hun, a mynnu ei ddarostwng a'i gadw yn nhrueni ei gadwyni. Dyna'r darlun fel ag y mae, dyna'r darlun cyfarwydd. Darlun erchyll a gwaedlyd ond mae hefyd ochor arall, ochor lawer goleuach.

Er mwyn gwarchod ei safle a'i urddas fel dyn y mae'n rhaid i'r meistr gadw'r drefn yn union fel ag y mae hi; mae'n rhaid iddo ddefnyddio pob un ystryw o fewn ei allu i sicrhau nad oes dim oll yn newid ac os na fydd yn gyfrwys iawn, fe gyll y cwbwl. Dyna sy'n cadw miloedd ar filoedd o ddynion ar ddi-hun yn oria mân y bore.

'Be os colla i hyn i gyd? Y tŷ moethus 'ma? Y goets? Y meirch? Fy mhres yn y banc? Ysgolion preifat y plant? Fy nheithia i'r Eidal? Fy llunia ar y muria? Fy ngharpedi drudion? Pwy fydda i wedyn? Be fydda i heb y rhain? Does gan y caethwas ar y llaw arall ddim oll i'w golli ond ei gadwyni.

Fe'm cyhuddwyd i o gasineb; o wawdio; o greulondeb tuag at wirionedda a dderbynnir fel rhai oesol a digyfnewid gan ein cymdeithas trwy werthu gwaith Mr Thomas Paine. Cyhudd-wyd fi o anallu i deimlo trueni fel y teimlodd yr Arglwydd Iesu Grist. Ond mi rydw i'n teimlo trueni; mi rydw i'n cydymdeimlo hefyd. Cyn tewi mi garwn i ofyn i'r llys ystyried un peth: hefo pwy y dylem ni gydymdeimlo mewn gwirionedd? Pwy ydach chi wir yn meddwl sydd yn gaeth? A phwy, mewn difri, sy'n crefu am gael eu rhyddhau?'

Glas y dydd.

Hanner cant neu ragor o'r ddau deulu (a theuluoedd eraill) ynghyd â'u gwesteion a'u cŵn a'u ceffyla a adawodd Gastell y Penrhyn mewn *cavalcade* o goetsus. Bedlemodd Walton uwch eu penna; bedlema mae ysbrydion tros y byd: mynd a dŵad byth a beunydd ond byth yn cychwyn, byth yn cyrraedd. Ar lain o dir ger llyn o'r enw Llyn Peris stopiodd y coetsus. Cododd Whatton-Henry falwoden y cyrn o'r glaswellt ac roedd ar fin ei bwyta pan ddaliodd Mademoiselle Chameroi ei law, ei slapio a'i ddwrdio.

Cerddodd Iarll Foston a Mr Richard Pennant draw trwy'r gweiria tal, yr hesg a'r brwyn, at fin y llyn. Gorchmynnodd Mrs Pennant i was gamu'n glunoeth i festyn tusw o lili'r dŵr a dail gwyrdd-dywyll y dyfrllys a bloda lelog y dŵr-lyriad iddi ar gyfer eu sychu a'u gwasgu a'u dodi yn ei deil-lyfr i'w dangos i'w pherthnasa yn Port Royal.

Wrth fyrdda'r *marquee* bwytawyd brecwast a oedd yn ginio hefyd: y wledd fwya yn yr ardal ers dyddia'r Brenin Edward I i ddathlu cyhoeddi ei fab yn Dywysog Cymru. Y cwrs cynta: peli *marzipan* bychain, cacenna perlysieuol Neapolitanaidd, gwin Malaga a bisgedi Pisan, grawnwin duon, olewydd Sbaen, tafelli *prosicutto* mewn gwin a mwstard melys.

Ar gyfer yr ail gwrs: iau mewn saws *aubergine*, ehedyddion wedi eu rhostio mewn saws lemwn, soflieir a thafelli o gig moch, sguthanod wedi'u rhostio mewn siwgwr a'u pupuro â chaprys, saws *beurre main*, cwningod wedi eu rhostio mewn saws melys a chras mân pinwydd cneuog, petris ifanc wedi'u stwffio â briwdda cig llo, coes gafr wedi'i rhostio mewn saws o'i sudd, cawl hufen almon.

Ac ar gyfer y trydydd cwrs: gŵydd fras wedi'i berwi a'i gorchuddio ag almon a'i harlwyo â chaws, siwgwr a *cinnamon*, brest o gig llo wedi'i ferwi a'i addurno â blodau, cig llo wedi'i ferwi a'i addurno â phersli, almona mewn saws garlleg, reis Twrcaidd llefrithog wedi'i bupuro â siwgwr a *cinnamon*, sguthanod stiwiedig a selsig *mortadella* a nionyn, cawl bresych a darna o selsig, brest *fricassee* o afr a nionod wedi'u ffrio, pasteiod wedi'u stwffio â hufen cwstard, carna lloi wedi'u berwi â chaws a wya.

Wedyn, crwst siwed, crwst bisgedi, crwst afala, tarten gellyg mewn *marzipan*, caws parmesan, caws *riviera*, almona ffres ar ddail gwinwydd, cnau castan wedi'u rhostio a'u harlwyo â halen, siwgwr a phupur, caws ceulaidd a siwgwr, cacenni melys bychain ar ffurf olwynion trol, bisgedi crimp llaethwyn, coffi du hefo dewis o frandi, port, armagnac a sigârs i'r dynion . . .

461

Rhwng y *tournedos aux morilles* a'r sorbet pwnsh *Rose*, gwahoddodd Mr Pennant Iarll Foston i annerch.

Cyhoeddodd ddyweddïad Miss Styal a mab Mr Pennant.

Unwyd planhigfeydd Paradwys a Jamaica; uno dwy ffortiwn fawr yn un i osod llechi Cymru tros doea'r byd.

Y dyfodol.

Wrth ddiweddu ei *macédoine de fruits* dangosodd Iarll Foston lythyr i Mr Pennant, a ddaeth iddo trwy law hen gyfaill i'r ddau, sef Mr Wilberforce.

'Sant o ddyn,' cytunodd Richard, 'biti na fasa 'na chwanag o'r un anian ag o.'

Pe bai pawb o'r un dymer, fe fyddai hi'n llawar iawn gwell byd. Ara deg a phob yn dipyn mae gwneud pob un dim mewn gwleidyddiaeth gan dderbyn rheola'r drefn a gweithredu'n bwyllog oddi mewn iddi. Dyna fesur o ddoethineb y dyn.

'Be oedd ganddo fo i'w ddweud?'

'Mae o wedi bod yn swpera hefo'n Prif Weinidog, ac mae o â'i fryd ar wthio mesur trwadd yn y senedd nesa o blaid diwygio'r llonga er lles y cargo ar y ffordd o Affrica.'

'Allwn ninna gytuno â hynny'n hawdd.'

'Gwell llonga yn siŵr o arbad colledion.'

Er bod y tywydd yn gymylog, teimlai'r ddau fod y dyfodol yn ola. Yn oleuach ar un wedd nag a fu ers amser wrth weld posibiliada datblygiada newydd o dan eu traed. Hefo help llaw diwygiwr addfwyn fel Mr Wilberforce teimlai'r ddau y gellid yn saff feddwl na fyddai unrhyw newid sylfaenol i'r sefydliad yn debygol o ddigwydd am o leia hanner canrif, canrif arall, neu hyd yn oed fwy na hynny, o bosib.

Bydd caethwasiaeth hyd ddiwedd amser.

Ewyllysiodd y ddau y dylid brwydro o blaid synnwyr cyff-redin; brwydro â phob arf, pob un gallu o fewn eu meddiant yn y senedd nesa a'r nesa wedyn nes darbwyllo eu cyd-aeloda i'r un perwyl. Ond wedi'r cwbwl wedyn onid Lobi Masnachwyr India'r Gorllewin oedd y cryfaf o bell ffordd ar lawr y Tŷ Isaf?

Yr Wyddfa.

Sathrwyd coesa tena'r machrawn a cherddodd amryw tros y llaflys bach a mawr, bloda rhuddgoch pumdalen y gors a'r sbinynna melyn wrth ganlyn y llwybr main afrosgo hyd ochor y llyn. Sgrialodd llygoden bengron y dŵr wrth eu clywed yn closio. Teimlai'r cwmni yn fodlon wedi derbyn o gymwynasgarwch Mr Pennant. Araf ddringwyd gan oedi i edmygu rhaeadr arswydus ceunant o'r enw Ceunant Mawr. Daeth Miss Styal o hyd i ddau lain, un gwydr ac un o faen tywyllddu, a'u dangos i'w dyweddi.

Tuchanodd Iarll Foston yn swrthlyd drwm wrth gael ei gario i fyny fel Ffaro yn ei gadair gan ugain o weision. O hafna a chilfacha'r creigia roedd bythynnod gwynion y gwastadedda eisoes i'w gweld fel petha bychan swil a fynnai swatio 'mhell.

'Be sy' lawr yn fan'cw? Dau gi?'

'Dau ddyn yn 'redig.'

'Adeg yma o'r flwyddyn? Pshaw! Braf inni i gyd gael bod allan yn yr awyr iach fel hyn. A pham? Anghofiai i fyth deithio hefo 'nhad mewn coets o Fae Napoli unwaith i fyny trwy Rufain, tros y brynia tuag Arezzo a glesni'r awyr ysgafn yn fawr uwchben. Blagur cynnar ar y canghenna; cawodydd o floda drain duon ar y perthi. Plu gwydda o fân-ddail ar friga hefyd a rhesi'r gwinllannoedd yn disgleirio yn yr haul. A gweld y Duomo yn codi fesul tipyn yn y pellter wrth yrru i lawr trwy'r Val d'Arno.'

'Fues inna ffordd honno hefyd, flynyddoedd maith yn ôl.'

'Taith ogoneddus, Richard.'

'Ddim mo'i gwell yn unman, Henry.'

'Ac wrth groesi dros hen bont dyma 'nhad yn dweud – "Drycha; a finna'n edrych trwy'r ffenest a gweld hen wraig wedi ei harneisio wrth aradr a'i gŵr yn ei gyrru. Y ddau wrth eu gwaith yn troi pridd meddal y ddôl. A finna'n meddwl: be oedd y rhin oedd rhyngddyn nhw?

'Ti'n mynd yn sentimental yn dy henaint.'

'Na, dwi o ddifri. Er mor ifanc o'n i, dyna feddylis i. Y ddau yma. Fel y ddau i lawr yn fan'cw yn rhan o olyniaeth cenedlaetha a fu wrthi'n troi cwysi yr un hen dir? Aeth rhyw ias trwydda i; rhywbeth na ellir ei esbonio; rhywbeth gyffyrddodd â fi yn nwfn fy enaid. A pham? Tir a phobol yn cydymdreiddio mewn cymundeb cyfrin, mewn dealltwriaeth ddofn o ariannaid drefn y cynfyd. Rhywbeth hŷn na holl gelfyddyd Firenze. Meddwl am y peth!'

Chwarddodd.

'Taw â chwerthin! Dwi o ddifri! Ma' pobol yn amal yn 'yn

cyhuddo ni o fod yn galed a weithia'n anysbrydol ond dwi'n gofyn ichdi'n onest, Richard: be oedd y profiad ges i? Gweld mewn eiliad yn yr Eidal wir ystyr hanfod bywyd? O'i gymharu â'r fath brydferthwch, be oedd gwyddoniaeth Galileo ond gwegi a ffolineb ein dellni modern? Fasa ti'm yn cytuno?'

Chwarddodd Richard Pennant yn uwch a dweud, 'Byw'n gyntefig dwi'n galw agwedd meddwl fel'na. Ti a fi yn gwbod yn amgenach.'

Chwarddodd Iarll Foston hefyd.

'Rhyw ffansi'r eiliad aeth â 'mryd i, berig?'

Cwm Brwynog.

Blasai Iarll Foston y *mortadella* yn ei geg o hyd. Wrth syllu islaw ar ei nant ddofn soniodd wrth Mr Richard Pennant am fentra yn Japan, y posibiliada yn China.

'Maen nhw'n yfed te tydyn?'

'Afonydd ohono fo.'

'Marchnad siwgwr fwya'r byd.'

Onid peth gogoneddus oedd gweld traed mawrion masnach Ewrop yn camu tros y byd i gyd er mwyn stampio ei gwareidd-iad ar y gwledydd mwya anial sy'n gorwedd ym mhellafoedd y moroedd? Mor bwysig oedd cadw llygaid yn effro agored; chwilio am fuddsoddiada a marchnadoedd eraill ar hyd yr amser.

Ymlaen tros frwyn y mwsog, brwyn y waun, brwyn du'r gors.

'Os gwnaiff y dadla yn erbyn y fasnach barhau i fagu twrw, Richard – ac os eith petha i'r pen – wedyn dwi'n meddwl gall y lobi gytuno i ddileu caethwasiaeth.'

Stondiodd Arglwydd Penrhyn.

'A moesymgrymu'n wylaidd i gri'r corws poblogaidd a hyd yn oed,' gwenodd Iarll Foston o ben ei gadair uchel a gynhelid ar ysgwydda ei weision, 'ymddangos yn radical – a Dduw Dad, mewn difri calon, oes rhywbeth mwy hudolus o hawdd na bod yn radical? Ha! Be nawn ni wedyn, Richard? Lleddfu gofynion y boblogaeth? Gwneud iddyn nhw feddwl ein bod ninna hefyd yn rhannu'r un consyrn a'r un sentiment â nhw.'

Gwthiwyd y ceffyl gan Rampton a Guernsey a llithrig oedd y dringo ymysg y creigia ac aeth yn anoddach pan feiniodd y llwybr a phawb yn dilyn yn ôl troed y nesa fry trwy laswellt main y waun a heibio i hafotai'r bugeiliaid.

'Tawelu pob gwrthwynebiad wedyn,' bu'n synfyfyrio wrth ddringo'n hir, 'canmol yr arweinyddiaeth am eu gweledigaeth, a'u hysbryd dyngarol a hyd yn oed mentro mynd mor bell – a pham lai, ia, pam lai? – breintio'r rhai gwiriona a fu ucha eu cloch â swyddi, gwobra, teitla ac ati bla bla bla.'

Ganol y prynhawn, âi pob cam yn anoddach fyth wrth i'r llwybra serth orfodi crafangio a'r tynnu i fyny'r llethra yn waith llafurus.

'Ha!' cariodd ei ebwch i'w hateb gan garreg pan oedodd ei weision i gael eu gwynt atyn, 'Mi fyddan nhw wrth eu bodda, achos dynion diniwed, hawdd iawn i'w plesio ydyn nhw'n y diwedd ac ydi o ddim yn wir – ydi, mae o'n wir, yn wir pob gair! – na all y radical penboetha un fyth ymwrthod â'r demtasiwn o fwyta wrth yr un bwrdd â ni. Be ydi pob chwyldroadwr a fu erioed, Richard? Mmmm? Dyn fel ti a fi yn gwisgo mwgwd. A wedyn –'

Oedodd y gweision ennyd er mwyn i Iarll Foston ryfeddu at yr olygfa. Byseddodd lysia'r clefryn ac edafedd y mynydd. Ar yr aswy roedd clogwyni serth ac wrth eu traed llyn o'r enw Llyn Du'r Arddu. Dringwyd eto.

O! a'r fath demtasiwn ydi hi i ddynion bach llwm o gyrion cymdeithas fel y gymdeithas i lawr yn fan'cw dderbyn gwahoddiad i eistedd hefo dynion fel ni yn Nhŷ'r Arglwyddi. Pwy alla wrthod?'

Dringwyd eto uwchben llynnoedd bychain o'r enw Llyn Glas, Llyn y Nadroedd a Llyn Coch ac uwch eu penna ar frig rhai o'r creigleoedd tyfai eurwialen a pheth gwibredynna main.

'Ha!' atebwyd ebwch Iarll Foston gan garreg bell a'i lais dwfn yn dyst i'w hyder, 'a thrwy hyn i gyd fodloni'r holl fyd ar ei hyd, clywch glycha'r eglwysi'n canu mewn cytgord trwy'r deyrnas gyfan drwy gydol Sulia'r ganrif nesa!'

Culhaodd y llwybr. Daliodd y teulu ati i ddringo hyd y copa gan gydio yn nhocia'r brigwellt main a dyfai rhwng y creigia.

'Duw fry yn dawnsio hefo'i angylion yn y nefoedd, y Brenin ar ei orsedd, y Frenhines yn ei gwely, y llysoedd yn gweini cyfiawnder, y llynges ar y môr, y fyddin ar y maes. Pris bach iawn i'w dalu am osgoi chwyldro ydach chi'm yn meddwl, Mr Pennant?'

Carcharorion.

Cadwyn o dan giard o Newgate a wnaeth ddisgyn i lawr grisia Blackfriars tan gamu i gwch, i'w cludo i lawr yr afon at long fawr wrth angor yn Falmouth, ac oddi yno, i godi angor o fewn deuddydd i hwylio i'w penyd yn Nova Scotia. Trigain o ddynion; deunaw a dwy o wragedd a merched; rhai â babanod yn eu breichia ac un hogyn ifanc fawr hŷn na deuddeg oed, prentis a gynheuodd dân yn nhŷ ei feistr yn udo am ei fam. Dyna'n syml yr adroddiad, air am air o'r *Times* . . .

Copa'r Wyddfa.

'Mi heriodd 'na rywun fi rywdro,' ymsoledodd Iarll Foston ar gopa'r byd fel dyn â dyfodol mawr y tu ôl iddo a gorffennol mwy o'i flaen, 'na fedrwn i neud un peth . . .'

Cododd ias o aeafwynt tros y copa.

'Deulu, ffrindia, foneddigion, gwahoddedigion – heddiw byddwch chi yn dystion gerbron hanes.'

Camodd Syr Feltham Royal ato, a dododd ei daid ei law ar ei ysgwydd a chyhoeddi i'r byd.

'F'etifedd i!'

Plygodd Syr William-Henry, moesymgrymu'n isel gan gwpanu ei ddwylo ar gyfer troed ei dad. Dringodd Iarll Foston ar gefn y march. Dododd Mademoiselle Chameroi ei dwylo tros ei llygaid a gofyn i'r Fonesig Maidstone-Susanna Royal ddweud wrthi pryd y byddai'n saff iddi eu tynnu i ffwrdd. Gwasgodd Miss Styal law ei dyweddi a neidio i fyny ac i lawr. Gwenodd Arglwydd Penrhyn. Ciliodd y cymyla a safodd yr haul yn ei ffurfafen: ffurfafen enfawr, cawr o aea.

Codwyd Whatton-Henry i fyny at yr Iarll a'i cusanodd ar ei dalcen. Tawelodd gwynt yr awyr bur. Uwchben yr wybren roedd yr uwch-wybr ac uwchben honno doedd dim arall ond goruwch y byd a'r annherfynol, y diddechra a'r diddiwedd. Marchogodd Iarll Foston ar hyd y llecyn gwastad, ac annog ei geffyl i oedi ger wal gylchog o gerrig rhyddion. Edrychodd fry tua'r copa, ddwylath i ffwrdd. Edrychodd pawb yn yr un modd, ac yn ara ara fel pe bai Duw ei hun wedi bod yn wardio o'r golwg ar ei gwrcwd ar waelod Dyffryn Nantgwynant, cododd ei dalcen gwyn . . .

Ara gododd o'u blaena'n ddisglair, yn fawreddog lachar ei

lliw a'i gwedd mor glaerwyn nes eu dallu a chodi eto'n uwch ac yn uwch. Bwlen o belen: clobyn ar ben colofn: cod wen hirgron yn llawn o awyr ysgafnach nag awyr y criba yn esgyn yn fud i entrych yr wybren gan godi mor urddasol ac mor nerthol, nes y daeth y fasgedan wiail i'r golwg. Rhedodd Rampton a Guernsey nerth eu pegla i glymu rhaffa o dan fol y march, cyn camu ar wib o'r neilltu. Gwenodd Iarll Foston; codi ei law, codi ei fraich fry tua'r nefoedd. Cododd y balŵn heb na siw na miw i'r wybren a heb na bw na be, codwyd y ceffyl a phawb yn bagio ar eu sodla, yn craffu fel cywion llwglyd yn gegagored arno'n ei farchogaeth trwy'r cymyla a'i sŵn fel sŵn rhyw anifal yn chwerthin o'r haul.